D1484520

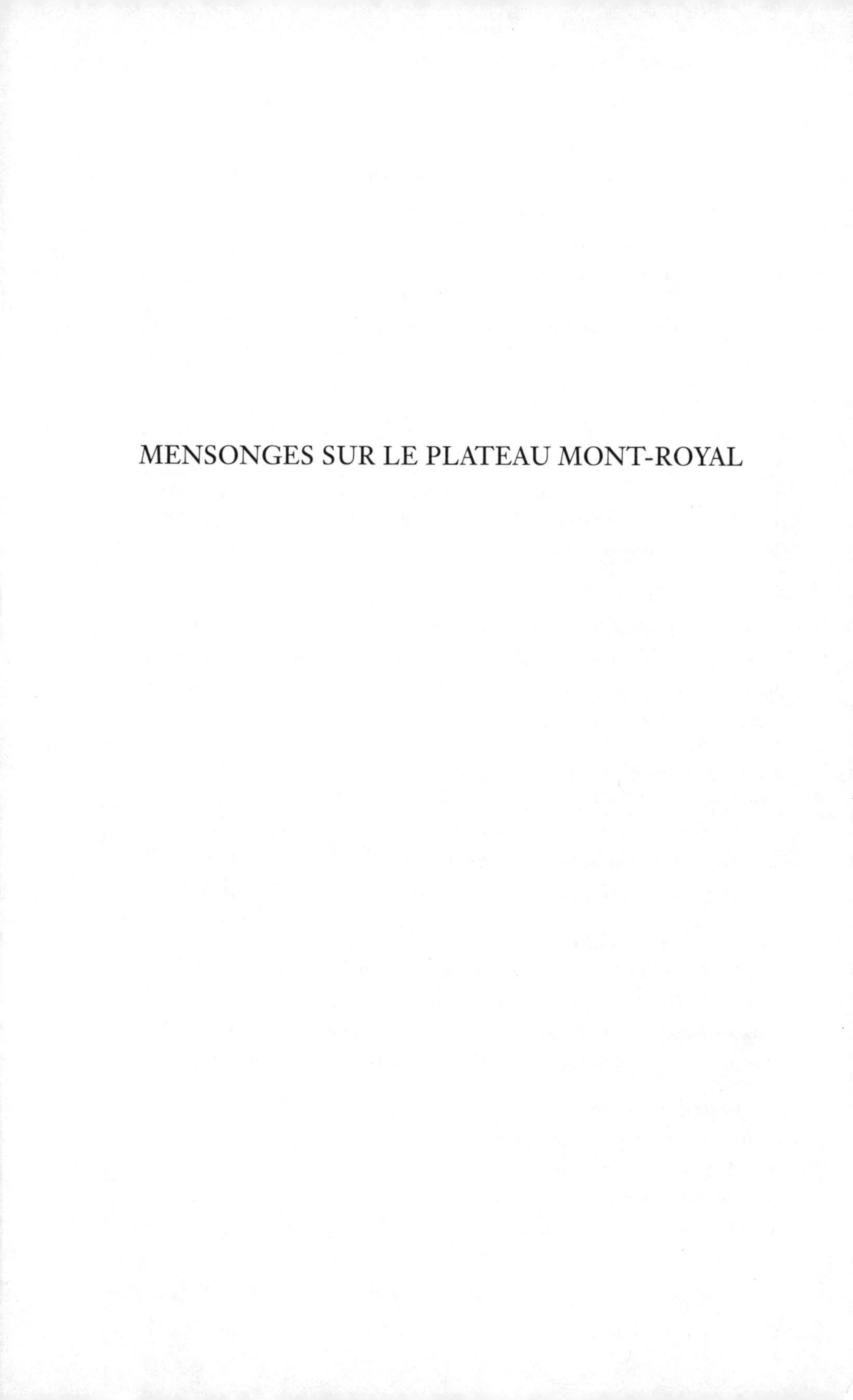

MENSONGES SUR LE PLATEAU MONT-ROYAL

DU MÊME AUTEUR

Saga LE PETIT MONDE DE SAINT-ANSELME :

Tome I, *Le petit monde de Saint-Anselme, chronique des années 30*, roman, Montréal, Guérin, 2003, format poche, 2011.

Tome II, *L'enracinement, chronique des années 50*, roman, Montréal, Guérin, 2004, format poche, 2011.

Tome III, *Le temps des épreuves, chronique des années 80*, roman, Montréal, Guérin, 2005, format poche, 2011.

Tome IV, *Les héritiers, chronique de l'an 2000*, roman, Montréal, Guérin, 2006, format poche, 2011.

Saga LA POUSSIÈRE DU TEMPS :

Tome I, *Rue de la Glacière*, roman, Montréal, Hurtubise, 2005, format compact, 2008.

Tome II, *Rue Notre-Dame*, roman, Montréal, Hurtubise, 2005, format compact, 2008.

Tome III, *Sur le boulevard*, roman, Montréal, Hurtubise, 2006, format compact, 2008.

Tome IV, *Au bout de la route*, roman, Montréal, Hurtubise, 2006, format compact, 2008.

Saga À L'OMBRE DU CLOCHER :

Tome I, *Les années folles*, roman, Montréal, Hurtubise, 2006, format compact, 2010.

Tome II, *Le fils de Gabrielle*, roman, Montréal, Hurtubise, 2007, format compact, 2010.

Tome III, *Les amours interdites*, roman, Montréal, Hurtubise, 2007, format compact, 2010.

Tome IV, *Au rythme des saisons*, roman, Montréal, Hurtubise, 2008, format compact, 2010.

Saga CHÈRE LAURETTE :

Tome I, *Des rêves plein la tête*, roman, Montréal, Hurtubise, 2008, format compact, 2011.

Tome II, *À l'écoute du temps*, roman, Montréal, Hurtubise, 2008, format compact, 2011.

Tome III, *Le retour*, roman, Montréal, Hurtubise, 2009, format compact, 2011.

Tome IV, *La fuite du temps*, roman, Montréal, Hurtubise, 2009, format compact, 2011.

Saga UN BONHEUR SI FRAGILE :

Tome I, *L'engagement*, roman, Montréal, Hurtubise, 2009, format compact, 2012.

Tome II, *Le drame*, roman, Montréal, Hurtubise, 2010, format compact, 2012.

Tome III, *Les épreuves*, roman, Montréal, Hurtubise, 2010, format compact, 2012.

Tome IV, *Les amours*, roman, Montréal, Hurtubise, 2010, format compact, 2012.

Saga AU BORD DE LA RIVIÈRE :

Tome I, *Baptiste*, roman, Montréal, Hurtubise, 2011.

Tome II, *Camille*, roman, Montréal, Hurtubise, 2011.

Tome III, *Xavier*, roman, Montréal, Hurtubise, 2012.

Tome IV, *Constant*, roman, Montréal, Hurtubise, 2012.

Michel David

MENSONGES SUR LE PLATEAU MONT-ROYAL

tome 1

Un mariage de raison

Roman historique

Hurtubise

Catalogage avant publication de Bibliothèque et Archives nationales du Québec et Bibliothèque et Archives Canada

David, Michel, 1944-2010

Mensonges sur le Plateau Mont-Royal

L'ouvrage complet comprendra 2 volumes.
Sommaire : t. 1. Un mariage de raison.

ISBN 978-2-89723-281-8 (vol. 1)

I. David, Michel, 1944-2010. Mariage de raison. II. Titre. III. Titre : Un mariage de raison.

PS8557.A797M46 2013 C843'.6 C2013-941555-6
PS9557.A797M46 2013

Les Éditions Hurtubise bénéficient du soutien financier des institutions suivantes pour leurs activités d'édition :

- Conseil des Arts du Canada ;
- Gouvernement du Canada par l'entremise du Fonds du livre du Canada (FLC) ;
- Société de développement des entreprises culturelles du Québec (SODEC) ;
- Gouvernement du Québec par l'entremise du programme de crédit d'impôt pour l'édition de livres.

Conception graphique : René St-Amand
Illustration de la couverture : Dominique Desbiens
Maquette intérieure et mise en pages : Folio infographie

ISBN: 978-2-89723-281-8 (version imprimée)
ISBN: 978-2-89723-282-5 (version numérique PDF)
ISBN: 978-2-89723-283-2 (version numérique ePub)

Dépôt légal: 4e trimestre 2013
Bibliothèque et Archives nationales du Québec
Bibliothèque et Archives Canada

Diffusion-distribution au Canada :
Distribution HMH
1815, avenue De Lorimier
Montréal (Québec) H2K 3W6
www.distributionhmh.com

Diffusion-distribution en France :
Librairie du Québec / DNM
30, rue Gay-Lussac
75005 Paris
www.librairieduquebec.fr

Imprimé au Canada
www.editionshurtubise.com

Tu peux dormir, le temps nous veille
Une heure, un siècle, une heure encore.
Chaque seconde a sa pareille.

Gilles Vigneault
Au temps de dire

Les principaux personnages

La famille Bélanger
Félicien Bélanger : postier âgé de 52 ans, marié à Amélie (ménagère âgée de 46 ans) et père de Lorraine (22 ans), de Jean (20 ans) et de Claude (14 ans)

Bérengère Bélanger : mère de Félicien âgée de 75 ans et résidant avec ses deux filles célibataires, Camille (46 ans) et Rita (45 ans), toutes deux infirmières à l'hôpital Hôtel-Dieu

La famille Talbot
Fernand Talbot : propriétaire d'une biscuiterie dans la rue Mont-Royal âgé de 55 ans, marié à Yvonne (ménagère de 53 ans) et père de Lorenzo (30 ans), d'Estelle (26 ans, épouse de Charles Caron, dentiste) et de Reine (19 ans)

Voisins et amis
Paul Comtois : camarade de classe de Jean et frère de Blanche

Omer et Adrienne Lussier : frère et sœur, voisins des Bélanger

Édouard Lacombe : petit ami de Lorraine

Wilfrid Tremblay : voisin des Talbot et père d'Antoine

Chapitre 1

Un bel avenir

— Grouille-toi, Bélanger. Je suis complètement gelé, cria l'étudiant qui avait commencé à enrouler le gros boyau qu'ils venaient d'utiliser pour arroser l'une des deux patinoires extérieures du Collège Sainte-Marie.

— Laisse-moi juste une minute, j'ai presque fini, lui demanda son camarade en dirigeant le jet d'eau vers un coin de la surface glacée tout en s'appuyant contre la bande en bois.

Quelques instants plus tard, les deux jeunes hommes, complètement frigorifiés, rentrèrent précipitamment à l'intérieur de l'institution, leurs moufles couvertes de glace.

— C'est bien clair, je sens plus mes pieds ni mes mains, déclara Comtois en tapant bruyamment des pieds sur le parquet dans le vain espoir de les réchauffer.

— J'ai pas plus chaud que toi, rétorqua son copain, mais on n'avait pas le choix de faire ça cet après-midi, même si on gèle tout rond. Tu sais comme moi que si on n'avait pas arrosé, on n'aurait jamais été capables de jouer notre match de hockey demain, après le dernier examen.

— T'as raison. Bon, je me réchauffe cinq minutes et je m'en vais chez nous, annonça Paul Comtois. Il faut que j'aille étudier.

— Moi aussi, je traînerai pas, rétorqua son camarade de classe. J'ai pas envie d'être poigné à attendre le tramway avec les jeunes. Leur examen doit être à la veille de finir.

Les deux grands étudiants de la classe de philosophie I du Collège Sainte-Marie se dirigèrent vers leur casier métallique dans l'intention de troquer leur tuque et leurs moufles pour un chapeau et des gants, ce qui, à leur avis, convenait beaucoup mieux à leur statut de jeunes adultes âgés de vingt ans.

— Bon, on se revoit demain matin, dit Paul Comtois en donnant une bourrade à son camarade avant de se diriger vers la porte.

— C'est ça et oublie pas d'étudier saint Thomas, plaisanta Jean Bélanger en se penchant vers le miroir placé au-dessus des lavabos pour s'assurer de la juste inclinaison de son chapeau.

Le fils de Félicien et d'Amélie Bélanger était un garçon de taille moyenne solidement charpenté à l'épaisse chevelure brune légèrement ondulée. Les jeunes filles appréciaient aussi bien sa mâchoire énergique et son nez droit que ses yeux bruns pétillants de vie. La pratique régulière du hockey et du baseball avait fait de lui un athlète et n'avait nui en rien à ses grandes qualités intellectuelles. Il en était déjà à l'avant-dernière année de son cours classique. Les Jésuites étaient parvenus à faire de l'adolescent, entré dans leur institution à l'automne 1940 à l'âge de treize ans, un jeune homme cultivé à l'avenir prometteur. Jean était un élève qui avait du talent à revendre et qui ne rechignait pas devant l'effort. De plus, il était doué pour se faire des amis, peut-être parce qu'il hésitait rarement à dépanner un camarade.

— Tu trouves pas, mon ami, qu'il serait plus normal que tu sois chez toi en train de préparer ton examen de philosophie de demain plutôt que de traîner au collège à t'admirer dans le miroir ? fit une grosse voix dans le dos de l'étudiant.

Jean sursauta. Il n'avait pas entendu venir le père Patenaude, son professeur de philosophie et son directeur de conscience.

— Je m'en allais justement, mon père, se défendit-il en rougissant légèrement. Je suis resté au collège juste le temps d'arroser la patinoire.

— Parce que le hockey est plus important que ma matière, je suppose ? demanda l'imposant religieux sur un ton sarcastique.

— Non, mon père, mais demain, c'est le dernier examen et on a décidé de jouer une partie après pour fêter le début des vacances.

— Je comprends, fit l'enseignant, mais ne te fie quand même pas trop à ta facilité en philosophie. Tu vas t'apercevoir que l'examen de demain est particulièrement difficile.

Après avoir salué le religieux, Jean Bélanger s'empressa de quitter l'institution de la rue Bleury et se dirigea vers l'arrêt de tramway le plus proche. La circulation était clairsemée en ce début d'après-midi de décembre et aucun tram n'était en vue. Le jeune homme déposa son vieux sac en cuir entre ses pieds, releva le col de son manteau gris et enfouit ses mains gantées dans les larges poches dans l'espoir de les réchauffer un peu.

Un vague sourire apparut sur son visage quand il songea que le lendemain midi tout serait terminé. Il en aurait fini avec les examens qui duraient depuis une dizaine de jours. Il allait avoir droit à trois semaines de vacances bien méritées. Depuis le début du mois, il avait pratiquement passé toutes ses soirées et ses fins de semaine enfermé dans sa chambre à étudier. Il avait beau avoir des prédispositions, il n'en restait pas moins que chaque examen nécessitait une préparation soignée s'il ne voulait pas voir ses notes chuter.

Depuis le début de l'année, il avait maintenu une moyenne générale de plus de quatre-vingt-trois pour cent et il n'était pas question que ses notes baissent. L'année suivante marquerait la fin de ses études classiques et il avait bien l'intention de s'inscrire en droit à l'Université de Montréal. Il allait de soi que les résultats obtenus au collège auraient une importance considérable au moment de soumettre son dossier à l'université.

Durant un bref moment, une ombre passa dans son regard. Il se rappela combien il avait été difficile de persuader son père de le laisser entreprendre de si longues études. Félicien Bélanger était facteur. Père de trois enfants, il ne comprenait pas pourquoi il devrait se priver et priver les siens durant tant d'années pour permettre à son fils d'aller « user son fond de culotte » au collège. Brave homme, il avait fini par se laisser convaincre par sa femme que leur fils allait étudier pour devenir prêtre et qu'ils n'avaient pas le droit de refuser cela à Dieu, sous peine d'attirer le malheur sur toute la famille. En fait, l'adolescent n'était pas particulièrement attiré par la prêtrise. Servant de messe à la paroisse Saint-Stanislas-de-Kostka depuis trois ans au moment de son entrée au collège, il ne faisait preuve que d'une piété de bon aloi. Cependant, il avait laissé croire à sa mère qu'il était attiré par le sacerdoce tant il tenait à entreprendre son cours classique.

Bref, Amélie Bélanger n'avait pas hésité à partager l'avis de l'instituteur de 7e année de l'école Cherrier, qui lui avait conseillé d'envoyer son fils aîné passer l'examen d'entrée du Collège Sainte-Marie au printemps 1940. La mère de famille, une femme pieuse, avait fini par gagner sa cause et son Jean avait pu faire ses études classiques, même s'il avait fallu consentir à certains sacrifices. Évidemment, la déception des parents avait été grande le printemps précédent quand l'adolescent, devenu un jeune homme après six ans d'études, avait appris aux siens son désir de devenir avocat plutôt que prêtre. La mère de famille, bien qu'amèrement déçue, avait accepté ce changement d'orientation beaucoup plus aisément que son mari.

— Si ça se trouve, il a jamais voulu devenir prêtre, avait laissé tomber Félicien avec mauvaise humeur en apprenant la nouvelle.

Pendant quelques jours, l'atmosphère familiale avait pâti de l'humeur sombre du père de famille. Puis tout s'était replacé et Félicien avait fini par admettre qu'il pourrait tirer autant de fierté d'un fils avocat que d'un fils prêtre.

Les pensées du jeune homme, toujours debout au bord du trottoir, les deux pieds dans la neige, dérivèrent vers Reine, sa première petite amie. Auparavant, il avait dû dissimuler son attirance pour les jeunes filles puisque, officiellement, il se destinait à la prêtrise. Tout avait changé dès le jour où il avait révélé à ses parents son désir de faire son droit à l'Université de Montréal. Il pouvait dorénavant fréquenter les filles qu'il s'était trop longtemps contenté de reluquer.

À la fin du mois d'avril, le hasard avait voulu que Reine Talbot, la fille du propriétaire de la biscuiterie de la rue Mont-Royal, le remarque et décide de lui mettre le grappin dessus. La jeune fille de dix-neuf ans au caractère volontaire avait alors mis fin abruptement à un flirt entrepris quelques semaines auparavant avec un jeune plâtrier pour se consacrer à la conquête de l'étudiant. Peu de temps après Pâques, elle était arrivée à ses fins en faisant en sorte de se trouver continuellement sur le chemin de l'étudiant un peu naïf, qu'elle n'avait alors eu aucun mal à séduire. Les deux jeunes gens se fréquentaient maintenant depuis près de huit mois.

Au rythme de deux rencontres hebdomadaires, Jean avait appris à mieux connaître la jeune fille, vendeuse à la biscuiterie paternelle. S'il appréciait toujours ses charmes, le plaisir de l'embrasser et de la serrer contre lui, il aimait beaucoup moins son caractère emporté et ses sautes d'humeur imprévisibles. En fait, depuis quelque temps, il éprouvait même de plus en plus de mal à la supporter. Elle l'étouffait littéralement. Par exemple, il n'était pas parvenu à lui faire comprendre qu'ils devaient sacrifier leurs sorties durant tout le mois pour qu'il puisse préparer ses examens. En représailles, elle lui faisait la tête et le boudait ostensiblement. C'était peut-être l'occasion de la laisser tomber. Jean savait maintenant qu'une autre fille se montrerait sans aucun doute plus compréhensive et tout aussi charmeuse.

Il fallait avouer que depuis une semaine il jonglait sérieusement avec cette idée. Reine Talbot avait beau être jolie, attirante et plutôt délurée, elle devenait de plus en plus accaparante. Pour s'amuser, elle était parfaite, mais elle n'était pas le genre de fille qu'il était fier de présenter à ses amis quand ils l'invitaient à une soirée. Pour tout dire, elle lui faisait un peu honte. La vendeuse n'avait aucune culture et était incapable de soutenir une conversation un peu relevée. Sans être snobs, ses amis étudiants aimaient bien parler philosophie, politique et littérature, mais Reine trouvait ça ennuyeux au possible et ne faisait rien pour le cacher. Mis à part le cinéma et la radio, rien ne l'intéressait vraiment.

Le tramway arriva enfin et s'immobilisa au milieu de la rue dans un grincement de freins. Après s'être assuré qu'aucune automobile ne cherchait à se glisser entre le trottoir et la voiture de tête du transport en commun, l'étudiant suivit une vieille dame qui venait de s'avancer sur la chaussée et se préparait à monter à l'intérieur. Le jeune homme jeta son billet dans la boîte de perception et alla s'asseoir sur une banquette libre en rotin avant même que le véhicule se remette en marche en direction nord. Il faisait froid à l'intérieur et les fenêtres étaient presque totalement givrées.

« Ce serait pas mal si on se laissait avant les fêtes », se dit Jean en songeant à son amie de cœur. Il n'en restait pas moins qu'il lui fallait trouver une façon élégante d'annoncer à la jeune vendeuse de dix-neuf ans que c'était fini entre eux. À cette seule évocation, un mince sourire éclaira son visage. Après cette séparation, il était bien décidé à attendre la fin de ses études avant de se remettre à voir une jeune fille au même rythme. Il ne se ferait plus prendre à des fréquentations régulières.

Puis ses pensées se tournèrent vers la sœur de Paul Comtois, une grande jeune fille de dix-huit ans, élancée et distinguée, croisée brièvement la semaine précédente à la sortie du collège où elle était venue attendre son frère aîné. Le couvent des sœurs du Saint-Nom-de-Marie avait assurément donné un vernis de culture à Blanche Comtois. À force de songer à elle, il avait fini par se convaincre que cette fille de médecin à l'aise conviendrait beaucoup mieux que Reine Talbot à l'avocat qu'il rêvait de devenir. Sans vouloir l'admettre ouvertement, le jeune homme rêvait d'attirer l'attention de la sœur de son camarade de collège. Malgré la brièveté de leur rencontre, il avait été séduit par sa beauté et son élégance. C'était vraiment le genre de fille qu'il serait fier d'avoir à son bras. Elle était si belle. En somme, il était déjà prêt à oublier sa résolution de ne plus fréquenter sérieusement une fille s'il s'agissait de la sœur de Paul Comtois.

Jean descendit un peu plus au nord au croisement des rues Bleury et Mont-Royal et attrapa tout de suite le tramway numéro 7, qui se dirigeait vers l'est. Il le quitta quelques minutes plus tard, au coin de la rue De La Roche. Il enjamba le banc de neige et, parvenu sur le trottoir, hésita un instant. Il pouvait rejoindre en quelques pas la rue voisine où il demeurait ou faire un long détour par la ruelle, ce qui l'obligerait à monter jusqu'à la rue Gilford pour redescendre vers l'appartement que les Bélanger habitaient, rue Brébeuf. S'il choisissait de demeurer rue Mont-Royal, il allait passer obligatoirement devant la biscuiterie Talbot. Si Reine l'apercevait par la vitrine, elle se précipiterait et il perdrait de longues minutes. Par contre, la ruelle n'offrait qu'un étroit sentier tapé par les rares passants qui l'empruntaient...

Son porte-documents sous le bras, il décida de faire confiance à sa bonne étoile. Il n'avait ni le temps ni le goût de faire un détour, sans parler du froid qui sévissait. La tête penchée pour se protéger du vent, il se mit en marche et eut beau accélérer le pas en passant devant le 1221, rue Mont-Royal, il ne put ignorer qu'on frappait contre la vitrine. Il leva la tête et aperçut Reine qui lui faisait signe d'entrer. Manque de chance, la jeune fille était occupée à arranger un étalage de boîtes de biscuits dans la vitrine quand il avait tenté de passer sans se faire voir.

— Bâtard ! jura-t-il, contrarié. Il fallait que je tombe juste au moment où elle a pas un maudit client !

Il fit un effort pour se composer un visage avenant et poussa la porte du magasin. Elle était seule dans le local. Son père était probablement à l'étage, dans l'appartement que la famille Talbot occupait.

— Évidemment, tu te serais pas arrêté dire bonjour si je n'avais pas cogné à la fenêtre, dit Reine à son ami de cœur d'une voix acariâtre.

La jeune fille à la silhouette agréable était de taille moyenne et vêtue d'un sarrau blanc. Son visage aux pommettes hautes et aux lèvres pulpeuses était éclairé par de magnifiques yeux gris et encadré par une abondante chevelure noire tombant sur ses épaules. Tout chez elle transpirait la détermination et l'énergie.

— J'étais dans la lune, mentit Jean. Je t'ai pas vue. Je pensais à mon examen de demain.

— Ils sont pas encore finis, ces maudits examens-là ?

— Demain.

— Est-ce qu'on va patiner à soir ? Il y a des jeunes qui sont venus acheter des biscuits tout à l'heure. Ils ont dit que la glace du parc La Fontaine est pas mal belle.

— Pas à soir, déclara tout net l'étudiant. J'ai pas le temps. J'ai mon examen de philo à préparer pour demain. Peut-être demain soir, proposa-t-il sans manifester le moindre entrain.

— Tabarnouche ! explosa-t-elle. Tu sais ben que je travaille le vendredi soir.

— Peut-être en fin de semaine, si t'aimes mieux.

— Maudit que c'est plate de sortir avec un gars comme toi ! se plaignit Reine, le regard devenu soudainement mauvais.

Jean Bélanger sentit d'instinct que la jeune fille venait de lui fournir l'ouverture rêvée pour rompre une relation qu'il trouvait de plus en plus pesante. Il décida d'en profiter.

— Si t'aimes mieux sortir avec un autre, surtout gêne-toi pas. On peut arrêter ça là tout de suite, proposa-t-il plein d'espoir, mais en empruntant un ton quelque peu dramatique pour lui donner l'impression de prendre seule cette décision.

— C'est une idée, je vais y penser, rétorqua sèchement Reine, le visage fermé.

— C'est ça, penses-y, fit l'étudiant, la main déjà posée sur la poignée de la porte, pressé de quitter les lieux.

Au même moment, une cliente entra dans la biscuiterie et Jean saisit l'occasion pour s'éclipser, plutôt heureux de la tournure que prenaient les événements. Tout s'arrangeait sans qu'il ait eu à prendre l'initiative ni à porter la responsabilité de la rupture. Pour lui, c'était clair : tout était maintenant fini entre eux.

Il venait de tourner définitivement la page en éprouvant tout de même un léger pincement au cœur. Reine était la première fille qu'il avait fréquentée. Deux semaines à peine après avoir annoncé à ses parents sa décision de ne pas devenir prêtre, il avait fait sa connaissance. Il ne pouvait oublier sans un vague regret les baisers lascifs échangés dans le salon des Talbot. Comment ne pas se rappeler les caresses furtives données et reçues et les efforts pour ne pas aller trop loin ? Ce qui s'était produit entre eux le dimanche après-midi précédent appartenait maintenant au passé. Il s'agissait là d'un épisode dont il était peu fier. Au fil des jours, son sentiment de culpabilité avait peu à peu cédé la place à des questions troublantes sur la moralité de celle qui s'était donnée à lui si facilement.

Le cœur léger, le jeune homme parcourut quelques dizaines de pieds avant de tourner au coin de Brébeuf vers le nord. L'artère était bordée de belles demeures en brique de deux étages, dont les plus vieilles avaient moins de trente ans. Le 4676 était situé au premier étage d'une grosse maison en brique rouge. Le rez-de-chaussée était habité par les Dubé, les propriétaires de l'édifice. Ces derniers protégeaient la minuscule pelouse devant leur galerie par une petite clôture en fer forgé qui, en ce mois de décembre 1946, disparaissait déjà sous la neige. À droite, un long escalier tournant permettait d'accéder à la galerie où se trouvaient deux portes.

Celle de droite donnait accès aux cinq pièces occupées par les Bélanger, alors que celle de gauche s'ouvrait sur un escalier intérieur permettant à la famille Lussier de rejoindre son appartement à l'étage supérieur.

Jean monta l'escalier en tenant solidement la rampe et entra dans le logis familial. Dès qu'il eut fermé la porte derrière lui, il fut assailli par toutes sortes d'odeurs appétissantes en provenance de la cuisine située au fond de l'appartement. Il enleva ses couvre-chaussures dans le vestibule au moment où les Compagnons de la chanson entonnaient *Les trois cloches* à la radio.

— C'est toi, Jean ? demanda une voix féminine.

— Oui, m'man.

— Si t'as faim, il reste un morceau de gâteau.

— C'est correct, dit-il en suspendant son manteau et son chapeau à la patère de l'entrée.

L'étudiant longea le couloir et vint embrasser sa mère occupée à confectionner des tourtières et des tartes sur la table de la cuisine.

— Ça sent bon et ça a l'air bon, dit-il en avançant la main vers la cuillère plongée dans le mélange de bœuf et de porc haché en train de mijoter sur le poêle.

— Touche pas à ça, lui ordonna sa mère en lui tapant sur la main. Je t'ai offert un morceau de gâteau, pas mon mélange à tourtière.

Amélie Bélanger était une petite femme toute ronde se consacrant entièrement au bonheur des siens. Profondément religieuse, elle voyait à ce que son foyer soit un véritable foyer chrétien. Chez elle, on ne plaisantait pas avec la religion. Elle ne tolérait pas plus les écarts de langage que la moindre critique du clergé. Seule une raison grave pouvait dispenser son mari ou un de ses enfants des cérémonies religieuses du dimanche et des jours fériés.

— T'aurais dû faire une sœur, toi ! s'emportait parfois son mari, excédé par son insistance à le faire participer aux quarante heures ou aux vêpres.

— T'es père de famille, Félicien Bélanger, rétorquait-elle sur un ton sévère. T'as pas le choix, tu dois donner l'exemple à tes enfants.

À voir l'air résolu de cette petite femme lorsqu'elle répondait à son mari, il était évident que toute tentative de discussion était inutile.

Il allait donc de soi qu'une telle mère n'avait pas accepté sans réagir la décision de son fils de renoncer à la prêtrise. La présidente des Dames de Sainte-Anne de la paroisse Saint-Stanislas s'était présentée au presbytère dès le lendemain après-midi après une nuit passée à pleurer. Le brave curé Pelletier l'avait laissée parler sans l'interrompre avant de la consoler. « Les voies de Dieu sont impénétrables, lui avait-il dit. S'il appelle votre garçon, votre Jean finira bien par l'entendre. En attendant, laissez-le réfléchir à son avenir et priez. »

Est-il nécessaire de préciser que la mère de famille n'avait pas accueilli d'un très bon œil les fréquentations de son fils avec Reine Talbot, fille d'un commerçant de la rue Mont-Royal ?

— C'est de son âge, avait simplement déclaré son mari à qui elle avait fait part de ses craintes.

— S'il commence à courir les filles, comment veux-tu qu'il fasse un prêtre ? avait-elle répliqué avec humeur. On dirait que t'as déjà oublié, lui reprocha-t-elle.

— Amélie Corbeil, reviens-en ! Il t'a dit que ça l'intéressait plus. À cette heure que c'est clair, on n'a pas le choix. Il y a juste à lui laisser finir ses études. On n'est tout de même pas pour s'être privés toutes ces années pour rien, saint cybole !

Les mois avaient passé et l'année scolaire avait repris. Jean avait entrepris avec enthousiasme l'avant-dernière année de son cours classique après avoir travaillé tout l'été à nettoyer les wagons du Canadien National. Amélie continuait de prier en secret pour que son fils opte pour le Grand Séminaire à la fin de ses études. Il restait encore un an et demi avant qu'il ait à prendre une décision.

La mère de famille adressa un regard affectueux à son fils aîné qui venait de se verser un verre de lait après avoir desserré sa cravate et détaché le premier bouton de sa chemise blanche.

— Assois-toi au bout de la table pour pas me nuire, lui ordonna-t-elle en se mettant à rouler sa pâte à tarte.

Jean déposa dans une assiette un morceau de gâteau au chocolat et vint s'asseoir au bout de la table. Il mangea rapidement, alla déposer la vaisselle sale dans l'évier et annonça à sa mère qu'il s'en allait étudier dans sa chambre.

— Profites-en avant que Claude revienne de l'école, lui conseilla-t-elle. Je vais éteindre le radio pour que tu puisses étudier tranquillement.

L'appartement des Bélanger était partagé en deux par un long couloir qui allait de la porte avant à la cuisine. Du côté droit se trouvaient la chambre de Lorraine, l'aînée de la famille, la salle de bain et la chambre des garçons dont l'unique fenêtre donnait sur la galerie arrière et le hangar. Le salon et la chambre des parents occupaient le côté gauche de l'appartement. Les deux pièces n'étaient séparées que par un rideau. La cuisine peinte en blanc était éclairée par une fenêtre et par la vitre de la porte ouvrant sur la galerie arrière.

Jean pénétra dans sa chambre et se dirigea vers l'étroit bureau en érable installé face à la fenêtre. Il alluma la lampe déposée sur le meuble. Il retira ses souliers et sa cravate et roula ses manches avant d'ouvrir son porte-documents. Il en tira un livre de philosophie et une chemise cartonnée remplie d'une épaisse liasse de feuilles de notes.

Il était près de deux heures et demie. Il avait au moins deux heures de paix avant le retour de l'école de son frère de quatorze ans avec qui il partageait sa chambre. Il ne s'était même pas donné la peine de jeter un coup d'œil sur le lit de son frère sur lequel sa mère avait jeté en vrac tous les objets que ce dernier avait laissés traîner dans la maison. C'était là le sujet de la dispute qui allait troubler la paix de l'appartement une fois l'adolescent rentré, comme presque tous les jours.

Même s'il avait plusieurs heures d'étude devant lui, le jeune homme se sentait d'excellente humeur. Il ne lui restait à affronter qu'un dernier examen le lendemain avant de se retrouver officiellement en vacances. Il était déjà convenu de célébrer l'événement en disputant une bonne partie de hockey contre les étudiants de philosophie II du collège. Après le match, il verrait s'il n'y avait pas moyen de se faire inviter à souper chez son ami Paul, histoire de voir de plus près sa sœur Blanche. Peut-être accepterait-elle de l'accompagner pour aller voir le nouveau film de Jean Cocteau, *La belle et la bête*, dont on disait le plus grand bien, surtout à cause de la performance de Jean Marais.

Claude Bélanger rentra de l'école vers quatre heures trente. Avant même que l'adolescent ait enlevé son manteau, sa mère lui enjoignit d'aller ranger tout ce qui avait été déposé sur son lit, ce qui eut le don de déclencher la dispute quotidienne habituelle. Finalement, comme chaque jour, le cadet des enfants d'Amélie et Félicien Bélanger n'eut pas gain de cause et dut obtempérer. L'élève de huitième année de l'école Saint-Pierre-Claver entra dans la chambre et claqua la porte derrière lui pour bien faire sentir son mécontentement.

— Maudit que je suis écœuré de vivre ici dedans, déclara-t-il en lançant sur le lit son sac d'école. Il y a jamais moyen d'être tranquille.

— Pour moi, t'es mieux de te dépêcher de faire ce que m'man vient de te dire, lui conseilla son frère aîné en tournant la tête vers lui. Tu connais p'pa. Si elle se plaint de toi quand il va arriver, tu vas en entendre parler.

Claude était un grand et maigre adolescent indiscipliné à la tignasse châtain et au front couvert de boutons d'acné. Il n'avait aucun goût pour l'étude et ne rêvait que du jour où il pourrait enfin aller travailler. Il aurait volontiers abandonné l'école avec pour tout bagage son certificat d'études de 7e année, mais sa mère avait exigé qu'il poursuive jusqu'à sa 9e année. Il avait dû plier devant la volonté farouche de cette dernière.

— Lorraine a fait sa 9e année et Jean fait son cours classique, avait-elle déclaré sur un ton péremptoire. T'es pas plus bête qu'eux autres, tu vas faire au moins ta 9e. Tu veux tout de même pas passer ta vie à travailler au pic et à la pelle. Regarde ton père. Il est facteur, c'est une belle *job*. Je suis pas sûre qu'il aurait pu l'avoir s'il avait pas fait sa 9e année.

Il y eut un court silence dans la pièce pendant que Claude enfouissait ses traîneries un peu n'importe comment dans les tiroirs de sa commode.

— Ça me fait rien, reprit son frère aîné avec un sourire en coin, mais à ta place je m'arrangerais pour pas être entendu par m'man quand tu dis que t'es écœuré de vivre ici dedans. En plein mois de décembre, coucher dehors abrié avec une clôture, c'est pas ben chaud.

Claude se contenta de lever les épaules et quitta la pièce en annonçant à sa mère que tout était rangé.

Moins d'une heure plus tard, Jean entendit les voix de son père et de sa sœur Lorraine dans la cuisine. Il jeta un coup d'œil à son réveille-matin: il était déjà près de six heures. Il décida d'arrêter d'étudier. Au moment où il se levait, sa mère annonça que le souper serait prêt dans cinq minutes. Le jeune homme sortit de sa chambre et salua son père qui venait de s'asseoir dans l'une des deux chaises berçantes en bois qui encombraient la cuisine.

— Comment s'est passé ton examen à matin? lui demanda son paternel en levant les yeux de *La Presse* qu'il venait de commencer à lire.

— Pas trop difficile, p'pa.

— Tant mieux.

L'homme de cinquante-deux ans était un peu plus grand et plus élancé que son fils aîné. Ses petites lunettes rondes cerclées de métal semblaient étranges dans cette longue figure tannée par les intempéries. Ses tempes grises et son front légèrement dégarni le faisaient paraître un peu plus âgé. Il ne fallait cependant pas se laisser tromper par les apparences. Astreint à marcher et à escalader des escaliers durant de longues heures chaque jour, le postier était robuste et jouissait d'une excellente santé.

— Et vous, p'pa, vous avez pas eu trop froid aujourd'hui? Moi, j'ai arrosé la patinoire du collège pendant une heure avant de revenir à la maison et j'étais complètement gelé.

— J'ai l'habitude, se contenta de répondre son père avant de replonger dans sa lecture interrompue.

Une porte de chambre claqua et Lorraine entra dans la cuisine. La jeune fille de vingt-deux ans n'était pas une femme particulièrement charmante et jolie pour son âge, mais elle avait une silhouette agréable et paraissait soignée. Elle avait hérité de la chevelure châtain clair de son père, mais ses parents se demandaient encore d'où elle tenait son petit nez retroussé et les taches de rousseur de ses joues qu'elle tentait toujours de dissimuler sous une bonne couche de poudre. Elle était préposée aux comptes au grand magasin L.-N. Messier de la rue Mont-Royal depuis trois ans et était heureuse de pouvoir se rendre à pied à son travail. La jeune fille fréquentait sérieusement depuis trois ans Édouard Lacombe, un vendeur du même magasin, et ne cachait pas ses intentions de le traîner un jour au pied de l'autel. Comme le disait secrètement sa mère, la tâche n'allait pas être facile parce que son Édouard semblait très timide et, surtout, économe.

— Pour moi, juste l'idée de faire vivre une femme doit lui donner des sueurs froides, s'était moqué Félicien la semaine précédente quand sa fille lui avait avoué ignorer si son prétendant avait enfin l'intention de demander sa main à Noël.

— Dis pas ça, l'avait réprimandé sa femme, Édouard est un bon garçon. Il boit pas, il fume pas et il sacre pas.

— Et surtout, il dépense pas, avait poursuivi son mari en riant. En tout cas, tu risques pas d'engraisser avec les boîtes de chocolats qu'il va te donner aux fêtes, avait-il plaisanté.

Cependant, il se gardait bien de dire un mot contre le choix de sa fille, majeure et plutôt indépendante de caractère.

— T'as oublié d'ôter tes souliers à talons hauts, reprocha Amélie à sa fille qui avait entrepris de l'aider à dresser le couvert. Les Dubé vont encore venir se plaindre qu'on fait trop de bruit.

— Eux autres, les fatigants, laissa tomber l'aînée de la famille en retirant ses chaussures. Il faudrait toujours se promener en pantoufles dans la maison pour leur faire plaisir.

— Ils sont comme ça et on les changera pas, déclara Amélie sur un ton résigné. Déjà que la semaine passée ils ont pas aimé recevoir de la neige sur leur galerie quand Claude a pelleté la nôtre.

— Je peux tout de même pas descendre la neige pelletée par pelletée dans la cour, protesta l'adolescent. C'est sûr qu'il peut y avoir un peu de neige qui tombe sur leur galerie quand il y a du vent.

— C'est correct, dit Félicien d'une voix tranchante pour mettre fin à la discussion. On va arrêter de parler des voisins et manger.

— Parlant de manger, mes tourtières et mes tartes sont toutes faites, déclara Amélie, l'air satisfait. Je les ai mises dans le coffre sur la galerie, proche de la porte. J'ai gardé une tourtière et une tarte dans la glacière. Après le souper, Claude, tu iras les porter chez les Lussier.

— Ah non ! Pas encore moi ! se plaignit son fils cadet. Pourquoi c'est toujours moi qui est pogné...

— Qui suis poigné, le corrigea son frère aîné en s'assoyant à table.

— Toi, laisse-moi tranquille, répliqua Claude avec humeur. Pourquoi c'est toujours moi qui est pogné pour aller chez la sorcière ?

Adrienne Lussier était une grande femme un peu décharnée toujours vêtue de noir. En règle générale, on ne remarquait que ses yeux tristes qui occupaient toute la place dans un visage blême sans grande beauté.

— Sois poli, lui ordonna sèchement sa mère. Tu vas y aller parce que je te le demande, un point c'est tout ! Tu te contenteras de lui dire que j'en ai fait trop et que j'ai peur de les perdre parce que j'ai plus de place dans le coffre sur la galerie. Tu lui diras que ça me rendrait service si elle en voulait.

— Mais je peux les manger, proposa Claude. J'aime ça, moi, de la tourtière et de la tarte aux raisins.

— Espèce de grand insignifiant ! T'es pas capable de voir que je t'envoie lui dire ça pour pas la gêner ?

— Tu trouves pas que t'exagères ? intervint Félicien, qui n'avait rien dit durant tout cet échange entre sa femme et son fils. Saint cybole ! on n'est toujours pas pour nourrir la moitié de la rue Brébeuf !

— Là, c'est toi qui exagères, fit la mère de famille en commençant à servir de généreuses portions de pâté chinois aux siens. Donner une tourtière et une tarte aux Lussier, c'est juste faire preuve de charité chrétienne. Nous autres, on a de quoi manger à notre faim. Les Lussier, eux, en arrachent.

Elle vint prendre place à l'une des extrémités de la table, en face de son mari qui se garda de contester plus longtemps le geste charitable de sa femme, sachant très bien qu'il était inutile d'ajouter quoi que ce soit à une telle discussion.

Les Lussier vivaient au-dessus d'eux depuis 1941 et le sort semblait s'acharner sur cette famille qui, à une certaine époque, était formée des parents et de six enfants. Si on se fiait à ce que racontait Adrienne la fille aînée, trois de ses sœurs avaient été emportées par l'épidémie de grippe espagnole en décembre 1918. Son père et sa mère étaient décédés à quelques mois d'intervalle en 1940. Quelques mois plus tard, Adrienne et ses deux frères cadets avaient emménagé sans tambour ni trompette au second étage de l'immeuble. Gaston, le cadet de la famille, était plâtrier et faisait vivre sa sœur quinquagénaire et son frère Omer qui, lui, âgé d'une quarantaine d'années, souffrait d'une déficience intellectuelle. Mais le malheur s'abattit sur les survivants de cette famille. Gaston, appelé sous les drapeaux en 1942, trouva la mort moins de six mois plus tard, laissant sa sœur et son frère sans ressources. Comme Omer était incapable d'exercer le moindre travail, les Lussier ne survivaient que grâce aux ménages qu'Adrienne faisait ici et là, dans le quartier.

Amélie savait la sœur Lussier fière et elle s'arrangeait toujours pour lui venir en aide en ménageant le plus possible sa dignité.

On mangea en silence jusqu'au moment du dessert.

— Il reste plus de gâteau au chocolat? demanda Claude.

— Non, Jean a mangé le dernier morceau en rentrant du collège. Mange des biscuits.

L'adolescent prit trois biscuits en forme de feuille d'érable sans ajouter un mot quoique déçu d'être privé de gâteau.

— Je vous dis que ça paraît que la guerre est finie, dit Lorraine après avoir bu une gorgée de thé. Le magasin a jamais autant vendu. On n'a presque plus de décorations de Noël. Il a fallu en recommander.

— C'est vrai qu'on devrait peut-être se grouiller un peu et faire notre arbre de Noël, suggéra Félicien.

— Pourquoi on n'attend pas samedi? demanda Jean à son père. Je pourrais aller en acheter un avec Claude et vous aider à le décorer.

— J'aimerais autant ça, accepta sa mère. Ça me donnerait le temps de faire mon ménage demain sans l'avoir dans les jambes.

— Si vous avez besoin de boules ou de lumières, vous me le direz demain, je vous en rapporterai du magasin, proposa Lorraine, qui jouissait de la réduction de dix pour cent consentie par la direction de L.-N. Messier à ses employés.

Chapitre 2

Blanche

Durant la nuit, le ciel se couvrit et la température augmenta sensiblement. Au matin, une faible neige se mit à tomber sur Montréal alors que les étudiants du Collège Sainte-Marie commençaient leur dernier examen. Il régnait dans l'institution une fébrilité particulière, probablement engendrée par l'approche des vacances de Noël.

À onze heures trente, la cloche sonna. Elle fut suivie par une cavalcade dans les couloirs et dans les escaliers. Quelques centaines d'adolescents manifestèrent bruyamment leur joie tout en s'empressant de se diriger vers leurs casiers pour y prendre leurs effets personnels. Les surveillants regardaient le tumulte en veillant à ce que la sortie des étudiants se fasse sans débordements excessifs. En moins d'une demi-heure, un calme relatif était revenu dans l'enceinte du collège.

Affichant une pondération digne de leur statut d'aînés de l'institution, une trentaine d'étudiants de philosophie avaient regardé avec une certaine condescendance les manifestations bruyantes des plus jeunes avant de se rassembler pour manger rapidement les sandwichs de leur dîner. Ensuite, ils entreprirent de s'habiller pour la partie de hockey prévue depuis près de dix jours.

— J'ai comme l'impression qu'il va falloir gratter la patinoire avant de jouer, annonça Jean en rentrant dans la salle après être allé jeter un coup d'œil à l'extérieur.

— On a juste à demander aux jeunes qui vont regarder la partie de le faire pendant qu'on finit de s'habiller, suggéra un camarade.

— J'ai des nouvelles pour toi, rétorqua Jean Bélanger. Il y a pas un chat autour de la bande. Pour moi, les jeunes étaient trop pressés de rentrer chez eux après les examens pour rester regarder la partie.

— Si on n'a pas le choix, on va tous y aller, déclara Paul Comtois d'un ton résigné en se levant, les pieds déjà chaussés de ses patins.

Son geste fut imité par une douzaine d'autres joueurs. La patinoire fut nettoyée en quelques minutes. Après une courte pause, la partie put commencer, arbitrée par le père Cormier, préfet de discipline du collège. Trois enseignants, chaudement emmitouflés, vinrent regarder les étudiants disputer ce match amical. Après une heure trente de jeu, alors que les jeunes tentaient de reproduire les exploits des joueurs des Canadiens de Montréal, l'arbitre déclara la partie terminée, malgré les protestations véhémentes de l'équipe à laquelle appartenaient Paul Comtois et Jean Bélanger.

— Comment veux-tu qu'on gagne avec une passoire devant les *goals* ? se plaignit Comtois, dépité, en retrouvant progressivement son souffle.

— Si t'es si fin que ça, Comtois, t'as juste à venir prendre ma place, rétorqua le gardien de but visé.

Il y eut quelques rires moqueurs parmi les jeunes en train de se dévêtir dans la salle.

— On se calme, conseilla Jean. C'est toute notre équipe qui a mal joué. On se reprendra après les vacances.

— Ça me fait rien, les gars, affirma un grand et gros garçon en train d'enlever ses jambières, mais il me semble que vous êtes pas de taille pour jouer contre nous autres.

— C'est vrai, ça, ajouta un autre étudiant sur un ton moqueur. On devrait peut-être vous passer un ou deux de nos joueurs pour vous renforcir.

— Non, laisse faire, refusa Jean, sérieux. On n'a pas besoin de joueurs qui patinent sur les bottines. On va se reprendre quand on va revenir au collège au mois de janvier. On a perdu aujourd'hui parce qu'on est fatigués.

— Ben voyons ! firent plusieurs adversaires de philosophie II sur un ton sarcastique. Pourquoi vous seriez plus épuisés que nous ? Non, non, vous devriez reconnaître que vous êtes pas de taille. En tout cas, le prochain Maurice Richard viendra pas de philosophie I, ça c'est certain !

Le vestiaire se vida peu à peu de ses occupants. Chaque départ était salué par des vœux bruyants de bonnes vacances. Après avoir traîné quelques minutes, Jean finit par avouer à son ami Comtois :

— J'ai pas le goût de rentrer à la maison tout de suite. Ma mère est en train de faire son ménage de la semaine et j'ai pas grand-chose à lire.

Paul Comtois sortit son paletot de son casier métallique et l'endossa. Le jeune homme était légèrement plus petit que Jean, mais tout dans son comportement exprimait une aisance que beaucoup de ses camarades lui enviaient.

— Je suppose que tu peux pas sortir avec ta blonde cet après-midi ?

— Avec Reine ? C'est fini depuis hier soir, affirma l'étudiant en boutonnant son manteau après avoir déposé son chapeau sur sa tête.

— Si c'est comme ça, est-ce que ça te tente de venir passer l'après-midi chez nous ?

Jean feignit d'hésiter un court moment avant d'accepter l'invitation. En fait, il avait prévenu sa mère qu'on l'avait invité à souper et qu'il ne rentrerait qu'en fin de soirée.

— Pourquoi pas, laissa-t-il tomber en se gardant de manifester un trop grand enthousiasme.

— Dans ce cas-là, j'ai une surprise pour toi, lui annonça son ami en le précédant à l'extérieur.

Les deux jeunes hommes ne firent que quelques pas dans la rue Dorchester avant que Paul Comtois s'immobilise près d'une imposante Cadillac noire dont il s'empressa de déverrouiller la portière.

— Qu'est-ce que tu fais là ?

— C'est l'auto de mon père. Il me l'a prêtée ce matin. Je l'ai laissé à l'hôpital Notre-Dame et je dois aller chercher ma sœur chez Morgan à cinq heures tapantes. Envoye ! Monte, ordonna-t-il à son ami en refermant la portière côté conducteur.

Jean prit place dans la luxueuse voiture et s'enfonça avec un plaisir non dissimulé sur la banquette recouverte de cuir. L'automobile avança silencieusement dans la circulation fluide de ce vendredi après-midi et prit la direction d'Outremont où habitaient les Comtois.

La maison familiale du médecin était située sur le chemin de la Côte-Sainte-Catherine et il ne fallut que quelques minutes au conducteur pour venir immobiliser la Cadillac dans l'allée située sur le côté droit de la maison en pierre grise.

— On va être tranquilles cet après-midi, annonça Paul à son copain, ma mère joue au bridge chez une amie. Si ça t'intéresse, on peut aller jouer au billard dans le sous-sol en attendant que je sois obligé d'aller chercher ma sœur.

— Excellente idée, ça va être une bonne façon de commencer les vacances, accepta Jean en suivant son confrère de classe.

Le fils du facteur ne pénétrait chez les Comtois que pour la troisième fois depuis qu'il connaissait Paul. À chaque occasion, il s'était efforcé de ne pas se laisser intimider par le luxe affiché de l'endroit. Des tentures ivoire et d'épais tapis gris perle éclairaient aussi bien la salle à manger que le salon où trônaient de coûteux meubles en noyer. Il enviait surtout la grande chambre bien éclairée de son confrère dotée d'un vaste bureau en érable et d'une bibliothèque bien garnie.

De toute évidence, les Comtois n'appartenaient pas à son milieu et l'argent ne semblait pas leur faire défaut. S'il fallait en croire le fils de la maison, son grand-père maternel était président de la Banque Provinciale tandis que son autre grand-père, décédé l'année précédente, avait été juge à la Cour Supérieure de la province. Il avait aussi plusieurs parents dans le monde des affaires et de la politique.

Jean n'aurait probablement jamais fréquenté Paul si ce dernier n'avait pas éprouvé d'énormes difficultés en français et en mathématiques. Comme il était le meilleur de son groupe dans ces deux matières, il avait proposé tout naturellement son aide à son camarade de classe, aide que ce dernier s'était empressé d'accepter. Au fil des mois, les deux jeunes gens s'étaient trouvé des points communs. À quelques occasions, Jean n'avait pas hésité à inviter le fils du médecin chez lui, dans l'appartement familial de la rue Brébeuf pour l'aider à faire certains travaux scolaires. Chaque fois, sa mère l'avait gardé à souper. Évidemment, il ignorait tout à ce moment-là de la luxueuse maison dans laquelle vivait son ami.

Ce ne fut qu'à sa première visite chez les Comtois, au début du mois de septembre, qu'il avait pris conscience que Paul appartenait à une famille beaucoup plus aisée que la sienne. Il en avait alors ressenti une certaine gêne.

Toutefois, au fil des mois, cette dernière avait peu à peu disparu. Paul était peut-être plus riche, mais il ne réussissait pas aussi bien que lui dans ses études comme dans les sports, et il avait souvent besoin de son aide en français et en mathématiques pour obtenir sa note de passage à la fin du trimestre.

— Je t'offre une bière ? demanda Paul en précédant son invité dans l'escalier qui conduisait à la salle de jeux du sous-sol.

— Avec plaisir, rien de mieux pour commencer les vacances du bon pied.

Durant les deux heures suivantes, ils jouèrent au billard. Ce ne fut qu'à la tombée du jour que Paul se décida à mettre fin à leur détente en rappelant à son invité son obligation d'aller chercher sa sœur chez Morgan.

— Qu'est-ce que tu préfères ? lui demanda-t-il. Je te laisse chez vous ou tu viens avec moi chercher ma sœur ?

Jean feignit de réfléchir à la proposition avant de répondre sur un ton détaché :

— Je peux bien y aller avec toi. J'ai rien de spécial qui m'attend à la maison.

Les deux jeunes gens montèrent à bord de la Cadillac et Paul entreprit d'atteindre la rue Sainte-Catherine Ouest au milieu d'une circulation passablement plus lente qu'au début de l'après-midi. Les nombreux tramways, la chaussée glissante ainsi que les piétons indisciplinés rendaient la conduite du lourd véhicule noir plutôt difficile.

— Si j'arrive en retard, je te garantis que je vais me le faire dire, fit Paul, énervé par les encombrements.

— Pourquoi ta sœur ne prend pas le tramway ?

— Es-tu malade, toi ? s'exclama le conducteur en feignant l'horreur. Penses-tu que la petite fille à son papa s'abaisserait à prendre un tramway en transportant ses achats de Noël ?

Elle aurait pu prendre un taxi pour une fois, par exemple. C'est plein de taxis Vétéran sur Sainte-Catherine. Pas question ! Elle est gâtée pourrie par mon père. S'il m'a laissé son auto, c'est à la seule condition que j'aille la chercher à l'heure.

Finalement, la Cadillac vint s'immobiliser doucement devant la marquise du grand magasin montréalais pris d'assaut par une foule de clients pressés en ce vendredi soir de la mi-décembre.

— Naturellement, elle est pas dehors à attendre, dit Paul sur un ton exaspéré en se penchant pour examiner la devanture de l'imposant édifice dont les vitrines étaient illuminées de décorations de Noël. Je laisse tourner le moteur et je vais voir où elle est, prévint-il son passager en quittant la voiture.

Le jeune homme n'eut le temps de faire que quelques pas sur le trottoir avant d'apercevoir sa sœur pousser les portes battantes du magasin, les bras chargés de paquets. Jean Bélanger fut plus rapide que lui. Il sortit précipitamment de la Cadillac pour se porter à la rencontre de la jeune fille qu'il avait reconnue.

— As-tu besoin d'un coup de main ? demanda-t-il à Blanche Comtois dont la toque en mouton mettait en valeur un visage aux traits finement ciselés.

Un sourire illumina son visage lorsqu'elle reconnut l'ami de son frère. Elle regarda par-dessus l'épaule droite du jeune homme et aperçut la voiture paternelle.

— Merci, dit-elle en laissant tomber dans ses bras pratiquement tous ses paquets. Je suis morte de fatigue.

Pendant ce bref échange, Paul avait eu le temps de déverrouiller le coffre de la voiture. Il fit signe à son copain d'y déposer les paquets de sa sœur. Cette dernière monta rapidement à l'arrière tandis que les deux garçons reprirent place sur la banquette avant.

— Est-ce que maman est revenue de son bridge? demanda la jeune fille dès que la voiture se fut glissée dans la circulation.

— Pas encore.

— Et papa?

— Il va rentrer souper pas mal tard. Il m'a demandé de passer le prendre à sept heures moins quart. Ça a l'air de rien, mais j'ai un bel avenir de chauffeur de taxi devant moi, ajouta-t-il pour plaisanter.

— Si je comprends bien, je vais être prise pour te faire à souper, lui dit sa sœur que cette perspective ne semblait pas particulièrement enchanter.

— Pas nécessairement, on peut aller manger quelque chose au restaurant. Viens-tu avec nous autres? demanda le conducteur à son compagnon.

Jean hésita, attendant et espérant en son for intérieur que la sœur de son ami lui propose de se joindre à eux. Il n'eut pas à patienter très longtemps.

— Viens donc, insista-t-elle. On pourrait aller manger une omelette dans un petit restaurant que je connais coin Saint-Laurent et Mont-Royal.

Jean se laissa convaincre tout en calculant s'il lui restait assez d'argent dans ses poches pour payer son addition.

Quelques minutes plus tard, tous les trois descendirent devant le restaurant indiqué par Blanche Comtois et ils s'engouffrèrent aussitôt à l'intérieur. Ils retirèrent leur manteau avant de prendre place sur des banquettes couvertes de moleskine bleue. Jean, assis en face de la sœur de son copain, eut tout le loisir d'admirer ses grands yeux bleus et son abondante chevelure blonde, qui lui tombait sur les épaules.

Durant tout le repas, on discuta beaucoup de l'affaire Gouzenko et de ses conséquences. Aucun des trois convives ne contesta finalement la sentence de six ans de prison imposée au député Fred Rose pour avoir recruté des espions pour le compte de l'Union soviétique. Le repas fut animé. Blanche Comtois était intelligente et bien informée. Tout semblait l'intéresser. Elle donna son opinion aussi bien sur l'émeute des ouvriers de la Dominion Textile de Valleyfield survenue au mois d'août précédent que sur la création du ministère du Bien-être social et de la Jeunesse par le gouvernement Duplessis quelques mois auparavant.

À un certain moment, Paul consulta sa montre et sursauta.

— C'est bien beau tout ça, mais il faut que j'aille chercher papa. J'étais en train d'oublier l'heure.

Il se leva précipitamment et entreprit d'endosser son manteau.

— Dépêche-toi, Blanche. On va être en retard, dit-il à sa sœur qui n'avait pas esquissé le moindre geste indiquant son intention de le suivre.

— Vas-y sans moi, déclara la jeune fille sur un ton égal. J'ai pas le goût de courir. Je vais finir lentement mon café.

— Si je te laisse revenir toute seule, je vais me faire engueuler par le paternel.

— Peut-être que je pourrais raccompagner Blanche jusque chez toi, proposa Jean, habile pour tirer avantage de la situation, comme si l'idée lui venait soudain à l'esprit.

Le sourire complice que lui décocha la jeune fille le persuada que sa suggestion était attendue et désirée.

— Bon, c'est correct, fit Paul. Je paye mon repas et j'y vais.

Il salua son copain et sa sœur et, après avoir payé son addition à la caisse, quitta le restaurant. Blanche et Jean tournèrent la tête vers la vitrine pour le regarder s'empresser d'entrer dans la voiture et démarrer. Après le départ de Paul, ils semblèrent éprouver, durant un bref moment, une certaine gêne à se retrouver en tête-à-tête pour la première fois. Cependant, Jean retrouva vite son aplomb et proposa à la jeune fille de marcher un peu sur la rue Mont-Royal si elle n'était pas trop fatiguée après avoir couru les magasins durant l'après-midi. Blanche accepta.

Blanche avait insisté pour payer sa part, ce qui n'était pas pour déplaire à Jean, bien que par galanterie il ait dans un premier temps suggéré de régler les deux additions. Quand ils sortirent, la neige s'était remise à tomber doucement. Tout naturellement, Jean tendit le bras à la sœur de son ami et les deux jeunes gens se mirent lentement en marche en parlant de tout et de rien. Il était évident qu'ils se sentaient bien l'un avec l'autre et la conversation finit par prendre un ton beaucoup plus personnel après quelques minutes.

— Mon frère m'a dit que tu as une petite amie, dit Blanche. Qu'est-ce qu'elle dirait si elle te voyait avec moi ?

— Elle aurait rien à dire parce qu'on n'est plus ensemble, répondit Jean, sans donner plus de précisions.

— Est-ce que ça veut dire que tu vas passer les fêtes sans aller danser ?

— C'est bien possible, à moins que je trouve une fille à qui je ferais pas peur, fit le jeune homme, à demi sérieux. Sortir avec un étudiant comme moi doit pas être bien drôle. J'étudie presque tous les soirs et j'ai rarement de l'argent à dépenser. Depuis deux ans, je travaille l'été à faire le ménage des wagons du Canadien National et je dois vivre toute l'année sur cet argent-là.

— Plaie d'argent n'est pas mortelle, plaisanta Blanche en resserrant son étreinte sur le bras de son compagnon.

— Je veux bien le croire, mais ça rend la vie ennuyante, par exemple.

Il y eut un long silence entre les deux marcheurs, et ils eurent le temps de longer quelques vitrines brillamment éclairées en cette période des fêtes de fin d'année avant que Blanche ne reprenne la parole.

— À moi, tu fais pas peur, dit-elle soudain sur un ton léger. Si t'as rien de mieux à faire durant les fêtes, tu peux toujours être mon cavalier et venir à la soirée que Paul et moi allons donner le soir de Noël à la maison.

En entendant ces paroles, Jean craignit qu'elle ne lui fasse cette proposition parce qu'elle éprouvait de la pitié à son endroit.

— C'est bien gentil de ta part, mais il faudrait pas que tu te sentes obligée de me désennuyer parce que je suis seul, se défendit-il mollement.

— Écoute, dit-elle en levant son visage vers lui. J'ai rien de la bonne sœur qui cherche à se dévouer. Je t'invite parce que j'en ai envie. On dirait qu'on s'entend bien tous les deux. Pourquoi tu viendrais pas ? Mes parents seront pas là et on va en profiter. On a invité quelques amis. On va bien s'amuser.

— Tes parents sont d'accord que vous fassiez ça pendant leur absence ? demanda Jean, surpris.

— Bien sûr, ils sortent même exprès ce soir-là pour ne pas entendre tout le bruit qu'on va faire, répondit Blanche en riant.

— Qu'est-ce qu'ils vont dire quand ils vont s'apercevoir que je suis devenu ton cavalier ? ajouta-t-il, tout de même un peu inquiet de la réaction des Comtois.

— Qu'est-ce que tu veux qu'ils disent ? répliqua-t-elle. Ils te connaissent. T'es l'ami de Paul depuis assez longtemps pour qu'ils sachent qui tu es. De plus, tu sauras que je fais ce que je veux, affirma-t-elle avec une belle assurance. C'est pas à mon père de décider à ma place.

— Si c'est comme ça, je te prends au mot, lui dit Jean, enchanté. En échange de ton invitation, est-ce que tu veux venir patiner avec moi au parc La Fontaine, demain soir ?

La jeune fille n'hésita qu'un court moment avant de lui donner sa réponse.

— Tiens, c'est une bonne idée, dit-elle avec bonne humeur. J'ai pas encore patiné de l'hiver. Si ça te convient, je pourrais aller te rejoindre au parc vers sept heures, lui proposa-t-elle en lâchant son bras pour s'emparer de sa main. Maintenant, j'haïrais pas que tu me ramènes à la maison, je commence à avoir les pieds gelés.

Après avoir raccompagné Blanche, Jean retourna tranquillement vers la rue Brébeuf. Malgré le froid qui régnait, il profitait du moment présent et rien ne semblait pouvoir affecter sa bonne humeur; au contraire, il ne se tenait plus d'aise. Il sentait que Blanche Comtois allait peupler ses rêves jusqu'au lendemain. Il eut un sourire en songeant qu'il devrait surveiller la qualité de son langage en sa présence, ce qu'il ne faisait pas avec Reine. Mais il était habitué. S'il avait utilisé une langue recherchée à la maison, on s'en serait sans doute moqué. Par contre, au collège, il devait faire attention dès qu'il s'exprimait.

Chapitre 3

Reine

À neuf heures ce soir-là, Fernand Talbot, fatigué, se dirigea vers la porte de son magasin pour la verrouiller.

— Une autre journée de terminée. C'est le temps de monter, dit-il à sa fille occupée à remplir l'un des bocaux de bonbons posés sur le long comptoir qui faisait face à la porte.

Reine, le visage fermé, ne dit rien et poursuivit sa tâche.

Le parquet dallé de carreaux blancs et noirs était maculé de neige fondue laissée par les bottes des nombreux clients qui avaient poussé la porte de la biscuiterie Talbot depuis son ouverture, le matin.

— Quand t'auras fini de remplir les jarres de bonbons, tu passeras la moppe, reprit le père de Reine. Je vais aller faire la caisse en arrière pendant ce temps-là, précisa-t-il en emportant le tiroir-caisse derrière le rideau fleuri qui séparait le magasin de l'arrière-boutique.

Le petit homme dans la jeune cinquantaine et au ventre confortable ne tint aucunement compte du mécontentement évident de sa fille cadette et disparut dans la pièce voisine où les boîtes de biscuits en vrac et de bonbons étaient empilées jusqu'à hauteur d'homme entre un vieux divan brun aux coussins avachis et une table en pin peinte en blanc autour de laquelle étaient posées trois chaises inconfortables. Au fond de la pièce, il y avait des toilettes minuscules où on rangeait les produits de nettoyage.

— Maudit que je suis écœurée de faire cet ouvrage-là ! murmura la jeune fille de dix-neuf ans en replaçant bruyamment le pot de boules noires qu'elle venait de remplir.

Elle saisit ensuite une boîte de jujubes et en versa une bonne quantité dans un autre bocal à demi vide.

Reine Talbot estimait qu'elle travaillait depuis trop longtemps dans la biscuiterie familiale. Elle n'avait qu'une hâte : quitter l'endroit où elle était née, de préférence au bras d'un mari capable de la faire vivre dans l'aisance.

L'immeuble occupé par la biscuiterie Talbot avait été acheté quarante ans auparavant par Hector Talbot, le père de l'actuel propriétaire. L'homme avait consenti d'énormes sacrifices pour acquérir cet édifice de deux étages au rez-de-chaussée duquel un cordonnier tenait échoppe. Le grand-père Talbot avait rapidement évincé ce dernier et avait transformé le local en une agréable biscuiterie que les gens du quartier fréquentaient maintenant assidûment. Évidemment, le nouveau commerçant avait installé sa petite famille à l'étage au-dessus et avait loué le deuxième étage à un vieux couple.

Après le décès de l'aïeul en 1924, Fernand Talbot, son fils, avait pris la relève. Aussi économe que son père, il avait évité les rénovations trop coûteuses, mais il avait tout de même ajouté un comptoir de confiserie qui faisait la joie des enfants du voisinage depuis presque une génération. Ce père d'une famille de trois enfants aurait bien aimé que son fils aîné, Lorenzo, vienne le seconder. Malheureusement, ce dernier s'était empressé de trouver un emploi de représentant pour les produits Familex à l'âge de dix-huit ans et, depuis deux ans, le jeune homme avait même quitté le nid familial pour s'installer seul dans un petit appartement un peu plus à l'est, sur l'avenue De Lorimier.

— Une belle niaiserie et une dépense inutile ! ne cessait de répéter le père Talbot à sa femme. Il avait une chambre ici dedans et on lui chargeait juste une petite pension.

Sa fille Estelle n'avait pas été plus utile au commerce de la famille Talbot. Il avait bien tenté de l'empêcher de s'inscrire à un cours de secrétariat, mais la jeune fille s'était entêtée et était parvenue à mettre sa mère de son côté pour le faire plier. Après l'obtention de son diplôme, elle n'avait travaillé qu'un an avant de se marier et de déménager sur la Rive-Sud de Montréal.

Bref, Reine, la cadette, était la seule qui demeurait encore chez ses parents. Heureusement, elle n'était pas très douée pour les études et s'était empressée d'abandonner l'école après sa septième année. Depuis presque cinq ans, elle secondait son père à la biscuiterie familiale de la rue Mont-Royal.

Reine pénétra dans l'arrière-boutique, la traversa et alla remplir un seau d'eau dans les toilettes. Elle s'empara de la serpillière et revint dans le magasin dont elle se mit à laver le parquet avec de grands gestes rageurs. De temps à autre, elle levait la tête vers la vitrine dans l'espoir d'apercevoir Jean passant sur le trottoir. Normalement, il aurait dû s'arrêter durant l'après-midi, au retour du collège, autant pour la saluer que pour discuter de ce qu'ils allaient faire durant la fin de semaine. Il avait dit lui-même que ses examens finissaient ce jour-là.

Quelques minutes plus tard, elle alla vider le seau d'eau sale dans les toilettes et endossa son manteau. Son père en avait terminé avec la caisse et l'attendait pour verrouiller la porte après leur sortie. L'unique avantage de travailler à la biscuiterie était que le père et la fille n'avaient pas à chausser de bottes durant l'hiver puisqu'ils n'avaient qu'à pousser la porte voisine pour rentrer chez eux.

Une fois franchie la porte du 1225 Mont-Royal, ils gravirent le long escalier intérieur assez raide qui les conduisit au palier faiblement éclairé par une petite ampoule. La deuxième partie de l'escalier menait chez le vieux Wilfrid Tremblay, hospitalisé depuis quelques semaines; on le disait même gravement malade.

Parvenu devant la porte de l'appartement, Fernand Talbot la déverrouilla et laissa passer sa fille avant de refermer derrière lui. L'appartement était silencieux et plongé dans une quasi-obscurité. Il n'était éclairé que par le plafonnier allumé dans la cuisine, au bout du couloir. La vague odeur de cire à plancher flottant dans l'appartement surchauffé prouvait que la femme de ménage était passée durant la journée. Il n'y avait toutefois ni arbre de Noël ni décoration pour égayer l'endroit.

Aussi loin qu'elle pouvait se rappeler, Reine avait toujours vécu dans une maison où les bruits devaient être feutrés pour ménager les nerfs de sa mère. Yvonne Talbot était minée par une maladie que les médecins ne parvenaient pas, semblait-il, à identifier clairement. Ses nerfs étaient fragiles et elle était sujette à d'épouvantables migraines.

— Fais pas trop de bruit, recommanda inutilement Fernand à sa fille. Je pense que ta mère est déjà couchée.

Reine se borna à hocher la tête. Elle retira ses souliers à talons hauts qui la faisaient souffrir et se dirigea immédiatement vers sa chambre dont elle referma la porte. Dès son entrée dans la petite pièce toute peinte de rose, elle entreprit de se déshabiller et enfila son épaisse robe de nuit en coton ouaté. Elle alluma sa radio qu'elle laissa jouer en sourdine et prit la direction de la salle de bain pour faire sa toilette. Au retour, elle se fit une rôtie à la confiture de fraises avant de retourner se réfugier dans sa chambre. À aucun moment, elle ne sentit le besoin de souhaiter une bonne nuit à son père déjà installé dans le salon, probablement en train de lire *La Presse*.

La jeune fille se planta debout devant la fenêtre de sa chambre. Durant de longues minutes, elle regarda sans la voir l'animation de la rue Mont-Royal. En cette fin de soirée de vendredi, les badauds commençaient déjà à se faire plus rares malgré les vitrines illuminées. Les tramways passaient en bringuebalant et en faisant des étincelles sur les fils électriques, mais ils transportaient moins de passagers. De temps à autre, la sirène lointaine d'une voiture de police se faisait entendre.

— J'aurais dû me la fermer aussi, murmura-t-elle, en regrettant la scène de la veille.

Elle était inquiète depuis que son amoureux, hier, avait quitté la biscuiterie en profitant de l'arrivée d'une cliente. Ses paroles avaient largement dépassé sa pensée; il devait pourtant le savoir depuis le temps qu'ils se fréquentaient. Elle était soupe au lait, mais il devait bien réaliser à quel point elle tenait à lui, avec la preuve qu'elle lui avait donnée le dimanche précédent.

Pendant un bref moment, elle revit en pensée ce dimanche après-midi. Il lui avait fallu faire une véritable crise pour le décider à lâcher ses livres durant quelques heures pour venir la voir. Bien sûr, elle avait tout manigancé. Toutefois, elle regrettait ce qui s'était passé entre eux et reconnaissait que la situation lui avait échappé. Elle avait mal jugé le danger potentiel que cette dernière présentait.

À ses yeux, l'idée d'entraîner Jean dans un endroit isolé loin de la surveillance de ses parents était excellente. Elle allait leur donner la chance de s'embrasser sans craindre de se faire surprendre. C'était supposé être un bon moyen de se l'attacher. Elle avait donc profité de la sieste de son père pour s'emparer de son trousseau de clés suspendu dans la cuisine. À l'arrivée de son amoureux, qu'elle était parvenue à arracher à la préparation de ses sacro-saints examens, elle l'avait entraîné dans la biscuiterie du rez-de-chaussée sous le prétexte de ne pas troubler le repos dominical de ses parents. Jean l'avait suivie dans l'arrière-boutique sans protester et avait accepté de s'asseoir en sa compagnie sur le vieux divan. Ils avaient d'abord échangé des baisers de plus en plus passionnés et elle n'avait rien fait pour repousser ses mains baladeuses. Peu à peu, les caresses du jeune homme s'étaient faites plus précises. Elle avait alors perdu totalement la tête. Et ce qui devait arriver s'était produit. Son amoureux n'avait pu résister et l'irréparable avait eu lieu, les laissant tous les deux pantelants et à bout de souffle.

Les choses étaient allées beaucoup plus loin qu'elle ne l'avait prévu et il lui avait fallu plusieurs minutes avant de retrouver sa maîtrise. Étrangement, l'inquiétude et le sentiment de culpabilité de son partenaire avaient été tellement évidents qu'elle avait senti le besoin de le rassurer un peu après avoir remis de l'ordre dans ses cheveux et dans ses vêtements. Il ne fallait tout de même pas que ce qui venait de se passer le fasse fuir.

— Je le regrette pas, avait-elle murmuré au moment où ils sortaient en catimini de la biscuiterie. On s'aime et on vient de se le prouver.

Son amoureux l'avait approuvée, mais ce jour-là, de toute évidence, il regrettait son geste. Pourtant, elle avait secrètement espéré qu'il insiste pour la revoir les jours suivants, préparation d'examens ou pas. Elle avait cru qu'il chercherait peut-être à répéter une expérience qui avait semblé lui plaire. Il n'en avait pourtant rien été. Quand il l'avait saluée deux jours plus tard en passant devant la biscuiterie, il s'était comporté comme si ce qui avait eu lieu entre eux n'avait jamais existé. Cette réaction lui avait semblé pour le moins surprenante. Cependant, elle n'en avait pas moins pris immédiatement la ferme résolution de le repousser s'il tentait de recommencer.

Dans son dos, la voix de Roger Baulu annonça les spéciaux du magasin L.-N. Messier, ce qui la décida à éteindre l'appareil avant de s'étendre sur son lit, les yeux ouverts sur le plafond blanc.

Trois ans auparavant, sa sœur avait épousé Charles Caron, un dentiste de cinq ans son aîné. L'adolescente qu'elle était alors avait suivi de près tous les artifices utilisés par Estelle pour se faire aimer et épouser par un professionnel issu d'une famille aisée. Ça, à son avis, c'était ce qu'on pouvait appeler un bon mariage. Depuis, sa sœur vivait dans une maison cossue de la rue Victoria, à Saint-Lambert. À vingt-six ans, elle avait même une femme de ménage à temps plein. C'était extraordinaire ! Leur mère, pourtant souffrante, ne pouvait en payer une qu'une journée par semaine pour faire les gros travaux. Estelle avait même fini par adopter un petit air snob et des manières précieuses qui avaient d'ailleurs le don d'agacer son père.

— Pauvre elle ! s'était-il moqué récemment en levant le petit doigt, après l'une des rares visites de sa fille à l'appartement de la rue Mont-Royal. C'est rendu qu'elle porte plus à terre. Je pense que le Charles a fini par lui faire croire qu'elle est sortie de la cuisse de Jupiter.

— Viens surtout pas rire d'elle, avait sèchement rétorqué sa femme qui s'était toujours targuée d'avoir de la classe. Estelle sait se tenir. Elle a eu la chance de faire un beau mariage, elle !

Le petit homme lui avait jeté un regard mauvais, mais avait gardé pour lui la remarque désagréable qui lui était venue. Depuis plus de trente ans, il ne se passait guère de semaine sans que sa femme laisse entendre à quel point il avait eu de la chance de l'épouser. Yvonne Grenier était la fille unique d'Octave Grenier, un habile homme d'affaires montréalais qui, à la veille du krach boursier de 1929, possédait une vingtaine d'immeubles et des actions dans plusieurs grandes compagnies. Chez les Grenier, on ne fréquentait que le grand monde, et leur salon accueillait régulièrement des hommes politiques aussi en vue que Camilien Houde et même le premier ministre Alexandre Taschereau.

Après plus de trente ans de vie commune, cette grande femme au port de tête altier trouvait encore le moyen de faire sentir à son mari à quel point il devait se montrer reconnaissant qu'elle ait condescendu à l'épouser, lui, un simple commerçant du Plateau-Mont-Royal.

Reine n'approuvait pas toujours la conduite de sa mère, mais elle avait tout de même bien retenu les paroles que sa sœur aînée lui avait dites au début de l'été précédent.

— Tu feras bien ce que tu voudras, ma petite sœur, lui avait-elle dit sur un ton sentencieux, mais à ta place, je choisirais un garçon qui a de l'avenir. Laisse faire les fils d'ouvriers qui vivent autour. Tout ce qu'ils vont te donner, c'est un appartement miteux et une trâlée d'enfants à torcher. Nous autres, les Talbot, on n'est pas de ce milieu-là. Oublie jamais ça. On vient d'une famille de commerçants et p'pa, malgré tout ce qu'il raconte, est loin d'être dans la misère. Choisis un gars qui a de l'ambition et qui a fait des études. Lui, il va être capable de te faire vivre comme du monde. Si tu me crois pas, regarde autour de toi. Regarde surtout les femmes. Si t'as envie de leur ressembler, jette-toi sur le premier gars qui te fera de l'œil. C'est le genre d'avenir que tu vas avoir. Dans dix ans, tu vas avoir l'air d'une vieille mémère et tu vas paraître vingt ans de plus…

Le conseil n'était pas tombé dans l'oreille d'une sourde. Reine avait repoussé les avances de Jérôme Casgrain, un jeune plâtrier qui avait pris l'habitude de venir lui faire la conversation quelques minutes pratiquement tous les jours au magasin. Ensuite, elle avait ouvert l'œil et guetté l'occasion. Elle se savait jolie et capable d'attirer n'importe quel garçon.

La chance n'avait pas tardé à se présenter. Une dizaine de jours après cette conversation avec Estelle, au début du mois d'avril, Lorraine Bélanger s'était arrêtée à la biscuiterie en compagnie de son frère. Le jeune homme avait fait une plaisanterie et sa sœur l'avait excusé auprès de la jeune vendeuse en disant que « c'était un futur avocat qui s'exerçait à dire n'importe quoi ». La fille de Fernand Talbot avait pris bonne note de l'information et avait entrepris d'épier Jean à chacun de ses passages devant le magasin.

Elle n'avait pas ménagé ses sourires et ses avances pour le prendre dans ses filets. L'étudiant avait rapidement succombé au charme de cette jeune fille de dix-neuf ans. Avant la fin du mois, un samedi soir, il s'était arrêté à la biscuiterie pour l'inviter à une séance de cinéma. Elle s'était empressée d'accepter. Ce soir-là, il était venu la chercher à l'appartement familial, vêtu de son plus beau costume et soigneusement cravaté. Elle l'avait fièrement présenté à ses parents. Le lendemain soir, il était revenu et les deux avaient veillé au salon, sous la supervision plus ou moins relâchée d'Yvonne Talbot.

Leurs fréquentations se firent régulières durant tout l'été. Il n'était pas rare que Jean vienne la chercher deux ou trois soirs par semaine, après sa journée de travail au Canadien National, pour aller se balader au parc La Fontaine situé tout près. Les amoureux marchaient le long des canaux et en profitaient pour admirer la fontaine lumineuse après le coucher du soleil. C'était d'ailleurs à cet endroit qu'ils avaient échangé leur premier baiser.

— En tout cas, il peut toujours sécher s'il pense que je vais courir après lui et le supplier! dit-elle à mi-voix, dans le noir. Lui et son maudit cours classique! Il me prendra pas pour une folle! Qu'est-ce qu'il croit? C'est rendu que chaque fois qu'il vient me voir, c'est comme s'il me faisait la charité... Là, il est en vacances, et il va s'imaginer que je vais être à sa disposition pour sortir quand ça va lui tenter. J'ai des nouvelles pour lui... Je vais lui montrer que moi aussi, je suis indépendante, ajouta-t-elle, vindicative.

La jeune vendeuse était déchirée entre son besoin d'affirmer son indépendance et les beaux rêves de mariage qu'elle avait échafaudés depuis quelques mois. Elle voulait avant tout quitter le toit familial où elle se sentait étouffer. Elle désirait abandonner un emploi qui lui pesait de plus en plus pour se consacrer à son foyer et profiter de la vie. Consacrer ses après-midi à se balader dans les magasins chics, comme le faisait sa sœur aînée, lui semblait très enviable. Bien sûr, elle n'ignorait pas que Jean Bélanger avait encore quelques années d'études devant lui avant d'être en mesure de lui offrir le genre d'existence qu'elle souhaitait. Elle était prête à attendre, mais il ne fallait tout de même pas qu'il ambitionne.

Durant de longues minutes, Reine imagina toutes sortes de scénarios dans lesquels son amoureux s'abaissait pour rentrer dans ses bonnes grâces. Finalement, épuisée par sa longue journée de travail au magasin, elle finit par sombrer dans un sommeil agité.

Lorsqu'elle rouvrit les yeux, une lueur grise filtrait dans sa chambre entre les rideaux mal tirés devant la fenêtre. La porte s'ouvrit doucement.

— Te lèves-tu, Reine ? lui demanda sa mère. Le déjeuner est prêt et ton père est déjà en train de manger.

— Ce sera pas long, m'man, répondit la jeune fille.

Yvonne Talbot referma la porte et sa fille l'entendit dire quelque chose à son mari, attablé dans la cuisine.

Quelques minutes plus tard, Reine vint rejoindre ses parents. Ils étaient en train de boire une tasse de café et le père de famille venait d'allumer l'un des trois cigares qu'il s'octroyait chaque jour. Elle déposa deux tranches de pain dans le grille-pain à deux portes posé au centre de la table et se versa une tasse de café.

Comme chaque matin, sa mère était déjà coiffée et soigneusement habillée. Elle paraissait pimpante, comme prête à partir. À voir la fille assise près de la mère, on ne pouvait manquer de remarquer leur grande ressemblance. Elles avaient les mêmes traits fins et, surtout, les mêmes yeux gris. Étrangement, on ne percevait que bien peu de douceur dans ces deux visages. Par ailleurs, le port de tête un peu rigide de la mère de famille ne faisait pas oublier les mèches blanches sur ses tempes et les quelques rides de son front.

Reine regarda sa mère qui lui rendit son regard avec un léger sourire. La cadette de la famille Talbot ne se souvenait pas d'avoir jamais vu sa mère traîner dans la maison en tenue négligée. C'était une question de dignité, se plaisait-elle à dire quand l'un de ses enfants lui en faisait la remarque. Yvonne Grenier avait reçu une excellente éducation chez les religieuses. Sa fille n'avait jamais su à partir de quelle époque ni pourquoi ses nerfs étaient devenus si fragiles. Habituellement, la mère de famille au chignon strict commençait la journée pleine de vitalité, mais au fur et à mesure que le jour progressait, elle devenait la proie de fortes migraines qui l'obligeaient parfois à s'aliter.

Cependant, il ne fallait tout de même pas croire que l'épouse de Fernand Talbot n'avait qu'un rôle effacé dans son foyer. Surtout pas. Elle ne jouissait peut-être pas d'une santé suffisante pour descendre aider son mari derrière le comptoir de la biscuiterie, mais elle avait toujours tenu sa maison de façon impeccable et éduqué ses enfants avec une sévérité certaine. Par exemple, Lorenzo, le plus indiscipliné de ses trois enfants, avait eu plus d'une fois à regretter ses incartades en se soumettant aux sanctions maternelles. Elle avait inculqué à son fils et à ses filles l'idée qu'ils appartenaient à l'élite du quartier parce qu'ils étaient enfants de commerçants. Par conséquent, ils devaient se conduire de façon irréprochable.

— Vous trouvez pas que ce serait normal qu'on ait un arbre de Noël dans le salon ? demanda Reine à ses parents. Tout le monde en a un. Estelle m'a dit qu'elle en avait même deux : un dans son sous-sol et un autre dans son salon, en haut.

— Je t'ai déjà répété cent fois que c'est pas la même chose pour nous autres, lui répondit sa mère sans élever la voix. On en a un dans le magasin, en bas. C'est assez, il me semble. Tu l'as devant toi toute la journée.

— On pourrait au moins mettre des guirlandes dans la maison, non ? Ce serait pas mal plus gai, ça nous mettrait dans l'ambiance de Noël.

— Tu peux le faire si tu veux et si ton père y voit pas d'inconvénient, rétorqua Yvonne. Mais tu les poses et tu les enlèves toi-même après les fêtes.

Reine renonça. C'était inutile d'insister. Son père se leva après avoir écrasé son mégot de cigare dans le gros cendrier en verre brun. Sans même consulter l'horloge murale, la jeune fille sut qu'il était exactement huit heures quarante-cinq, l'heure de descendre au magasin. Elle poussa un soupir d'exaspération et se leva à son tour. C'était la routine. Son père monterait dîner à midi précisément et, à son tour, elle monterait s'asseoir à table à midi quarante-cinq quand il serait revenu prendre sa place derrière la caisse, comme tous les jours.

— On a une bonne journée qui nous attend, déclara Fernand Talbot en endossant son manteau. On est le 21, c'est le dernier samedi avant Noël. Pour moi, ça va vendre pas mal aujourd'hui.

Reine fit comme si ces paroles s'adressaient exclusivement à sa mère et ne dit rien. Elle jeta un regard sans tendresse au petit homme bedonnant de cinquante-cinq ans qui venait d'étaler du bout des doigts avec soin sur son crâne les quelques cheveux poivre et sel qui lui restaient. Pour la énième fois depuis quelques mois, elle se fit la remarque que la vie était insupportablement ennuyeuse aux côtés de parents vieillissants. Une chance que c'était samedi. Jean allait sûrement passer durant la journée pour lui proposer une sortie en soirée, histoire de se faire pardonner de l'avoir délaissée depuis le début du mois. S'il voulait aller voir *Pas si bête* avec Bourvil au cinéma Palace, elle demanderait à son père la permission de quitter le magasin une heure avant la fermeture pour avoir le temps de se préparer.

Un peu revigorée par cette perspective, elle descendit l'escalier derrière son père, sortit à l'extérieur et attendit en regardant passer un tramway qu'il ait déverrouillé la porte voisine, celle de la biscuiterie, avant de mettre, c'était littéralement le cas de le dire, un pied dehors. En entrant dans le local où son père venait d'allumer les plafonniers, elle poussa un soupir de résignation. Une autre journée passée à servir les clients commençait et le temps des fêtes n'y changeait rien.

Chapitre 4

L'attente

Ce samedi matin-là, les Bélanger étaient rassemblés autour de la table en train de déjeuner. Lorraine était déjà vêtue et coiffée, prête à partir pour le travail, alors que ses parents et ses frères étaient encore en pyjamas ou robes de chambre.

— Je vous dis que j'aimerais ça, moi aussi, traîner à rien faire à la maison le samedi, se plaignit-elle en se levant pour déposer sa vaisselle sale sur le comptoir.

— Moi, je suis prêt à prendre ta place n'importe quand, la grande, déclara son frère Claude. Il me semble que passer toute la journée assis à un bureau, ça doit pas être trop fatigant.

— À mon avis, ça fera pas trop trop l'affaire d'un certain Édouard, cette idée-là, intervint son père avec un sourire en coin.

— Surtout pour veiller au salon, ajouta Jean, sarcastique.

— Arrêtez donc vos niaiseries, leur ordonna Amélie. Et toi, tu vas me faire le plaisir d'aller faire ton lit avant de partir avec ton frère, ajouta la mère de famille en s'adressant à Claude. J'ai pas fait le ménage hier toute la journée pour voir votre chambre en désordre. Tu m'entends ?

— M'man parle pour toi aussi, dit l'adolescent à son frère aîné.

— Mon lit est fait et mes affaires traînent pas, rétorqua Jean. Moi, je suis à mon affaire. Grouille-toi d'aller faire le tien. J'ai pas l'intention de t'attendre très longtemps avant d'aller chercher l'arbre de Noël.

La veille, à son retour de promenade avec Blanche Comtois, il avait été entendu que les fils de la maison iraient acheter le sapin tôt dans la matinée à un cultivateur qui avait l'habitude de s'installer chaque année durant la période des fêtes au coin de Papineau et Mont-Royal pour vendre ses arbres.

Moins de vingt minutes plus tard, Jean et Claude quittèrent l'appartement. La température s'était passablement adoucie depuis la veille, ce qui fut loin de leur déplaire. À une heure aussi matinale, la rue Mont-Royal était presque déserte. Arrivé au coin de Brébeuf, Claude s'immobilisa soudain.

— Je suppose que tu vas dire bonjour à Reine en passant, dit-il à son frère. Fais ça vite !

— Non, envoye ! On y va, le houspilla Jean en traversant Brébeuf en direction de la rue Chambord.

— Qu'est-ce qui se passe ? lui demanda son frère, curieux. Dis-moi pas que tu t'es chicané avec elle !

— C'est pas de tes affaires, le rembarra son frère aîné.

— Si c'est ça, tu vas passer des vacances plates en maudit, mon frère, insista l'adolescent, moqueur.

— J'ai cassé avec elle, avoua l'aîné pour mettre fin à la discussion.

— Maudit que c'est de valeur que je sois pas plus vieux. Moi, Reine, je la trouve ben à mon goût. J'haïrais pas ça pantoute sortir avec elle.

Le rire de son frère fut la seule réaction qu'il obtint. Ils arrivèrent au coin de Papineau au moment même où le marchand d'arbres descendait de son vieux camion Ford. L'homme était emmitouflé comme s'il faisait un froid sibérien.

— Sacrifice ! ne put s'empêcher de s'exclamer Claude. Vous en allez-vous au pôle Nord ?

— Laisse faire, le jeune, rétorqua le commerçant qui semblait dépourvu d'humour. Quand tu passeras douze heures dehors à geler, tu t'habilleras comme moi. Puis, je suppose que vous voulez un arbre, ajouta-t-il en s'adressant à Jean.

— Oui.

— Quelle hauteur ?

— Je sais pas trop. À peu près comme ça, dit Jean en plaçant sa main droite environ un pied au-dessus de sa tête tout en consultant son jeune frère du regard.

Le cultivateur monta dans la benne de son camion, repoussa quelques arbres et en tira un qu'il tint debout devant ses acheteurs.

— Est-ce que celui-là fait votre affaire ?

— Ben non ! intervint Claude. C'est un vrai chicot ! C'est pas un poteau de téléphone qu'on veut, c'est un arbre de Noël.

Le cultivateur lui lança un regard dénué d'aménité avant de repousser l'arbre qu'il tenait et il en choisit un autre qu'il leur montra sans rien dire cette fois. Jean l'examina avant de déclarer :

— Celui-là va faire l'affaire.

— Il fait un peu plus que sept pieds. C'est deux piastres, précisa le vendeur après être descendu du camion.

— Quoi ? C'est ben trop cher, intervint Claude.

— C'est le prix, dit l'homme avec aplomb.

— Viens, dit-il à son frère. Je connais un vendeur au coin de De Lorimier qui vend moins cher. Hier, j'en ai vu des pareils à une piastre.

Le cultivateur n'hésita qu'un instant.

— C'est correct pour une piastre et quart, dit-il avec mauvaise humeur.

De toute évidence, il tenait à se débarrasser de son lot d'arbres qui risquaient de lui rester sur les bras à quelques jours de Noël. Jean lui tendit un dollar et vingt-cinq cents. Les deux frères empoignèrent l'arbre et entreprirent de rentrer à la maison.

À leur arrivée au pied de l'escalier, ils durent s'arrêter parce que leur voisin Omer Lussier, la tuque enfoncée jusqu'aux sourcils, était assis sur l'une des premières marches de l'escalier et ne semblait aucunement prêt à bouger pour leur laisser le passage.

— Omer ! veux-tu te lever pour nous laisser passer ? lui demanda Claude.

Le quadragénaire à la figure ronde le regarda avec un sourire niais et se contenta de secouer la tête pour signifier qu'il ne voulait pas bouger. L'homme était engoncé dans une épaisse canadienne grise et s'amusait à taper sur le garde-fou avec une grosse cuillère en bois.

— Bâtard ! Comment on va faire pour qu'il s'enlève de là ? s'emporta l'adolescent. Je suis gelé, moi. J'ai pas envie pantoute de passer l'avant-midi à attendre qu'il décide de s'ôter du chemin.

Jean lâcha le sapin et s'approcha du voisin.

— Voyons, Omer. Tu vois ben qu'on s'en vient installer un bel arbre de Noël, expliqua-t-il au malheureux déficient en prenant un ton patient. Si tu t'ôtes pas de là, on pourra pas le décorer et tu pourras pas venir le voir chez nous.

— OK, d'abord, fit l'homme en se levant lentement. Mais tu vas venir me chercher pour me le montrer quand les lumières vont être allumées.

— C'est promis.

Doucement, Omer Lussier descendit les trois marches de l'escalier extérieur et s'arrêta sur le trottoir pour regarder les deux frères transporter leur arbre à l'étage.

— Comment t'as fait pour te faire comprendre par ce maudit nono-là ? chuchota Claude à son frère aîné.

— C'est facile, il faut juste lui parler comme il nous parle, se moqua Jean en ouvrant la porte de l'appartement.

— T'es ben drôle, toi. Je pensais pas que tu pouvais être aussi niaiseux que ça ! se contenta de dire l'adolescent.

L'arbre fut installé dans le salon par Félicien et son fils aîné pendant que Claude allait tirer du hangar les trois boîtes de carton dans lesquelles les décorations, les guirlandes et les lumières de Noël avaient été rangées l'hiver précédent.

— Marche pas sur mon plancher de cuisine avec tes bottes pleines de neige, lui ordonna sa mère en le voyant apporter la première boîte.

— Dans ce cas-là, m'man, dites à Jean de venir chercher les boîtes parce que je suis pas pour me déchausser chaque fois que j'en entre une.

Jean vint donc prendre livraison des boîtes qu'il transporta dans le salon.

— Trouve-moi la boîte de lumières, lui demanda son père qui venait de consolider l'arbre dans sa base métallique.

Jean tira d'une boîte une impressionnante pelote de fils électriques qu'il tendit à son père.

— Dis-moi pas, saint cybole, qu'on va être poignés pour démêler tout ça ! s'exclama ce dernier en cherchant l'extrémité de l'une des cinq guirlandes électriques que contenait le paquet.

Sa femme apparut dans l'encadrement de la porte du salon, le visage illuminé par un sourire moqueur.

— Bien bon pour vous autres ! dit-elle. Je vous avais bien dit de les séparer avant de les ranger l'année passée quand vous avez défait l'arbre. Encore une fois, vous avez pas voulu m'écouter, débrouillez-vous tout seuls à cette heure.

— On a fait ce qu'on a pu, se défendit son mari.

— Bien oui, ça se voit, se moqua-t-elle. En plus, vous avez même pas ôté les lumières quand vous avez défait l'arbre. Ça fait que, regarde bien, il va y en avoir un paquet qui vont être brûlées. C'est fin, ça !

Félicien adressa à ses fils un regard de connivence avant de soulever les épaules.

— Bon, comme t'as pas l'intention de nous donner un coup de main, dit-il à sa femme, je pense que t'es mieux de t'en retourner dans ta cuisine et de nous sacrer patience.

Amélie eut un petit rire et s'éloigna. Quand elle eut disparu, le père dit à ses fils :

— On n'est pas pour passer la journée à taponner après cet arbre-là. On commence à démêler ça, on installe les lumières et on pose les boules après.

À la fin de l'avant-midi, les lumières étaient installées dans l'arbre alors que les guirlandes et les boules décoratives étaient suspendues aux branches. Pour finir, on consacra près d'une demi-heure à disposer au pied de l'arbre le village de petites maisons en carton aux couleurs pastel couvertes de brillants autour de la crèche. Après avoir inséré une ampoule à l'arrière de chacune, on alluma finalement l'arbre. Le salon prit immédiatement un air de fête.

— Amélie ! cria Félicien. Viens voir, on a fini.

La mère de famille vint examiner le travail et se déclara entièrement satisfaite.

— Il est bien beau, dit-elle. Il reste juste à suspendre la couronne à la porte et à installer la dernière guirlande à l'entrée de la cuisine.

— Il y a pas juste ça à faire, déclara Claude. Jean a promis à Omer de lui montrer notre arbre de Noël une fois allumé.

— Pourquoi ça ? s'étonna son père.

— C'était le seul moyen de le faire lever de l'escalier qu'il bloquait. Il voulait rien savoir de nous laisser passer avec le sapin, expliqua Jean. J'ai dû lui promettre ça pour qu'il dégage.

— Bon ! T'es aussi bien d'aller le chercher pour tenir ta promesse, intervint sa mère. Je pense qu'il va falloir parler bientôt à sa sœur, poursuivit-elle, l'air préoccupée. Deux fois cette semaine, il a bloqué le passage au laitier.

Jean ne se donna pas la peine d'endosser son manteau. Il alla sonner à la porte voisine. Adrienne Lussier vint lui ouvrir en tirant sur le cordon qui commandait à distance l'ouverture de la porte. Elle demeura debout sur le palier, à l'étage.

— Bonjour, madame Lussier. Je venais voir si votre frère était là. Je lui ai promis de lui montrer notre sapin de Noël une fois décoré.

— Il va descendre, ce sera pas long, promit la voisine.

Quelques minutes plus tard, Omer vint sonner à la porte des Bélanger. Amélie le fit entrer dans le salon et lui permit d'admirer durant quelques instants l'arbre de Noël avant de lui tendre une assiette de biscuits au gingembre qu'elle venait de sortir du four. Le voisin, tout heureux, quitta l'appartement en la remerciant.

— Il peut ben dire merci, lui, fit Félicien, à demi sérieux. Il a la chance de manger des biscuits frais sortis du fourneau pendant que nous autres, on va être obligés d'attendre le dîner pour y goûter, je suppose ?

— C'est en plein ça, se contenta de déclarer sa femme avant de retourner dans la cuisine, plutôt contente d'elle-même.

Une demi-heure plus tard, les Bélanger venaient de s'attabler pour manger les saucisses que la maîtresse de maison venait de leur servir avec de la purée de pommes de terre quand un grand bruit se fit entendre dans l'appartement.

— Ma foi du bon Dieu, voulez-vous bien me dire ce qui vient de tomber ? s'écria Amélie en se levant précipitamment.

— Ça, c'est probablement quelque chose de trop bien placé dans la garde-robe d'une des chambres, hasarda Félicien en l'imitant.

— Ça a plutôt l'air de venir du salon, risqua Claude, ou peut-être même de votre chambre, ajouta l'adolescent. Est-ce que ça se pourrait que ce soit dans votre garde-robe ? ajouta-t-il, sarcastique.

— Toi, cherche pas à faire le drôle, le réprimanda sa mère en prenant tout de même la direction de sa chambre à coucher pour vérifier.

Au moment où son mari allait se rasseoir à table en compagnie de ses deux fils, Amélie cria aux siens de venir voir. Tous les trois se précipitèrent et la trouvèrent debout dans le salon. Elle avait écarté le rideau qui séparait sa chambre de cette pièce et trouvé le sapin de Noël écrasé par terre.

— Venez voir ce que vous avez fait, bande de sans-dessein ! leur dit-elle en leur montrant le sapin qui avait basculé sur le côté, écrasant sur le linoléum quelques boules décoratives. Voulez-vous bien me dire comment vous avez installé cet arbre-là, vous autres ?

Jean et Claude regardèrent leur père, attendant de toute évidence qu'il explique comment il avait fixé l'arbre.

— Je l'ai installé comme chaque année, se défendit le père de famille, qui se sentait visé par tous.

— C'est pas pantoute l'impression que ça me donne, rétorqua sa femme. Pour moi, t'as pas serré comme il faut le tronc dans la base. Là, on a l'air fin. Il va falloir racheter des boules et je sais pas comment vous allez vous y prendre pour le replacer comme il faut.

— Là, saint cybole, on va…

— Ce sera pas pour tout de suite, en tout cas, le coupa Amélie. Là, c'est le temps d'aller manger avant que ça refroidisse dans les assiettes. Arrivez. On va aller manger, et après je vais vous expliquer ce que vous devez faire, ajouta la mère de famille sur un ton qui ne laissait aucune place à la contestation.

— On n'a pas pantoute besoin de toi, se défendit son mari. On va se débrouiller tout seuls. Je pense qu'on est capables de régler ça entre hommes.

Après le dîner, les deux frères parvinrent à redresser le sapin décoré pendant que leur père, à genoux, replaçait correctement l'extrémité du tronc dans la base.

— Dites-moi si l'arbre est ben droit, leur ordonna-t-il.

— Il a pas l'air de pencher, p'pa, le rassura Jean.

— Le sacrifice, il bougera plus, je vous en passe un papier, promit-il.

Il fit en sorte de serrer les écrous dont était munie la base beaucoup plus solidement autour du tronc.

— Ce bonyeu d'arbre-là, s'il bouge encore, je le cloue dans le plancher ! menaça-t-il en se relevant, la tête couverte de brillants.

— Il a l'air un peu fou quand même, fit observer Claude en s'éloignant un peu pour l'examiner. Ça paraît qu'il manque pas mal de boules.

— On le sait qu'il en manque. Lorraine nous en apportera la semaine prochaine pour remplacer les cassées. En attendant, tu serais ben plus utile d'aller chercher le balai et le porte-poussière pour ramasser les morceaux des boules cassées.

Quelques minutes plus tard, les deux frères décidèrent d'aller faire ensemble leurs emplettes de Noël.

— J'ai juste cinq piastres pour mes cadeaux, déclara Claude dès qu'ils eurent descendu l'escalier.

— Moi, je peux en mettre dix. Avec quinze piastres, on va être capables d'acheter quelque chose qui a du bon sens, lui fit remarquer son frère aîné.

— On va chez Messier ? demanda l'adolescent.

— J'aimerais mieux jeter un coup d'œil ailleurs pour voir si on trouverait pas quelque chose qui ferait notre affaire, proposa Jean.

— En plus, on serait pas obligés de voir la face de Lacombe, laissa tomber Claude, qui n'avait jamais beaucoup aimé l'amoureux de sa sœur.

Il y eut un court silence entre eux avant que le cadet reprenne la parole.

— Sais-tu ? Je viens de penser à quelque chose. Au fond, c'est une maudite chance que t'aies cassé avec Reine Talbot, sinon t'aurais été obligé de lui acheter un cadeau de Noël et il serait presque plus rien resté pour les cadeaux de p'pa et de m'man.

— Tu sauras que j'ai une nouvelle blonde, le senteux, répliqua Jean en montrant beaucoup plus d'assurance qu'il n'en éprouvait réellement.

— Ah oui ! C'est qui ?

— Tu la connais pas. C'est la sœur d'un gars qui vient au collège avec moi.

— Et Reine Talbot le sait ?

— Es-tu fou, toi ? Bon, on traverse de l'autre côté de la rue, annonça Jean en arrivant au coin de Brébeuf et Mont-Royal. J'ai pas envie de passer devant la biscuiterie.

Les frères Bélanger traversèrent la rue et se mirent en marche vers l'ouest de la rue Mont-Royal. Si Jean crut que Reine ne l'avait pas vu, il se trompait royalement. Debout derrière son comptoir, la jeune fille avait levé la tête au moment même où il passait sur le trottoir avec son frère, de l'autre côté de la rue. Elle se figea durant un instant, la main en l'air alors qu'elle était en train de servir une cliente. Cette dernière, surprise, regarda derrière elle pour tenter de comprendre cette réaction. Elle ne vit rien. La jeune vendeuse se reprit et tendit à la dame le sac de biscuits qu'elle venait de payer.

Dès que la cliente eut quitté le magasin, Reine se dirigea vers l'arrière-boutique et en sortit une minute plus tard après avoir endossé son manteau.

— Où est-ce que tu t'en vas ? lui demanda son père.

— Je me sens pas bien, lui répondit-elle. J'ai mal au cœur, j'ai besoin de prendre l'air.

— C'est correct, vas-y, accepta monsieur Talbot avant d'adresser un sourire à deux clientes qui venaient de pousser la porte. Mais niaise pas trop longtemps. Je peux pas tout faire tout seul.

La jeune fille se précipita à l'extérieur et regarda vers l'ouest pour tenter d'apercevoir les Bélanger. Elle ne les vit pas. Elle se rendit jusqu'au coin de De La Roche et regarda pour voir s'ils n'avaient pas emprunté cette rue. Personne, c'était comme s'ils s'étaient volatilisés.

— Il va me payer ça, lui ! dit-elle, les dents serrées, en revenant sur ses pas.

Au lieu de rentrer dans la biscuiterie où son père était occupé à servir les deux clientes, elle ouvrit la porte voisine et monta l'escalier qui conduisait à l'appartement familial. Dès qu'elle poussa la porte d'entrée, sa mère apparut à l'extrémité du couloir.

— Qu'est-ce qui se passe ? lui demanda-t-elle.

— J'ai mal à la tête, mentit-elle. Je vais prendre une Madelon et m'étendre cinq minutes pour que ça passe.

— Et ton père ?

— Il est en bas. Ayez pas peur, m'man, je le laisserai pas travailler tout seul ben longtemps.

Sur ces mots, la jeune fille pénétra dans sa chambre dont elle referma la porte derrière elle. Elle se laissa tomber sur son lit, les traits crispés par la colère.

— Quand il va venir me chercher à soir, lui, il va m'entendre ! se dit-elle à mi-voix alors qu'elle imaginait déjà la scène de leur prochaine rencontre.

Reine Talbot n'était pas du genre à s'en laisser imposer, surtout pas par son amoureux.

Ce soir-là, elle se prépara inutilement à recevoir je jeune homme. Jean Bélanger ne se présenta pas chez elle.

— T'es-tu chicanée avec le petit Bélanger, toi ? lui demanda sa mère quand elle se rendit compte qu'il était plus de huit heures et que sa fille était assise contre la tête de son lit en train de limer ses ongles.

— Non, mentit-elle. Il avait quelque chose à faire au collège à soir.

— En plein samedi soir ? insista sa mère, sceptique.

— Ça en a tout l'air, répondit la jeune fille sur un ton exaspéré.

— Laisse-le pas rire de toi, ma fille, la mit en garde Yvonne, sévère.

— Ben non, m'man. Il y a pas de danger.

Sa mère referma la porte et alla rejoindre son mari au salon.

Alors que Reine Talbot se morfondait à l'attendre, Jean venait de rejoindre Blanche à la patinoire du parc La Fontaine depuis quelques minutes.

— Où est-ce que tu t'en vas ? lui avait demandé Claude quand il l'avait vu près de la porte, sa paire de patins sur l'épaule.

— Au parc La Fontaine.

— Attends-moi. Je vais y aller avec toi.

— Non, j'y vais avec une fille, dut avouer son frère.

— Tu t'en vas patiner avec Reine ? lui demanda son père. Il me semblait qu'elle aimait pas ça, patiner, ajouta-t-il sans insister.

— Non, c'est avec une autre fille, p'pa, fit Jean, un peu embarrassé ; en jetant un regard furieux à Claude parce qu'il l'obligeait à s'expliquer devant ses parents.

— Est-ce que ça veut dire que tu sors plus avec la fille de Talbot ? s'enquit Félicien en enlevant ses lunettes.

— C'est un peu ça, p'pa,

— J'espère que tu lui as pas fait de la peine, se contenta de dire sa mère, qui n'avait jamais beaucoup apprécié les airs prétentieux de l'amie de cœur de son fils.

— Inquiétez-vous pas, m'man, la rassura-t-il, elle va survivre.

— Bon, mais moi, je vais quand même patiner au parc La Fontaine, s'entêta Claude.

— Toi, mon maudit fatigant ! le menaça son frère.

— Aïe, le grand ! Le parc est à tout le monde. J'ai ben le droit d'aller patiner là si je le veux.

— À part ça, comment veux-tu qu'on sache quelle sorte de fille tu vas rencontrer si ton frère vient pas nous le raconter ? plaisanta Félicien avant de plonger le nez dans son journal.

— C'est pas drôle pantoute, p'pa, dit le jeune homme avant de sortir de l'appartement sans se soucier de son frère qui avait déjà commencé à chausser ses bottes.

Claude le rejoignit un coin de rue plus loin et les deux frères marchèrent pendant quelques minutes côte à côte sans s'adresser la parole. Ils descendirent vers la rue Rachel et entrèrent dans le vaste parc La Fontaine. Ils se dirigèrent vers l'étang transformé en patinoire dont la glace était plus ou moins lisse en cet hiver 1946.

— Sacrifice, il y a ben du monde ! s'écria Claude à la vue des dizaines de patineurs qui semblaient se poursuivre sur la surface glacée, à la lueur des quelques lampadaires allumés autour de l'étang.

— J'espère que tu vas nous laisser tranquilles, prit la précaution de lui dire Jean en se dirigeant vers l'édicule devant lequel il avait donné rendez-vous à la sœur de Paul Comtois.

— Aie pas peur, je vous achalerai pas, lui promit son frère avec un petit sourire en coin en le suivant tout de même de près.

À leur arrivée à l'endroit du rendez-vous, Jean découvrit que Blanche l'avait précédé et que, patins aux pieds, elle l'attendait en se risquant à faire quelques figures de patinage de fantaisie à l'écart d'un groupe assez important de jeunes patineurs qui chahutaient.

— C'est elle, dit-il en la montrant à son frère.

— Whow ! C'est une maudite belle fille ! s'exclama ce dernier avec enthousiasme après l'avoir examinée avec une effronterie certaine.

— Bon, à cette heure que tu l'as vue, tu chnailles ! lui ordonna son aîné, tout de même flatté par son commentaire, mais néanmoins tout à fait sérieux.

— C'est correct, accepta Claude. Je vais juste vous chaperonner de loin.

— Dégage, le colleux !

Jean s'empressa d'aller chausser ses patins et vint rejoindre la sœur de son camarade de collège. En le reconnaissant, Blanche lui adressa un sourire chaleureux et vint vers lui. Jean lui saisit la main et l'entraîna à ses côtés en prenant place dans le ballet des patineurs qui faisaient inlassablement le tour de l'étang. Après quelques minutes, le jeune homme s'enhardit et prit tout naturellement la taille de sa compagne, comme le faisaient la plupart des patineurs.

Durant près de deux heures, les jeunes gens évoluèrent sur la surface glacée en discutant de tout et de rien. Ils ne cessaient de se découvrir des intérêts communs depuis leur première conversation de la veille. Soudain, un petit vent frisquet se leva et fit frissonner Blanche. Jean s'en rendit compte.

— Je pense qu'on ferait mieux d'aller boire quelque chose de chaud pour se réchauffer, lui proposa-t-il.

Ils allèrent retirer leurs patins. En entrant dans l'abri réservé aux garçons, Jean vit son frère en train de se réchauffer. Il avait déjà enlevé ses patins.

— Je suis gelé à mort. Je m'en retourne chez nous, lui annonça l'adolescent. Toi, à voir comment tu la tenais serrée, t'as pas dû avoir trop froid, ajouta-t-il, sarcastique.

Jean fit comme s'il ne l'avait pas entendu et entreprit de retirer ses patins.

— J'espère que tu vas me présenter à ta nouvelle blonde avant que je m'en aille.

— C'est pas nécessaire.

— Peut-être, mais ce serait plus poli, par exemple. Là, je peux dire chez nous que c'est une belle fille, mais je suis même pas certain si elle est pas sourde et muette. J'ai même pas entendu sa voix.

— C'est correct, la belette, s'impatienta l'aîné. Viens lui dire bonsoir avant que je la reconduise chez elle.

Tout fier de sa petite victoire, l'adolescent mit ses patins sur son épaule et suivit son frère à l'extérieur. Tous les deux durent patienter quelques minutes avant que la jeune fille sorte de l'abri. Jean lui présenta son amie qui se montra très gentille à l'endroit du cadet des Bélanger.

— Bon, je m'en retourne faire mon rapport, plaisanta Claude en souhaitant le bonsoir à Blanche.

Les deux jeunes gens le regardèrent s'éloigner, l'air frondeur, les mains dans les poches.

— Qu'est-ce qu'il a voulu dire en disant qu'il allait faire son rapport ? demanda Blanche à qui Jean venait de prendre les patins pour les suspendre à l'une de ses épaules.

— C'est une blague, voulut esquiver son compagnon.

— Une blague ?

— Oui, mon frère tenait absolument à venir voir la fille avec qui je patinais pour la décrire à mes parents.

— Ah ! Et qu'est-ce que tu crois qu'il va leur dire ? demanda-t-elle, coquette.

— Je suis certain qu'il va leur raconter que j'ai patiné avec la plus belle fille qu'il y avait à soir au parc La Fontaine.

— Merci beaucoup, monsieur, fit Blanche Comtois en glissant son bras sous le sien, pas peu fière du compliment.

Ils allèrent s'installer sur une banquette du restaurant Moderne, rue Papineau. Ils discutèrent pendant une heure en buvant une tasse de chocolat chaud avant que Blanche demande à son chevalier servant de la reconduire chez elle.

La veille de la Nativité, les Bélanger passèrent la plus grande partie de la soirée dans la cuisine à écouter les airs de Noël à la radio alors qu'Édouard Lacombe veillait au salon en compagnie de Lorraine. La voix sirupeuse de Bing Crosby entonnait *White Christmas* quand Félicien, agacé d'être chassé de son salon, ne put s'empêcher de dire à mi-voix à sa femme en parlant du prétendant de sa fille :

— Bonyeu ! Il me semble qu'il aurait pu aller s'échouer ailleurs la veille de Noël, lui. Il y a ben assez qu'on va l'avoir sur les bras pour souper demain soir.

— Voyons, Félicien ! On pouvait pas refuser à Lorraine de le recevoir. C'est peut-être à soir qu'il va la demander en mariage, répondit cette dernière.

— Arrête-moi ça, toi ! Ça fait deux ans qu'on attend qu'il se branche, rétorqua son mari avec humeur.

— Oui, mais là, je pense qu'il va bientôt se décider, l'encouragea Amélie.

— En tout cas, tout ce que je sais, moi, c'est que j'ai pas monté un arbre de Noël dans mon salon pour venir m'asseoir sur une chaise dure dans ma cuisine la veille de Noël sans être capable de le voir. Quant à lui, le tata, je suis à la veille de lui mettre les points sur les « i », s'il se réveille pas.

Dans la pièce voisine, Jean et Claude lisaient, étendus sur leur lit en attendant le départ pour la messe de minuit. Depuis un bon moment, l'aîné avait cessé de lire, le regard perdu dans ses pensées. Il songeait à Blanche et à l'invitation qu'elle lui avait faite quatre jours plus tôt. Même s'il avait passé une soirée à patiner avec elle à peine trois jours auparavant, il était impatient de la revoir et il comptait les heures qui le séparaient de la fête qui aurait lieu le lendemain soir.

Ses parents n'avaient pas trop protesté quand il leur avait fait part de son intention de ne pas participer au souper que son oncle Émile, le frère de sa mère, offrait traditionnellement le soir de Noël. Déjà, Lorraine avait annoncé qu'elle allait souper chez les Lacombe ce soir-là.

— C'est ça, avait laissé tomber son père, contrarié. On va aller là tout seuls, nous autres.

— Et moi, là-dedans, je compte pas ? avait demandé Claude, ulcéré de constater qu'on l'ignorait.

Le matin même, Jean était allé acheter une boîte de chocolats chez Laura Secord et il avait eu la chance de tomber sur une vendeuse serviable qui lui avait offert gracieusement d'emballer le cadeau qu'il destinait à Blanche. La boîte était dissimulée dans un sac de papier kraft sous son lit.

Rêveur, le jeune homme fixait un point au plafond de sa chambre et ne se donnait même plus la peine de feindre de lire. Il n'aurait jamais cru qu'il tomberait aussi follement amoureux d'une fille qu'il n'avait, en somme, rencontrée qu'à deux reprises. Déjà, il projetait de l'inviter à souper à la maison le soir du jour de l'An. En cette occasion, il allait fièrement la présenter aux siens ainsi qu'à sa grand-mère et à ses tantes Camille et Rita, les deux sœurs de son père.

La veille, il avait accompagné son père dans sa tournée, comme il le faisait tous les ans, l'avant-veille de Noël, mais pour la première fois, il n'y avait pris aucun plaisir.

— Aïe, la lune ! À quoi tu penses ? lui demanda un Claude goguenard qui venait de laisser tomber le livre de *Tintin* dont il avait achevé la lecture.

— Je lis, mentit son frère.

— Mon œil ! Ça fait au moins dix minutes que t'as pas tourné une page.

— Mêle-toi donc de tes affaires, la fouine ! répliqua Jean, agacé d'être surveillé.

— OK, j'ai rien dit, fit l'adolescent, mais t'es pas mal drôle à voir avec les yeux dans la graisse de binnes.

— Les jeunes, c'est l'heure d'y aller, annonça leur père en passant devant la porte de leur chambre.

Dès qu'ils parurent dans la cuisine, leur mère les houspilla.

— Traînez pas, les garçons. Si on arrive trop tard, on n'aura pas de place pour s'asseoir. On sera dans le fond et on verra rien.

Déjà, Lorraine et son amoureux étaient debout dans le couloir en train d'endosser leur manteau. Félicien, son chapeau sur la tête et une écharpe de soie blanche autour du cou, sortit du salon où il était allé éteindre les ampoules du sapin de Noël. Jean resserra sa cravate, mit son veston et son manteau avant de faire glisser ses souliers dans ses couvre-chaussures. Claude l'imita et sortit de l'appartement en même temps que lui, sur les talons de leur mère qui suivait Lorraine et Édouard Lacombe.

À l'extérieur, il régnait une atmosphère spéciale en cette soirée du 24 décembre 1946. Évidemment, à onze heures, les commerces de la rue Mont-Royal étaient fermés depuis plusieurs heures et les tramways se faisaient rares. Pourtant, malgré l'heure tardive, de nombreux piétons avaient envahi les trottoirs, insouciants de la neige légère qui tombait. Au pied de l'escalier, Amélie attendit son mari qui venait de verrouiller la porte d'entrée, à l'étage. Lorraine retint son compagnon, désireuse de faire route avec ses parents. Jean et Claude en profitèrent pour prendre légèrement les devants.

— Tu trouves pas que Lacombe ressemble à notre patère, dans l'entrée? demanda l'adolescent à son frère aîné.

— Pourquoi tu dis ça?

— Il est petit et il est maigre comme un clou. Moi, je trouve qu'il fait dur en sacrifice avec sa petite moustache miteuse et ses barniques. Je sais pas ce que notre sœur peut lui trouver. Il a même pas une belle *job*! Vendeur chez Messier, tu parles d'une affaire...

— Pour moi, tu dis ça parce que t'es jaloux de lui, se moqua Jean.

— Fais-moi pas rire, reprit Claude avec une grimace. Si encore il était pas si séraphin! Je te gage n'importe quoi que tout ce que Lorraine va avoir comme cadeau, c'est juste une boîte de chocolats.

— Puis après, fit Jean, qui se sentait visé par la remarque, lui qui avait l'intention de donner exactement la même chose à Blanche le lendemain soir. Tu sauras que c'est un beau cadeau à offrir à une fille.

— Moi, je trouve que ça fait *cheap* en maudit, déclara son jeune frère. N'importe quelle fille sait ben que ça vaut pas cher.

En entendant ces paroles, Jean ne répliqua rien, mais n'en pensa pas moins. Même si son frère avait semé le doute dans son esprit, il ne voulait pas en tenir compte.

Jean ajusta son chapeau et, absorbé dans ses pensées, il traversa la rue Gilford avec le reste de la famille avant de remonter jusqu'au boulevard Saint-Joseph et de tourner vers l'est en direction de la rue De Lanaudière où s'élevait la magnifique église en pierre grise de la paroisse Saint-Stanislas-de-Kostka. Les flèches de ses deux clochers se dressaient fièrement, dominant nettement tous les immeubles du voisinage. À gauche de l'édifice, les nombreuses fenêtres de l'imposant presbytère à deux étages, aussi en pierre grise, étaient éclairées.

Le groupe s'immobilisa au pied des deux volées de sept marches conduisant au parvis.

— Qu'est-ce qu'on fait? demanda Félicien aux siens. On passe par la grande entrée ou par la porte sur la rue Garnier?

— On est aussi bien de passer par la grande entrée comme tout le monde, trancha sa femme en commençant à escalader les marches.

Dès leur entrée dans le temple, les Bélanger se rendirent compte qu'ils n'avaient pas quitté leur domicile suffisamment tôt. Quarante minutes avant la messe, les lieux avaient déjà été envahis par une foule de fidèles qui avaient pris d'assaut les meilleures places. Comme chaque fois qu'il pénétrait dans cette église, Jean fut saisi par la beauté de l'endroit. La rosace au-dessus du chœur, les magnifiques vitraux et le marbre beige veiné qui soutenait les pilastres conféraient à l'église où il avait été baptisé une majesté extraordinaire. Il tourna la tête vers l'arrière, vers le deuxième balcon où se trouvait l'orgue imposant devant lequel la chorale paroissiale terminait sa répétition par un dernier chant de Noël. Au-dessous, le jubé était déjà à demi rempli de paroissiens.

Avant même qu'Amélie ait trempé ses doigts dans le bénitier, un placier se présenta devant le petit groupe pour l'entraîner vers un banc libre, dans l'allée centrale, mais situé passablement à l'arrière du temple. Après une courte prière effectuée à genoux sur le prie-Dieu, chacun s'assit et s'empressa de déboutonner son manteau.

— Parle-moi de ça, fit Amélie, dépitée. On est assis tellement loin qu'on verra presque rien de la messe.

— On n'est pas si loin que ça, répliqua Félicien. Si tu vois rien, ça veut dire qu'il est temps que tu traînes tes lunettes quand tu viens à l'église.

— Je te trouve pas drôle pantoute, Félicien Bélanger, chuchota-t-elle. Je te l'avais dit qu'on partait trop tard pour avoir une bonne place.

— Il fait chaud en sacrifice, murmura Claude sans s'adresser à quelqu'un en particulier.

— Sors ton chapelet et prie au lieu de te plaindre, lui ordonna sèchement sa mère en tournant la tête vers lui.

Après cette remarque, Amélie se tourna vers sa fille et nota qu'elle tenait la main de son amoureux. Elle lui fit les gros yeux. Lorraine saisit le message et poussa un léger soupir d'exaspération avant de repousser la main d'Édouard.

L'église se remplit progressivement durant les minutes suivantes et la chaleur s'éleva au point d'inciter bon nombre des personnes présentes à enlever leur manteau et à l'étendre sur le dossier de leur siège. Lorsque le jubé fut rempli, les gens s'entassèrent peu à peu, debout, à l'arrière.

La chorale entonna le *Venez divin Messie* au moment où l'officiant pénétrait dans le chœur en compagnie de ses servants de messe. Les fidèles se levèrent pour l'accueillir et la cérémonie religieuse commença.

— Il était temps qu'il arrive, lui, dit Claude à son frère. Il est cinq minutes en retard. Pour moi, il cognait des clous dans la sacristie.

— Tais-toi, effronté ! fit sa mère, qui l'avait entendu.

Durant plusieurs minutes, Jean regarda sans la voir la crèche installée à gauche du chœur, au point que son frère dut lui décocher un coup de coude pour l'inciter à se lever au moment de la lecture de l'Évangile.

— Arrête de regarder le petit Jésus dans la crèche, lui chuchota l'adolescent, moqueur. Il est en plâtre. Il se lèvera pas pour te faire des tatas.

— Comique ! se contenta de rétorquer son frère sur le même ton en se levant.

Il aperçut du coin de l'œil Adrienne Lussier debout de l'autre côté de l'allée en compagnie d'Omer, qui regardait partout, sauf vers l'autel. La voisine, vêtue d'un manteau noir étriqué, semblait prier, les yeux fermés.

Après avoir lu l'Évangile le dos tourné à la foule, le curé Gauthier descendit les marches de l'autel, fit une génuflexion et retira sa chasuble dorée. Vêtu de son aube et le cou ceint de son étole, le célébrant se dirigea vers la chaire ornée des statues des apôtres. Durant son sermon, il parla longuement de l'importance de la naissance du Christ pour la rédemption du genre humain, malgré les signes de plus en plus manifestes de l'impatience grandissante de ses auditeurs. Il était évident qu'on souhaitait que la cérémonie religieuse se termine au plus vite pour commencer à fêter.

Pour sa part, Jean examinait les peintures décorant les arcades autour de l'autel tout en se demandant ce que faisait Blanche à cette heure. Puis ses pensées dérivèrent vers l'époque, pas si lointaine, où il venait servir la messe dans cette église. Impressionné par la solennité de l'endroit et le faste des cérémonies religieuses, il avait alors rêvé de devenir prêtre... Son directeur de conscience au collège l'avait encouragé dans cette voie et l'avait incité fortement à entretenir sa vocation. Puis tout avait basculé sans qu'il en connaisse véritablement la raison. Fortement attiré par les filles, il avait fini par renoncer à la prêtrise, préférant faire des études de droit et surtout fonder une famille.

Au moment où le prêtre mettait fin à son homélie et regagnait le chœur pour poursuivre la célébration de la messe, le jeune homme eut une pensée pour Reine qu'il imaginait en train d'assister à la messe de minuit dans une église de Saint-Lambert, en compagnie de ses parents, de son frère, de sa sœur et de son mari. Elle lui avait dit que depuis le mariage de sa sœur, chaque année, la veille de Noël, Charles Caron, le mari d'Estelle, venait chercher en voiture sa belle-sœur et ses beaux-parents. Il les conduisait à la messe de minuit à Saint-Lambert où il demeurait avec Estelle. Ensuite, le couple offrait à toute sa famille un réveillon plantureux et Lorenzo ramenait sa sœur et ses parents à leur appartement de la rue Mont-Royal au milieu de la nuit.

Jean aurait été passablement étonné d'apprendre que Reine avait prétexté une horrible migraine pour refuser d'accompagner ses parents chez sa sœur, ce soir-là.

— T'es pas pour passer la nuit de Noël toute seule, avait dit sa mère. Je vais te donner des pilules, ça va te passer.

— J'en ai déjà pris, m'man, avait déclaré la jeune fille avec impatience. Allez-y chez Estelle et inquiétez-vous pas. Je vais me coucher de bonne heure.

— Même pas de réveillon ! était intervenu son père. C'est ta sœur qui va être déçue de pas te voir. Es-tu ben sûre que tu veux pas venir ? C'est plate en maudit que tu passes la veille de Noël toute seule.

— C'est pas grave, j'en mourrai pas, p'pa.

Dès le départ de ses parents au début de la soirée, Reine s'était mise au lit. Durant plusieurs heures, elle s'était apitoyée sur son triste sort alors qu'à la radio Tino Rossi chantait *Petit Papa Noël*.

— Il va me payer ça, lui ! ne cessait-elle de répéter d'une voix rageuse en songeant à son ami de cœur qui ne lui avait pas donné signe de vie depuis le jeudi précédent.

Elle avait surtout sur le cœur le fait qu'il ait volontairement cherché à l'éviter en empruntant le trottoir d'en face pour passer devant la biscuiterie sans tourner la tête trois jours auparavant. Le pire était qu'il ne s'était pas manifesté depuis. D'accord, il savait qu'elle devait aller réveillonner chez sa sœur la veille de Noël, mais rien ne l'empêchait de venir lui dire un petit bonjour au magasin durant la journée...

— C'est sûr qu'il va venir demain faire le beau pour m'apporter le cadeau qu'il m'a acheté pour Noël. Je l'attends, lui.

Pour sa part, elle lui avait acheté des gants de cuir noir deux semaines auparavant. Elle les avait emballés dans un papier doré et avait rangé le paquet dans le dernier tiroir de sa commode.

Elle se plut ensuite à imaginer de nouveau tout ce qu'elle pourrait lui faire quand il viendrait sonner à la porte des Talbot au début de l'après-midi, le lendemain. Elle pourrait tout simplement refuser de lui répondre. Elle pourrait ouvrir, puis lui fermer la porte au nez sans rien dire. Elle pourrait le faire entrer, mais le laisser sur le paillasson, le temps d'aller chercher le cadeau qu'elle lui destinait et le lui offrir avant de l'inviter sèchement à débarrasser le plancher. Chaque scénario la remplissait d'aise parce qu'elle l'imaginait perdant la face, la suppliant de lui pardonner et lui promettant de se montrer plus attentionné à son égard.

Finalement, elle se lassa de ce petit jeu. Elle finit par reconnaître à contrecœur qu'elle tenait à lui et qu'elle n'arriverait à rien à l'humilier ainsi. Fatiguée par sa journée de travail à la biscuiterie, elle se mit à somnoler. Les dernières paroles qu'elle prononça avant de s'endormir furent:

— Je vais faire semblant d'oublier ce qu'il vient de me faire, dit-elle, les dents serrées, mais il va s'apercevoir que j'ai de la mémoire. Il me fera pas le coup une autre fois. Ça fait presque une semaine qu'il m'a pas dit un mot...

Au moment où Reine sombrait dans le sommeil, le curé Gauthier sortait le ciboire du tabernacle et descendait les marches pour distribuer la sainte communion. Deux vicaires se joignirent à lui. Les fidèles envahirent les allées pour aller s'agenouiller à la sainte table. Durant un court moment, Jean hésita sur la conduite à suivre. Il n'était pas allé se confesser depuis qu'il avait fait l'amour avec Reine. Il était donc en état de péché, ce qui le tracassait beaucoup. Bien sûr, il aurait pu aller avouer sa faute à son directeur de conscience, au collège, mais qu'est-ce que le père Marien aurait pensé de lui? Il fallait qu'il trouve absolument le temps de venir se confesser ici, à l'église. En attendant, il lui faudrait se résoudre à aller communier en état de péché, ce qui aggravait la situation. «La mort viendra vous chercher comme un voleur. Soyez toujours prêts.» Le souvenir de cette phrase maintes fois répétée par les prêtres lui revint en mémoire et le fit légèrement frissonner. Mais comment faire autrement en présence de sa mère qui ne manquerait pas de l'interroger sur les raisons qui l'empêchaient de communier s'il demeurait assis à son banc?

La mort dans l'âme, il se décida à suivre les siens dans l'allée et il alla s'agenouiller à leur côté à la sainte table. Quand le servant de messe plaça la patène sous son menton au moment où le prêtre déposait une hostie sur sa langue, il déglutit difficilement. Il lui fallut ensuite plusieurs minutes pour retrouver une certaine paix d'esprit.

À leur sortie de l'église, les paroissiens s'empressèrent de boutonner leur manteau et de mettre leurs gants. Durant la cérémonie, la température extérieure avait chuté de plusieurs degrés et un léger vent du nord en incita plus d'un à relever le col de son manteau pour tenter de protéger ses oreilles du froid.

— Ça, c'est une affaire pour attraper son coup de mort, déclara Amélie en resserrant son écharpe autour de son cou. On a eu chaud sans bon sens en dedans et là, on gèle. On est mieux de pas traîner dehors.

Les Bélanger ne s'attardèrent pas. Ils revinrent rapidement à leur appartement de la rue Brébeuf. À leur arrivée, ils furent tout heureux de trouver une maison chaude et ils se dépêchèrent de retirer leur manteau. Pendant que Lorraine et sa mère allaient mettre les pâtés à la viande au four et le ragoût de boulettes sur le poêle, Félicien alla allumer l'arbre de Noël.

— On va se donner nos cadeaux avant de manger, déclara le père de famille.

— Chez nous, on a toujours fait ça au jour de l'An, fit remarquer Amélie, comme chaque année quand on parlait de distribuer les étrennes.

— On le sait, répliqua son mari, mais il faut suivre la mode. À cette heure, ça se fait à Noël.

Ses fils allèrent chercher dans leur chambre les cadeaux achetés pour l'occasion et vinrent les déposer au pied de l'arbre. Ils étaient les derniers de la famille à poser ce geste.

— Vous auriez bien pu les mettre là tout de suite après les avoir enveloppés, leur fit remarquer Lorraine en entrant dans la pièce, suivie par sa mère.

— Laisse faire, toi, dit Claude. Dans cette maison, il y a des senteux qui arrêtent pas de tâter les cadeaux pour essayer de savoir ce que c'est.

— Comme toi, par exemple, dit sa sœur en riant.

On procéda ensuite à la remise des étrennes. Félicien reçut une machine servant à fabriquer des cigarettes et des bottes neuves. Amélie eut, pour sa part, un bijou et un ensemble de peignes et de brosses à cheveux. Les garçons furent des plus heureux en recevant chacun une paire de patins et Lorraine se déclara comblée de recevoir des produits de beauté et une boîte de chocolats.

— On ramasse tout ça et on remet de l'ordre dans le salon avant d'aller manger, déclara Amélie en se dirigeant vers la cuisine pour vérifier si la nourriture était prête.

— Oui, puis grouillez-vous, ordonna Félicien avec bonne humeur. Ça sent bon en cybole et moi, j'ai faim.

— Je te l'avais dit qu'une boîte de chocolats, ça fait *cheap*, chuchota Claude à son frère en glissant sa paire de patins sous son lit. La preuve, c'est ce que le chum de notre sœur vient de lui en donner une pour Noël.

Jean ne dit rien et rangea, lui aussi, ses patins.

Peu après, on prit place autour de la table. L'hôtesse, aidée par sa fille, servit à chacun une assiette dans laquelle une généreuse portion de pâté à la viande voisinait avec du ragoût et des pommes de terre.

— Il y en a pour une deuxième assiettée, déclara la cuisinière avec bonne humeur en prenant place au bout de la table, face à son mari.

La mère de famille se rendit rapidement compte que l'humeur joviale de son mari était un peu factice. Elle remarqua qu'il jetait de temps à autre des coups d'œil peu amènes à l'amoureux de sa fille qui s'empiffrait gloutonnement, comme s'il s'agissait de son dernier repas avant de mourir. Claude s'aperçut aussi de la chose et ne put se retenir.

— Étouffe-toi pas, mon Édouard, dit-il au petit homme maigre assis à côté de sa sœur. Il y en a encore.

Sa mère et Lorraine lui adressèrent un regard assassin. Pour sa part, Félicien eut du mal à réprimer un sourire narquois. Cependant, la remarque de l'adolescent ne sembla pas gêner le moins du monde le jeune homme, puisqu'il accepta une seconde assiettée qu'il engloutit aussi rapidement que la première. Après le morceau de gâteau aux fruits servi en guise de dessert, Amélie annonça son intention de ranger rapidement la nourriture pour éviter qu'elle se gâte.

— C'est une bonne idée, reconnut vivement son mari en se levant. Fais donc ça avec Lorraine pendant que je parle un peu avec Édouard. Viens, Édouard, dit-il à l'ami de sa fille, on va aller s'asseoir tranquillement dans le salon tous les deux.

Alors que son père et son amoureux prenaient la direction de la pièce voisine, Lorraine chuchota à sa mère :

— Qu'est-ce que p'pa veut à Édouard ?

— J'en ai pas la moindre idée, mentit Amélie en commençant à desservir.

— Bon, nous autres aussi, on va aller s'asseoir dans le salon, déclara Claude en se dirigeant déjà vers le couloir.

— Non, laisse ton père et Édouard tranquilles, s'interposa sa mère. Il est déjà presque trois heures du matin. Tu peux aller te mettre en pyjama.

Jean comprit que sa présence n'était pas plus souhaitée dans le salon et il suivit son jeune frère dans leur chambre commune.

— Qu'est-ce qui se passe ? lui demanda Claude dès que la porte de la pièce se fut refermée derrière eux.

— Je pense que p'pa a des choses importantes à dire à Édouard et qu'il aime mieux qu'on soit pas là pour l'écouter, répondit Jean en retirant sa cravate.

— En tout cas, je trouve que c'est une façon ben plate de finir un réveillon de Noël, laissa tomber l'adolescent en commençant à se préparer pour la nuit.

Dans le salon, Édouard Lacombe semblait mal à l'aise devant l'air un peu solennel du père de Lorraine. Après l'avoir invité à s'asseoir, ce dernier avait allumé une cigarette avant de prendre la parole.

— Ça fait combien de temps que tu sors avec Lorraine ? lui demanda sans détour le père de famille.

— À peu près trois ans, monsieur Bélanger.

— Vous vous entendez ben ?

— Numéro un, monsieur.

— Parfait, fit Félicien avec un sourire satisfait. J'imagine que t'as l'intention de la marier un jour ? poursuivit-il sans quitter le prétendant des yeux.

— Ben… ben oui, monsieur Bélanger.

— Bon, alors quand est-ce que t'as l'intention de me la demander en mariage ? s'enquit le plus simplement du monde Félicien.

— Ça sera plus ben long, monsieur Bélanger, dit Édouard en rougissant violemment. Vous savez que ça coûte pas mal cher se marier aujourd'hui, et c'est pas facile non plus de se trouver un appartement à un prix raisonnable. Il faut aussi se meubler… Je ramasse mon argent, mais ça prend du temps.

— C'est correct. Je comprends ça, fit Félicien sur un ton radouci. Mais il faudrait pas que tu lui fasses perdre trop de temps quand même. Attends pas d'être riche à craquer avant de te décider.

Sur ce, Amélie et Lorraine entrèrent dans la pièce.

— Bon, la cuisine est en ordre. Il serait peut-être temps de penser à aller se coucher si on veut être d'aplomb pour aller souper chez Émile.

Édouard comprit le message. Il se leva et remercia ses hôtes pour le réveillon, avant de sortir de la pièce en compagnie de Lorraine pour aller mettre son manteau. Il lui rappela qu'il viendrait la prendre vers quatre heures pour l'emmener souper chez ses parents, puis il quitta l'appartement des Bélanger.

— Est-ce que je peux vous demander de quoi vous avez parlé, p'pa ? demanda la jeune fille au moment où son père éteignait les lumières du sapin de Noël. Édouard avait l'air tout drôle quand il est parti.

— On a jasé entre hommes. Inquiète-toi pas, la rassura son père.

La jeune fille dut se contenter de cette réponse évasive et se retira dans sa chambre. Félicien repoussa le rideau qui séparait sa chambre du salon et entreprit de se déshabiller.

— Ça a été une ben belle fête, dit-il à Amélie. Tu nous as fait un bon réveillon.

— Tant mieux si t'as aimé ça, répliqua cette dernière en enfilant sa robe de nuit. Puis ?

— Puis quoi ?

— Qu'est-ce que ça a donné de parler à Édouard ? insista-t-elle.

— Pas grand-chose, admit-il, le visage soudain assombri. À l'entendre, il ramasse son argent pour se marier.

— C'est bien ce que j'ai toujours pensé. Il est prudent, ce garçon-là. Il veut pas que notre fille ait de la misère une fois mariée.

— Je sais pas trop. Moi, j'ai l'impression qu'il la mariera jamais, laissa tomber son mari en se glissant sous les couvertures.

— Voyons donc ! protesta sa femme. C'est un bon garçon. Il sacre pas, il fume pas, il boit pas et il couraille pas.

— C'est sûr, se moqua Félicien. À part sacrer, toutes les autres affaires coûteraient de l'argent...

— Félicien !

— En tout cas, tu peux pas dire qu'il se ruine avec le cadeau de Noël qu'il a fait à notre fille.

— Du chocolat, c'est tout de même mieux que rien, lui fit remarquer sa femme.

— Et toi ?

— Quoi, moi ?

— Saint cybole, Amélie, il me semble qu'il pourrait au moins se fendre d'un petit cadeau quand il vient se bourrer la face dans ton réveillon. Tu trouves pas ?

— C'est pas nécessaire, l'excusa sa femme.

— C'est peut-être pas nécessaire, mais ça prouverait au moins qu'il sait vivre, trancha Félicien. Ça prouverait aussi qu'il est moins gratteux qu'on le pense.

— On dirait que t'as une dent contre lui.

— C'est pas vrai, mais je me méfie. Il m'a l'air d'un peureux qui veut pas prendre de chances. Si Lorraine était plus jeune, je l'aurais mis à la porte, son Édouard, et elle aurait rien eu à dire contre ça parce qu'elle aurait été mineure. C'est de ma faute, j'ai attendu trop longtemps. À cette heure, elle est majeure.

Chapitre 5

Noël

Fernand et Yvonne Talbot n'étaient rentrés à la maison qu'aux petites heures du matin. Leur fils les avait laissés devant leur porte avant de poursuivre son chemin vers son petit appartement de la rue De Lorimier.

— On va dormir toute la matinée, déclara Fernand en retirant ses souliers, assis sur son lit. On mangera quand on se lèvera.

— Ce sera pas une journée bien drôle pour Reine, lui fit remarquer sa femme en train de se préparer pour se mettre au lit.

— Elle avait juste à venir avec nous autres, affirma le commerçant en posant son pantalon sur une tringle.

— Voyons, Fernand! Elle était malade, lui reprocha sa femme. Je vais tout de même aller voir si elle va mieux avant de me coucher.

— T'es pas pour la réveiller à cinq heures du matin, protesta son mari en se glissant sous les couvertures après avoir déposé ses lunettes sur la table de nuit.

— Je la réveillerai pas. De toute façon, il va falloir qu'elle se lève pour aller à la messe de neuf heures, précisa Yvonne en quittant la pièce.

La mère de famille alluma la lumière de la cuisine et poussa doucement la porte de la chambre de sa fille. Reine avait entendu marcher dans la pièce voisine et elle entrouvrit les yeux au moment où sa mère entrait dans sa chambre.

— Quelle heure il est? demanda-t-elle.

— Il est seulement cinq heures du matin. Tu peux dormir encore un bon bout de temps. On vient d'arriver. Je voulais juste voir si t'allais mieux et si t'avais mis ton cadran pour aller à la messe.

— Je suis correcte, déclara la jeune fille. J'aurai pas besoin de mon cadran, je suis déjà réveillée et je m'endors plus.

— Bon, fais pas trop de bruit. Je m'en vais me coucher, lui dit sa mère avant de se retirer.

Reine se rendormit tout de même et ne se réveilla que deux heures plus tard. Après une si longue nuit de sommeil, elle se sentait en meilleure forme. Elle n'hésita qu'un court moment avant de décider de se préparer un déjeuner. Si ses parents avaient été réveillés, elle ne se serait pas risquée à manger avant la messe parce qu'il lui aurait fallu aller communier et sa mère le lui aurait reproché. Mais en ce matin de Noël, elle allait assister seule à la cérémonie religieuse et personne ne s'interrogerait sur les raisons qui l'empêchaient de communier. De toute manière, après ce qu'elle avait fait avec Jean, il était sans doute préférable qu'elle s'abstienne.

À son retour à la maison après la messe, elle sortit le paquet contenant les gants qu'elle allait offrir à son amoureux et le déposa sa commode. Elle était persuadée qu'il allait venir sonner à la porte après le dîner. Ils allaient sûrement passer l'après-midi ensemble et peut-être même la soirée, si sa mère l'invitait à souper.

Quand sa mère se leva un peu après midi, elle accepta sans trop rechigner d'inviter Jean à partager leur souper de Noël.

Reine s'enferma ensuite dans sa chambre pour se préparer soigneusement. Elle voulait se faire belle et attirante pour séduire son amoureux. Lorsqu'elle fut prête, elle alluma la radio du salon et se mit à attendre l'arrivée du jeune homme avec une impatience grandissante. Les minutes s'égrenaient avec une lenteur désespérante. Au fur et à mesure que le temps passait, elle devenait de plus en plus nerveuse et irritable.

— Veux-tu bien me dire ce qu'il niaise ? ne cessait-elle de se répéter à mi-voix en épiant le trottoir de la rue Mont-Royal, derrière les rideaux qui masquaient la fenêtre du salon.

Au milieu de l'après-midi, la jeune fille fut même tentée d'aller rôder autour de l'appartement des Bélanger pour essayer d'apercevoir le garçon qu'elle attendait depuis des heures sans qu'il daigne se montrer.

— L'écœurant ! explosa-t-elle hors d'elle en se dirigeant vers le crochet auquel était suspendu son manteau.

Au moment où elle se décidait enfin à sortir, son père se leva en se grattant le cuir chevelu.

— Où est-ce que tu vas ? lui demanda-t-il en consultant l'horloge murale.

— Je vais juste prendre l'air.

— Reste pas trop longtemps dehors, intervint sa mère du fond de la cuisine. J'ai besoin de toi pour m'aider à préparer le souper.

— Il commence déjà à faire noir, lui fit remarquer son père.

— Je sors juste cinq minutes, dit-elle en chaussant ses bottes.

Elle dévala l'escalier et sortit de la maison. La jeune fille ne vit pas sa mère se précipiter vers la fenêtre du salon pour la regarder faire les cent pas sur le trottoir devant la biscuiterie.

— Qu'est-ce que tu regardes là ? lui demanda son mari.

— Reine.

— Pourquoi ?

— Parce que ta fille est pas dans son assiette depuis un bon bout de temps, Fernand, s'impatienta la mère de famille. Tu t'en es pas aperçu ? Je pense qu'elle s'est disputée avec le petit Bélanger. Elle l'a attendu pour rien tout l'après-midi et il s'est pas montré le bout du nez.

— Elle se fera un autre chum, dit son mari, indifférent.

— Si tu veux mon avis, ce sera pas une grosse perte, répliqua Yvonne. C'est pas de notre monde, ces Bélanger-là.

Pendant ce temps, Reine arpentait le trottoir de la rue Mont-Royal, entre les rues De La Roche et Brébeuf. Malgré le froid de cette fin d'après-midi, il y avait beaucoup de passants, probablement en route vers un repas de fête chez des parents ou des amis. Les tramways étaient remplis. À un certain moment, trois fêtards, la bouteille à la main, offrirent à boire à la jeune fille. Elle refusa sèchement et décida de rentrer chez elle.

L'air froid lui avait fait un peu de bien. Elle était tout de même désemparée. Force lui était de reconnaître que Jean l'avait définitivement laissée tomber. Elle monta l'escalier et retira son manteau avant de prendre la direction de la cuisine où ses parents étaient assis.

— Je souperai pas à soir, j'ai pas faim, leur annonça-t-elle.

— Tu vas finir par tomber malade à force de te mettre à l'envers comme ça, lui fit remarquer sa mère.

— Laissez faire, m'man, se contenta-t-elle de dire. J'ai juste pas faim.

Elle rentra dans sa chambre et lança le cadeau destiné à son amoureux au fond de sa garde-robe. Elle venait enfin de comprendre que tout était fini entre eux et qu'il ne viendrait plus la voir. Le cœur en miettes, elle se jeta sur son lit pour pleurer.

Chez les Bélanger, on ne se leva que vers midi. Après un léger dîner, on remit la maison en ordre avant de s'habiller.

— Moi, je pars juste vers six heures et demie, dit Jean. J'ai le temps d'aller faire une marche pour respirer un peu d'air.

— On pourrait aller essayer nos patins neufs à la place, suggéra Claude.

— Ils sont pas encore aiguisés, lui fit remarquer son frère.

— En plus, il reste juste une heure et demie avant qu'on parte pour aller chez ton oncle, intervint sa mère. Vous ne serez pas revenus à temps.

— C'est correct, concéda l'adolescent d'assez mauvaise grâce.

Jean quitta l'appartement quelques minutes plus tard. Après avoir relevé le col de son manteau, il entreprit de remonter la rue Brébeuf jusqu'à la rue Gilford avant de prendre la direction de l'est vers la rue Papineau. Il avait volontairement évité de descendre vers Mont-Royal de crainte d'être aperçu par Reine. Tout en marchant, il tentait d'imaginer à quoi ressemblerait la fête donnée par Paul et sa sœur le soir même. Cette dernière lui avait précisé que les gens n'arriveraient que vers sept heures trente. Il allait faire en sorte de ne pas être parmi les premiers arrivés.

Alors que Jean revenait à l'appartement familial, il aperçut Édouard Lacombe qui, au même moment, venait de descendre du tramway au coin de la rue, à quelques pieds de là.

— Édouard s'en vient, prévint-il sa sœur qu'il trouva assise dans le salon.

— Je pense ben qu'on va tous partir en même temps, fit remarquer son père qui venait de poser son chapeau sur sa tête. Grouillez-vous, je sors nous trouver un taxi, annonça-t-il avant de sortir de la maison.

Pendant que sa femme et Claude finissaient de se préparer, Félicien alla faire ce qu'il faisait pratiquement tous les jours de Noël, soit se mettre à la recherche d'un taxi qui allait les conduire, lui et les membres de sa famille, chez son beau-frère Émile, rue Duquesne, dans l'est de la ville.

Lorraine endossa son manteau en même temps que sa mère et Claude, de sorte que tous quittèrent l'appartement ensemble. Elle retrouva Édouard au pied de l'escalier au moment où il s'apprêtait à le monter. Le vendeur de chez Messier donna le bras à la jeune fille et retourna au coin de la rue Mont-Royal en compagnie de la mère et du frère de son amie. Ils rejoignirent Félicien qui s'était avancé un peu dans la rue pour mieux héler un taxi. Lorraine et Édouard le saluèrent avant de se diriger vers l'arrêt de tramway. Ils devaient se rendre chez les parents de ce dernier, rue Moreau.

Enfin seul dans l'appartement, Jean alluma la radio. Il écouta d'une oreille distraite la voix grave d'Albert Duquesne livrant les informations du jour. Quelques minutes plus tard, il éteignit l'appareil, prit un livre et lut jusqu'à l'heure du souper. Il mangea ce que sa mère lui avait laissé sur la table avant de se préparer fébrilement pour la fête qu'il attendait avec tant d'impatience.

Il examina avec soin son unique costume avant de l'endosser. Le pli du pantalon était impeccable. Après avoir boutonné sa chemise blanche au col amidonné, il noua sa cravate du même bleu que son costume. Ensuite, il alla se camper devant le miroir de la salle de bain pour se coiffer.

Sa tenue était irréprochable et Blanche n'aurait pas honte de lui devant ses amis.

Même s'il était encore un peu tôt pour partir, il décida qu'il ne tarderait pas, de crainte d'avoir à attendre trop longtemps un tramway en cette soirée de fête.

La chance lui sourit, il attendit moins de cinq minutes au coin des rues Brébeuf et Mont-Royal avant de pouvoir monter à bord de l'un d'eux. Il trouva un siège libre et s'assit en faisant très attention de ne pas abîmer l'emballage de la boîte de chocolats qu'il transportait dans un sac.

Arrivé à destination un peu avant sept heures, il décida de marcher durant quelques minutes sur le chemin de la Côte-Sainte-Catherine parce qu'il était vraiment trop tôt pour se présenter chez les Comtois. Pour éviter de se faire remarquer par ses hôtes, il changea de trottoir et passa discrètement devant leur maison. Une seule voiture était arrêtée devant la résidence cossue du médecin.

— C'est normal, se dit-il, la soirée commence seulement à sept heures et demie. Personne est encore arrivé.

Toujours par crainte d'être vu par Paul ou sa sœur, il s'éloigna encore une fois de la maison et entreprit de faire une longue promenade en admirant les belles grandes maisons qui bordaient cette artère d'Outremont. Les trottoirs étaient déserts et le bruit qui s'échappait de certaines résidences du quartier laissait croire qu'on s'y amusait ferme. Il ne revint devant la maison en pierre des Comtois qu'un peu après sept heures quarante-cinq. Il était complètement frigorifié. À son arrivée devant leur demeure, il s'aperçut que trois automobiles encombraient maintenant l'allée asphaltée et que deux autres étaient garées devant, le long du trottoir.

Jean sonna et attendit qu'on vienne lui répondre. La porte s'ouvrit sur une parfaite inconnue à l'air déluré. Une musique de samba s'échappait des lieux.

— Est-ce que je peux voir Paul ou Blanche ? lui demanda-t-il, l'air un peu emprunté.

— Tu peux voir qui tu veux, lui répondit la jeune fille en s'écartant pour le laisser entrer. T'as juste à laisser ton manteau au vestiaire, précisa-t-elle en lui indiquant la porte d'une garde-robe à sa droite. Après, descends au sous-sol, c'est là que ça se passe.

La jeune fille disparut et le laissa seul, un peu désemparé. Il s'était imaginé que Blanche l'aurait attendu et serait venue l'accueillir. Alors, il en aurait profité pour lui tendre sa boîte de chocolats. Durant un court moment, il ne sut quoi faire de son cadeau. Finalement, il décida de l'apporter avec lui au sous-sol après avoir retiré ses couvre-chaussures et son manteau. Il avait les oreilles gelées et les doigts gourds.

Après avoir vérifié machinalement la position de son nœud de cravate, il descendit l'escalier qui conduisait à la grande salle de jeu d'où montait un mélange de voix et de musique. Arrivé au pied de l'escalier, il se retrouva devant une quinzaine de personnes rassemblées en trois ou quatre petits groupes qui discutaient assez fort pour couvrir par moments la musique qui s'échappait du tourne-disque installé dans un coin de la pièce. Un nuage de fumée planait paresseusement près du plafond.

Debout au pied de l'escalier, il aperçut Blanche, au fond de la salle, en train de s'entretenir avec deux autres filles de son âge. Apparemment, elle ne l'avait pas vu.

Son ami Paul fut le premier à l'apercevoir. Il quitta l'invité avec qui il s'entretenait pour se porter à sa rencontre.

— Ayoye ! Tu t'es habillé comme si t'allais à des noces, plaisanta-t-il. Blanche aurait dû t'avertir que dans nos *partys*, on fait pas de frais de toilettes. On est entre amis.

Ce ne fut qu'à cet instant que Jean remarqua que les garçons ne portaient qu'un chandail passé sur une chemise.

Pour leur part, les filles n'étaient pas en reste. Elles semblaient toutes avoir adopté une tenue décontractée. Cette constatation ne fit qu'accentuer son sentiment de malaise. Il se sentait ridicule, engoncé dans son costume bleu marine, le cou étranglé par son col amidonné. Il s'empressa de desserrer discrètement sa cravate et de déboutonner le premier bouton de sa chemise pour avoir l'air un peu moins strict.

— Viens, Jean, je vais te présenter, lui dit Paul Comtois en l'entraînant vers l'un des groupes. Ce sont tous des gars et des filles qu'on connaît bien, soit parce qu'ils se tiennent avec ma sœur, soit parce que leurs parents ont un chalet près du nôtre, à Saint-Sauveur. D'habitude, on se tient ensemble durant tout l'été et pendant les vacances des fêtes.

Jean fit la connaissance de chacun des invités. Parmi les garçons, deux d'entre eux terminaient leur cours classique au chic collège Brébeuf et les autres étaient en première année à l'Université de Montréal, l'un en droit et l'autre en médecine. Il ne retint aucun nom.

Quand Paul s'approcha des filles en compagnie de son hôte, Blanche sembla s'apercevoir tout à coup de sa présence. Elle lui adressa un sourire de bienvenue et le prit par le bras pour le présenter à ses amies.

— Je suis contente que tu sois venu, lui murmura-t-elle à l'oreille avant de l'amener rencontrer deux filles qui se tenaient un peu à l'écart.

— Je t'avais promis de venir, répondit-il sur le même ton.

— Qu'est-ce que tu traînes dans les mains ? lui demanda-t-elle en montrant du doigt le paquet qu'il n'avait pas lâché depuis son arrivée.

— C'est un petit cadeau pour toi, dit-il en lui tendant la boîte de chocolats soigneusement emballée.

Blanche s'immobilisa devant le bar. Elle prit le paquet et le développa, en tournant le dos aux invités présents dans la pièce.

— Du chocolat ! s'exclama-t-elle. Merci. Qui t'a dit que j'étais gourmande ? ajouta-t-elle pour le taquiner.

Elle ouvrit la boîte et prit un chocolat. Ensuite, elle l'entraîna avec elle vers les autres invités avec qui il n'avait pas encore fait connaissance, laissant son cadeau sur le bar derrière elle.

— Il fait pas mal chaud, lui dit-elle quelques instants plus tard. Enlève ton veston. Tu seras plus à l'aise.

Si Jean avait rêvé depuis quelques jours qu'elle lui tiendrait compagnie toute la soirée, il en fut pour ses frais. Elle l'abandonna au bout de quelques minutes pour s'occuper des autres invités. Par chance, Paul fit en sorte qu'il ne se sente pas laissé de côté. Cependant, il écouta beaucoup plus qu'il ne parla.

Les sujets d'intérêt des jeunes gens présents dans la pièce étaient passablement variés. L'étudiant en médecine parla longuement de l'épidémie de poliomyélite qui avait forcé les autorités à retarder de deux semaines la rentrée scolaire au mois de septembre précédent alors que deux autres invités, ardents partisans des Canadiens de Montréal, vantèrent longuement les exploits de Maurice Richard qu'ils s'attendaient à voir remporter le championnat des marqueurs de la Ligue nationale devant Max Bentley et Ted Kennedy, même si on n'en était encore qu'à la mi-saison.

Heureusement, Blanche mettait fin parfois aux conversations qu'elle jugeait trop ennuyeuses en allant changer de disque. Elle insistait alors pour que tout le monde danse. Chaque fois, elle s'approchait de Jean et il pouvait la tenir dans ses bras l'espace d'un tango ou de ce que les jeunes appelaient un *Three Steps*. Cette dernière danse était de loin sa préférée parce qu'elle lui permettait de serrer de près sa partenaire. La tenir dans ses bras et sentir tout son corps contre le sien sous un éclairage tamisé l'excitait énormément. Après quelques danses, Paul disparaissait pour revenir avec de la bière et des coupes remplies d'un punch alcoolisé destiné aux jeunes filles.

À un moment donné, Jean vit la mère et le père de ses hôtes apparaître dans le sous-sol. Ils arrivaient de leur soirée et venaient saluer les jeunes gens en train de fêter chez eux. Ils ne restèrent que quelques minutes, probablement pour s'assurer que tout se déroulait correctement sous leur toit. Le docteur Comtois, un grand homme, et son épouse, des plus élégantes, venaient à peine de monter à l'étage que Blanche et deux invitées descendirent, chargées de grandes assiettes couvertes de sandwichs et de pâtisseries. Aussitôt, la musique fut mise en sourdine et on se rassembla autour du buffet improvisé dressé sur le bar.

À cette occasion, Jean remarqua que la boîte de chocolats offerte à Blanche avait été vidée par les invités et il se retrouva aux côtés de son ami Paul en train d'écouter deux étudiants en droit qui affichaient un air supérieur pour critiquer les récentes décisions du premier ministre Maurice Duplessis, à titre de procureur général de la province. Durant un long moment, il les entendit pérorer sur le fait qu'il n'avait pas le droit de suspendre la licence du restaurateur Roncarelli sous le prétexte que ce dernier avait payé la caution des cinquante-trois Témoins de Jéhovah arrêtés le 17 novembre précédent. À leur avis, le premier ministre avait abusé de son pouvoir et méritait amplement la manifestation qui s'était tenue contre lui au Monument-National, le 12 décembre précédent. Jean se contenta de hocher la tête. Il avait été de ceux qui auraient voulu se joindre à la manifestation, mais les autorités du collège avaient menacé de suspension tout étudiant qui s'absenterait pour y participer.

Pendant que les deux étudiants péroraient, Jean aurait bien aimé se rapprocher de Blanche, mais cette dernière, assise sur un divan, avait l'air d'être en train d'échanger des secrets à mi-voix avec deux amies.

Le jeune homme consulta discrètement sa montre. Il était déjà plus d'une heure du matin. Peu après, un à un, les invités commencèrent à quitter les lieux après avoir remercié Paul et sa sœur. Jean était prêt à partir et n'attendait que l'occasion de dire quelques mots à Blanche avant de le faire. Il désirait lui donner rendez-vous le lendemain ou le surlendemain, et surtout l'inviter au souper du jour de l'An que sa mère allait offrir à la parenté.

Sa patience fut récompensée. Il la vit bientôt raccompagner un couple jusqu'à la porte d'entrée, à l'étage. Il la suivit rapidement dans l'escalier et attendit qu'elle ait refermé la porte sur ses amis pour l'intercepter.

— Je pense que je vais y aller, moi aussi. Il est pas mal tard, lui dit-il.

— J'espère que tu as aimé la soirée.

— Beaucoup. Pendant que j'y pense, ajouta-t-il, est-ce que ça te dirait de venir patiner demain ou après-demain, dans l'après-midi ou dans la soirée ?

— C'est gentil de ta part de me l'offrir, répondit la jeune fille avec un sourire aguichant, mais je monte faire du ski à Saint-Sauveur avec mes amis durant toute la semaine.

— Mais tu vas être revenue en ville pour le jour de l'An ? lui demanda-t-il, profondément déçu d'apprendre qu'il ne la verrait pas de la semaine.

— Je pense pas. Mes parents font toujours une grande fête à notre chalet au jour de l'An. D'habitude, on ne revient que quelques jours après. Pourquoi me demandes-tu ça ?

— Parce que ma mère voulait t'inviter à son souper, mentit-il.

— Tu la remercieras et tu lui expliqueras pourquoi je ne pourrai pas y assister.

— Je suppose que Paul monte dans le Nord, lui aussi ? demanda-t-il pour se donner une contenance.

— Bien sûr.

Au même moment, deux personnes se présentèrent en haut de l'escalier dans l'intention de récupérer leurs manteaux avant de partir.

— T'as oublié ton veston en bas, lui fit remarquer Blanche avant de s'adresser à ses deux invités.

— Comme ça, on se voit demain après-midi au pied de la pente ? demanda la jeune fille.

— Disons plutôt au chaud, dans le restaurant, répondit Blanche avec un petit rire. J'ai l'impression que toute la bande va plutôt faire du ski de chalet.

— Et ce n'est pas demain, mais aujourd'hui, tint à préciser le garçon en se penchant pour chausser ses bottes.

Jean alla prendre sa veste suspendue au dossier d'une chaise, salua Paul et s'empressa de retourner à l'étage dans l'espoir de dire encore quelques mots à son hôtesse et peut-être même de l'embrasser. Il ne la vit pas et dut se résigner à quitter la maison sans l'avoir revue.

À l'extérieur, le froid s'était fait beaucoup plus vif que la veille. Deux des automobiles garées près de la maison avaient disparu. Seule la Cadillac paternelle était rangée près de la résidence. En se mettant en marche après avoir enfoncé son chapeau sur sa tête, Jean Bélanger réalisa soudain avec un certain malaise que les garçons et les filles avec qui il s'était amusé durant la soirée appartenaient à des familles nettement plus aisées que la sienne. Ils se déplaçaient en automobile. Leurs parents possédaient un chalet et ils faisaient du ski dans le Nord… Bref, ils semblaient évoluer dans un monde qui lui était totalement inconnu. Pourtant, il connaissait Paul depuis trois ans, et jamais il n'avait imaginé qu'il existait un tel fossé entre eux.

L'air froid lui remit les idées en place et l'aida à se rendre compte subitement qu'à cette heure tardive le service de tramway ne fonctionnait plus. Si sa fierté ne l'en avait pas empêché, il serait retourné chez les Comtois pour demander à l'un ou l'autre des invités encore sur place s'ils pouvaient le déposer en voiture à proximité de chez lui. Il fut secoué par un frisson. Il accéléra le pas et enfonça ses mains plus profondément dans ses poches en jurant contre le sort qui l'avait fait naître dans une famille aussi pauvre.

Pendant plus d'une heure, il marcha dans le froid pour rentrer chez lui. Il regretta plus d'une fois de ne pas avoir remplacé son chapeau par une tuque. Quand il pénétra dans l'appartement familial un peu avant trois heures, il était transi. Il entra silencieusement dans sa chambre sans allumer. Après s'être déshabillé sans bruit, il se glissa dans son lit, trop fatigué pour encore remâcher sa déconvenue de ne pas pouvoir revoir Blanche avant plusieurs jours.

Chapitre 6

Les longues vacances

— Dis donc, la marmotte ! Vas-tu rester couché toute la journée ? fit une voix qui fit sursauter Jean.

— Laisse-moi dormir, maudit fatigant ! ordonna-t-il à son jeune frère, sans se donner la peine d'ouvrir les yeux.

— Il est midi, et m'man te dit de te lever pour venir dîner. Grouille-toi, laissa tomber sèchement l'adolescent avant de refermer bruyamment la porte de leur chambre à coucher.

Jean se leva, passa ses doigts dans sa chevelure hérissée et se rendit dans la cuisine en bâillant. Il trouva toute la famille attablée.

— Cybole ! on dirait ben que les p'tits chars t'ont passé dessus, s'exclama son père en le regardant.

— Veux-tu bien me dire à quelle heure t'es rentré, toi ? exigea sa mère en faisant glisser deux œufs dans son assiette.

— J'ai pas regardé l'heure, m'man, se défendit-il.

— Il devait être pas mal tard, reprit son père sur un ton un peu plus sévère. On est revenus de chez ton oncle vers une heure du matin et t'étais pas encore arrivé.

— Je pense qu'il était passé deux heures et demie, p'pa.

— Deux heures trente ! s'exclama sa mère pour insister sur l'heure tardive.

— Ben oui ! J'avais complètement oublié qu'il y avait plus de p'tits chars passé minuit. J'ai été obligé de revenir à pied d'Outremont. Ça m'a pris un maudit bout de temps.

— Si ça a de l'allure ! s'écria Amélie en prenant place au bout de la table. T'aurais pas pu demander à quelqu'un de te ramener ?

— J'aurais eu l'air d'un beau tata d'aller quêter une *ride*.

— Je suis sûre que t'avais l'air bien plus intelligent de marcher au froid pendant tout ce temps-là en pleine nuit, répliqua sa mère, sarcastique.

Le silence tomba autour de la table et ne fut plus troublé que par le bruit des ustensiles heurtant la vaisselle.

Ce lendemain de Noël fut un jour de repos. Jean passa la journée à essayer de lire *L'Immoraliste* d'André Gide qu'il avait emprunté à l'enfer de la bibliothèque du collège, comme lui en donnait le droit son statut d'élève en philosophie. Cependant, son esprit ne cessait de vagabonder. Il essayait d'imaginer ce que faisait Blanche avec ses amis et regrettait amèrement de ne pas avoir tout tenté pour se faire inviter par Paul... Mais pour ce faire, il aurait fallu qu'il connaisse les projets de vacances des Comtois. Si tel avait été le cas, cela ne lui aurait probablement servi à rien. Il ne savait pas skier et il n'avait surtout pas l'argent nécessaire pour suivre la bande à laquelle appartenaient Blanche et son frère.

Ce jour-là et le lendemain, il traîna dans la maison comme une âme en peine, refusant toutes les invitations de son frère cadet à aller jouer au hockey.

— Veux-tu bien me dire ce que t'as, toi, à faire la baboune ? finit par lui demander sa mère, fatiguée de le voir tourner en rond dans l'appartement avec l'air de ne pas savoir que faire de son corps.

— J'ai rien, m'man.

— Essaye pas de me faire croire ça, rétorqua sa mère. Pendant des semaines, t'as pas arrêté de nous dire que t'avais hâte sans bon sens aux vacances. Là, t'es en vacances et t'as l'air de t'ennuyer à mourir.

— Comme un rat mort, crut bon de préciser Claude, moqueur.

— Toi, mêle-toi de tes affaires, encore une fois, intervint Amélie en se tournant vers l'adolescent.

— C'est correct. J'ai rien dit.

— Secoue-toi un peu et va prendre l'air, reprit la mère de famille en s'adressant de nouveau à son fils aîné. Profites-en ! Regarde. Ton père et ta sœur sont retournés travailler, eux autres. Ils ont eu juste trois jours de vacances. Toi, t'as la chance d'avoir trois semaines de congé.

Jean dut se faire violence pour s'habiller et sortir de la maison, mais il ne cessait de penser à Blanche. Il était maintenant rongé par la jalousie. Il ne cessait de se demander avec qui elle était et ce qu'elle faisait.

Il était si distrait qu'il tourna vers l'ouest au coin de Brébeuf et Mont-Royal et passa devant la biscuiterie Talbot. Reine le vit passer, mais contrairement à ce qu'elle faisait auparavant, elle ne se précipita pas vers la porte pour l'intercepter. Elle lui jeta un regard mauvais, retranchée de l'autre côté de la vitrine. Sa bouche se crispa. Son père avait vu, lui aussi, l'ancien amoureux de sa fille, mais se garda bien de dire quoi que ce soit. Il se contenta de jeter un regard vers elle pour voir sa réaction. Rien.

Jean, lui, était dans ses pensées. À ce moment précis, il était partout sauf dans la rue Mont-Royal et ne pensait pas du tout à éviter la biscuiterie... Une heure plus tard, il revint tranquillement à l'appartement.

La semaine entre Noël et le jour de l'An passa lentement, trop lentement au gré de l'amoureux. Il n'y eut aucune chute de neige, ce qui plut particulièrement à Félicien. Son travail de facteur en était facilité. Jean et Claude allèrent jouer au hockey sur une patinoire du quartier à quelques reprises. Durant quelques heures, ces parties improvisées avec des jeunes du voisinage eurent l'avantage de faire oublier à l'étudiant du Collège Sainte-Marie qu'il allait commencer l'année 1947 sans voir la fille à laquelle il rêvait toutes les nuits.

La veille du jour de l'An, Lorraine rentra de son travail l'air si sombre que sa mère ne put s'empêcher de lui demander ce qui se passait.

— Édouard pourra pas venir passer le jour de l'An avec moi, répondit-elle, au bord des larmes. Il va passer la journée à Joliette avec ses parents chez un de ses oncles.

— Il me semble qu'à son âge il pourrait ben laisser ses parents tranquilles et faire ce qu'il veut au jour de l'An, lui fit remarquer son père en train de fabriquer sa provision hebdomadaire de cigarettes avec sa nouvelle machine, sur la table de la cuisine.

Lorraine ne dit rien et alla se réfugier dans sa chambre.

— C'est drôle, mais j'ai comme l'impression qu'il a pas aimé pantoute se faire pousser dans le dos, l'Édouard, chuchota Félicien à sa femme.

— J'espère que tu lui as pas fait peur au point qu'il ne revienne plus voir Lorraine, fit Amélie, un peu inquiète.

— Ce sera pas la fin du monde si ça arrive.

— Ça lui ferait surtout bien de la peine, lui fit-elle remarquer, attristée.

— Peut-être, mais au moins, elle va savoir où elle en est avec lui.

— Si ça continue, on va avoir un maudit beau jour de l'An, finit par dire sa femme. On va avoir deux faces de carême dans la maison.

— Comment ça, deux?

— Jean m'a dit que la sœur de son ami Comtois pourra pas venir souper, elle non plus.

— Ça en fait toute une affaire, ça! C'est pas une raison pour avoir l'air bête au jour de l'An, rétorqua le père de famille.

— Je sais pas si t'as remarqué, mais ton garçon a l'air de filer un mauvais coton depuis qu'il est revenu de sa soirée chez les Comtois. La sœur de Paul Comtois serait en dessous de cette histoire-là que ça m'étonnerait pas pantoute. C'est pas pour rien qu'il m'avait demandé la permission de l'inviter à souper. Depuis Noël, il est pas allé la voir une fois. Pour moi, il y a quelque chose qui tourne pas rond.

— Est-ce que c'est la fille avec qui il est allé patiner avant Noël?

— En plein ça, confirma sa femme. Si on se fie à ce que Claude nous a rapporté, Jean a l'air de la trouver pas mal à son goût.

— S'il est en amour, c'est pas la fin du monde, fit Félicien, philosophe. De toute façon, il sort plus avec la petite Talbot. Il a ben le droit de se trouver une autre blonde. Mais ça explique pas pourquoi il fait une face de carême. Et puis, où est-ce qu'il est passé?

— Je l'ai envoyé chercher de la liqueur et de la bière pour la visite demain.

La mère de famille préféra ne pas révéler à son mari que, depuis qu'elle avait appris que leur fils avait rompu avec la fille de Fernand Talbot, elle s'était remise à espérer en faire un prêtre. Elle priait chaque jour avec encore plus de ferveur pour que son vœu se réalise. Elle ne s'était pas trop inquiétée quand Jean lui avait demandé la permission d'inviter la sœur de Paul Comtois à souper. À l'entendre, il la connaissait à peine et il n'avait pas dit qu'il avait l'intention de la fréquenter. Mais là, à voir la tête qu'il faisait depuis Noël, on pouvait se poser de sérieuses questions sur ses intentions.

Ce soir-là, après le souper, chacun dut mettre la main à la pâte pour finir de préparer la maison pour la petite fête que Félicien et Amélie offraient traditionnellement à leurs proches au jour de l'An. L'oncle Émile et sa femme Berthe seraient présents avec leurs deux grands enfants ainsi que Bérengère Bélanger, la vieille mère de Félicien. Cette dernière allait venir avec Camille et Rita, ses deux filles célibataires. Depuis le décès de leur père survenu en 1938, les deux infirmières de l'hôpital Hôtel-Dieu avaient recueilli leur mère dans leur appartement de la rue Saint-Urbain.

— La dinde est cuite et il reste juste à la découper, annonça Amélie en sortant la rôtissoire du four.

— Je m'en occuperai quand elle aura refroidi, offrit Lorraine, sans enthousiasme, en pénétrant dans la cuisine.

— Le salon est préparé, intervint son père en cherchant à caser quelques bouteilles de bière dans la glacière. Les garçons ont tassé les meubles et ils ont placé toutes les chaises qui étaient dans le hangar le long des murs du salon.

— On n'aura pas tant de monde que ça, protesta sa femme.

— Si tu sais compter, on va tout de même être douze, si Émile et Berthe viennent avec Réjean et Isabelle, lui fit remarquer Félicien. On peut tout de même pas les faire asseoir à terre.

— C'est correct, j'ai rien dit, fit Amélie. Quand t'auras le temps, Lorraine, prépare donc un plateau de bonbons clairs et un autre avec du chocolat, lui demanda sa mère.

Jean et son jeune frère entrèrent dans la cuisine en déclarant que tout était prêt. À la vue de la boîte de chocolats que Lorraine venait de sortir de l'une des armoires pour en remplir un petit plat, Claude ne put s'empêcher de dire :

— Je sais pas si ce chocolat-là va être aussi bon que celui que mon frère a acheté à sa blonde pour Noël.

— T'as acheté du chocolat à Reine Talbot pour Noël ? s'étonna la mère de famille en se tournant vers son fils aîné. Je pensais que cette histoire-là était finie.

— La mémère de la famille s'est encore mêlée de ce qui la regardait pas, dit Jean avec mauvaise humeur en fusillant son jeune frère du regard. Non, m'man. Le chocolat était pas pour elle.

— Est-ce qu'on peut savoir pour qui c'était ?

— Pour Blanche Comtois, répondit le jeune homme.

— C'est la fille qui devait venir souper avec nous autres demain ? demanda son père.

— Oui.

— Au fait, tu m'as pas dit pourquoi elle pouvait pas venir demain ? intervint sa mère, curieuse.

— J'espère que c'est pas parce qu'elle veut pas nous voir la face ? plaisanta Claude. C'est vrai qu'elle a déjà vu le plus beau de la famille Bélanger, ajouta-t-il en se montrant du doigt, mais c'est pas une raison.

— Blanche passe les vacances des fêtes au chalet des Comtois, à Saint-Sauveur. Ils font du ski, précisa Jean, exaspéré par l'insistance des siens. Ils fêtent là-bas avec des amis.

— Ah bon ! fit Amélie en adressant un regard entendu à son mari. Essaye tout de même de te rappeler ce que ton père et moi t'avons dit quand t'as commencé à sortir avec la petite Talbot. On t'a dit de t'arranger que ça devienne pas trop sérieux avec les filles parce que t'as encore quatre ou cinq ans d'études devant toi.

— J'ai pas oublié, se contenta de dire son fils avant de s'esquiver vers sa chambre à coucher.

Étrangement, les explications de son fils venaient d'apaiser les craintes de la mère de famille. De toute évidence, ce n'était pas très sérieux entre Jean et la sœur de son ami. La meilleure preuve, à ses yeux, était que la jeune fille préférait célébrer le jour de l'An avec des amis dans le Nord.

Le lendemain, Lorraine et ses deux frères décidèrent d'aller à la première messe du matin, laissant à leurs parents la grand-messe de dix heures. À son entrée dans l'église, Jean aperçut Reine Talbot et ses parents installés dans l'un des bancs, près de l'allée centrale. Il s'empressa de prendre place dans l'un des derniers bancs, à l'arrière.

— Si m'man était là, tu te ferais dire de pas rester en arrière, lui chuchota Claude, toujours debout dans l'allée.

— C'est ça, fit son frère en le repoussant. Va donc t'asseoir en avant avec Lorraine.

L'adolescent n'insista pas, mais en passant près des Talbot, il fit un léger signe de reconnaissance à Reine qui l'ignora royalement. Un instant plus tard, la jeune fille chercha Jean du regard, mais elle ne l'aperçut pas. À la fin de la messe, ce dernier s'empressa de sortir de l'église et n'attendit son frère et sa sœur qu'une fois rendu au coin de la rue Chambord.

— T'as raison de plus sortir avec la Talbot, lui déclara Claude en le rejoignant. C'est une maudite air bête. Je l'ai saluée poliment et elle m'a fait un visage de beu.

Lorraine, trop préoccupée par ses propres problèmes de cœur en ce premier janvier 1947, ne se mêla pas à la conversation. Pour la première fois en trois ans, elle allait passer le jour de l'An sans Édouard.

Ce matin-là, Fernand et Yvonne Talbot sortirent de l'église sans perdre un instant.

— Traîne pas, Reine, lui ordonna sa mère. On a encore pas mal de choses à faire pour que le dîner soit prêt à temps.

La jeune fille, maussade, ne dit rien et se borna à suivre ses parents. Elle était pratiquement certaine que son frère Lorenzo ainsi que sa sœur Estelle et son mari allaient arriver bien avant onze heures, comme ils le faisaient chaque matin du jour de l'An. En d'autres mots, sa mère et elle allaient avoir les visiteurs sur les bras pendant qu'elles mettraient la touche finale au repas.

En fait, quelques instants plus tard, la mère et la fille venaient à peine de dresser la table qu'un coup de sonnette impérieux obligea Fernand à aller ouvrir à Estelle et à Charles Caron, tous les deux d'excellente humeur.

— Bonjour, p'pa. J'espère qu'on n'est pas trop de bonne heure ? lui demanda sa fille en l'embrassant sur une joue.

La jeune femme de vingt-six ans ressemblait beaucoup à sa jeune sœur tout en donnant l'impression d'une plus grande maturité. Elle avait en commun avec Reine et sa mère des yeux gris, des traits fins et une abondante chevelure noire.

— Ben non, on vous attendait, répondit Fernand en embrassant sa fille à son tour et en serrant la main de son gendre.

Yvonne et Reine vinrent rejoindre les nouveaux arrivés dans le couloir et il y eut un échange de bons vœux et des embrassades.

— Je suppose que Lorenzo est pas encore là, fit le dentiste, un homme de taille moyenne âgé d'une trentaine d'années qui arborait un léger embonpoint.

— Pas encore, fit sa belle-mère.

— Il doit avoir un peu mal aux cheveux, notre Lorenzo, reprit Charles sur un ton léger. Disons que hier soir on a fait honneur à la bouteille de cognac.

— Vous devriez pas boire comme ça, le réprimanda Yvonne.

— Voyons, madame Talbot, ce sont les fêtes, il faut bien en profiter un peu. Surtout qu'on célébrait quelque chose d'important.

— Ah oui ! Quoi ? demanda son beau-père, curieux.

— J'aime autant que ce soit Estelle qui vous l'annonce, répondit son gendre en pénétrant dans le salon à la suite des femmes de la maison.

— Qu'est-ce que t'as à nous annoncer ? demanda Yvonne à sa fille.

— J'aurais peut-être pu vous le dire la veille de Noël quand vous êtes venus réveillonner, répondit cette dernière, mais j'avais pas encore reçu la réponse pour le test.

— Viens pas me dire que je vais être grand-mère ? s'exclama la femme de Fernand Talbot.

— En plein ça, m'man, fit sa fille, rayonnante de fierté.

— Et ce serait pour quand ?

— D'après moi, ce devrait être pour juillet.

— Aïe ! c'est toute une nouvelle, ça, reprit Fernand, la mine réjouie, même si ça nous fait prendre un sérieux coup de vieux.

Les Caron en étaient à parler d'aménagement d'une chambre de bébé dans leur luxueuse résidence de Saint-Lambert quand l'aîné de la famille arriva.

— Jériboire ! t'as ben l'air fripé, toi, s'exclama son père en regardant son fils de trente ans retirer en grimaçant son manteau et son chapeau Stetson gris.

— Il y a des lendemains qui sont plus durs que d'autres, p'pa, c'est tout ce que je peux vous dire, fit le jeune voyageur de commerce en embrassant ses sœurs et sa mère. Sainte Mère que j'ai mal au crâne ! Es-tu sûr que c'était du cognac que tu m'as fait boire hier soir ? demanda-t-il à son beau-frère en lui serrant la main.

— T'es une petite nature, rétorqua ce dernier en plaisantant. Regarde-moi, je suis frais comme une rose.

— Ouais, fit l'autre. Reine, tu me donnerais pas deux aspirines avec un grand verre d'eau pour faire passer mon mal de tête ?

— Viens avec moi dans la cuisine. Je vais te trouver ça, répondit sa sœur, qui faisait des efforts méritoires pour faire montre de bonne humeur.

Quelques minutes plus tard, Lorenzo fit un signe discret à ses deux sœurs qui vinrent se placer à ses côtés au moment où l'aîné de la famille demandait à leur père sa bénédiction. Charles Caron se retira au fond de la pièce avec sa belle-mère pour assister à cette bénédiction paternelle, une tradition qui se perpétuait chaque jour de l'An dans la famille Talbot.

Ému, Fernand attendit que ses trois enfants se soient agenouillés devant lui pour les bénir solennellement. Ensuite, il leur fit signe de se relever. Les yeux un peu embués par l'émotion que lui procurait chaque année ce moment privilégié avec les siens, celui qui allait devenir grand-père l'été suivant embrassa ses deux filles et serra la main de son fils en leur souhaitant une bonne année.

— Bon, c'est bien beau tout ça, mais vous devez commencer à avoir faim, déclara Yvonne. Passez dans la cuisine, le dîner est prêt.

Le repas fut extrêmement joyeux. Pour une fois, l'atmosphère ne fut pas assombrie par l'une des horribles migraines dont Yvonne se plaignait pratiquement tous les jours. On célébra l'arrivée de la nouvelle année, et surtout la venue prochaine d'un enfant dans la famille. Chacun suggéra des prénoms aux parents qui s'empressaient de tous les refuser l'un après l'autre.

— Est-ce que ça veut dire que votre idée est déjà faite? finit par demander Yvonne à son gendre.

— Je pense que oui, madame Talbot. Si c'est une fille, Estelle aimerait l'appeler Mireille.

— C'est pas laid comme prénom, reconnut Fernand.

— Si c'est un garçon, on va l'appeler Pierre. C'est à la mode.

— Pourquoi pas, concéda Yvonne.

Après le repas, les trois hommes se retirèrent au salon pour fumer pendant que Reine et Estelle aidaient leur mère à tout ranger dans la cuisine.

— Comment ça se fait que ton chum est pas là? demanda l'aînée à sa sœur cadette.

— Je sors plus avec lui, déclara abruptement la jeune fille.

— J'espère que c'est pas pour ça que t'es pas venue à mon réveillon la semaine passée?

— Bien non, mentit Reine.

— Tant mieux. Les gars prêts à sortir avec une belle fille comme toi doivent pas manquer.

Leur mère approuva de la tête avant d'ajouter:

— Surtout, choisis-en un qui a de l'avenir. Fais comme ta sœur. Regarde comme elle a bien su se placer les pieds. Elle vit dans une belle maison et elle manque de rien.

Cet après-midi-là, chez les Bélanger, on avait dîné tôt pour être prêts lorsque les premiers invités se présenteraient à la porte.

— Fais un effort pour être de bonne humeur, ordonna Amélie à sa fille aînée en retirant son tablier. Ton Édouard viendra pas plus si tu fais une tête d'enterrement à la visite.

— Bien oui, m'man, fit Lorraine d'une voix excédée.

— Et toi, Claude, arrange-toi pas pour faire tes farces plates habituelles. Tu le sais que tes tantes entendent pas à rire, et ta grand-mère encore moins.

— Oui, on le sait, m'man, fit l'adolescent en esquissant une grimace avant de retourner dans sa chambre où son frère était en train de lire.

— On va avoir du fun en maudit aujourd'hui, déclara Claude en se laissant tomber sur son lit. Grand-mère va vouloir voir mon dernier bulletin et les sœurs de p'pa vont pas arrêter de me regarder comme si j'étais une espèce de microbe qu'elles aimeraient écraser.

— Arrête donc de dire des niaiseries, fit son frère en levant la tête de son livre. Elles sont pas méchantes.

— Non, c'est vrai. Elles sont juste plates et bêtes comme leurs pieds, répliqua Claude en s'emparant d'une bande dessinée déposée sur sa table de chevet.

L'oncle Émile et sa femme furent les premiers arrivés en compagnie de leurs enfants. Isabelle et Réjean étaient deux adolescents qui ne faisaient pas de grands efforts pour dissimuler leur ennui d'avoir à accompagner leurs parents à cette fête familiale.

Émile Corbeil, le frère aîné d'Amélie, était un gros homme jovial au crâne totalement chauve. Âgé de cinquante ans, ce soudeur à la Canadian Vickers habitait avec sa femme Berthe un grand appartement de la rue Duquesne. Réjean, âgé de dix-sept ans, avait entrepris son cours de soudure tandis que sa jeune sœur de quatorze ans finissait sa 8e année dans un couvent du quartier.

Berthe Corbeil entra dans l'appartement derrière ses deux grands enfants et leur fit signe de se pousser un peu pour permettre à leur père d'entrer.

— Petit Jésus ! s'exclama le visiteur en refermant la porte d'entrée de l'appartement de la rue Brébeuf derrière lui, on gèle tout rond aujourd'hui.

— C'est sûr que ça doit pas être chaud quand on n'a pas un poil sur le naveau, plaisanta Félicien en lui serrant la main.

— Peut-être, mais moi j'ai du lard sur les côtes, reprit Émile d'un ton rieur en tapant sur son ventre confortable.

Évidemment, son hôte ne pouvait supporter la comparaison dans ce domaine puisqu'il était passablement maigre.

— Au lieu d'essayer de faire enrager Félicien, mon gros, tu pourrais peut-être m'aider à ôter mes bottes, intervint sa femme que Lorraine venait de débarrasser de son manteau en mouton frisé.

L'épouse du soudeur était une petite femme vive dont les tempes grises créaient un étrange contraste avec un visage sans la moindre ride.

— Donne-moi une chance, ma douce, répliqua son mari. Laisse-moi le temps de retrouver mon souffle.

— Tabarnouche ! s'écria son hôte. Une chance que t'es pas facteur. T'arriverais jamais à grimper tous les escaliers qu'on a à monter dans une journée. Claude, aide donc ta marraine à enlever ses bottes.

Sans se faire prier, l'adolescent s'agenouilla devant sa tante pour baisser les fermetures Éclair de ses bottes.

— T'es tellement fin, mon filleul, que j'ai pas oublié de t'apporter un petit cadeau pour le jour de l'An, lui annonça la petite femme en ouvrant sa grande bourse pour en tirer un petit paquet enveloppé dans du papier argenté.

Claude s'empressa de retirer l'emballage pendant que son oncle et sa tante allaient prendre place dans le salon.

Il découvrit un très beau porte-monnaie en cuir noir et alla remercier son parrain et sa marraine.

— Ta tante a eu cette idée-là, se défendit Émile Corbeil. Moi, j'ai pensé que t'aimerais mieux qu'il y ait quelque chose dedans.

Claude mit un petit moment avant de comprendre ce que son parrain venait de lui dire. Il finit par ouvrir le porte-monnaie et y trouva rangé un billet de cinq dollars.

— Vous le gâtez bien trop, protesta Amélie.

— Ben non, c'est notre seul filleul, fit son frère avec un bon gros rire.

Claude alla déposer son cadeau dans sa chambre et croisa son frère qui en sortait. Il lui montra ce qu'il venait de recevoir.

— Il y a pas à dire, t'es chanceux, toi, lui dit Jean.

— C'est sûr que c'est pas avec une marraine comme grand-maman que tu risques de recevoir quelque chose, rétorqua l'adolescent.

Quelques minutes plus tard, Félicien alla ouvrir à sa mère et à ses deux sœurs.

— Mon Dieu, que vous restez haut! s'écria Bérengère Bélanger, sérieusement essoufflée d'avoir eu à monter le long escalier extérieur.

— C'est juste un premier étage, m'man, se défendit Félicien avant de l'embrasser et de lui souhaiter une bonne année.

— Je veux bien te croire, mon garçon, mais je continue à penser que celui qui a fait installer un escalier comme ça dehors avait pas toute sa tête. C'est des plans pour se tuer en hiver, une affaire de même. Il doit être glissant sans bon sens quand il y a de la neige.

— On fait bien attention, madame Bélanger, intervint Amélie d'une voix apaisante. Donnez-moi votre manteau et passez donc au salon.

La vieille dame de soixante-quinze ans était une petite femme énergique bien connue dans la famille pour son mauvais caractère et plus encore pour son franc-parler. On savait qu'elle ne prenait jamais trop de précautions pour dire ce qu'elle pensait.

— Je suis pas une hypocrite, moi, se plaisait-elle à répéter. Ce que j'ai à dire, je le dis en pleine face, jamais dans le dos du monde.

Dans la famille, certaines mauvaises langues avançaient que son mari avait préféré se laisser mourir plutôt que de devoir continuer à supporter son mauvais caractère. Son fils et sa bru n'auraient pu dire le contraire.

Par exemple, Amélie et Félicien en avaient pris pour leur grade quand ils avaient annoncé à la vieille dame irascible que Jean ne deviendrait pas prêtre, le printemps précédent.

— Ça m'enlèvera pas de l'idée que vous êtes tous les deux responsables de ça, avait-elle déclaré sèchement. Si vous l'aviez mieux surveillé, votre garçon, il aurait pas changé d'idée en chemin. Vous allez avoir à rendre compte de ça de l'autre bord, avait-elle prédit, sinistre.

Mises au courant de cette sortie de leur mère, ses deux filles s'étaient contentées de hausser les épaules en signe d'impuissance. Même si elles n'avaient pas du tout approuvé le changement d'orientation de leur neveu, elles s'étaient bien gardées d'accabler ses parents.

Bérengère Bélanger tendit son manteau de drap noir à sa bru avant de s'avancer dans le salon. Émile Corbeil et sa femme se levèrent immédiatement pour lui offrir leurs vœux. La mère de Félicien connaissait bien le soudeur et sa femme pour les avoir rencontrés à de nombreuses reprises depuis le mariage de son fils.

Pendant ce temps, Rita et Camille Bélanger pénétraient enfin dans l'appartement, l'une derrière l'autre. Les deux infirmières célibataires étaient des maîtresses-femmes bien en chair au visage plutôt sévère. Âgées respectivement de quarante-cinq et quarante-six ans, on aurait pu facilement les prendre pour des jumelles tant elles se ressemblaient avec leurs petites lunettes rondes, leur chignon strictement coiffé et leur visage un peu allongé.

— Voyons, m'man, on vous avait demandé de nous attendre pendant qu'on payait le taxi, fit Camille en apercevant sa mère debout au milieu du salon.

— Vous auriez pu tomber dans l'escalier, la sermonna Rita, à son tour.

— Lâchez-moi donc, vous deux, leur ordonna la vieille dame avec humeur. Je suis pas invalide. Je suis encore capable de mettre un pied devant l'autre. Pis, il est pas si pire que ça cet escalier !

Amélie fit un clin d'œil à ses deux belles-sœurs et les débarrassa de leur manteau.

— Elle devient de plus en plus difficile, lui chuchota Camille à l'oreille.

— Elle écoute pas plus qu'un enfant de deux ans, poursuivit sa sœur sur le même ton.

— Peut-être, mais je suis pas encore sourde, fit la vieille dame en fusillant ses deux filles du regard.

Si les deux infirmières prirent immédiatement un air coupable, Amélie, pour sa part, eut du mal à se retenir de rire. Elle indiqua des sièges à ses deux invitées avant de retraiter dans la cuisine pour servir à boire.

Dans le salon, on prit des nouvelles de chacun et on s'informa de cousins et cousines que Bérengère avait eu l'occasion de recevoir au début du mois.

— Et comment vont tes études ? demanda Camille en se tournant vers son neveu Jean.

— Pas trop mal, ma tante.

— Tu dois commencer à penser à l'université, je suppose.

— Dans un an et demi.

— Je te trouve bien chanceux. Moi, j'aurais tellement aimé faire ma médecine, mais une fille en médecine quand j'étais jeune, c'était pas possible, ajouta sa tante avec une pointe d'amertume dans la voix.

— Et vous, ma tante Rita ? demanda Jean. Vouliez-vous devenir médecin, vous aussi ?

— Non, mon garçon. Je voulais être garde-malade et je l'ai jamais regretté.

— De toute façon, Camille, intervint sa mère, tu sais bien que ton père aurait jamais eu les moyens de te payer des études aussi longues. Déjà que le cours de garde-malade donné par les sœurs Grises était pas donné…

— C'est vrai que ça demande pas mal de sacrifices des parents, encore plus quand leurs enfants veulent aller jusqu'à l'université, reconnut Camille. T'as de la chance d'avoir des parents qui acceptent de se priver pour te faire étudier, ajouta-t-elle à l'intention de son neveu.

« Ça y est, se dit Jean en réprimant mal un soupir d'agacement. On va recommencer la scène habituelle du jour de l'An. Je vais avoir droit au même sermon qu'on me fait chaque année depuis que j'ai commencé mon cours classique. »

Le jeune homme s'arma de patience et écouta durant de longues minutes les conseils et les recommandations de sa grand-mère et de ses deux tantes. Heureusement, les Dubé, les propriétaires de la maison, vinrent frapper à la porte comme chaque jour de l'An pour souhaiter une bonne année à leurs locataires. Félicien et Amélie les forcèrent à entrer et les présentèrent aux invités avant de leur servir un rafraîchissement. Chez les Bélanger, on n'aimait pourtant pas particulièrement les propriétaires, qui demeuraient au rez-de-chaussée, parce qu'on les jugeait agaçants avec tous leurs interdits. Cependant, sur la recommandation d'Amélie, on s'efforçait de faire bonne figure en leur présence, ne serait-ce que pour leur enlever l'envie d'augmenter exagérément le loyer de l'appartement.

L'heure du souper finit par arriver et on s'entassa autour de la table pour déguster la dinde et les tartes au sucre et aux raisins d'Amélie. Évidemment, l'une des tantes finit par s'enquérir de la raison de l'absence de l'amoureux de Lorraine.

— Il devait aller chez de la parenté en dehors de la ville, fit la jeune fille, évasive.

— Pourquoi t'es pas allée avec lui ? insista Rita Bélanger, curieuse.

— Ça me tentait pas, ma tante, lui répondit sa nièce. J'aimais mieux fêter avec ma famille, mentit-elle.

— C'est drôle pareil qu'il soit pas avec toi le premier jour de l'année, intervint sa tante Camille en reposant sa tasse de thé vide sur la soucoupe. C'est vrai qu'on peut rarement se fier aux hommes, ajouta-t-elle, amère.

— Est-ce que c'est pour ça que vous vous êtes pas mariée, ma tante ? demanda Claude sur un ton impertinent.

— Non, c'est parce que je voulais pas prendre le risque de tomber sur un haïssable comme toi, répliqua-t-elle sans sourire.

Tout le monde éclata de rire autour de la table.

— Mais c'est toujours le même garçon qui te fréquente ? insista la grand-mère en scrutant le visage de sa petite-fille.

— Oui, grand-mère.

— Je suppose que vous parlez de vous marier bientôt ?

— C'est sûr.

— Tu devrais lui dire à ton…

— Édouard, grand-mère.

— Oui, c'est ça, à ton Édouard, que ta grand-mère est pas mal vieille et qu'elle aimerait bien ça assister à vos noces avant de mourir.

Amélie intervint pour changer de sujet de conversation et demanda à ses belles-sœurs quels films elles étaient allées voir dernièrement. Les deux infirmières étaient des passionnées de cinéma. Quand elles se mirent à comparer la performance de Danielle Darrieux dans *Au petit bonheur* à celle de Michèle Morgan dans *La symphonie pastorale* qui venait de paraître au cinéma, les hommes se levèrent et se retirèrent au salon pour parler plus à leur aise de la prochaine partie de hockey qui opposerait les Maple Leafs de Toronto aux Canadiens de Montréal.

— Moi, j'ai ben hâte d'écouter ce que *La ligue du vieux poêle* de Radio-Canada va dire entre les périodes, déclara Félicien.

Ses fils et son neveu l'approuvèrent bruyamment.

— C'est ben beau le hockey, finit par déclarer Émile Corbeil, mais il y a ben plus important. Ça a pas un maudit bon sens de voir comment les prix arrêtent pas d'augmenter depuis un an. En plus, il y a de plus en plus de chômeurs.

— Ça va se replacer pour le chômage, voulut le rassurer son beau-frère.

— Je suis pas sûr de ça pantoute, affirma le gros homme. Là, Réjean va finir son cours de soudure à la fin du printemps et c'est même pas sûr qu'il se trouve de l'ouvrage.

— Tu finiras ben par le faire engager à la Vickers, non ?

— Je suis même pas certain d'y arriver, reconnut son beau-frère, dont l'inquiétude était manifeste. Toutes les industries de guerre ferment leurs portes les unes après les autres et la Vickers va peut-être avoir moins de contrats. Ça, ça veut dire qu'ils vont mettre du monde à la porte.

— J'ai lu dans *Le Devoir* que ça durera pas, mon oncle, intervint Jean. Il paraît qu'il faut juste donner le temps aux compagnies qui ont travaillé à faire du matériel de guerre de se reconvertir.

— Je veux ben le croire, mon garçon, répliqua le quinquagénaire, mais le monde peut pas attendre. On a tous besoin de manger trois repas par jour.

À onze heures, les invités quittèrent l'appartement des Bélanger. Félicien accompagna ses sœurs et sa mère jusqu'à la rue Mont-Royal où elles avaient plus de chances de trouver un taxi en cette soirée du jour de l'An. Quand il rentra chez lui, ses fils avaient remis de l'ordre dans le salon et Amélie avait entrouvert une fenêtre pour évacuer la fumée de cigarette qui stagnait depuis le début de la soirée près du plafond. Moins d'une heure plus tard, la maison était en ordre et chacun alla se coucher.

Les jours suivants furent d'un ennui mortel pour Jean. Les fêtes étaient finalement terminées, puisqu'on ne célébrait plus la fête des Rois chez les Bélanger depuis quelques années. Le surlendemain du jour de l'An, Amélie décréta que le sapin de Noël devait disparaître parce qu'il perdait de plus en plus ses aiguilles et qu'elle était tannée de les ramasser sur le plancher du salon chaque jour.

Jean et Claude furent chargés de le dégarnir et de ranger toutes les décorations de Noël dans le hangar. Le salon retrouva alors son aspect habituel. Quand vint le moment de déposer l'arbre à l'extérieur, les deux jeunes se rendirent compte qu'une neige abondante s'était mise à tomber.

— Votre pauvre père va avoir encore une journée pas mal dure, leur dit leur mère en servant le dîner après avoir allumé le plafonnier de la cuisine tant il faisait sombre dans la pièce.

— On dirait qu'on va avoir toute une tempête, déclara Claude en se plantant devant l'unique fenêtre de la pièce pour évaluer l'épaisseur de neige qui couvrait déjà la passerelle qui joignait la galerie au hangar.

Jean ne dit rien, se contentant de commencer à manger les spaghettis que sa mère venait de déposer dans son assiette.

— Il va falloir aller pelleter les deux galeries et les escaliers, poursuivit Amélie.

— Il me semble, m'man, qu'Omer pourrait pelleter l'escalier d'en avant de temps en temps. Il a rien à faire de la journée, et lui et sa sœur s'en servent autant que nous autres, de cet escalier-là.

— Parle donc pas pour rien, le réprimanda sa mère. Tu sais bien qu'on peut pas se fier à lui.

— En tout cas, on va attendre que ça se calme, intervint Jean sans aucun entrain. Ça sert à rien d'aller pelleter trop vite.

Depuis le début de la matinée, l'étudiant en vacances s'en voulait de ne pas avoir insisté pour connaître la date de retour de Blanche à qui il n'avait pas cessé de penser depuis la fameuse soirée de Noël. Allait-elle continuer à skier jusqu'au jour où elle devrait reprendre ses cours de musique ? Quand ses cours allaient-ils commencer ? Était-elle déjà revenue de Saint-Sauveur ?

Il se traitait de tous les noms de n'avoir pas prévu un moyen de la joindre. S'il avait possédé le numéro de téléphone des Comtois, il aurait pu téléphoner à Paul sous le prétexte de prendre de ses nouvelles et en profiter pour parler à Blanche. Il aurait ainsi pu savoir si elle était enfin revenue de leur chalet.

Il avait même songé se rendre à la maison des Comtois pour offrir ses vœux à la famille… Il avait rejeté précipitamment ce moyen d'entrer en contact avec la jeune fille. Il aurait eu l'air parfaitement ridicule de se présenter à sa porte sans avoir été invité. Paul lui-même n'aurait pas compris. Ils n'étaient, après tout, que des camarades de collège.

Après le repas, Jean endossa son manteau et chaussa ses bottes dès que son frère eut disparu dans leur chambre. Il ne voulait pas que ce dernier l'accompagne. Il souhaitait quitter l'appartement familial en catimini. Il avait décidé d'aller au restaurant Moderne, coin Mont-Royal et Papineau, pour consulter un annuaire téléphonique. Si le restaurant La petite fermière, coin Mont-Royal et De La Roche, avait eu un téléphone public, il aurait eu évidemment moins loin à aller. Les Bélanger, comme la plupart de leurs voisins, n'avaient pas le téléphone, mais les Comtois en possédaient un.

— Où est-ce que tu t'en vas en pleine tempête ? lui demanda sa mère, surprise de le voir prêt à sortir de la maison par un temps pareil.

— J'ai besoin de prendre un peu l'air, m'man, mentit-il en finissant de boutonner son manteau. Je serai pas longtemps dehors, ajouta-t-il en s'empressant d'ouvrir la porte avant que son jeune frère ne sorte de leur chambre.

— Mets-toi au moins une tuque sur la tête, lui conseilla-t-elle.

Lorsqu'il posa le pied sur la galerie, il se rendit compte qu'un vent violent s'était levé, poussant des bourrasques de neige à l'horizontale. Il releva le col de son manteau et enfonça la tête entre ses épaules pour tenter de se protéger le mieux possible. Comme plusieurs pouces de neige encombraient déjà les marches de l'escalier tournant, il se tint solidement à la rampe en fer forgé pour descendre. Parvenu au trottoir, il se rendit compte qu'il avait peine à apercevoir la rue Mont-Royal tant les flocons de neige tombaient serré.

Son désir d'entrer en contact avec Blanche était tellement fort qu'il se mit en route tout de même. Arrivé au coin de la rue Mont-Royal, il traversa la rue Brébeuf et marcha en direction de l'est, la tête baissée et en longeant les façades des magasins pour échapper un peu au vent et à la poudrerie. Un tramway passa, fantomatique au milieu de toute cette neige. De rares passants l'imitaient et longeaient eux aussi les commerces pour s'abriter tant bien que mal. Les yeux à demi fermés et la tuque bien enfoncée sur la tête, Jean avançait en se protégeant le mieux possible de toute cette neige.

Il éprouva un réel soulagement en arrivant au coin de la rue Papineau et il s'empressa de pousser la porte du restaurant. Le téléphone public était toujours dans l'entrée, à l'endroit où il l'avait remarqué quelques semaines plus tôt quand il était venu boire une tasse de café en compagnie de Reine. Ce souvenir lui sembla bien loin dans le passé.

Il secoua la neige qui couvrait ses épaules et sa tuque et, les doigts engourdis, il s'empara du bottin téléphonique pour le consulter. Il alla tout de suite à la lettre C. Il découvrit avec stupéfaction que le bottin avait recensé près d'une page de Comtois. Puis il réalisa soudain qu'il ignorait le prénom du père de Blanche. Après un court moment de panique, il retrouva son calme en se disant qu'il n'avait qu'à chercher un Comtois demeurant sur le chemin de la Côte-Sainte-Catherine.

Il resta dans l'entrée durant de longues minutes à consulter à deux reprises les adresses de chacun des Comtois inscrits dans le bottin. Il ne trouva aucun Comtois habitant Outremont.

— Voyons donc, calvince ! jura-t-il, c'est pas possible. J'ai dû passer par-dessus sans m'en apercevoir.

Il reprit pour la troisième fois sa consultation sans toutefois arriver à un meilleur résultat. Dépité et furieux, il laissa tomber le bottin au bout de sa chaîne, se coiffa de sa tuque et sortit du restaurant. Il venait soudain de réaliser que le docteur Comtois avait probablement décidé de placer son numéro de téléphone sur une liste rouge pour ne pas être constamment dérangé chez lui.

— Et tout ça, c'est de ma faute, maudit niaiseux ! dit-il à haute voix en rentrant chez lui. À cette heure, j'ai juste à attendre qu'elle me fasse signe.

Il craignait par-dessus tout d'avoir à attendre la fin des vacances et son retour au collège pour avoir enfin des nouvelles de celle qu'il mourait d'envie de revoir.

En fait, il n'aurait jamais cru que cette dernière semaine de vacances lui paraîtrait si longue et si ennuyeuse. Rien ne l'intéressait et il passa de longues heures à rêvasser dans sa chambre. À aucun moment il n'eut de pensée pour Reine Talbot. Son frère cessa rapidement d'insister pour qu'il vienne jouer au hockey avec lui. Il ne remarqua même pas l'absence étonnante d'Édouard Lacombe à la maison en cette première fin de semaine de janvier. Toutefois, ses parents s'en rendirent compte et cette absence intrigua suffisamment son père pour qu'il interroge Lorraine.

— Qu'est-ce qui arrive avec Édouard ? demanda-t-il à sa fille quand l'horloge indiqua sept heures et demie. On est samedi soir, non ?

— Il viendra pas à soir, p'pa, répondit la jeune fille, la mine sombre.

— Pourquoi ça ?

— Il m'a dit qu'il avait besoin de réfléchir à nous deux, dit-elle, au bord des larmes.

— Ça va s'arranger, intervint sa mère pour la consoler en faisant les gros yeux à son mari.

Lorraine hocha la tête et disparut rapidement dans sa chambre dont elle referma la porte derrière elle.

— Tu vois bien que tu lui as fait peur, dit Amélie d'une voix pleine de reproches en faisant allusion à la conversation que son mari avait eue avec le prétendant de sa fille la veille de Noël.

— De qui tu parles ? demanda Félicien avec une mauvaise foi évidente.

— D'Édouard !

— Je le regrette pas pantoute, déclara-t-il en s'allumant une cigarette. Il l'a assez fait niaiser comme ça. Qu'il prenne tout le temps qu'il veut pour réfléchir, comme il dit. C'est mieux qu'elle sache tout de suite s'il a pas pantoute l'intention de la marier.

Amélie souleva les épaules et secoua la tête.

— En attendant, ta fille a de la peine.

— Je le vois ben, cybole ! Je suis pas aveugle ! Tu penses tout de même pas que ça m'a fait plaisir de faire ça. C'était pour son bien, conclut-il en se tournant résolument vers la radio qu'il venait d'allumer.

— On peut peut-être aller écouter la partie de hockey dans le salon si le chum de Lorraine vient pas, proposa Claude en se levant.

— C'est ce qu'on va faire, déclara son père en se levant à son tour.

Jean les suivit, laissant sa mère seule dans la cuisine, occupée à tricoter un chandail. Cette dernière finit par aller rejoindre les siens au moment où Michel Normandin annonçait la première mise au jeu du match opposant les Rangers de New York aux Canadiens de Montréal, au Forum.

— Une autre belle soirée plate, laissa-t-elle tomber en prenant place dans l'un des deux fauteuils de la pièce.

Personne n'osa la contredire. Chacun savait qu'elle détestait le hockey et qu'il ne servait à rien de tenter de la persuader de s'y intéresser.

— Durnan laissera rien passer à soir, déclara Claude en s'assoyant aux côtés de son frère sur le divan.

— On va le savoir si tu veux ben fermer ta grande boîte, rétorqua son père, qui détestait entendre des commentaires pendant le déroulement d'une partie de hockey.

Chapitre 7

Les blessures

Jean Bélanger ne se rappelait pas avoir déjà tant espéré la fin de ses vacances. La veille de sa rentrée au collège, il avait soigneusement placé ses vêtements et vérifié le contenu de son porte-documents de manière à ce que rien ne vienne retarder son départ pour le Collège Sainte-Marie le lendemain matin.

— Tu devrais te faire soigner, lui déclara Claude en le voyant si impatient de recommencer. Moi, je resterais ben en vacances encore un mois. Je me passerais ben de revoir la face de monsieur Richer. Lui, je peux pas le sentir. Il est toujours sur mon dos.

— Laisse faire Richer, c'est un bon professeur. Quand j'étais dans sa classe, j'apprenais. Tu ferais peut-être mieux de commencer à aimer étudier, lui conseilla son frère sur un ton moralisateur, tes notes s'amélioreraient. Oublie pas ce que p'pa t'a dit. Il est pas question que tu lâches l'école avant d'avoir ton diplôme de neuvième année.

— Je le sais, mais je te garantis que je resterai pas à l'école une journée de plus, par exemple, rétorqua l'adolescent, bravache.

Le lendemain matin, Jean quitta la maison dès sept heures parce qu'il voulait être parmi les premiers étudiants à franchir la porte du collège. À une heure aussi matinale, il se retrouva au milieu d'ouvriers mal réveillés, prêts à prendre d'assaut le tramway pour se rendre à leur travail.

En ce matin du 7 janvier, le soleil commençait à peine à se lever dans un ciel sans nuage. Il faisait 0 °F. Frigorifiés, les gens tapaient des pieds ou soufflaient sur leurs mains pour les réchauffer, debout au bord du trottoir, attendant avec impatience le tramway. La plupart arboraient un air fatigué alors que leur journée de travail n'avait même pas encore commencé. En son for intérieur, l'étudiant les plaignit d'avoir une telle vie. Il eut une pensée pour son père parti pour son travail depuis déjà près de deux heures.

À son arrivée au collège, il découvrit avec surprise qu'il avait été précédé par quelques confrères. Il s'empressa d'aller se joindre à eux. Il les écouta raconter leurs vacances tout en guettant l'arrivée de Paul Comtois avec une nervosité grandissante. Des enseignants firent progressivement leur apparition dans la salle où les étudiants attendaient le début des cours, apparemment heureux de retrouver leurs élèves, ils allaient d'un groupe à l'autre pour offrir leurs vœux de bonne année.

La sonnerie indiquant la reprise des cours résonna et la salle se vida lentement. Jean fut l'un des derniers à la quitter, se demandant si l'arrivée de Paul Comtois ne lui avait pas échappé. Finalement, il se fit la réflexion qu'il le verrait dans la classe et il se dirigea vers le local où se donnait le cours de littérature du père Langevin. Il accéléra même le pas, persuadé que ce vieux professeur irascible accepterait mal un retard en ce début de nouvelle session.

Le fils du médecin n'était pas en classe. Agacé par ce contretemps, Jean fut passablement distrait durant toute la matinée, au point de s'attirer une remarque sarcastique de son professeur de littérature française, ce qui n'était pas une habitude dans son cas, contrairement à plusieurs de ses camarades de classe. Il n'en passa pas moins la journée à s'interroger sur la raison de l'absence surprenante de Paul Comtois et rentra à la maison plutôt perturbé à la fin de l'après-midi.

Paul Comtois ne fit son apparition que le vendredi matin, le visage pâle et l'air souffrant. Dès qu'il l'aperçut, Jean alla à sa rencontre et dut faire un effort particulier pour cacher sa joie de le revoir enfin.

— Eh bien ! on dirait que certains avaient pas assez de trois semaines de vacances, plaisanta-t-il en lui serrant la main, soulagé de le voir enfin apparaître au collège. Il t'en fallait trois de plus ?

— Je peux te dire que j'aurais mieux aimé être ici mardi matin que dans mon lit, répliqua son copain d'une voix éraillée.

— Qu'est-ce qui t'est arrivé ?

— Il a fallu que j'attrape la grippe samedi soir. J'ai passé quatre jours cloué au lit avec une fièvre de cheval. Ma mère a pas arrêté de me bourrer de pilules et de sirop. Un peu plus, elle avait ma peau.

— Comment t'as fait ton compte pour attraper ça ?

— J'en ai pas la moindre idée, reconnut Paul avant de se mettre à tousser.

— J'espère que t'as pas passé ta grippe à ta sœur ? demanda Jean, ayant enfin trouvé le moyen d'avoir des nouvelles de la jeune fille.

— Aucun danger, elle, elle a une santé de cheval. En plus, je l'ai presque pas vue depuis le lendemain du jour de l'An.

— Comment ça ?

— Elle a passé presque tout son temps avec son chum.

— Son chum ? fit Jean, dont le visage avait soudainement blêmi.

— Elle te l'a pas dit? s'enquit Paul, surpris. Elle sort avec Rémi Durand depuis presque un an. Il était parti faire un stage d'un mois à New York et est revenu à Montréal deux jours avant le premier de l'An.

— Qu'est-ce qu'il fait, ce gars-là? demanda Jean d'une voix qui avait changé de ton.

— Il a terminé son cours d'ingénieur. Il était parti en stage là-bas.

— Est-ce que ça veut dire qu'il est pas mal plus vieux que ta sœur?

— Il a six ou sept ans de plus qu'elle, reconnut Paul, tout de même un peu intrigué par l'insistance de son camarade à parler de sa sœur Blanche.

— Est-ce que c'est sérieux avec Blanche? finit par s'enquérir Jean.

— D'après ma sœur, c'est pas mal sérieux… Qu'est-ce que t'as? T'as l'air tout drôle, fit Paul qui venait enfin de remarquer l'expression bizarre de Jean.

— J'ai rien, affirma le jeune homme en tentant de reprendre pied. J'ai pas eu le temps de déjeuner à matin. Je me sens un peu à l'envers.

Sur ce, la sonnerie mit fin à leur conversation et Jean salua son confrère et le quitta, heureux de ne pas appartenir au même groupe de morale que le fils du médecin. Il était bouleversé par ce qu'il venait d'apprendre. Blanche, la fille à qui il rêvait depuis plus de trois semaines, avait un amoureux, sérieux de surcroît. Si c'était vrai, pourquoi avait-elle accepté de venir patiner avec lui? Pourquoi l'avait-elle invité le soir de Noël? Il n'y comprenait plus rien.

À son avis, elle avait tout fait pour le rendre amoureux d'elle et elle avait très bien réussi. Il avait l'impression de vivre un cauchemar. Ce n'était pas possible. Il avait même fini par se persuader qu'il avait laissé tomber Reine Talbot pour elle. Tout ça pour rien. Elle s'était jouée de lui, il n'y avait pas d'autre explication. Elle s'était servie de lui en attendant le retour de son ami de cœur. Il était trop perturbé pour se rendre compte que la jeune fille ne lui avait rien promis, sauf un peu d'amitié.

Il termina la matinée de peine et de misère, incapable de se concentrer. À l'heure du dîner, il prévint le préfet qu'il souhaitait rentrer chez lui si c'était possible, parce qu'il ne se sentait pas bien.

Son retour hâtif à la maison fit sursauter sa mère, occupée à terminer son lavage dans la cuisine. Quand elle entendit la porte d'entrée s'ouvrir, Amélie se précipita dans le couloir en écartant les vêtements mouillés en train de sécher, suspendus à des cordes.

— Qu'est-ce qui se passe ? lui demanda-t-elle. Tu reviens bien de bonne heure.

— Le professeur de sciences est malade, il y avait pas de remplaçant, mentit-il en enlevant son manteau.

— Veux-tu manger quelque chose ?

— Merci, m'man. J'ai mangé mon lunch. Je pense que je vais aller lire dans ma chambre.

L'étudiant s'esquiva rapidement et ne reparut que quelques heures plus tard lorsque son frère rentra de l'école.

— Ouais ! Il y en a qui sont chanceux, laissa tomber l'adolescent. Il paraît que t'es revenu à la maison à midi parce qu'un prof était absent. Nous autres, quand il y en a un qui manque, on n'a pas le droit de revenir chez nous. On doit rester à l'école à niaiser.

Jean ne releva pas. Ce soir-là, il s'enferma dans sa chambre dès la dernière bouchée avalée. Ses parents, habitués à le voir studieux, ne s'inquiétèrent pas de la situation.

Cependant, leur fils ne trouva le sommeil qu'aux petites heures du matin. Il vivait durement son premier vrai chagrin d'amour. Il encaissait difficilement ce qu'il considérait comme une sorte de trahison. Après plusieurs heures à se lamenter sur l'injustice du sort, il finit tout de même par réaliser progressivement que Blanche Comtois ne lui avait fait aucune promesse. Peu à peu, il dut reconnaître qu'il avait imaginé entre eux une idylle qui n'était que le produit de son esprit amoureux. D'accord, elle avait patiné avec lui durant toute une soirée et ils avaient eu beaucoup de plaisir à converser ensemble et à se trouver des intérêts communs, mais il n'y avait rien eu d'autre. Pour l'invitation à la fête de Noël chez les Comtois, il n'avait été, somme toute, qu'un invité parmi tant d'autres. Elle avait dansé avec lui, rien de plus…

Cependant, admettre ces faits n'en rendait pas sa déception moins cuisante. Il en vint à penser que tout cela ne s'était produit que parce qu'il n'appartenait pas au même monde que les Comtois. Fils d'un pauvre facteur, il ne pouvait prétendre fréquenter ces bourgeois d'Outremont. Si son père avait été ingénieur ou médecin, il aurait pu se battre pour conquérir la belle à armes égales avec ce Rémi Durand. Mais il possédait à peine assez d'argent pour payer ses billets de tramway et ses quelques dépenses. Comment pouvait-il rêver d'aller faire du ski ou d'offrir des sorties coûteuses, comme les aimait probablement Blanche Comtois ?

Les jours suivants, Jean eut beaucoup de mal à faire bonne figure devant son copain, comme s'il le tenait partiellement responsable de son dépit amoureux. Puis, peu à peu, les exigences de ses études prirent le dessus et sa douleur se fit moins vive. Les résultats de ses examens mirent en quelque sorte un baume sur sa blessure d'amour-propre. Il avait obtenu une moyenne générale de quatre-vingt-cinq pour cent, ce qui en faisait le meilleur élève des quatre groupes d'étudiants de philosophie I.

Le samedi suivant, Lorraine rentra du travail les yeux rougis. Sa mère le remarqua tout de suite lorsque la jeune fille s'engouffra dans sa chambre à coucher après avoir salué ses parents d'une voix éteinte. Félicien, occupé à cirer ses souliers, leva la tête et adressa à sa femme un regard interrogateur.

— Je te gage que c'est encore Édouard qui l'a fait pleurer, chuchota-t-elle avant de s'essuyer les mains sur son tablier et de se diriger vers la chambre de sa fille.

— Je te demande pas ce qui t'arrive, dit-elle à Lorraine, assise sur le bord de son lit. Je suppose que c'est Édouard qui t'a fait de la peine.

Lorraine se contenta de hocher la tête.

— Il t'a dit qu'il a pas fini de réfléchir ?

— Non, il est passé au magasin à matin pour dire qu'il travaillerait plus chez Messier. Il m'a dit qu'un de ses oncles lui a trouvé une *job* mieux payée à Joliette. Il commence lundi matin.

— Comment il va voyager ça ? demanda Amélie.

— Il voyagera pas. Il s'en va rester chez son oncle.

— Et toi, là-dedans ?

— Il m'a dit qu'il se sentait pas vraiment prêt à se marier, fit Lorraine en éclatant en sanglots convulsifs.

Le visage de la mère de famille se durcit.

— Lui, cet agrès-là, si jamais je lui mets la main dessus, il va apprendre comment je m'appelle, dit Amélie, furieuse. Il t'a fait perdre trois ans de ta vie, le sais-tu, ça ? Si ton père l'avait pas poussé au pied du mur dans le temps des fêtes, il aurait continué à te faire croire qu'il finirait par te marier pendant qu'il en avait pas pantoute l'intention. C'est assez clair, il me semble.

— Mais, m'man… voulut protester la jeune fille.

— J'espère que tu te rends compte que c'était pas mal malhonnête de sa part ?

— Je l'aime, m'man.

— Gaspille pas tes larmes pour un maudit sans-cœur comme lui. Fais pas la folle ! lui ordonna sa mère. Il le mérite pas. Oublie-le, comme il a l'air de t'avoir déjà oubliée. À cette heure, va te passer une débarbouillette d'eau froide sur le visage et viens manger, le souper est prêt.

Après le repas, Amélie et sa fille se retrouvèrent seules dans la cuisine pour laver et ranger la vaisselle.

— Qu'est-ce que tu dirais si on allait voir un film à soir, toutes les deux ?

— J'ai pas bien le goût, m'man.

— T'es pas pour passer ta soirée enfermée dans ta chambre à pleurer comme une Madeleine pour un sans-cœur, déclara tout net sa mère. À la radio, ils disent que le dernier film de Fernandel est pas mal. On devrait aller le voir, il passe au Saint-Denis.

Lorraine sembla balancer durant un bref moment avant de se décider à accepter l'offre de sa mère. Elle réalisait que cette dernière faisait cela pour elle parce qu'elle n'avait jamais été très friande de cinéma.

Soudain, Félicien vint les rejoindre dans la cuisine.

— Je suppose que vous avez pas le goût d'écouter le hockey, dit-il à sa femme et à sa fille. On vous donne le choix entre le salon et la cuisine. Nous autres, ça nous dérange pas pantoute d'écouter le match dans la cuisine.

— Restez dans le salon, déclara sa femme. Lorraine et moi, on vient de décider d'aller aux vues.

— Qu'est-ce que vous allez voir ?

— Le dernier film de Fernandel, *Les gueux du paradis*, répondit Lorraine.

— Vous auriez pu attendre demain. J'y serais allé avec vous autres.

— Reste avec tes garçons et écoutez votre maudit hockey ennuyant, lui conseilla sa femme sur un ton qui ne souffrait pas la contestation. Tu nous diras si ton Maurice Richard a encore compté ce soir, ajouta-t-elle en cachant mal son exaspération devant l'intérêt de son mari pour ce sport.

— Parle pas contre le Rocket, toi. Il fait gagner le club à lui tout seul, cette année.

Ce samedi soir là, comme il en avait pris l'habitude depuis qu'il ne fréquentait plus Reine Talbot, Jean décida de se joindre à son père et à son frère pour écouter la retransmission radiophonique de la partie de hockey opposant les Bruins de Boston aux Canadiens de Montréal. Ils écoutèrent religieusement la voix du commentateur décrivant les montées à l'emporte-pièce de Toe Blake et les passes habiles de Milt Schmidt, le meilleur compteur des Bruins.

— Vous avez jamais vu Howie Morenz, vous autres, dit Félicien à ses fils, assis au bout de leur siège tant la partie était palpitante.

Le facteur n'avait pourtant jamais vu cette légende à l'œuvre au Forum, lui non plus, mais il avait écouté tant de matchs de hockey dans lesquels Morenz avait été un héros qu'il avait l'impression de l'avoir connu.

Quelques jours avant la fin du mois de janvier, le froid se fit encore plus rigoureux.

— C'est le prix à payer pour pas avoir de neige, déclara Félicien en s'emmitouflant avant de partir travailler.

— Ça a pas de saint bon sens, rétorqua sa femme. Ils disent qu'il fait moins 20 degrés.

— Ça sert à rien de se lamenter, c'est l'hiver, répliqua son mari en l'embrassant sur une joue avant de partir à son travail.

Ce matin-là, Amélie recommanda à Lorraine de prendre le tramway pour se rendre chez Messier, même si elle avait l'habitude de se rendre à son travail à pied.

— C'est ce que je vais faire s'il y a un p'tit char qui passe, lui promit sa fille sans grand enthousiasme en chaussant ses bottes. S'il y en a pas en vue sur Mont-Royal, je vais me réchauffer plus en marchant qu'en attendant comme une belle dinde au coin de la rue.

Lorraine traînait encore un air morose, près de trois semaines après le départ d'Édouard Lacombe. La jeune fille vivait difficilement l'humiliation d'avoir été abandonnée par celui que ses compagnes de travail considéraient déjà comme son fiancé. Elle se rendait bien compte qu'on bavardait dans son dos et qu'on la prenait un peu en pitié. Elle avait même feint de ne pas avoir compris quelques allusions blessantes de la part de Marie Blanchette, sa supérieure, qui semblait l'avoir prise en grippe depuis les fêtes, sans qu'elle en sache trop la raison.

— Elle, je lui ai rien fait, se répétait-elle depuis quelques jours. Je sais pas ce qu'elle a à être tout le temps sur mon dos.

Son frère Jean quitta la maison en même temps qu'elle et ils décidèrent de faire route ensemble vers la rue Mont-Royal. Le frère et la sœur eurent du mal à réprimer un violent frisson en posant le pied à l'extérieur. La neige crissait sous les pas et de la buée sortait de leur bouche. Au pied de l'escalier, un voisin s'acharnait à tenter de faire démarrer une vieille Ford. De l'autre côté de la rue, un autre automobiliste claquait violemment la portière de son véhicule en blasphémant parce que le moteur de ce dernier refusait de démarrer.

— Je me demande comment p'pa fait pour travailler dehors toute la journée quand on gèle comme ça, dit Jean en resserrant son écharpe autour de son cou.

— Pauvre lui, le plaignit sincèrement Lorraine. Tiens! Toi, t'es plus chanceux que moi, ajouta-t-elle en tournant la tête vers l'est au moment où ils arrivaient au coin de la rue Mont-Royal. Ton p'tit char s'en vient. Moi, je pense que je vais être poignée pour marcher.

— Si t'as trop froid, tu peux toujours t'arrêter à la pharmacie ou au restaurant en passant pour te réchauffer, lui recommanda son frère en s'avançant déjà dans la rue pour monter dans le tramway qui venait de s'immobiliser dans un grincement de freins torturés.

Alors que les deux aînés étaient en route, Claude se préparait lui aussi. Mais il était dit que ce matin-là ne serait pas son jour. Le cadet de la famille Bélanger ne fut prêt à sortir de la maison qu'une demi-heure après son frère et sa sœur. Il devait d'abord aller déposer la vieille poubelle bosselée sur le trottoir.

— Ça a pas de bon sens faire froid comme ça. Ils devraient fermer l'école, dit-il en se frottant les mains alors qu'il rentrait dans la maison.

— Bien oui, mon Claude, se moqua sa mère. Comme ça, tous les paresseux pourraient aller se recoucher et passer leur grande journée à rien faire. En attendant que ça arrive, toi, je veux pas te voir partir sans ta tuque et tes mitaines, le prévint sa mère, sévère.

— Voyons, m'man, je suis pas un enfant, protesta l'adolescent. Vous savez ben que j'irai pas à l'école nu-tête quand on gèle comme ça.

— On dit ça, mais je sais ce que t'es capable de faire pour faire le beau devant les filles. Arrange-toi pas pour être malade. Montre que t'as une tête sur les épaules.

Claude embrassa sa mère et allait quitter l'appartement quand Amélie remarqua qu'il partait les mains vides.

— Où est ton sac d'école ?

— J'en ai pas apporté. Hier, j'avais pas de devoirs.

— Toi, t'es mieux de t'organiser pour avoir un beau bulletin ce mois-ci, sinon tu vas avoir affaire à ton père, je t'en passe un papier, le menaça sa mère.

Moins de dix minutes plus tard, Claude rejoignit deux camarades de classe au coin de Chambord et Gilford et tous les trois se mirent en route vers l'école Saint-Pierre-Claver.

— Ça irait ben plus vite si on se faisait traîner par un char, déclara-t-il aux deux autres en se plaquant les deux mains sur les oreilles dans l'espoir de les réchauffer un peu.

— T'es pas malade, toi ! fit un nommé Grenier. Faire du ski-bottines, c'est ben trop dangereux. Ils arrêtent pas à l'école de nous répéter de pas faire ça.

— Si t'es trop moumoune pour venir avec nous autres, Grenier, t'as juste à marcher, intervint Yvan Pelletier. Nous autres, on va le faire, pas vrai, Bélanger ?

— Certain, confirma Claude, en faisant le brave.

Arrivés au coin du boulevard Saint-Joseph, les trois adolescents s'immobilisèrent.

— On poigne le *truck* blanc qui s'en vient, annonça Claude à son camarade.

Marcel Grenier vit ses deux compagnons s'avancer entre deux voitures pour mieux guetter le passage du camion qui dut ralentir à l'intersection. Aussitôt, les deux jeunes coururent à l'arrière et empoignèrent le pare-chocs arrière du véhicule qui reprit peu à peu de la vitesse. Le conducteur n'avait rien vu et les adolescents, penchés vers l'arrière pour mieux assurer leur équilibre, se laissèrent tirer comme s'ils faisaient du ski.

À l'approche de l'école, alors que Claude allait crier à son camarade de lâcher prise pour éviter d'être vus par un enseignant, un cri les fit sursauter.

— Aïe ! vous deux ! cria une voix autoritaire.

Claude tourna la tête et aperçut du coin de l'œil son titulaire planté au bord du trottoir, l'air furieux.

— Bâtard ! c'est le lapin, dit Claude à son comparse.

Depuis plusieurs années, les élèves de Saint-Pierre-Claver avaient surnommé Jérôme Richer, un professeur de 8e année, le lapin à cause de ses deux énormes incisives qui le faisaient vaguement ressembler à cet animal. Par ailleurs, cet homme dans la quarantaine avancée avait la réputation fort méritée d'être sévère à outrance et de ne tolérer aucun manquement à la discipline dans sa classe.

Les deux imprudents, trop surpris, tardèrent à réagir, ce qui sembla accroître la colère de l'enseignant.

— Bélanger ! Pelletier ! hurla Richer.

Tous les deux lâchèrent prise au même moment et un automobiliste en colère klaxonna furieusement après avoir dû faire une embardée pour éviter d'écraser les deux adolescents qui rattrapèrent leur équilibre avec difficulté. Des élèves s'étaient arrêtés sur le trottoir derrière Jérôme Richer, apparemment prêts à supporter le froid sibérien de ce matin de janvier pour le plaisir d'assister à une scène intéressante.

L'enseignant de 8e année les ignora totalement. Engoncé dans son épais manteau de drap gris et portant sous le bras un mince porte-documents, l'homme repoussa du bout du doigt ses épaisses lunettes à monture de corne déposées sur un nez important que le froid avait rougi.

— Espèces d'imbéciles ! apostropha-t-il les deux coupables qui venaient de s'arrêter devant lui. Combien de fois on vous a répété que c'était dangereux de faire ça ?

Claude s'aperçut alors que des filles d'une école du quartier s'étaient jointes aux spectateurs de la scène et le dévisageaient. Rassemblant son courage, il osa dire d'une voix altérée :

— C'est pas de vos affaires, monsieur. On n'est pas à l'école et...

Si le fils cadet de Félicien Bélanger avait eu l'intention d'ajouter quelque chose, il n'en eut pas le temps.

— Quoi ? Qu'est-ce que tu viens de me dire là, espèce d'effronté ? lui demanda son professeur en l'agrippant par le collet. Avance, on va régler ça à l'école.

L'adolescent fit volte-face bien malgré lui. Les rangs des curieux s'ouvrirent immédiatement devant lui et il fut propulsé vers l'avant à une grande vitesse, due davantage à la force de la poigne de son professeur qu'à son désir de se rendre plus rapidement à l'école.

Secoué et honteux d'être ainsi traité devant des filles, il aurait voulu se dégager, mais il n'en eut ni la possibilité ni l'occasion. Un simple coup d'œil autour lui apprit que Pelletier s'était discrètement éclipsé dans la foule, probablement heureux que toute l'attention soit tournée vers Claude.

À leur arrivée devant l'école, Jérôme Richer lui fit escalader le long escalier en pierre qui conduisait à la porte principale de l'institution. Les jeunes qui les avaient suivis s'arrêtèrent au pied de l'escalier et les regardèrent pénétrer dans la bâtisse en formulant toutes sortes de commentaires.

Dès son entrée dans l'édifice, l'enseignant le lâcha pour enlever ses gants et retirer ses verres embués. Il prit le temps de déboutonner son paletot et d'essuyer ses lunettes avec un mouchoir propre sans se préoccuper le moins du monde d'un Claude beaucoup moins faraud maintenant que quelques minutes auparavant. Après avoir posé ses lunettes sur son nez, Richer se dirigea vers le bureau de l'adjoint du directeur, le redoutable Aurèle Auger.

— Attends là ! ordonna-t-il à l'adolescent avant d'entrer dans la pièce après avoir frappé à la porte.

Il faut croire que le professeur de 8e année fut à la fois très succinct et très persuasif parce que l'adjoint parut moins de deux minutes plus tard à la porte de son bureau et invita le coupable à le rejoindre.

— Toi, le mal élevé, tu retournes tout de suite chez vous et tu reviens ici avec ton père ou ta mère, se borna-t-il à lui dire sur un ton sec. À Saint-Pierre-Claver, on n'endure pas les voyous, tu m'entends ?

— Oui, répondit Claude dont le visage avait pris une pâleur inquiétante.

— Oui, qui ?

— Oui, monsieur.

— À cette heure, je t'ai assez vu. Débarrasse-moi le plancher.

Pendant cette brève rencontre, Jérôme Richer n'avait pas prononcé un seul mot.

L'adolescent ne demanda pas son reste et s'empressa de quitter l'école. Même s'il faisait toujours aussi froid à l'extérieur, il sentait la sueur lui couler dans le dos.

— Maudite malchance ! ne cessa-t-il de répéter à mi-voix en retournant chez lui, à contre-courant des élèves qui se rendaient à l'école. Il fallait que je tombe sur lui, à part ça !

Il était en colère contre son professeur et encore plus contre lui-même.

Totalement frigorifié, il parvint au pied de l'escalier qui conduisait à l'appartement familial. Soudain, il réalisa qu'il n'avait préparé aucune explication à fournir à sa mère qui allait lui demander pourquoi il n'était pas à l'école. Malgré le froid, il poursuivit sa route jusqu'au coin de la rue Mont-Royal en se torturant l'esprit pour trouver une façon de présenter son expulsion de l'école. Finalement, incapable de supporter plus longtemps le froid, il revint sur ses pas et monta l'escalier, résigné à dire la vérité.

— Elle me tuera tout de même pas, dit-il en pensant à sa mère. C'est pas si grave que ça. C'est pas ma faute si le lapin a poigné les nerfs.

Dès qu'il poussa la porte, Amélie sortit de l'une des chambres qu'elle était occupée à balayer pour s'informer de la raison de son retour à la maison.

— Dis-moi pas que t'as oublié quelque chose ? fit-elle.

— Non, m'man.

— Qu'est-ce que tu viens faire ici dedans, si c'est pas pour ça ?

— Je me suis fait mettre dehors de l'école, avoua-t-il tout de suite en enlevant ses bottes.

— Ben voyons donc ! C'est quoi cette histoire-là ? lui demanda sa mère en s'avançant vers lui.

Claude suspendit son manteau à la patère dans le couloir et eut, crut-il, une idée lumineuse.

— Ben, je me suis fait poigner à faire du ski-bottines.

— C'est quoi, cette affaire-là ? lui demanda Amélie, intriguée.

— Voyons, m'man, c'est se laisser traîner par un char.

— Mais c'est dangereux ! s'exclama-t-elle, horrifiée.

— Il y a ben des gars qui font ça, mentit l'adolescent. Ça va plus vite et on a moins le temps de geler.

— Maudit insignifiant, s'emporta sa mère. Je suppose que s'il y en a qui vont se jeter à l'eau, tu vas faire la même chose qu'eux autres ?

— Engueulez-moi pas en plus, se rebiffa-t-il. Il y a ben assez que l'adjoint m'a sacré dehors pour ça. En plus, il veut que vous veniez me reconduire à l'école pour me reprendre.

— Espèce de grand tata ! s'écria Amélie. Cherchais-tu à te faire tuer en faisant cette niaiserie-là ? Je suppose que tu savais pas que c'était dangereux. Ils te l'avaient jamais dit à l'école ? Combien de fois on t'a dit de pas faire ça ?

— Ben oui, m'man, mais à matin, j'étais gelé ben raide, fit-il, excédé. J'ai pensé que j'arriverais plus vite à l'école en faisant ça. C'est pas la fin du monde. J'ai tué personne.

— Il faut être un beau niaiseux comme toi pour avoir des idées de fou comme ça ! poursuivit Amélie, en colère.

— Allez-vous venir me reconduire à l'école ? osa lui demander Claude avec un rien d'impatience dans la voix. Si vous voulez, vous pouvez ben attendre demain, suggéra-t-il en se disant qu'une journée de congé serait un juste salaire pour tous les ennuis que cette suspension lui causait.

— Non, mon garçon ! déclara sèchement sa mère. J'ai mon repassage à faire aujourd'hui et j'irai sûrement pas te reconduire à l'école. C'est ton père qui va s'occuper de ça.

Le visage de l'adolescent se rembrunit à la pensée que son père n'apprécierait pas particulièrement cette corvée après une journée passée à distribuer le courrier par un tel froid. C'était un truc pour lui gâcher ce jour de congé qu'il commençait déjà à planifier.

— À part ça, tu vas remettre ton manteau. Tu pars tout de suite, lui ordonna sa mère.

— Pour aller où ? demanda Claude, étonné.

— Tu pensais tout de même pas que t'étais pour passer la journée ici dedans à traîner à rien faire, à attendre que ton père revienne de l'ouvrage, j'espère ?

— Non, mentit-il.

— Bon. Là, tu vas aller le rejoindre sur Mentana, ajouta sa mère alors qu'elle ne décolérait guère. Aujourd'hui, il remplace un facteur malade sur cette *run*-là.

— Mais je sais pas où il va être, moi, sur Mentana, se défendit l'adolescent.

— Tu vas le trouver, aie pas peur. Explique-lui ce qui t'arrive. Je sais pas s'il va vouloir lâcher l'ouvrage une heure pour te ramener à l'école, mais il sera sûrement pas trop de bonne humeur quand il va apprendre ce que tu viens de faire.

— Je pourrais ben attendre à la fin de l'après-midi, quand il va revenir, suggéra l'adolescent sans grand espoir.

— Il en est pas question, trancha sa mère. Décolle. Rhabille-toi et va le rejoindre immédiatement, dit sa mère sur un ton autoritaire pour mettre un terme à la discussion.

— On dirait que tout le monde m'en veut aujourd'hui, se plaignit-il pour attendrir sa mère.

Ce fut en pure perte. Résigné, il chaussa ses bottes à nouveau, enfila son manteau, enfonça sa tuque jusqu'à la hauteur des sourcils et quitta l'appartement, la mort dans l'âme. Arrivé rue Mont-Royal, il prit la direction de l'ouest et traversa quatre rues avant de se mettre à descendre la rue Mentana vers la rue Marie-Anne.

Finalement, il lui fallut plus d'une demi-heure pour retrouver son père un peu au nord de la rue Rachel, au moment où ce dernier commençait à monter un escalier extérieur. Lorsqu'il aperçut son fils, Félicien Bélanger descendit les trois marches qu'il venait de monter pour se porter à sa rencontre.

— Qu'est-ce qui se passe? demanda-t-il, incapable de cacher son inquiétude.

L'air coupable de son fils sembla soudain alerter le facteur qui déposa son lourd sac de courrier à ses pieds. Il se mit à souffler dans ses mains en dansant un peu d'un pied sur l'autre pour se réchauffer.

— Envoye! Aboutis, ordonna-t-il à l'adolescent. Je suis pas pour passer mon avant-midi à t'attendre, cybole!

— Ben, je me suis fait mettre dehors de l'école, p'pa.

— Pourquoi?

La demande avait claqué dans l'air froid sur un ton de mauvais augure.

— Parce qu'un professeur m'a poigné à me laisser traîner par un *truck* avec un de mes chums, avoua-t-il tout d'une traite.

— Sacrement de tête folle! jura le père de famille. Il manquait plus que ça. Je suppose que tu savais pas que c'était dangereux?

Claude choisit de se taire devant la colère de son père.

— Puis, tout ça m'explique pas pourquoi t'es rendu sur Mentana, poursuivit-il, furieux.

— Ben, c'est m'man qui m'a dit de venir vous voir. Le principal veut que vous ou elle veniez me reconduire à l'école, sinon il me laisse pas rentrer.

— Comme si j'avais juste ça à faire! s'écria Félicien, hors de lui. Bon, c'est correct. Tu vas m'aider à vider mon sac et après ça, je vais passer à l'école avant de retourner travailler.

Pendant près d'une heure, l'adolescent dut monter aux étages déposer le courrier dans les boîtes à lettres pendant que son père continuait son travail au rez-de-chaussée des maisons. À la fin de la distribution, Claude avait les doigts et les orteils gourds et il sentait à peine son visage tant il avait froid. Son père l'entraîna alors vers Saint-Pierre-Claver d'un bon pas. L'un et l'autre n'éprouvèrent aucune envie de parler en cours de route.

À leur arrivée à l'école, l'imposant édifice leur parut surchauffé lorsqu'ils pénétrèrent à l'intérieur. Il leur fallut quelques instants pour retrouver l'usage de la parole tant ils étaient transis. Alerté par sa secrétaire, Aurèle Auger les fit entrer immédiatement dans son bureau et les invita à s'asseoir avant de prendre place lui-même derrière son bureau.

— Mon Dieu ! s'exclama l'adjoint. Vous avez fait ça vite, dit-il au père de l'élève suspendu. J'espère que ça vous nuira pas trop dans votre tournée, ajouta-t-il pour montrer qu'il avait bien remarqué avoir affaire à un facteur.

— L'école est importante, monsieur, fit Félicien. J'avais pas envie que mon garçon manque une journée complète pour rien. Il paraît qu'il a fait l'imbécile et qu'il s'est laissé tirer par un char… Vous avez ben fait de lui donner une leçon.

Claude eut un début de sourire en constatant que sa façon de présenter les faits avait fait en sorte que son père croyait vraiment qu'il avait été suspendu pour cette unique raison. Mais il n'eut pas la chance de se réjouir très longtemps.

— Oh ! Ce n'est pas uniquement pour ça que je l'ai suspendu ce matin, corrigea immédiatement Aurèle Auger.

— Ah non ? fit le facteur, surpris.

— S'il n'y avait eu que ça à lui reprocher, je me serais contenté de le garder toute la semaine en retenue après l'école, expliqua l'adjoint.

— Vous auriez bien fait, l'approuva le père de famille, tout de même intrigué.

— Mais là, il y a eu autre chose. Il a été impoli envers un professeur de l'école, et ça, monsieur Bélanger, on ne le tolère pas à Saint-Pierre-Claver.

Les traits du visage de Félicien s'étaient brusquement durcis, tandis que son fils s'était tassé sur la chaise voisine.

— Est-ce que je peux savoir ce qu'il a fait exactement ? demanda Félicien d'une voix blanche.

— Il a osé dire au professeur qui venait de le prendre en flagrant délit de faire ce que les jeunes appellent du ski-bottines que ça le regardait pas ce qu'il faisait parce qu'il était pas à l'école.

— Ah oui ! Je suppose que vous avez l'intention de le garder en retenue au moins deux semaines plutôt qu'une pour avoir été aussi effronté, suggéra le facteur en adressant un regard furieux à son fils.

— Ce serait pas une mauvaise idée, accepta l'adjoint avec un petit sourire de connivence.

— Est-ce qu'il peut aller tout de suite présenter des excuses au professeur ? demanda le facteur.

— Bien sûr, monsieur, dit l'adjoint en se levant. Si vous voulez bien me suivre.

Félicien et son fils suivirent Aurèle Auger à l'étage sans dire un mot. Ce dernier frappa à une porte de classe. Jérôme Richer vint ouvrir.

— Monsieur Richer, monsieur Bélanger et son fils voudraient vous parler, dit l'adjoint avant de s'esquiver.

Derrière Jérôme Richer, la classe était silencieuse, même si une trentaine d'élèves étaient présents dans le local. Seuls les premiers de chaque rangée étiraient leur cou pour tenter de voir ce qui se passait dans le couloir. L'enseignant leur lança un regard sévère qui les incita à retourner à leur travail et il referma la porte derrière lui.

— Monsieur, mon garçon a quelque chose à vous dire, fit Félicien en poussant devant lui un Claude qui avait perdu depuis longtemps toute sa superbe.

— Je m'excuse, monsieur, bredouilla-t-il, ne sachant quoi faire de ses mains.

— Tu t'excuses pour quoi ? lui demanda sèchement son père.

— Je m'excuse d'avoir été impoli, monsieur.

— C'est correct, accepta le professeur. Tu peux entrer dans la classe.

— Si ça vous fait rien, monsieur Richer, j'aurais juste un mot à dire à mon garçon avant.

— Très bien, fit l'enseignant.

Il retourna dans sa classe et referma discrètement la porte derrière lui.

— Slap ! Ça, c'est pour m'avoir menti, éclata Félicien en administrant une solide gifle à l'adolescent sans que ce dernier ait le temps de voir venir le coup. Slap ! Et celle-là, c'est pour avoir été effronté, ajouta-t-il en lui en décochant une seconde, tout aussi rapide et violente, qui marbra l'autre joue du coupable.

Claude avait chancelé sous les deux coups reçus. Il était aussi sonné par les deux gifles sèches qu'il venait de recevoir que par la surprise qu'il éprouvait. Pour la première fois de sa vie, son père avait levé la main sur un de ses enfants.

— À cette heure, va rejoindre les autres dans ta classe et organise-toi pour que j'aie plus jamais aussi honte de toi.

Sans ajouter un mot, le facteur reprit son sac déposé contre le mur et se mit en marche vers l'escalier qui devait le conduire à la sortie de l'école.

Ce soir-là, Claude, maussade, ne rentra à la maison qu'un peu après cinq heures, soit quelques minutes après son père, de retour du travail. À son entrée dans la cuisine, ce dernier ne leva pas le nez de *La Presse* qu'il était en train de lire.

— Comme ça, tout est arrangé ? lui demanda sa mère, curieuse.

— Oui, m'man.

— J'espère que tu vas te souvenir que c'est dangereux de faire ce que t'as fait, conclut-elle en ouvrant la porte de l'armoire pour en sortir les couverts.

L'adolescent comprit alors que son père n'avait rien raconté de son impolitesse envers son professeur. Il n'avait probablement pas dit un mot non plus des deux gifles qu'il lui avait administrées.

Ce soir-là, quand il raconta tout à son frère Jean, ce dernier se contenta de dire :

— Viens surtout pas te plaindre. T'as couru après. Pour que p'pa lève la main sur toi, il devait être enragé noir.

— En tout cas, moi, je me couche de bonne heure, conclut l'adolescent. J'ai pas envie qu'il m'arrive autre chose aujourd'hui. J'en ai plein mon casque. Tout le monde a été sur mon dos toute la maudite journée.

Chapitre 8

La catastrophe

La semaine suivante, alors que débutait le mois de février, une rumeur de grève possible des conducteurs de tramways circulait, rappelant aux Montréalais tous les inconvénients qu'un pareil arrêt de travail leur avait causés trois ans auparavant. Cependant, l'arrivée de la troisième tempête de neige majeure de la saison fit oublier cette menace et on dut se débattre pour nettoyer les quelque vingt pouces de neige tombés sur la métropole en quelques heures.

Le lundi après-midi, Jean venait à peine de descendre du tramway, au coin de Brébeuf et Mont-Royal, quand il entendit les sirènes des camions des pompiers fonçant rapidement vers l'est. Il allait poursuivre son chemin pour rentrer à la maison lorsqu'il se rendit compte que les camions rouges s'immobilisaient à peine trois rues plus loin, près de la rue Garnier. Enjambant le banc de neige, il suivit la foule de curieux qui se dirigeait en courant vers les lieux du sinistre. Une boulangerie était la proie des flammes. Déjà une épaisse fumée noire s'échappait d'une vitrine éclatée. Des policiers sur place éloignaient les curieux dont la présence risquait de nuire au travail des sapeurs-pompiers en train de brancher des tuyaux sur les bornes-fontaines les plus proches.

— C'est pas grand-chose à côté du feu, d'il y a un an et demi, au magasin de fer sur Mentana, dit une voix dans le dos de l'étudiant.

— Jamais je croirai qu'il y a aussi du naphta dans une boulangerie, ajouta une passante. Ils ont dit que c'est ça qui a tué cinquante et une personnes. C'était tellement effrayant, cette explosion-là, poursuivit-elle, que j'en ai pas dormi pendant des semaines. Il y avait un paquet d'enfants parmi les morts.

À entendre les commentaires autour de la dame, plusieurs des badauds présents avaient assisté à ce drame survenu le 14 septembre 1945, dans une petite quincaillerie de la rue Mentana.

Jean ne demeura sur place que quelques minutes. Il abandonna les lieux en même temps qu'un bon nombre de spectateurs quand il se rendit compte que les pompiers étaient déjà parvenus à circonscrire le sinistre.

À son entrée dans la maison, il trouva son frère Claude d'excellente humeur. Il n'avait pas encore suspendu son manteau à la patère que l'adolescent s'avançait vers lui en lui montrant des billets.

— Tu sais ce que c'est ? lui demanda-t-il.

— Pas des billets pour aller voir une partie au Forum ?

— Ben non. J'ai gagné à l'école deux billets pour la première partie de baseball de la saison des Royaux au parc De Lorimier.

— Ah ! fit Jean, l'air désabusé. C'est loin en maudit, ton affaire.

— C'est pas si loin que ça, protesta l'adolescent. C'est dans deux mois. Aïe ! Avoir la chance d'aller voir lancer Jean-Pierre Roy, c'est pas rien. T'es mieux de changer d'air si tu veux que je t'en donne un, à part ça.

— Offre-le à p'pa. Moi, j'aime mieux le hockey.

— P'pa aime pas ça, le baseball, tu le sais ben. Il dit que c'est endormant à mort. Moi aussi, j'aime mieux le hockey, mais quand les Royaux vont commencer à jouer, les éliminatoires vont être finies et on va être ben contents d'aller voir une partie de baseball.

— C'est correct, je vais y aller avec toi, consentit l'aîné.

— Parfait, accepta Claude. Moi, je fournis les billets, et toi tu paieras la liqueur et les hot-dogs.

Après une journée d'école, un violent incendie et une discussion comme il en avait tant avec son frère, Jean Bélanger songeait que la vie filait vite. Déjà les vacances de Noël lui semblaient bien loin; il avait repris sa routine et se disait que la vie le gâtait. Bientôt, il se dirigerait vers l'université. Pourtant, ce soir-là, Jean Bélanger ignorait encore que sa vie se préparait à basculer.

Le lendemain matin, Reine Talbot ouvrit les yeux dans le noir. Durant un moment, elle eut l'impression que sa chambre tournait autour d'elle et fut incapable de s'asseoir dans son lit. Elle ferma les yeux, puis les rouvrit un instant plus tard. Une nausée incontrôlable lui tordit l'estomac, la forçant encore une fois à se lever précipitamment et à se diriger sur la pointe des pieds vers les toilettes.

Tout était silencieux dans l'appartement endormi. Elle alla s'enfermer dans la petite pièce durant de longues minutes, puis elle revint dans sa chambre, le visage blafard et le front couvert de sueur. Elle s'empressa de se réfugier au chaud sous ses couvertures, mais demeura réveillée. Son réveille-matin indiquait cinq heures et tout était noir dans la pièce. Pendant un bon moment, elle demeura aux aguets, inquiète de savoir si elle n'avait pas réveillé son père ou sa mère. Rien. Même au-dessus de sa tête, à l'étage, il n'y avait aucun bruit, maintenant que le vieux Wilfrid Tremblay était décédé. L'unique locataire de son père avait rendu l'âme une dizaine de jours auparavant et désormais les seuls bruits qui provenaient de l'appartement se produisaient le soir quand le fils venait emballer les vêtements du disparu.

La jeune fille serra ses bras autour d'elle comme pour réprimer un frisson ou se réchauffer.

— Ça peut pas continuer comme ça, murmura-t-elle.

Depuis près d'une semaine, elle était en proie à des nausées matinales. De plus, elle n'avait pas eu ses « affaires de femme », comme disait pudiquement sa mère, depuis près de deux mois. Au début, elle avait cru que son retard était dû au bouleversement que lui avait causé sa rupture avec Jean. Puis, les semaines avaient passé et rien ne s'était produit. À la mi-janvier, elle s'était mise à guetter avec une angoisse grandissante le premier signe de l'apparition de ses menstruations. Rien. Pas le moindre mal de ventre annonciateur de la période mensuelle qu'elle détestait tant. On était maintenant à la mi-février et il n'y avait plus de doute possible, surtout depuis l'apparition des nausées.

Le samedi précédent, sa sœur Estelle était venue passer quelques heures à la maison. La future mère rayonnait de bonheur et de fierté. Elle avait longuement décrit à sa mère les misères physiques causées par son état de future maman.

— Moi aussi, j'ai eu mal au cœur tous les matins durant les premiers mois quand je vous ai attendus, avait dit Yvonne. Inquiète-toi pas, si c'est comme moi, ça dure pas, c'est à la veille de passer.

Cette nuit-là, Reine avait rêvé qu'elle avait tout révélé à sa mère. Celle-ci, pleine de compassion, l'aidait à affronter la situation qu'elle vivait. À son réveil, la réalité lui était apparue sans fard. Elle connaissait assez sa mère pour savoir qu'elle n'accepterait jamais que sa fille soit une fille-mère et attire la honte sur sa famille. Elle allait piquer une crise, jouer à la grande malade en train de mourir et elle pousserait probablement son mari à prendre les grands moyens pour que la réputation des Talbot demeure sans tache.

Ils allaient probablement la chasser de la maison en la traitant de fille de rien, de putain. Elle allait se retrouver à la rue en plein hiver... Personne n'allait vouloir aider une fille-mère... Comment allait-elle vivre sans emploi et sans toit? Elle avait des économies, mais elles allaient fondre vite. Ce qui l'attendait, c'était d'accoucher à l'hôpital de la Miséricorde, l'hôpital de la honte, comme se plaisaient à le désigner sa mère et ses amis. Et l'enfant, lui? Bien sûr, elle n'en voulait pas. Qu'est-ce qu'elle allait en faire?

Il restait peut-être un moyen d'éviter le pire: forcer Jean Bélanger à prendre ses responsabilités et à l'épouser. C'était en fait l'unique moyen d'éviter le drame qui l'attendait. Bien sûr, ses parents n'allaient pas accepter de gaieté de cœur de précipiter un mariage, mais si c'était la seule porte de sortie pour sauver la réputation familiale, ils n'hésiteraient pas longtemps.

— Là, je peux plus attendre, dit à mi-voix la jeune fille en rejetant ses couvertures. Il faut absolument que je lui parle. Après tout, il est aussi responsable que moi dans cette affaire-là. Pourquoi je serais toute seule à tout endurer?

Elle alluma sa lampe de chevet et entreprit de s'habiller après avoir fait son lit. Quand son père se leva à son tour un peu après sept heures, il la trouva dans la cuisine en train de déjeuner.

— On fera pas trop de bruit, ta mère dort encore, lui dit-il en se versant une tasse de café. Elle a mal dormi.

Reine connaissait la chanson et ne prêta qu'une oreille distraite à ces propos. Deux ou trois fois par semaine, sa mère faisait la grasse matinée sous le prétexte de souffrir d'insomnie. Si elle avait si mal dormi, comment se faisait-il qu'elle n'avait pas eu connaissance de ses allées et venues aux toilettes aux petites heures du matin ?

Elle passa le reste de la journée à se conforter dans sa décision de rencontrer au plus tôt Jean Bélanger. Elle était si concentrée à mettre sur pied une stratégie propre à obliger ce dernier à endosser ses responsabilités que son père dut la rappeler à l'ordre à quelques reprises parce qu'elle ne s'occupait pas assez rapidement d'une cliente qui attendait debout devant le comptoir.

Finalement, un peu avant quatre heures trente, la jeune fille feignit une atroce migraine pour demander à son père la permission de quitter la biscuiterie avant l'heure de la fermeture afin d'aller respirer un peu d'air frais.

— Encore ! s'exclama-t-il, mécontent, alors qu'il était en train de ranger des boîtes de biscuits dans l'arrière-boutique. Es-tu rendue comme ta mère, toi ?

— Non, mais je pense que j'ai mangé quelque chose qui passe pas à midi, mentit-elle en s'emparant de son manteau.

— Vas-y, mais prends-en pas l'habitude, la mit en garde son père qui n'avait pas remarqué son teint pâle et ses traits légèrement tirés.

Reine endossa son manteau et chaussa ses bottes. Elle sortit de la biscuiterie au moment où deux clientes y entraient. Dès qu'elle se retrouva sur le trottoir, la jeune fille fut surprise par la douceur de la température extérieure. C'était vraiment le premier redoux de la saison. Après avoir été très froide pendant plusieurs semaines, voilà que la température voisinait presque avec le point de congélation.

À voir le visage souriant des badauds, il était clair que certains se croyaient déjà au printemps.

Insensible à ce temps doux, Reine se mit à arpenter le trottoir de la rue Mont-Royal entre les rues De La Roche et Brébeuf, guettant tous les tramways en provenance de l'ouest de la ville. Elle savait que Jean Bélanger revenait du collège un peu avant cinq heures. Elle l'avait si souvent guetté derrière la vitrine de la biscuiterie à l'époque où ils se fréquentaient qu'elle était certaine de son fait. À un moment, elle reconnut le père de son ex-amoureux qui traversait la grande artère et disparaissait dans la rue Brébeuf en direction de l'appartement familial.

Elle venait à peine de quitter le père des yeux qu'elle aperçut le fils en train de descendre du tramway au coin de la rue. Son cœur eut un raté lorsqu'elle le vit. Elle se dirigea immédiatement vers lui et lui barra le chemin. De toute évidence, l'étudiant du Collège Sainte-Marie ne l'avait pas vue. S'il n'avait pas levé la tête à ce moment-là, il l'aurait probablement bousculée accidentellement, tant il était plongé dans ses pensées. Il devait produire une dissertation pour le lendemain et il n'avait pas cessé durant tout le trajet de chercher les idées directrices de ce travail.

« Les pères de famille sont les derniers aventuriers des temps modernes, se répéta-t-il pour la énième fois. Tu parles d'un sujet à traiter ! »

— Il faut qu'on se parle, lui dit sèchement Reine en se mettant en marche à ses côtés.

— Je pensais que c'était clair qu'on n'avait plus rien à se dire, rétorqua-t-il sur le même ton. Là, j'ai pas mal d'ouvrage à faire. J'ai un travail à rédiger sur les pères de famille. J'ai pas le temps, ajouta-t-il en allongeant volontairement le pas, comme s'il espérait la semer en route.

— Ça tombe bien ! Mais c'est bien de valeur, Jean Bélanger, ton ouvrage devra attendre, déclara-t-elle, péremptoire, en le saisissant par le bras.

— C'est correct. Dis-moi ce que t'as à me dire qu'on en finisse, fit-il d'une voix tranchante.

— Je peux pas te dire ça en pleine rue. Viens jusqu'au Vista. Je te dis que c'est important.

— Pourquoi pas à La petite fermière ? demanda-t-il.

— Je tiens pas à tomber sur une voisine, se borna à dire Reine, le visage buté.

Quelque chose dans le ton de Reine alerta soudain l'étudiant, qui accepta de la suivre au petit restaurant de la rue De Lanaudière, deux rues plus loin. Ils parcoururent ces quelques centaines de pieds, l'un à côté de l'autre, dans un silence pesant. Jean, mécontent de s'être laissé piéger et pensant au travail qui l'attendait, poussa la porte du petit restaurant sans prétention pour laisser passer la jeune fille devant lui. Il la suivit vers une petite table couverte de formica orangé, déposa son porte-documents sur l'une des quatre chaises disposées autour de la table et s'assit après avoir déboutonné son manteau et enlevé son chapeau. Reine prit place en face de lui en retirant ses gants.

— Qu'est-ce que tu veux boire ? lui demanda-t-il sans entrain.

— Un café va faire l'affaire, répondit-elle en déboutonnant son manteau à son tour.

Une serveuse prit leur commande et revint moins de deux minutes plus tard pour déposer devant eux deux tasses en pierre remplies d'un café fumant. Durant ce court laps de temps, Jean n'avait pas prononcé un seul mot, se contentant de regarder distraitement les passants sur le trottoir à travers la vitrine malpropre.

— Bon, est-ce que tu vas finir par me dire ce qu'il y a de si important ? demanda-t-il sur un ton agacé.

Il n'avait même pas remarqué à quel point la jeune fille assise devant lui était nerveuse. Reine inspira profondément avant de dire tout bas, sur un ton égal :

— Je suis en famille.

— Quoi ? Qu'est-ce que tu as dit ? fit-il, incertain d'avoir bien compris ce qu'elle venait de dire.

— Tu m'as bien entendue. Je viens de te dire que je suis en famille, répéta-t-elle un peu plus fort en jetant un coup d'œil autour d'eux pour s'assurer que la serveuse et les deux autres clients du restaurant ne leur prêtaient aucune attention.

— Mais pourquoi tu me dis ça, à moi ? demanda-t-il d'une voix altérée.

— Parce que c'est toi qui es le père, affirma-t-elle sur un ton sans appel.

— Voyons donc, calvince ! C'est pas possible, se révolta l'étudiant en la scrutant pour s'assurer qu'il ne s'agissait pas d'une mauvaise plaisanterie.

— Jean Bélanger, réveille-toi ! lui ordonna-t-elle. T'es le seul gars avec qui…

— C'est correct ! C'est correct ! J'ai compris, dit-il en jetant un coup d'œil au couple de personnes âgées assises un peu plus loin pour s'assurer qu'elles n'avaient rien entendu. Si c'est vrai ce que tu me dis là, qu'est-ce que tu vas faire ? ajouta-t-il avec un certain détachement.

— À ton avis ? fit-elle, l'air soudain mauvais.

— Je le sais pas, moi, admit-il, ouvertement dépassé par la situation.

— Je pense que tu me poses pas la bonne question, reprit-elle, la voix sifflante. Là, ce que tu devrais dire c'est : « Qu'est-ce qu'on va faire ? »

— Comment ça ? s'insurgea-t-il. Tu sais bien que moi, je peux pas rien faire. J'ai pas d'argent. J'étudie. J'ai encore presque cinq ans d'études à faire.

— Ben là, moi, je pense qu'il va falloir que tu changes tes plans, déclara-t-elle tout net. Il y a un petit qui s'en vient et je l'ai pas fait toute seule, cet enfant-là.

— Mais je te dis que je peux pas rien faire, insista-t-il, déjà prêt à se lever pour quitter le restaurant.

— Reste assis, fit-elle sur un ton si autoritaire qu'il n'eut pas le choix d'obéir. Écoute-moi bien, Jean Bélanger, lui ordonna-t-elle à mi-voix. On est mardi. Je te donne jusqu'à vendredi pour mettre tes parents au courant et te décider à faire quelque chose. Si vendredi soir, j'ai pas eu de tes nouvelles, mon père va aller voir le tien et tu vas avoir affaire à lui, ça, je peux te le garantir.

Sur ces mots, Reine, le visage blafard, se leva sans avoir bu une seule gorgée de café, prit ses gants et sortit du restaurant, le laissant régler l'addition. Le jeune homme, assommé par l'ultimatum qu'elle venait de lui lancer, avait les jambes tellement molles qu'il se demanda durant un court moment s'il allait avoir la force de quitter les lieux.

Il lui fallut un bon moment avant de se décider à partir. Comme un somnambule, il régla l'addition à la serveuse qui le fixait avec insistance et se dirigea vers la maison. En chemin, des tas de pensées se bousculaient dans sa tête. Il salua ses parents et s'empressa d'aller s'enfermer dans sa chambre. Il s'assit à son bureau et se prit la tête dans les mains, à la recherche d'un moyen de se sortir du piège qu'il sentait prêt à se refermer sur lui.

— T'as ben l'air bête. Qu'est-ce que t'as ? lui demanda Claude, en train de faire un devoir de mathématiques, étendu sur son lit.

— J'ai rien, mentit-il. Laisse-moi tranquille. Je dois trouver des idées pour une dissertation.

Reine devait se tromper. Ce n'était pas possible autrement. Ce n'était arrivé qu'une fois. Elle devait essayer de le faire marcher pour qu'il reprenne leurs fréquentations. Quand il aurait recommencé à sortir avec elle, elle lui avouerait qu'elle l'avait fait marcher... Si c'était ça, elle se trompait. Elle ne l'aurait pas aussi facilement. Cependant, il se devait de reconnaître qu'elle s'était toujours montrée assez orgueilleuse et qu'elle n'était pas le genre de fille à se mettre à genoux devant un garçon... Et si c'était vrai ! Qu'est-ce qu'il allait faire ? Son père allait bien vouloir le tuer ! Et ses parents à elle ? Ils n'accepteraient jamais une affaire semblable.

Sa mère annonça que le souper était prêt. Durant un bref moment, il eut envie de refuser de s'approcher de la table où tous avaient déjà pris place, mais devant la perspective d'avoir à expliquer pourquoi il ne voulait pas manger, il renonça à son idée et vint occuper sa chaise habituelle, à côté de son frère. Il eut l'air tellement perdu durant le repas que sa mère finit par lui demander s'il était malade.

— Non, m'man, il est correct, s'empressa de répondre Claude à sa place. Il a cet air constipé là parce qu'il cherche des idées pour une dissertation. C'est ce qu'il m'a dit tout à l'heure. À voir sa face, ça doit être souffrant en sacrifice de faire son cours classique.

— Veux-tu bien te mêler de tes affaires, Claude Bélanger, le réprimanda sa mère. C'est pas à toi que je parle.

— Une vraie mémère, laissa tomber Lorraine, qui n'avait rien dit depuis le début du repas.

— C'est vrai, m'man, intervint Jean.

— Énerve-toi pas avec ça, fit son père, assis au bout de la table. Si toi, tu trouves pas d'idées, comment les autres vont se débrouiller ? T'es toujours le meilleur de ta classe, ajouta-t-il avec une fierté évidente.

Cette remarque paternelle mit l'étudiant encore plus mal à l'aise. Comment ses parents, si fiers de leur fils, allaient-ils réagir en apprenant la nouvelle ? Il n'osait même pas l'imaginer.

Après le repas, le jeune homme disparut dans sa chambre. Comme Claude avait décidé de poursuivre ses devoirs sur la table de la cuisine, il put passer toute la soirée à essayer de trouver une solution à un problème qui lui paraissait finalement absolument insoluble. Il était piégé et, de plus en plus affolé devant les terribles perspectives qui s'offraient à lui, il ne voyait vraiment pas comment il pouvait s'en sortir. À aucun moment il n'eut la moindre pensée pour celle qui se disait enceinte de ses œuvres. En écoutant les divers bruits familiers dans l'appartement, il avait du mal à croire que la vie continuait comme d'habitude autour de lui.

Claude finit par rentrer dans leur chambre pour se mettre au lit. Épuisé, Jean l'imita. Il passa toutefois la nuit réveillé. Étendu sur le dos, dans le noir, il eut l'occasion de maudire mille fois ce dimanche après-midi où il avait succombé au charme de Reine Talbot.

— Maudit sans-dessein ! s'injuria-t-il tout bas en administrant un coup de poing rageur à son matelas.

Au matin, fatigué au-delà de toute expression, il quitta son lit sans le moindre entrain quand sa mère vint le prévenir de se lever s'il ne voulait pas être en retard. Le visage fermé, il fit sa toilette et déjeuna sans dire un mot.

— Moi, c'est pour ça que je veux pas faire des études, déclara Claude sans s'adresser à personne en particulier, en finissant de manger son gruau.

— Pourquoi tu dis ça ? lui demanda sa mère, intriguée.

— On dirait que ça donne l'air bête, répondit l'adolescent en faisant un pied de nez à son frère aîné.

— T'es bien drôle, rétorqua sa mère. Au lieu de dire des niaiseries, va donc finir de te préparer pour aller à l'école.

Ce jour-là, Jean ne se rendit pas au collège. Il avait besoin de réfléchir, de trouver une façon de se sortir de la situation dans laquelle il se trouvait. Au moment où il passait devant la biscuiterie, il eut un mal fou à combattre une soudaine envie de pousser la porte du magasin pour aller demander à Reine s'il ne s'agissait pas d'une mauvaise blague qu'elle lui avait faite. Il renonça vite à cette idée en revoyant en pensée l'air tragique affiché par la jeune fille la veille. Il fallait absolument qu'il s'enlève de l'idée qu'il s'agissait d'une plaisanterie de mauvais goût.

Au lieu de prendre le tramway, il décida d'aller marcher. Durant la nuit, le froid était revenu. Il se rendit tout de même jusqu'au parc La Fontaine avant de sentir qu'il avait les oreilles et les doigts gelés. Alors, pour se réchauffer, il alla se réfugier à la bibliothèque municipale, située au coin des rues Amherst et Sherbrooke. Il y demeura tout le reste de la journée.

Assis à l'une des longues tables de chêne de la salle de lecture, il feignit de consulter sans fin un livre à la lueur d'une lampe à abat-jour vert. L'endroit était pratiquement désert en ce mercredi matin du mois de février. Le silence des lieux lui convenait parfaitement. De temps à autre, la surveillante de la salle levait la tête des fiches qu'elle était en train de classer pour lui jeter un coup d'œil.

Les heures passèrent lentement. Tendu au-delà du supportable, l'étudiant ne songea même pas à quitter la bibliothèque vers midi pour aller manger les sandwichs préparés par sa mère et demeurés dans son porte-documents.

Finalement, il décida de quitter la salle de lecture surchauffée un peu après trois heures et il entreprit de rentrer à la maison. Sa décision était prise : il allait tout avouer à son père. Il n'avait pas le choix. À cette seule pensée, son estomac se révulsait et il en avait des sueurs froides. Mais comment faire autrement ? S'il ne le faisait pas, il était certain que Reine allait mettre sa menace à exécution et que son père allait venir sonner à la porte des Bélanger dans deux jours… Une fois le premier choc encaissé, son père allait peut-être l'aider à trouver une solution à son problème. Malgré toutes ces heures passées à chercher un moyen pour s'en sortir, il ne voyait toujours pas ce qu'il pouvait faire.

Cette journée ne fut pas tellement plus heureuse pour Reine, qui accomplit son travail à la biscuiterie comme un automate. Depuis la veille, elle s'interrogeait sur la décision qu'allait prendre Jean. Allait-il nier l'évidence et refuser d'endosser la paternité de l'enfant à naître ? Elle savait très bien qu'il pouvait le faire et qu'elle ne pourrait rien prouver. Devait-elle attendre sa visite jusqu'à vendredi ou avouer dès aujourd'hui sa faute à ses parents ? Indécise, elle opta pour l'attente. Elle allait espérer un signe de vie de son ex-amoureux jusqu'à vendredi soir, comme elle le lui avait dit. S'il ne s'était pas manifesté à l'heure de la fermeture de la biscuiterie, elle allait tout dévoiler à son père, mais en dehors de la présence de sa mère qui, elle le devinait, allait pousser des hauts cris et dramatiser encore plus la situation.

Jean rentra à la maison en même temps que son frère Claude. Il refusa l'offre de ce dernier de chausser les patins après le souper pour aller jouer une partie de hockey avec ses amis.

— M'man veut bien que j'aille jouer jusqu'à huit heures et demie à soir, déclara l'adolescent. C'est assez rare qu'elle accepte que je sorte après le souper, tu devrais venir jouer avec nous autres.

— J'ai pas le temps, se contenta de dire Jean, légèrement soulagé à l'idée d'avoir un témoin de moins lorsqu'il parlerait à son père après le repas.

— On va manger de bonne heure, leur annonça leur mère. On n'a pas à attendre Lorraine. Elle va voir un film avec une de ses collègues.

Jean entra dans sa chambre, enleva son veston bleu marine et sa cravate et s'assit à son bureau. Il répéta inlassablement les phrases qu'il allait dire à ses parents. Durant le long trajet qui l'avait ramené rue Brébeuf, il n'avait cessé d'imaginer toutes les répliques qui seraient échangées entre ses parents et lui. Il s'était surtout attaché à présenter sa faute sous le meilleur angle possible, bien qu'il soit persuadé qu'à leurs yeux, elle allait apparaître impardonnable et gâcher non seulement sa vie, mais la leur.

Au souper, il ne mangea pratiquement pas, même s'il n'avait rien avalé depuis le déjeuner. Sa mère remarqua son manque d'appétit et s'en inquiéta.

— Toi, t'es en train de me couver quelque chose, déclara-t-elle, l'air sûre d'elle.

— Mais non, m'man. J'ai juste pas faim parce que j'ai dîné trop tard, mentit-il.

Après le repas, il vit son père se diriger vers le salon avec son journal sous le bras. Il entra dans sa chambre en laissant la porte entrouverte, attendant avec impatience le départ de Claude. Quand ce dernier partit en promettant d'être rentré pour huit heures et demie, l'étudiant prit une grande respiration, essuya ses mains moites sur son pantalon et quitta sa chambre. Lorsqu'il pénétra dans le salon, ses genoux tremblaient légèrement.

— Est-ce que je peux vous parler, p'pa ? demanda-t-il d'une voix qu'il ne reconnut pas lui-même.

Félicien leva la tête de son journal, soudain intrigué par l'air troublé de son fils aîné.

— Ben sûr. Qu'est-ce qu'il y a ?

Jean s'empressa de s'asseoir dans l'un des fauteuils et, le torse avancé vers son père, lui dit à mi-voix :

— J'ai quelque chose de grave à vous annoncer et je sais pas comment vous le dire, p'pa, précisa-t-il l'air ouvertement malheureux

— Accouche, s'impatienta Félicien, soudain inquiet de voir son fils dans cet état. Qu'est-ce qui se passe ?

— Reine Talbot m'a accroché hier après-midi quand je suis revenu du collège.

— Puis ? T'avais pas décidé d'arrêter de la voir, cette fille-là ?

— C'est pas ça, p'pa... Elle m'a dit qu'elle était... qu'elle était en famille.

— En quoi ça te regarde, cette affaire-là ? demanda le père de famille, à mille lieues de soupçonner la vérité.

Jean garda le silence un long moment, le visage soudainement rouge.

— Elle dit que c'est moi, le père, avoua-t-il, un ton plus bas.

— Qu'est-ce que tu viens de me dire là, toi ? demanda le facteur en haussant le ton.

— Elle dit que c'est moi le père, répéta Jean, son visage ayant pris tout à coup une blancheur inquiétante.

— Est-ce que c'est vrai ? fit Félicien, la voix devenue subitement dure.

Son fils se contenta de hocher la tête, l'air accablé.

— Ah ben, maudit Christ, par exemple, blasphéma le facteur en se levant, blanc de fureur. Amélie ! cria-t-il à sa femme encore occupée à laver la vaisselle du souper dans la cuisine. Viens ici, une minute.

Il tourna le dos à son fils et se mit à scruter la maison d'en face par la fenêtre. Il ne se retourna qu'au moment où la mère de famille entra dans le salon en s'essuyant les mains sur son tablier.

— Veux-tu bien me dire ce qui se passe ? demanda-t-elle à son mari.

— Raconte à ta mère ce que tu viens de me dire, ordonna sèchement Félicien à son fils. Ça va lui faire ben plaisir d'entendre ça.

— Qu'est-ce que t'as à être enragé comme ça ? s'inquiéta Amélie en constatant subitement que son mari était dans tous ses états.

— Écoute plutôt ! Tu vas comprendre.

— Qu'est-ce que tu dois me raconter ? fit-elle en se tournant vers son fils.

— Reine Talbot m'a dit qu'elle attend un petit et que c'est moi qui suis le père, avoua-t-il tout d'une traite à sa mère dont le visage pâlit subitement.

La mère de famille sentit ses jambes se dérober sous elle et elle s'assit lourdement, une main posée sur sa poitrine, comme si elle craignait que son cœur n'éclate. Elle scruta le visage de son fils, espérant, contre toute attente, avoir mal entendu.

— T'as pas fait ça ! s'exclama-t-elle finalement. Tu peux pas nous avoir fait ça !

Jean ne dit rien, le visage figé. Il attendait que la colère de ses parents éclate.

— Ah ! On peut dire qu'on a eu une riche idée de le faire instruire, fit son père, amer, en lui faisant face. Regarde ce que ça nous a rapporté de nous priver comme on l'a fait durant toutes ces années… C'est ça que ça donne quand ils ont juste à passer leur journée assis à user leurs fonds de culotte sur les bancs d'école plutôt que travailler du matin au soir, comme le monde ordinaire et…

— Qu'est-ce qui va arriver avec ses études ? le coupa Amélie, comme si son fils était absent de la pièce.

— Il va arriver... Il va arriver qu'il va se conduire comme un homme, sacrement ! éclata à nouveau Félicien. Il va lâcher le collège, se trouver une *job* et la marier, cette fille-là, et au plus sacrant, à part ça. Il a voulu faire l'homme et mettre une fille en famille. Eh ben ! On va ben voir s'il est capable de prendre les responsabilités qui vont avec ça.

— Il a presque fini son cours, ne put s'empêcher d'avancer sa femme, en commençant à pleurer.

— Ben, on dirait qu'il le finira pas, trancha son mari, le visage dur. On va les marier. Christ ! on n'a pas le choix.

— Ils sont tellement jeunes, plaida encore mollement sa femme en s'essuyant les yeux.

Assommé, le coupable écoutait ses parents discuter de son sort sans vraiment réaliser qu'ils étaient en train de décider de son avenir. Et il ne trouvait rien à y redire.

— S'ils sont assez vieux pour faire des enfants, ils sont assez vieux pour se marier, reprit le père de famille après un court silence. Tu m'as entendu, toi ? demanda-t-il à son fils.

— Oui, p'pa.

Jean se leva. Il comprenait la fureur et la peine de ses parents. Son dernier espoir de s'en tirer venait de s'envoler. Pendant quelques instants, il avait vaguement espéré qu'ils trouveraient un moyen de le sortir de l'impasse. Il était même allé jusqu'à imaginer que son père offrirait d'aller s'entendre avec le père de Reine de manière à lui permettre au moins de terminer ses études avant d'épouser Reine. Il avait même eu l'idée de suggérer à ses parents de payer les frais d'hospitalisation de la future mère avec l'argent qu'il aurait pu amasser en trouvant un travail le soir. Par la suite, le bébé aurait pu être donné en adoption et toute l'affaire aurait fini par être oubliée...

Mais là, il n'en était pas question. Il était piégé et il n'y avait plus aucun moyen de s'échapper.

— Demain, t'iras chercher tes affaires au collège et tu les avertiras que t'arrêtes tes études, lui ordonna son père.

Son fils hocha la tête en signe d'acceptation.

— Demain soir, tu vas venir avec moi chez les Talbot pour leur demander leur fille en mariage, dit Félicien à son fils sur un ton sans appel. Et toi, arrête de brailler pour rien, sacrement ! ordonna-t-il en se retournant vers sa femme. Le mal est fait et on n'y peut rien. À cette heure, il reste juste à réparer.

Sur ces mots, Félicien reprit place dans son fauteuil et, le visage fermé, attendit ouvertement que son fils quitte la pièce.

La tête basse, le jeune homme sortit du salon et retourna dans sa chambre. Son petit monde si paisible et agréable venait de s'écrouler subitement. Il ne serait jamais avocat. Lui, marié ! Il n'avait que vingt ans. Il ne se voyait pas passer toute sa vie avec Reine. Puis quel travail allait-il pouvoir trouver pour la faire vivre ainsi que l'enfant qui allait naître dans quelques mois ? Il ne savait rien faire…

Il éteignit sa lampe et se jeta sur son lit tout habillé. Il aurait aimé disparaître à jamais et tout laisser derrière lui. Durant de longues minutes, il caressa l'idée de quitter la maison le lendemain matin et de recommencer à neuf ailleurs. Mais il savait bien que c'était un rêve impossible. Où aller en plein hiver ?

Épuisé par sa nuit sans sommeil et par la tension nerveuse supportée depuis la veille, il s'endormit.

Il se réveilla en sursaut, ébloui par le plafonnier que son frère venait d'allumer.

— Tabarnouche ! Tu te couches ben de bonne heure ! s'exclama ce dernier en l'apercevant étendu sur son lit. Il est même pas neuf heures.

— Laisse faire, grogna-t-il, mal réveillé. Je voulais juste faire un petit somme.

— Es-tu au courant de ce qui se passe? lui demanda l'adolescent en baissant la voix. P'pa et m'man font une face de carême dans le salon. Dans la maison, c'est gai comme à un enterrement. Quand j'ai voulu dire quelque chose, m'man m'a dit de pas l'achaler et de me dépêcher à me préparer une tasse de chocolat chaud avant d'aller me coucher.

— Je le sais pas, lui mentit son frère, en se levant pour aller prendre place devant son bureau.

— À moi, on me dit jamais rien ici dedans, se plaignit Claude en commençant à se préparer pour la nuit.

L'adolescent ôta sa chemise et son pantalon après avoir retiré ses souliers.

— Moi, ces maudites combinaisons à dompeuse là, je peux plus les endurer, affirma-t-il en se grattant furieusement. Aussitôt que t'as le moindrement chaud là-dedans, c'est écœurant ce que ça te pique partout.

— Si t'arrêtais de te lamenter une minute, je pourrais peut-être étudier, intervint son frère, impatient de le voir se taire.

— C'est correct, c'est correct, répéta l'adolescent. Ça a tout l'air que toi aussi, tu fais la baboune à soir.

Après avoir passé son pyjama, Claude s'étendit dans son lit avec un *Héraut* que lui avait prêté l'un de ses copains.

Son frère aîné sortit une feuille et se mit à noter, la mort dans l'âme, ce qu'il aurait à faire le lendemain matin. Une heure plus tard, il décida d'éteindre et d'imiter Claude qui venait d'abandonner sa lecture pour dormir. Durant de longues minutes, il essaya d'imaginer ce qui lui arriverait s'il ne revenait pas à la maison le lendemain après-midi… C'était impossible! il avait beau chercher, il n'avait nulle part où aller et, surtout, l'argent qu'il possédait ne lui permettrait de subsister que quelques jours. Plus il y pensait, plus il réalisait qu'il était bel et bien piégé. Aucune fuite n'était possible. Il allait devoir faire face, qu'il le veuille ou non.

Comme la veille, le sommeil le fuit durant de longues heures. Maintenant, il s'inquiétait de la rencontre qu'il devait avoir le lendemain soir avec les parents de Reine Talbot. Comment allaient-ils réagir ? Jusqu'à un certain point, la présence de son père à ses côtés le rassurait. Et si le commerçant lui refusait la main de sa fille ? Il sentit une lueur d'espoir poindre en lui. Ce serait ce qui pourrait lui arriver de mieux.

Fernand Talbot n'était pas un imbécile. Il était bien capable de se rendre compte qu'un étudiant sans le sou comme lui n'était pas prêt à épouser sa fille et qu'il était incapable de la faire vivre... Le père de famille allait probablement l'engueuler comme du poisson pourri et le traiter de tous les noms pour avoir mis sa fille enceinte, mais que pouvait-il faire d'autre ? Il n'allait tout de même pas le tuer... Il se berça durant un long moment de cette illusion et, sur ces pensées un peu plus réconfortantes, il finit par s'endormir.

Chapitre 9

La coupure

Le claquement de la porte d'entrée réveilla Jean en sursaut. Il souleva la tête de son oreiller pour regarder le réveille-matin placé sur sa table de nuit: six heures. Son père venait de partir pour son travail. Claude se retourna dans son lit et ramena ses couvertures par-dessus sa tête. Jean décida d'aller rejoindre sa mère qui était sûrement dans la cuisine en train de finir de déjeuner.

Il se leva sans faire de bruit et quitta sa chambre. À son entrée dans la cuisine, sa mère leva la tête. Elle avait le visage chiffonné et les paupières rougies, comme si elle avait pleuré. Il feignit de ne pas le remarquer et se versa une tasse de café avant de glisser deux tranches de pain dans le grille-pain à deux portes posé sur la table. Il but une gorgée de café et attendit que sa mère le regarde avant de lui dire:

— Je m'excuse, m'man! J'ai jamais voulu ça. J'ai jamais voulu vous faire de la peine, à vous et à p'pa. C'est une erreur et je vais payer pour.

— C'est correct, fit Amélie en s'ébrouant. Avant de partir pour l'ouvrage, ton père m'a dit de te dire que tu ferais mieux de commencer aujourd'hui à te chercher une *job* après être passé au collège.

— C'était ce que je comptais faire de toute façon, laissa tomber Jean en étalant du beurre d'arachide sur ses rôties.

— Veux-tu que je te prépare un lunch avant de partir ?

— Non, m'man. Je saurais pas où aller le manger. Je mangerai en revenant. Là, je m'habille et je pars de bonne heure pour le collège. Je dois passer au secrétariat et vider mon casier, expliqua-t-il, la gorge serrée.

— T'es pas obligé de partir aussi de bonne heure.

— J'ai ben des affaires à faire aujourd'hui, se contenta-t-il de lui dire.

Sa mère n'ajouta rien. Elle se leva et se dirigea vers sa chambre, probablement pour faire son lit et s'habiller avant de réveiller Claude et Lorraine. Il en profita pour se glisser dans la salle de bain pour faire sa toilette dès qu'il eut fini de manger ses rôties.

En attendant l'heure de se rendre au collège, le jeune homme se réfugia dans le salon après s'être emparé de *La Presse* de la veille. Durant de longues minutes, il consulta les annonces classées dans le but de relever les offres d'emploi. Armé d'un crayon et d'une feuille, il voulut noter celles qui pourraient lui convenir, mais il ne trouva rien. Découragé, il consulta sa montre et décida de quitter l'appartement, même s'il était encore très tôt.

Il mit son manteau et alla embrasser sa mère. Au moment de partir, il croisa Lorraine qui sortait de sa chambre. Sa sœur se contenta de lui murmurer :

— Bonne chance.

Ces simples mots eurent pour effet de lui remonter légèrement le moral. De toute évidence, ses parents avaient tout raconté à sa sœur aînée.

À l'extérieur, un ciel gris et maussade l'accueillit. Une petite neige folle tombait doucement, comme si elle allait participer à l'enterrement de tous ses rêves d'avenir. Quelques minutes plus tard, tassé sur la dure banquette en osier du tramway par un gros ouvrier mal rasé, il se demandait s'il faisait bien de se présenter au Collège Sainte-Marie en même temps que ses camarades. Il aurait pu choisir de ne franchir les portes de l'institution qu'une heure plus tard et passer directement au secrétariat pour apprendre aux autorités qu'il abandonnait ses études le jour même. Cependant, il tenait absolument à revoir une dernière fois ses amis avec qui il étudiait depuis sept ans, et cela même s'il savait fort bien que cette rencontre lui ferait mal.

À son arrivée dans la salle commune, Jean se rendit compte qu'il n'était pas seul à arriver aussi tôt au collège. Il aperçut quelques copains qu'il s'empressa d'aller rejoindre en s'efforçant de plaquer un sourire de circonstance sur son visage.

— Tiens, un revenant ! s'écria un nommé Gendron en l'apercevant. Tu t'es payé une journée de congé hier, ou bien tu voulais réfléchir comment tu allais faire pour avoir une moyenne générale de quatre-vingt-dix au prochain trimestre ?

— Tu me connais mal, répliqua Jean en s'efforçant d'adopter le même ton badin. Je vise cent pour cent, pas quatre-vingt-dix.

Le ton était donné. Les blagues fusèrent durant plusieurs minutes. Peu à peu, la salle se remplit et les étudiants de philosophie I se rassemblèrent dans leur coin habituel de la pièce et chahutèrent un peu, comme chaque fois qu'ils se retrouvaient. Jean regardait chacun d'eux en tentant d'imprimer leurs traits dans sa mémoire. Il savait qu'il allait quitter définitivement tous ces camarades dès que la sonnerie de la reprise des cours allait se faire entendre.

Quand cette dernière se produisit, il sursauta légèrement. Au moment où chacun se mettait en route vers sa classe, il demeura sur place en feignant de chercher quelque chose dans son porte-documents.

— Jean ! tu ferais mieux d'arrêter de traîner si tu veux pas arriver en retard au cours, fit Michel Langevin, un confrère de classe, en passant près de lui.

— Je dois passer par le secrétariat, dit-il.

Alors que la salle se vidait rapidement de ses occupants, il se fit la remarque qu'il n'avait pas vu Paul Comtois. Il alla lentement vers son casier et entreprit de le vider entièrement de ses effets personnels qu'il mit dans un sac. Ensuite, il se dirigea vers le secrétariat de l'institution.

Quand il poussa la porte du bureau de la direction, il se retrouva devant un comptoir derrière lequel une vieille secrétaire à la mine revêche semblait à la recherche d'un document. Elle était penchée au-dessus d'un tiroir de classeur grand ouvert devant elle et compulsait des chemises cartonnées en marmonnant. Elle était seule dans la grande pièce et ne se donna pas la peine de lever la tête de son travail à son entrée. Après avoir attendu une minute ou deux qu'elle daigne s'occuper de lui, Jean perdit patience.

— Excusez-moi, madame…

— Un instant, vous voyez bien que je suis occupée, dit-elle sèchement en levant enfin la tête pour le regarder. Allez à votre cours. La cloche vient de sonner. Vous reviendrez plus tard !

— Je pourrai pas revenir plus tard. Je viens vous dire que je quitte le collège.

— Ça ne se fait pas comme ça, mon jeune ami, déclara-t-elle, en se résignant enfin à lui accorder un peu d'attention. Vous devez rencontrer l'économe et le père supérieur.

— J'ai pas le temps, madame. Je viens d'aller vider mon casier et je reviendrai plus.

La secrétaire consentit enfin à s'éloigner du classeur pour se rapprocher du comptoir devant lequel Jean se tenait debout.

— Normalement, vous devriez rencontrer au moins le père supérieur, mais il est absent aujourd'hui.

— Je sais, mais j'ai pas le temps, madame.

— Votre nom ? demanda-t-elle en s'emparant d'une feuille.

— Jean Bélanger, philo I.

— Raison de votre départ ?

— Raisons personnelles, se borna-t-il à dire.

— Vous êtes bien sûr que vous voulez quitter le collège avant la fin de l'année ? Il ne reste que trois mois à faire, ajouta-t-elle pour tenter de le persuader.

— Oui, madame.

— Bon, je suppose que si le père supérieur désire plus de renseignements, il vous contactera, dit-elle. Il reste quand même que cette procédure est plutôt anormale. Je vais sortir votre dossier.

Elle s'exécuta, ouvrit une chemise cartonnée grise et sembla sursauter légèrement en consultant brièvement les résultats scolaires de l'étudiant debout devant elle. De toute évidence, il était assez inhabituel qu'un étudiant ayant de si bons résultats scolaires abandonne ses études en cours d'année.

— Mais qu'est-ce qui vous prend de lâcher vos études avec des notes pareilles ? ne put-elle s'empêcher de lui demander, réprobatrice.

— J'ai pas le choix, madame.

Elle hocha la tête en signe de la plus parfaite incompréhension. Durant un bref moment, Jean hésita, puis il se décida à lui demander :

— Est-ce que je pourrais avoir un papier officiel comme quoi j'ai fréquenté le Collège Sainte-Marie jusqu'en philo I, madame? Ça m'aiderait pour me trouver un emploi.

La secrétaire le regarda et sembla soudain comprendre que l'élève en face d'elle ne quittait le collège qu'à contrecœur. Tout indiquait qu'il partait poussé par l'obligation d'aller travailler. Sans rien dire, elle sortit d'un tiroir de l'un des classeurs une feuille portant l'emblème du collège et tapa rapidement ce qui allait lui tenir lieu de diplôme. Elle tamponna la feuille du sceau de l'institution et la plia avant de la glisser dans une enveloppe.

— Bonne chance, lui dit-elle en lui tendant l'enveloppe.

Jean la salua de la tête et s'empressa de quitter l'établissement avant d'être intercepté par un enseignant ou, pire, par le préfet de discipline, qui hantait les couloirs à la recherche des étudiants qui en prenaient un peu trop à leur aise avec l'horaire des cours. La porte massive du collège se referma derrière lui dans un claquement qui lui sembla avoir quelque chose de définitif. Il regarda une dernière fois le vieil édifice avec un pincement au cœur avant de lui tourner le dos pour aller prendre le tramway. Une tranche importante de sa vie venait de prendre fin.

Bien avant son départ de la maison tôt le matin, il avait décidé de ne rentrer qu'à la fin de la journée. Chargé de son sac et de son porte-documents, il entreprit sa quête d'un travail. Même s'il avait entendu souvent répéter que les emplois étaient rares depuis la fin de la guerre, il était persuadé que ses études lui ouvriraient assez aisément certaines portes.

À la fin de l'après-midi, affamé, il dut revenir sur cette certitude. Chez Dupuis frères et Eaton, on n'embauchait pas pour l'instant. Chez Omer Desserres, le directeur du personnel l'aurait peut-être engagé s'il avait été un peu plus compétent dans tout ce qui touchait la quincaillerie.

À la Canadian Vickers où son oncle Émile travaillait, son attestation d'études lui attira la remarque qu'il n'y avait pas de place à la compagnie pour quelqu'un comme lui. Il se présenta aussi dans deux petites entreprises de la rue Notre-Dame sans plus de succès. On ne lui promit même pas de le contacter si besoin était.

Il rentra à la maison à l'heure du souper, complètement démoralisé. Il venait à peine de déposer ses affaires dans sa chambre que sa mère appela les siens à passer à table. Amélie s'approcha de son fils dès qu'il pénétra dans la cuisine pour qu'il l'embrasse sur une joue, comme il le faisait toujours à son retour à la maison. Son père déposa son journal sur la chaise berçante qu'il venait de quitter et s'assit au bout de la table sans dire un mot, le visage fermé. Claude vint prendre place aux côtés de son frère aîné, silencieux lui aussi. Lorraine, debout devant le poêle, se contenta de lui adresser un petit sourire d'encouragement.

La mère de famille servit des spaghettis avec l'aide de sa fille. Durant quelques minutes, un silence inconfortable régna autour de la table. Puis Félicien se décida à parler après avoir avalé une dernière bouchée de pain.

— Qu'est-ce que t'as fait aujourd'hui? demanda-t-il à son fils sur un ton neutre.

— Je suis allé au collège pour vider mon casier et les avertir que je reviendrais pas, répondit Jean.

Il remarqua l'air attristé de sa mère et cela le peina.

— Après? reprit sèchement son père.

— Après, je suis allé un peu partout pour me trouver de l'ouvrage. J'ai encore rien trouvé. Je vais continuer demain matin.

— C'est correct, concéda Félicien. On va aller chez les Talbot à sept heures et demie, ajouta-t-il sans prendre la peine de revenir sur la raison de la visite.

À voir l'air de Claude, il était évident qu'il ne comprenait pas ce qui se passait et mourait d'envie de s'informer. Il ouvrit la bouche dans l'intention de poser une question quand son père prit les devants.

— Toi, mêle-toi de tes affaires. Ça te regarde pas.

L'adolescent referma la bouche, estomaqué d'être rembarré aussi sèchement. Un coup d'œil vers sa mère lui apprit qu'elle ne lui serait d'aucun secours. Il mangea son dessert en silence et quitta la table en faisant sentir qu'il était furieux d'être tenu à l'écart. Jean attendit que sa mère et sa sœur se mettent à desservir la table pour dire à mi-voix à son père :

— P'pa, je pense que Reine l'a pas encore dit à son père et à sa mère.

— Qu'elle l'ait dit ou pas change rien à l'affaire, affirma Félicien. C'est à soir qu'on crève l'abcès, ajouta-t-il sur un ton décidé.

En entendant ces paroles, le jeune homme sentit son front se couvrir de sueur.

Un peu après sept heures, le facteur se leva et se dirigea vers la patère pour endosser son manteau. Jean, la mort dans l'âme, n'eut d'autre choix que d'imiter son père. Pendant un bref moment, il fut tenté de refuser de le suivre, mais la détermination et la rage froide de ce dernier étaient telles qu'il n'osa pas se rebeller.

— Arrive qu'on en finisse, lui dit-il, la voix dure.

— Félicien ! voulut intervenir sa femme. Tu penses pas que...

— Laisse faire, la coupa son mari. Il y a rien à gagner à attendre. Si on a été capables d'entendre ce qu'on a entendu hier soir, les Talbot vont l'être, eux autres aussi.

— Veux-tu que j'y aille, moi aussi ? proposa-t-elle en quittant son fauteuil.

— Non, reste ici dedans. Il y a assez de moi qui vais avoir honte pour la famille.

Le père et le fils quittèrent l'appartement l'un derrière l'autre, enfermés dans un silence lourd de reproches non formulés. Ils descendirent l'escalier extérieur et se dirigèrent vers la rue Mont-Royal. Ils tournèrent à droite au coin de la rue et parcoururent les quelques dizaines de pieds qui les séparaient du 1225, Mont-Royal. Avant d'appuyer sur la sonnette de la porte peinte rouge vin, le père se tourna vers son fils.

— Là, c'est ben clair, insista-t-il sur un ton sans appel. Tu t'en viens demander leur fille en mariage. S'ils disent non ou s'ils hésitent, tu leur dis qu'elle est en famille et qu'il faut que ce mariage-là se fasse au plus sacrant. Tu m'as ben compris ?

Jean se borna à hocher la tête. Félicien sonna à la porte et, quelques instants plus tard, il vit par l'imposte une ampoule s'allumer sur le palier. Quelqu'un déclencha à distance l'ouverture de la porte. Levant la tête, Jean découvrit Reine en haut des marches. Cette dernière secoua nerveusement la tête de gauche à droite pour lui signifier que ce n'était pas le bon moment, mais le jeune homme n'eut pas le choix de commencer à monter l'escalier intérieur, poussé dans le dos par son père.

— Est-ce qu'on peut parler à ton père ? demanda Félicien à la jeune fille, apparemment bouleversée par cette visite imprévue.

— Oui, monsieur Bélanger, répondit-elle d'une voix mal assurée.

— Qui est-ce ? s'enquit une voix de femme à l'intérieur de l'appartement.

— C'est Jean Bélanger et son père, répondit Reine d'une voix un peu chevrotante en tournant la tête vers l'appartement dont la porte était demeurée ouverte derrière elle.

— Qu'est-ce qu'ils veulent? fit la même voix.

— Ils veulent parler à p'pa.

— Fais-les passer au salon, je vais le réveiller.

Félicien et son fils entrèrent dans l'appartement des propriétaires de la biscuiterie. Reine les regarda retirer leurs couvre-chaussures, mais elle était si perturbée qu'elle ne songea pas à les inviter à enlever leur manteau. Il y eut des bruits de talons hauts heurtant le parquet dans le couloir et Yvonne Talbot les fit entrer dans le salon. Très grande dame, elle indiqua de la main le divan aux visiteurs.

— Mon mari arrive. Ce sera pas long, leur dit-elle avec un sourire un peu figé.

Il était visible que cette visite imprévue la dérangeait et l'intriguait au plus haut point. Comme sa fille, elle ne se soucia pas plus de proposer aux visiteurs d'ôter leur manteau. Fernand Talbot apparut à la porte de la pièce moins de deux minutes plus tard en étalant soigneusement du bout des doigts les quelques cheveux qui lui restaient.

Le petit homme grassouillet avait les yeux encore bouffis de sommeil. Il était rare qu'on vienne troubler la courte sieste qu'il s'offrait habituellement après le souper. Dès son entrée dans la pièce, il reconnut l'ex-petit ami de sa fille, mais il n'avait jamais parlé à son père qu'il connaissait pourtant de vue.

— Est-ce que je peux faire quelque chose pour vous? demanda-t-il aux visiteurs en affichant son air le plus aimable comme son travail de commerçant l'exigeait chaque jour, même s'il trouvait leur présence dans son salon des plus surprenantes.

Sa femme et sa fille étaient demeurées debout, comme si elles s'attendaient à voir partir les Bélanger d'un instant à l'autre.

— Je pense que mon garçon a quelque chose à vous demander, fit monsieur Bélanger en donnant un léger coup de coude à son fils, assis à ses côtés sur le divan, question de bien lui signifier que c'était maintenant à son tour de prendre la parole.

Reine, les traits figés, jeta un regard désespéré au jeune homme. Ses mains étaient crispées sur sa jupe.

— Oui, jeune homme, je t'écoute, dit le père de la jeune fille après avoir lancé un coup d'œil exprimant la plus parfaite incompréhension à sa femme.

Jean se racla la gorge plusieurs fois et se leva. Il avait le visage rouge de confusion.

— Je voudrais, monsieur... je voudrais vous de... demander la main de votre fille, monsieur Talbot, parvint-il à balbutier.

Le commerçant, stupéfait, tourna la tête vers sa femme d'abord et sa fille dans un deuxième temps, avant de dévisager à nouveau le jeune homme qui lui faisait face.

— Tu veux marier ma fille ?

— Oui, monsieur, affirma Jean en tentant de raffermir sa voix.

— Mais ma femme et moi, on pensait qu'entre vous deux c'était de l'histoire ancienne.

Jean ne dit rien, se contentant de regarder la pointe de ses souliers.

— En plus, tu étudies encore, non ? intervint Yvonne, l'air mécontente. Je trouve que ça a pas d'allure de penser vous marier avant que tu aies fini tes études, tu trouves pas ? J'ai rien contre toi, mon garçon, mais je crois que tu es mieux d'attendre de t'être fait une situation avant de penser au mariage.

Il y eut un silence pénible dans la pièce et chacun put entendre les coups de klaxon rageurs d'un automobiliste, à l'extérieur. Félicien fit un signe discret à son fils.

— C'est qu'on n'a pas tellement le choix, madame, avoua Jean en baissant la voix, le visage rouge de honte.

— Quoi ? Qu'est-ce que tu viens de dire ? demanda la mère de famille, qui espérait avoir mal entendu.

— J'ai dit... j'ai dit qu'on pouvait pas attendre, madame Talbot.

Le visage de Reine avait encore pâli et la jeune fille s'était écartée de quelques pas de sa mère, comme si elle craignait une réaction violente de sa part. Yvonne Talbot ne sembla pas remarquer la manœuvre.

— Pourquoi tu dis ça ? lui demanda la dame avec une certaine hauteur.

— Je pense que votre fille pourrait peut-être vous l'expliquer, se décida à intervenir Félicien avec une certaine impatience.

Toutes les têtes se tournèrent vers Reine, qui semblait sur le point de s'évanouir.

— Pourquoi vous pouvez pas attendre ? lui demanda sèchement sa mère.

Puis, cette dernière sembla réaliser soudain ce que pouvait cacher cette hâte subite et ses traits se durcirent brusquement lorsqu'elle se rendit compte de la portée de ce qu'elle venait de deviner.

— Dis-moi que c'est pas ça ! ordonna-t-elle durement à sa fille en l'attrapant par une épaule. Dis-moi que je me trompe ! T'es pas allée faire une bêtise, j'espère ?

— Ah ben, calvaire ! jura Fernand, sidéré par ce qu'il venait d'apprendre.

Reine se borna à hocher la tête. Face à cette réponse muette, sa mère fut incapable de se contrôler et lui décocha une gifle retentissante.

— Une traînée ! Une vraie traînée ! s'écria-t-elle, folle de rage.

Reine se mit à pleurer de douleur, de honte et de peur. Qu'est-ce que l'avenir lui réservait maintenant? Elle jeta un regard désespéré à son père qui saisit sa femme par un bras et l'obligea à s'écarter de leur fille et à s'asseoir dans l'un des deux fauteuils.

— Yvonne! Reprends-toi! lui ordonna-t-il. C'est pas en criant qu'on va arranger cette affaire-là. Toi, va te chercher une chaise dans la cuisine, dit-il sèchement à sa fille.

Fernand Talbot s'approcha de la fenêtre du salon et écarta le rideau. Durant quelques instants, il tourna le dos à tous les gens présents dans la pièce pour regarder à l'extérieur. Il était bien évident que le père de famille dans la cinquantaine était durement secoué par ce qu'il venait d'entendre et qu'il tentait de reprendre pied dans la réalité.

— On peut vous laisser le temps de parler entre vous autres, fit Félicien en commençant à se lever. Je me doute que la nouvelle vous fait pas plus plaisir qu'à nous autres et…

— Non, restez, le coupa le commerçant. Vous avez eu raison de venir. Il faut régler ça, déclara-t-il, un ton plus bas.

Reine revint au salon en portant une chaise qu'elle déposa à côté du divan, près de Jean et loin de sa mère qui lui lança un regard furieux.

Fernand Talbot scruta durant un long moment sa fille, tassée sur sa chaise, avant de reprendre sur un ton qu'il s'efforçait de rendre plus raisonnable.

— C'est ben beau vouloir la marier, dit-il en se tournant vers celui qui venait de demander d'être son gendre, mais comment tu vas la faire vivre?

— Je vais me trouver une *job* le plus vite possible, monsieur Talbot, promit Jean. J'ai déjà commencé à en chercher une aujourd'hui.

— Et tu veux la marier quand ?

— Dès que vous voudrez, monsieur.

Cette acceptation tacite de sa demande venait de sonner la mort de son dernier espoir de se voir refuser la main de la jeune fille.

— C'est pas quand on va vouloir, mais le plus vite possible, avant que ça paraisse et que le monde autour se mette à jaser sur notre compte, intervint Yvonne, toujours aussi furieuse. On avait bien besoin de ça, conclut-elle en adressant aux deux jeunes gens un regard plein de rancune. Si vous voulez attendre un peu, j'ai deux mots à dire à ma fille, ajouta-t-elle à l'intention de Félicien et Jean en quittant son fauteuil et en faisant signe à Reine de la suivre à l'extérieur de la pièce.

Quelques instants plus tard, Jean regarda la jeune fille revenir au salon sur les talons de sa mère, la joue droite rougie par la gifle. Les deux femmes ne s'étaient absentées qu'un bref moment.

— La fin du mois de mars devrait faire l'affaire, affirma sèchement la mère de famille en rentrant dans le salon, suivie par Reine. De toute façon, elle va aller chez le docteur au début de la semaine pour savoir.

De toute évidence, la mère s'était informée de l'avancée présumée de la grossesse de sa fille et avait calculé que si celle-ci se mariait à la fin du mois suivant, son état ne paraîtrait pas.

Cette décision prise unilatéralement par la mère de Reine sembla réveiller brusquement Jean. Soudain, il en eut assez que chacun dispose de lui et de son avenir comme s'il n'avait rien à dire dans l'affaire.

— Ça se fera pas avant la mi-avril, déclara-t-il d'une voix ferme.

— Quoi ? Qu'est-ce que tu viens de dire ? lui demanda sa future belle-mère sur un ton menaçant.

— Je viens de vous dire qu'il est pas question que je me marie avant la mi-avril. J'ai besoin de temps pour m'organiser, me trouver un emploi et ramasser un peu d'argent.

— L'état de Reine risque de se voir si vous attendez trop, avança Yvonne, surprise qu'il ose s'opposer à sa volonté.

— Eh bien ! ça se verra, madame Talbot, laissa tomber le jeune homme. Je peux pas faire mieux.

Son père, apparemment pris de pitié, finit par dire aux parents de la jeune fille :

— Même à la mi-avril, c'est pas mal vite.

— C'est correct pour la mi-avril, décréta Fernand Talbot, peu enclin à risquer de voir son futur gendre changer d'avis et abandonner sa fille enceinte seule à son sort.

— À part ça, je pense qu'on n'aura pas le choix de leur donner un coup de main pour s'établir, reprit le postier.

Fernand Talbot n'était pas stupide. Il voyait bien que le jeune homme assis en face de lui arborait une véritable mine de condamné. Il venait de comprendre que Jean Bélanger ne se résignait à épouser sa fille que forcé par ses parents et qu'il lui faudrait faire preuve de bonne volonté s'il ne voulait pas que ces derniers abdiquent et le laissent tourner le dos à ses responsabilités. Il ne dit rien pendant un long moment avant de laisser tomber sans grand enthousiasme :

— Vous avez raison.

— Ma femme et moi, on pourra pas les héberger une fois mariés. On n'a pas assez de place à la maison.

— Le mieux serait qu'ils se trouvent un appartement à eux, convint le commerçant.

Il y eut un bref silence dans la pièce pendant que les deux pères cherchaient une solution au problème du logement du jeune couple. Soudain, les traits de Fernand Talbot s'éclairèrent.

— J'y pense. Ils pourraient toujours s'installer au-dessus, suggéra-t-il en guettant la réaction de son futur gendre. Je viens de perdre mon locataire. Le logement va être libre dans moins d'une semaine. Le garçon de monsieur Tremblay est en train de tout mettre dans des boîtes et il parle de déménager les meubles la semaine prochaine.

Jean hocha la tête après avoir quêté l'acceptation muette de Reine.

— Si le cœur t'en dit, tu pourrais même venir t'entendre avec lui, fit le père de Reine en s'adressant directement à Jean. J'ai dans l'idée que ça ferait pas mal son affaire de te vendre une couple de meubles. À ce qu'il m'a dit, il savait pas trop quoi en faire. À toi de voir ça avec lui.

— Combien allez-vous nous demander, p'pa, pour rester en haut ? intervint enfin Reine.

— Je sais pas, répondit son père d'une voix hésitante. Quinze piastres par mois ?

La jeune fille quêta l'approbation de Jean avant de dire :

— Est-ce que vous allez nous fournir la peinture pour tout repeindre l'appartement ? demanda-t-elle. Monsieur Tremblay était vieux et ça doit faire longtemps que l'appartement a pas été peinturé.

— C'est correct, fit son père, l'air un peu contraint.

Sur ces mots, Félicien se leva et fut imité par son fils.

— S'ils restent au-dessus, ma fille pourra toujours continuer à travailler à la biscuiterie, du moins tant que son état le permettra, poursuivit Fernand en raccompagnant les Bélanger jusqu'à la porte. Pour les meubles, le mieux serait que votre garçon vienne s'entendre avec le fils Tremblay demain soir, ajouta-t-il en s'adressant au facteur. Il devrait être là pour continuer à paqueter les affaires de son père.

— Bon, je crois ben qu'on a fait pour le mieux, dit Félicien en finissant de boutonner son manteau.

— Le mal est fait, on peut pas revenir en arrière, conclut Fernand Talbot en ouvrant la porte.

— Jean va venir voir le garçon de votre locataire demain soir pour essayer de s'arranger avec lui, promit un Félicien peu désireux de revenir sur la faute commise par les deux jeunes.

— Reine ira voir avec lui, annonça le père de la jeune fille.

Reine, debout aux côtés de son père, adressa un sourire timide aux Bélanger alors que sa mère, debout derrière elle, n'esquissa pas le moindre geste pour saluer les visiteurs.

Silencieuse, la mère de famille demeura plantée debout derrière sa fille jusqu'au moment où les Bélanger furent rendus dehors. Son mari referma la porte de palier.

Reine allait s'esquiver dans sa chambre quand sa mère l'intercepta d'une voix dure.

— Toi, tu viens dans le salon. Ton père et moi, on a des choses à te dire.

— Ah m'man ! Je suis fatiguée, rétorqua la jeune fille d'une voix lasse. J'ai juste envie d'aller me coucher.

— Ça attendra ! déclara Yvonne sur un ton sans appel.

Son mari poussa un soupir d'exaspération et les suivit toutes deux dans la pièce voisine.

— Assois-toi, ordonna la mère de famille à sa fille d'une voix cinglante.

Reine obtempéra, les lèvres pincées, l'air buté.

— Je suppose que t'es fière de ce que t'as fait ! ne put se retenir de dire la mère de la famille Talbot. Après tout ce qu'on a fait pour toi, c'est comme ça que tu nous remercies ?

Sa fille ne répondit pas.

— À dix-neuf ans, t'étais pas capable de te tenir comme du monde et d'attendre après le mariage ? Là, on va être la risée de tout le quartier quand cette affaire-là va se savoir !

— Il y a pas de raison que ça se sache, répliqua Reine, de plus en plus exaspérée par les reproches maternels. Jean va me marier au mois d'avril. Il vient de le dire…

— Une vraie tête folle ! s'exclama Yvonne. Là, j'ai attrapé un mal de tête qui va m'empêcher de dormir toute la nuit, se plaignit-elle en s'adressant à son mari. Veux-tu bien me dire ce qu'on a fait au bon Dieu pour mériter ça ?

— Bon, c'est correct, intervint Fernand d'une voix qu'il voulait apaisante. Là, il y a plus rien à faire. Le mal est fait. Ça sert à rien de crier et de se lamenter jusqu'à amen.

— Je le sais bien que le mal est fait, reprit sa femme en se tournant à nouveau vers Reine. Toi, ma fille, j'espère que tu te rends compte que c'est toute ta vie que tu viens de gâcher. On dirait que t'es trop bête pour t'en apercevoir. Tu pensais faire un beau mariage, marier un homme qui aurait une belle profession et qui aurait été capable de te faire vivre dans une belle maison et de t'offrir une belle vie… Tu voulais faire comme ta sœur. À cette heure, oublie tout ça. Parce que t'as pas de tête sur les épaules, tu vas marier quelqu'un qui est pas de notre monde et qui gagnera jamais assez d'argent pour t'offrir une vie convenable. Tu vas être la femme d'un pauvre qui va passer sa vie à se battre pour joindre les deux bouts.

— Jean a fait des études, m'man. Ce sera pas un ouvrier. Il va bien me faire vivre.

— Réveille-toi donc, sans-dessein ! Il a commencé des études, mais il a pas de diplôme. Attends de voir quelle sorte d'ouvrage il va être capable de trouver, surtout là qu'il y a des chômeurs partout.

— Yvonne ! dit son mari d'une voix lasse en rallumant le cigare qu'il avait abandonné dans le cendrier, avant le souper.

— En tout cas, ma fille, tu vas aller te confesser vendredi soir, poursuivit la mère de famille, comme si son mari n'avait rien dit.

— Ben oui, fit Reine avec une moue.

— Et pas à la paroisse, à part ça, la prévint sa mère. Tu vas aller chez les pères du Saint-Sacrement. J'ai pas envie que monsieur le curé ou un des vicaires te reconnaisse.

— C'est correct.

— Demain, je vais téléphoner au docteur Laflamme pour te prendre un rendez-vous.

— Bon, est-ce que je peux aller me coucher, là? demanda Reine en se levant, l'air mauvais. Je suis fatiguée, répéta-t-elle.

— Vas-y, fit son père.

Reine rapporta sa chaise dans la cuisine et disparut dans sa chambre à coucher. Elle referma la porte et s'appuya contre elle en poussant un grand soupir de soulagement. Depuis le moment où elle avait aperçu Jean et son père au pied de l'escalier, elle avait vécu mille morts. Là, seule dans sa chambre, elle se sentait soulagée, délivrée de l'immense poids qui l'écrasait depuis plusieurs semaines. Elle n'était peut-être pas très intelligente, mais elle l'était suffisamment pour comprendre que Jean venait de la sauver de ce qui s'annonçait comme une véritable tragédie. Bien sûr, elle venait de vivre un moment très pénible, mais elle reconnaissait que cela aurait pu être mille fois pire si Jean avait refusé d'endosser la paternité de l'enfant qu'elle croyait porter. Si elle en était venue à avouer sa faute à son père, il était loin d'être certain que ce dernier aurait eu le courage d'aller sonner chez les Bélanger pour exiger réparation. Elle se rendait bien compte que les parents de Jean avaient joué un rôle non négligeable dans la décision de leur fils de l'épouser et elle eut une pensée reconnaissante à leur endroit.

Elle se déshabilla et se scruta de face et de profil dans le miroir avant de passer sa robe de nuit. Rien ne paraissait encore. Même s'il était à peine neuf heures, elle sentait qu'elle allait s'endormir rapidement après la nuit d'insomnie qu'elle avait connue la veille.

En posant la tête sur son oreiller, elle se dit que si elle avait été à la place de Jean Bélanger, elle n'aurait peut-être rien admis et se serait empressée de traiter son accusatrice de menteuse pour pouvoir continuer tranquillement ses études. Elle ne l'aurait pas laissée briser sa vie. Jean avait tout simplement craqué devant la menace que son père aille trouver le sien. Étrangement, elle n'éprouvait aucune reconnaissance envers celui qui venait de promettre à ses parents de l'épouser dans quelques semaines. Pire, elle le regardait même avec un certain mépris pour s'être laissé dicter sa conduite par ses parents. Puis, durant de longues minutes, elle se demanda si Jean l'aimait assez pour vivre toute sa vie à ses côtés.

— Il m'aime peut-être plus, fit-elle à mi-voix dans le noir. Il est peut-être venu juste parce qu'il a eu peur.

Il lui faudrait s'assurer de la solidité des sentiments du jeune homme… Juste avant que le sommeil ne l'emporte, elle en vint même à croire qu'il ne l'aimait plus du tout. Sa dernière pensée fut qu'il vaudrait probablement mieux qu'elle accouche à l'hôpital de la Miséricorde et qu'elle donne son enfant en adoption plutôt que de vivre avec un homme qui ne l'aimait pas. Comme ça, après avoir donné naissance à l'enfant, elle pourrait toujours se trouver un mari plein d'avenir, comme elle en avait toujours rêvé.

Au même moment, dans le salon, Yvonne et Fernand étaient plongés dans des pensées moroses.

— Jamais j'aurais cru… commença la mère de famille en s'essuyant les yeux.

— Reviens-en, lui ordonna sèchement son mari. À cette heure, il faut s'arranger pour que le petit Bélanger change pas d'idée en chemin. En deux mois, il peut virer de bord et décider de nous laisser Reine et le petit sur les bras. Y as-tu pensé ?

— Voyons donc ! protesta sa femme, indignée.

— Ça s'est déjà vu. Là, il va falloir se forcer pour lui faire une belle façon et tu vas voir à ce que ta fille soit ben fine avec lui.

— J'ai pas le goût de...

— Laisse faire le goût, laissa-t-il tomber abruptement. T'imagines-tu que ça me tente de le voir entrer dans la famille, moi ? Pantoute ! Il faut qu'il la marie, il y a pas à sortir de là.

— Pour l'argent, qu'est-ce que tu vas faire ? Il a même pas un travail.

— Reine va être capable de lui donner un bon coup de main. T'oublies que ça fait cinq ans qu'elle travaille à la biscuiterie et que je lui paye un bon salaire. Elle dépense jamais une cenne et je lui ai jamais chargé de pension. Elle a de l'argent collé quelque part. Elle l'aidera à payer les dépenses qu'ils vont avoir pour s'installer.

— Tu peux pas savoir quel mal de tête tout ça m'a donné, se plaignit Yvonne en se frottant les tempes du bout des doigts.

— Si t'as mal à la tête, fais donc comme ta fille et va te coucher, lui suggéra-t-il, excédé.

Sa femme se leva, l'embrassa sur une joue et disparut dans leur chambre. Fernand Talbot reprit son cigare, se leva et alla se camper devant la fenêtre du salon pour réfléchir à tout ce qui venait de se passer. Pendant de longues minutes, il regarda les rares passants marcher rapidement sur les trottoirs de la rue Mont-Royal, aspirant probablement à la chaleur de leur foyer. Les événements de la soirée avaient tout changé si rapidement…

~

Quand Jean et son père rentrèrent dans l'appartement de la rue Brébeuf, le fils s'empressa d'aller souhaiter une bonne nuit à sa mère en train de tricoter dans le salon avant de se retirer dans sa chambre à coucher. Il préférait laisser à son père le soin de raconter ce qui s'était passé chez les Talbot. De son côté, son cœur balançait entre détester ce dernier pour l'avoir obligé à demander la main de Reine ou l'admirer d'avoir marché sur son orgueil pour l'accompagner.

À son entrée dans la chambre, il retrouva son frère qui, de toute évidence, l'attendait avec impatience.

— Qu'est-ce qui se passe? demanda-t-il à mi-voix à Jean.

— Rien, fit ce dernier, évasif.

— Aïe, bâtard! Je suis pas niaiseux, protesta l'adolescent. Je vois ben qu'il y a quelque chose de pas normal. Depuis hier, m'man arrête pas de pleurer et v'là qu'à soir, au souper, t'as dit que t'avais lâché le collège. Pourquoi? Pourquoi personne veut rien me dire? Après que t'as été parti, j'ai demandé à m'man et à Lorraine, elles m'ont encore dit de me mêler de mes affaires, que ça me regardait pas.

— C'est correct, la fouine. Moi, je vais te le dire, fit Jean d'une voix lasse. J'ai lâché le collège pour me marier avec Reine Talbot.

— Hein! Mais tu sors même plus avec elle!

— J'ai changé d'idée.

— Ah ben là! J'en reviens pas. Et tu te maries quand?

— Au mois d'avril.

— Pourquoi t'as pas attendu au moins à la fin de l'année?

— Ça, si quelqu'un te le demande, dit Jean sur un ton sec, t'auras juste à lui dire que c'est pas de ses affaires.

Dès que son fils eut disparu dans sa chambre, Amélie alla rejoindre son mari qui, à son retour à la maison, s'était contenté d'aller s'asseoir dans le salon sans dire un mot.

— Puis ? demanda-t-elle sur un ton angoissé.

— C'est fait, se contenta de laisser tomber Félicien, la mine sombre. Ils vont se marier à la mi-avril.

Les larmes remplirent les yeux de la mère de famille. Ce mariage obligé venait gâcher tous les beaux projets d'avenir de son Jean.

— J'arrête pas de penser à toute cette affaire-là depuis hier soir, finit-elle par dire à son mari.

— Penses-tu que j'y ai pas pensé, moi aussi ? rétorqua Félicien, la mine sombre.

— Tu sais, la Reine Talbot, on la connaît pas pantoute, reprit Amélie, comme si son mari n'avait rien dit. Tu me feras jamais croire, toi, qu'elle savait pas ce qu'elle faisait quand elle s'est laissée aller avec Jean. Une fille de cet âge-là, c'est pas une petite fille de quatorze ou quinze ans.

— Et alors ?

— Alors, notre garçon est peut-être pas aussi coupable qu'il en a l'air. Il y a rien qui dit qu'elle a pas fait exprès de se faire mettre en famille pour l'obliger à la traîner au pied de l'autel, la petite bougresse !

— Et qu'est-ce que ça change, tout ça ? Elle va avoir un petit et il a reconnu qu'il était le père. Ça fait qu'arrête de lui chercher des excuses ! Il l'a mise en famille, il va la marier, un point c'est toute, saint cybole ! À cette heure, si ça te fait rien, j'en ai eu assez pour à soir. Là, je veux lire mon journal tranquille.

— C'est correct. J'ai compris, fit Amélie, de mauvaise humeur.

— En passant, il a accepté de louer l'appartement au-dessus de celui des Talbot. Il paraît que le bonhomme qui restait là vient de mourir. Jean est supposé aller s'entendre avec son garçon demain soir.

— Déjà, ne put s'empêcher de dire Amélie, qui se rendait compte davantage encore que le mariage de son fils était en voie de se réaliser, et vite.

— Oui, et je peux te garantir que je m'en mêlerai pas, affirma Félicien sur un ton définitif.

Sa femme hocha la tête pour lui signifier qu'elle avait bien entendu et retourna dans la cuisine où Lorraine tuait le temps en faisant une patience sur la table.

Chapitre 10

Les devoirs

Le lendemain matin, à son réveil, Yvonne entendit les voix de sa fille et de son mari en train de déjeuner dans la cuisine. Comme il arrivait souvent, Fernand avait choisi de la laisser dormir et de préparer seul son repas du matin. La mère de famille jeta un coup d'œil à son réveille-matin, il indiquait huit heures et quart. Elle décida de demeurer au lit jusqu'à leur départ pour la biscuiterie. Elle ne se sentait pas le courage d'affronter sa fille après une si mauvaise nuit. À cette seule pensée, elle retrouva intacte sa rage de la veille.

— La petite maudite ! murmura-t-elle. Elle, elle pourra dire qu'elle nous en aura fait voir de toutes les couleurs.

Elle se souvenait encore trop bien de l'enfant et de l'adolescente difficile que Reine avait été. Tout le problème venait peut-être de ce que cette enfant, arrivée sur le tard, avait été trop gâtée. Fernand et elle lui en avaient trop passé. S'ils avaient été aussi sévères avec elle qu'avec Estelle et Lorenzo, ils n'auraient peut-être pas à vivre ce qui leur arrivait aujourd'hui.

Yvonne s'attendrit tout de même un bref moment au souvenir du beau bébé qu'avait été Reine. Elle devait cependant reconnaître que sa fille avait su très tôt exploiter son charme pour tirer de ses parents tout ce qu'elle désirait. Lorsque cela ne fonctionnait pas, elle piquait des colères extraordinaires pour parvenir à ses fins. Quand était venu le moment de l'envoyer à l'école, elle avait espéré que les religieuses du couvent allaient avoir facilement raison de l'enfant capricieuse et rancunière qu'était devenue sa fille cadette. Dès sa première visite à l'institution, la mère avait dû se résigner. L'institutrice de sa fille lui avait appris qu'elle ne cessait de punir Reine, tant elle était désobéissante et entêtée. De plus, ses sautes d'humeur imprévisibles l'isolaient bien souvent de la plupart de ses camarades de classe.

— On dirait qu'elle n'attire que les têtes croches, s'était plainte la religieuse chargée de son enseignement.

De fait, si les notes de Reine étaient plutôt bonnes, son comportement frondeur, lui, avait le don de lui attirer toutes sortes d'ennuis.

Lors de sa dernière année au couvent, une vieille religieuse avait mis en garde la mère de famille contre un certain fond de méchanceté qu'elle avait cru déceler chez l'adolescente. Quand Yvonne avait fait état de cette remarque à sa fille, cette dernière avait répliqué :

— C'est une vieille folle, m'man. Elle a dit ça parce qu'elle pense que j'ai fait exprès de faire tomber Thérèse Lépine.

En réalité, Reine avait volontairement fait un croc-en-jambe à sa camarade de classe dans un escalier pour se venger d'avoir été dénoncée par elle à la supérieure. Selon les dires de Thérèse Lépine, Reine et deux de ses amies la harcelaient depuis des semaines en l'accusant de puer et d'avoir des poux.

Bref, quand l'adolescente avait annoncé à ses parents son intention de mettre fin à ses études à la fin de sa 7e année, ces derniers, d'abord déçus, l'avaient finalement accepté en voyant que malgré ses notes, elle ne semblait avoir aucune disposition particulière dans ce domaine. Yvonne proposa tout de même à sa fille de quinze ans de l'inscrire à des cours de maintien, de chant ou de diction.

— Si tu veux faire un beau mariage un jour, il va falloir que t'aies de la classe, que tu saches bien te tenir, avait plaidé la mère de famille.

— J'ai pas besoin de ça pantoute, m'man. Ça me tente pas.

— Qu'est-ce que tu veux faire ? lui avait alors demandé son père. T'es pas pour passer tes journées à te tourner les pouces.

— Vous pourriez peut-être m'engager comme vendeuse à la biscuiterie, p'pa, avait-elle suggéré en faisant du charme à son père.

— J'ai pas besoin de toi. J'ai déjà madame Girard.

— Si vous aimez mieux engager une étrangère, je vais me débrouiller pour me trouver de l'ouvrage dans un magasin de la rue Mont-Royal, avait-elle répliqué en prenant un air propre à apitoyer son père.

— Voyons, Fernand, avait protesté Yvonne. J'espère que tu vas faire passer ta fille avant une étrangère.

— Ça fait dix ans qu'Armande Girard travaille pour moi, avait argué le commerçant, sans grande conviction.

Finalement, trois jours plus tard, la vendeuse expérimentée avait été remerciée et Reine, toute fière, l'avait remplacée derrière le comptoir. Très finement, elle avait attendu le congédiement de la dame avant d'aborder la rémunération qu'elle désirait obtenir de son employeur.

À la fin de sa première semaine de travail, le samedi soir, une fois que son père eut verrouillé la porte de la biscuiterie pour signifier que c'était fermé, elle demanda à ce dernier :

— Est-ce que c'est aujourd'hui que vous me payez mon salaire, p'pa ?

— C'est vrai, je n'y ai pas pensé, avait répondu Fernand avec bonne humeur. Combien je t'ai dit que je te donnerais par semaine ?

— On n'en a pas parlé. Mais je pense que dix piastres par semaine, ce serait juste.

— Ben voyons donc ! avait protesté son père. C'est le salaire que je donnais à madame Girard qui travaillait pour moi depuis dix ans. Toi, tu viens juste de commencer. Ce serait pas normal que je te donne autant que je lui donnais.

— Mais je fais le même ouvrage qu'elle, avait expliqué Reine en commençant à perdre patience. Ce serait juste que je gagne autant.

— Pour une fille de ton âge, huit piastres par semaine, c'est en masse, avait alors déclaré son père sur un ton définitif.

— Si c'est comme ça, je pense que j'aime mieux aller travailler ailleurs, avait-elle rétorqué.

— T'as juste quinze ans, ma fille, et tu feras ce que je vais te dire de faire, s'était finalement emporté Fernand. À cette heure, on a fini notre semaine d'ouvrage. On monte à l'appartement.

Folle de rage, Reine l'avait précédé dans l'appartement familial où elle était entrée en coup de vent avant d'aller s'enfermer dans sa chambre.

— Veux-tu bien me dire ce qui se passe ? avait demandé Yvonne à son mari à son entrée dans la cuisine.

Il lui avait expliqué sa prise de bec avec leur fille.

— Elle commence à me taper sérieusement sur les nerfs avec ses petits airs, avait-il conclu.

— À ta place, Fernand, je lui donnerais ses dix piastres par semaine. Tu la connais, elle dépense jamais une cenne pour rien. Cet argent-là, elle va le mettre de côté pour son trousseau. Ce sera pas gaspillé.

En fin de compte, devant la fille et la mère, le père avait plié et avait donné à sa fille le salaire exigé. Mieux, sa femme l'avait empêché de lui demander un sou pour le gîte et le couvert.

— Si ça continue à ce train-là, s'était plaint le commerçant, elle va avoir assez d'argent pour m'acheter, la petite bonyenne !

Question argent, Fernand n'aurait jamais su si bien dire. Reine s'empressa d'ouvrir un compte à la Caisse populaire dès qu'elle toucha son premier salaire et elle prit l'habitude d'y déposer régulièrement la plus grande partie de ses gains. Presque cinq ans plus tard, à la veille de célébrer son vingtième anniversaire de naissance, le 6 avril, la jeune fille possédait des économies non négligeables. L'adolescente ne dépensait pratiquement rien. Sa mère avait remarqué depuis longtemps que rien ne la mettait de plus mauvaise humeur que d'être dans l'obligation de s'acheter un vêtement ou une paire de souliers. De plus, lorsqu'elle devait acheter un cadeau, elle pouvait consacrer des heures à chercher l'occasion qui lui ferait économiser quelques sous.

Yvonne était peut-être un peu snob et hypocondriaque, mais elle n'était pas stupide. Elle voyait bien que sa fille cadette était d'une parcimonie qui frisait l'avarice.

Tout ceci expliquait pourquoi, en ce lendemain de la demande en mariage de Jean, Fernand Talbot avait du mal à pardonner sa conduite à sa fille cadette. Ils déjeunèrent en silence avant de descendre à la biscuiterie. À peine la jeune fille venait-elle de prendre place derrière le comptoir que son père lui annonça sèchement :

— Arrange-toi pour faire ton avant-midi sans être malade. Je dois aller chez Viau faire une commande.

Sur ce, il avait quitté le magasin. Reine considéra comme une chance le fait de se retrouver seule durant quelques heures. S'il n'y avait pas trop de clients, elle allait pouvoir réfléchir aux conséquences de la demande en mariage de Jean. Elle aurait bien aimé pouvoir le faire la veille, mais elle était si épuisée qu'elle s'était endormie en se couchant et ne s'était réveillée qu'aux petites heures du matin, en proie à l'habituelle nausée matinale.

Tout ne s'était pas produit comme elle l'avait prévu. Elle avait espéré que Jean la contacte d'abord pour lui dire qu'il acceptait de la demander en mariage. Ainsi, elle aurait eu le temps de préparer ses parents à la nouvelle et de leur apprendre, avec quelques ménagements, sa grossesse. Bien sûr, elle n'aurait pas échappé à leur colère, mais ils auraient au moins fait meilleure figure devant celui qui acceptait de régulariser sa situation en l'épousant.

— S'il fallait qu'il change d'idée, à cette heure, j'aurais l'air fin, dit-elle à haute voix.

Depuis son réveil, elle craignait que Jean, rebuté par la réaction de ses parents, surtout par celle de sa mère, décide de la laisser tomber.

Elle était assez fine mouche pour réaliser qu'il lui fallait de toute urgence ramener le jeune homme dans son salon pour lui faire comprendre qu'elle l'aimait et qu'elle désirait être une bonne épouse. Bref, il fallait que leurs fréquentations reprennent, comme s'il ne s'était rien passé. Elle avait le net sentiment qu'elle disposait de bien peu de temps pour faire disparaître toute rancune qu'il pourrait nourrir à son égard pour avoir ruiné ses projets d'avenir.

Avant même que la première cliente pousse la porte du magasin ce matin-là, Reine prit la résolution d'avoir une conversation sérieuse avec ses parents pour les inciter à faire sentir à son prétendant qu'il était le bienvenu dans la famille Talbot. Elle devait les convaincre que procéder autrement risquait de le pousser à renoncer à l'épouser.

Quelques minutes plus tard, quelqu'un frappa contre la vitrine au moment où Reine s'apprêtait à servir une cliente. La jeune fille leva la tête et aperçut Estelle, sa sœur aînée, qui la saluait de la main avant de monter à l'étage rendre visite à sa mère.

— Ah non ! Pas elle ! dit-elle tout bas en tournant le dos à la cliente pour remplir un sac de biscuits Village.

L'épouse du dentiste monta les marches et trouva sa mère en train de préparer le dîner. Intriguée par la mine sombre de cette dernière, la future maman s'informa.

— Dites-moi pas, m'man, que vous avez encore mal à la tête ?

— Non, c'est autre chose, avoua Yvonne en lui tendant une tasse de thé avant de prendre place au bout de la table, en face de sa fille aînée.

— Qu'est-ce qui se passe ?

Alors, la mère de famille se mit à pleurer et, au milieu des larmes, lui raconta tout.

— Vous parlez d'une tête folle ! s'exclama Estelle, les lèvres pincées par la réprobation. Une chance que son ami accepte de la marier. Vous imaginez le scandale, m'man ? Des plans pour que tout le monde nous tourne le dos. Évidemment, elle, elle n'a pas pensé à ça !

— En tout cas, moi, juste y penser, ça m'enrage, avoua Yvonne.

— Et p'pa, lui, comment il prend ça ?

— Il a pas le choix !

— Quand je vais dire ça à Charles, je sais pas ce qu'il va dire, reprit Estelle.

— T'es pas obligée de tout lui raconter.

— Mais m'man, mon mari fait partie de la famille, fit Estelle, réprobatrice. En plus, il va sûrement être surpris de voir que Reine se marie aussi vite.

— Ça prouve rien, ma fille. À ta place, j'en parlerais pas. De toute façon, ça paraîtra pas avant un bon bout de temps qu'elle est en famille. C'est pas comme se marier quand on est en famille jusqu'aux yeux. Laisse ton mari penser ce qu'il veut. Il manquerait plus qu'il s'imagine que chez les Talbot, on sait pas se tenir.

— En tout cas, je vais tout de même aller dire deux mots à ma sœur avant de partir, promit Estelle.

— Tu vas dîner avec nous autres. Ton père devrait être à la veille de monter. Il devait aller chez Viau à matin.

— J'ai pas le temps, m'man. J'ai promis d'aller magasiner avec la sœur de Charles. À part ça, j'aime autant que p'pa soit pas là quand je vais parler à Reine.

Quelques minutes plus tard, Estelle embrassa sa mère et descendit au magasin. Quand Reine vit sa sœur aînée pousser la porte de la biscuiterie, elle sut tout de suite que sa mère lui avait tout raconté.

— J'espère que tu viens pas me faire un sermon, toi aussi, dit-elle abruptement à sa sœur. Là, j'en ai par-dessus la tête depuis hier soir.

— Tu te rends compte à quel point t'as fait de la peine à m'man et à p'pa ?

— Ben oui ! Qu'est-ce que tu veux que j'y fasse ? demanda la jeune fille d'une voix dure. C'est fait, à cette heure.

— Bon ! Je viens pas pour te faire un sermon, reprit Estelle d'une voix adoucie. Je me doute que ça doit pas être facile à vivre.

— Ça, tu peux le dire, approuva Reine, moins agressive.

— Au fond, t'es chanceuse que ton chum régularise la situation.

— C'est normal, c'est son petit.

— Mais rien l'oblige à t'amener au pied de l'autel. À ta place, je m'arrangerais pour qu'il change pas d'avis.

— Je suis pas niaiseuse, rétorqua Reine. Mais il va falloir que p'pa et m'man soient fins avec lui, eux autres aussi.

— Je pense que t'auras même pas à le dire, ils le savent déjà, conclut Estelle en boutonnant son manteau. En tout cas, si t'as besoin de quelque chose, tu pourras toujours m'en parler.

Le sourire d'Estelle eut pour effet de réconforter un peu Reine. Elle en avait bien besoin depuis les événements de la veille.

Quelques minutes plus tard, le propriétaire de la biscuiterie rentra de ses courses. Il était presque midi. Il passa en coup de vent à son magasin pour annoncer à sa fille qu'il montait dîner. Moins d'une heure plus tard, il revint à la biscuiterie. Reine s'empressa alors d'endosser son manteau pour aller manger à son tour.

À son entrée dans l'appartement, sa mère déposa une assiette de hachis parmentier devant elle.

— J'ai appelé le docteur Laflamme cet avant-midi. T'as un rendez-vous à deux heures et demie. Ça fait que t'as pas besoin de redescendre au magasin. Ton père est au courant.

— Ça pressait pas tant que ça, laissa tomber Reine, agacée de voir sa mère décider pour elle.

— Oui, ça presse, la contredit sèchement Yvonne. Il faut d'abord être bien sûr que t'es en famille et savoir si tout est correct.

— Je le sais que je le suis, répliqua sa fille, butée.

— Arrête de faire ta tête de cochon, s'emporta sa mère, exaspérée. Il y a des précautions à prendre et il faut savoir quand il va venir au monde, cet enfant-là.

Reine ne dit plus rien et mangea sans grand appétit. Aller chez le docteur Aurèle Laflamme, le médecin de la famille Talbot depuis de nombreuses années, n'avait rien de réjouissant. Il connaissait chaque membre de la famille et savait qu'elle n'était pas mariée.

— Veux-tu que j'y aille avec toi ? lui demanda sa mère sans grand enthousiasme en déposant un bol de Jell-O devant elle.

— Je suis pas infirme, m'man. Je suis encore capable d'aller jusqu'à la rue Saint-Denis toute seule.

— C'est ça, vas-y toute seule, répliqua Yvonne avec humeur. Si tu penses que je t'offrais ça par plaisir…

Reine affichait une assurance qu'elle était bien loin d'éprouver. Après le repas, elle fit sa toilette et quitta l'appartement. En passant devant la vitrine de la biscuiterie, elle aperçut son père qui venait de lever la tête et la regardait. Elle ne lui adressa pas le moindre signe de reconnaissance.

Quelques minutes plus tard, le cœur battant un peu la chamade, elle poussa la porte du bureau du docteur Laflamme situé au rez-de-chaussée d'une belle maison en pierre, près du boulevard Saint-Joseph. Trois femmes et un homme âgé attendaient déjà leur tour à son arrivée dans la petite salle meublée d'une douzaine de chaises en bois. Elle se présenta à la réceptionniste à l'air aimable qui venait de déposer un dossier sur son bureau.

— Est-ce que c'est la première fois que vous venez voir le docteur ? lui demanda gentiment l'employée.

— Non, je suis déjà venue pour me faire enlever les amygdales, répondit la jeune fille.

— C'est correct, je vais sortir votre dossier. Le docteur Laflamme a pris un peu de retard, la prévint-elle. Vous pouvez aller vous asseoir. Je vous avertirai quand ce sera votre tour.

Reine dut patienter durant plus d'une heure avant d'être appelée.

Aurèle Laflamme était un sémillant docteur dans la cinquantaine bien assumée, qui arborait fièrement une fine moustache blanche. L'homme compensait sa petite taille par une énergie débordante et une bonne humeur communicative.

— Bon, qu'est-ce qui se passe, ma belle fille? demanda-t-il à Reine en ouvrant devant lui un mince dossier. Si je me souviens bien, c'est moi qui t'ai mise au monde, non?

— Oui, docteur. Je viens pour un test de grossesse, avoua Reine en rougissant malgré elle.

Le médecin, probablement prévenu par Yvonne, ne fit aucun commentaire. Il lui posa quelques questions sur son état de santé avant de l'inviter à passer dans l'alcôve, au fond de son bureau. Il l'examina avec soin avant de déclarer d'une voix neutre:

— Tout m'a l'air bien correct. Tu peux te rhabiller. Si je me fie à ce que tu viens de me dire, tu devrais accoucher au mois d'août. Là, tu vas prendre soin de toi et de l'enfant que tu portes. Mange bien et repose-toi quand tu te sens fatiguée. Tu vas revenir me voir à la fin du mois de mai. Tu prendras un rendez-vous avec ma secrétaire avant de partir.

— Merci, docteur.

Reine s'empressa de quitter le bureau et prit le rendez-vous suggéré. À sa sortie de l'immeuble, un fort vent du nord l'accueillit et la fit frissonner. Le soleil avait commencé à baisser et le mercure avait encore chuté de quelques degrés. Pendant un court moment, la jeune fille se demanda si elle ne devrait pas plutôt prendre l'autobus sur le boulevard Saint-Joseph pour rejoindre la rue Brébeuf qu'elle pourrait descendre à pied... Puis, à la seule idée d'avoir à attendre sans bouger durant de longues minutes l'arrivée d'un autobus, elle renonça à sa première idée et décida de faire le trajet à pied malgré le froid qui la transperçait.

En approchant de la biscuiterie, elle fut tentée de monter directement à l'appartement et de laisser son père fermer seul le magasin. Il restait un peu plus d'une heure avant la fermeture. Cependant, elle se contraignit à entrer tout de même dans le magasin. Elle en avait fait assez voir à son père depuis la veille sans chercher à l'exaspérer davantage encore. Elle enleva son manteau et ses bottes et reprit sa place derrière le comptoir.

— Est-ce que ça s'est ben passé ? lui demanda Fernand après avoir remis dans la caisse enregistreuse une liasse de factures.

— Tout est correct, se contenta-t-elle de répondre.

Au même moment, Amélie Bélanger se dirigeait vers le presbytère de la paroisse. Après une nuit difficile, la présidente des Dames de Sainte-Anne avait décidé d'aller consulter le curé Pelletier.

— Je sais pas comment il va me recevoir, mais je peux plus attendre, avait dit à voix haute la petite femme en revêtant son manteau vers la fin de l'avant-midi.

Elle connaissait Alphonse Pelletier depuis une quinzaine d'années. Ce gros prêtre au ventre avantageux avait un caractère ombrageux. Elle savait que, malgré ses airs bonasses, l'homme pouvait se montrer cinglant et intraitable.

La servante qui lui ouvrit la porte du presbytère lui fit remarquer sèchement que les heures de visite étaient de deux à quatre.

— Je le sais, madame, mais c'est pour une urgence, fit Amélie, bien décidée à rencontrer le pasteur de la paroisse.

Moins de cinq minutes plus tard, l'épouse du facteur vit apparaître le curé Pelletier dans la salle d'attente. L'ecclésiastique la fit passer dans son bureau et l'invita à s'asseoir avant d'aller prendre place dans son fauteuil en cuir placé derrière son bureau. Il enleva ses lunettes qu'il entreprit de nettoyer avec un mouchoir tiré de l'une de ses poches.

— Bon, qu'est-ce que la présidente des Dames de Sainte-Anne a de si important à me dire pour ne pas pouvoir attendre les heures de visite ? dit-il à sa visiteuse sans le moindre sourire.

— Je vous aurais pas dérangé si ça avait pas été aussi grave, monsieur le curé, fit Amélie en rougissant. C'est à propos de mon garçon, celui qui était supposé faire un prêtre…

— Qu'est-ce qui lui arrive ? fit Alphonse Pelletier avec un rien d'impatience dans la voix en s'adossant confortablement dans son fauteuil.

La mère de famille laissa passer un court moment de silence, ne sachant plus trop comment présenter la chose au prêtre.

— Allons ! madame Bélanger, ça peut pas être si grave que ça, l'encouragea le curé Pelletier en se rendant subitement compte du désarroi de sa paroissienne.

Amélie se mit alors à tout lui raconter d'une voix étranglée par l'émotion. À aucun moment le pasteur de la paroisse Saint-Stanislas ne chercha à l'interrompre. Quand elle finit en lui disant que son mari avait accompagné son fils chez les parents de la jeune fille pour demander sa main, il hocha la tête.

— Je me demande si on a bien fait, monsieur le curé, fit-elle. Jean est tellement jeune. Abandonner son cours classique quand il l'a presque fini… Il a juste vingt ans. Il va avoir vingt et un ans le 30 juin… Elle, on la connaît pas. Comment être sûr que le petit est de mon garçon, vous comprenez ? Et…

— Écoutez, madame, l'interrompit Alphonse Pelletier, l'air sévère. Est-ce que votre garçon a reconnu qu'il pouvait être le père ?

— Oui, monsieur le curé.

— Dans ce cas-là, il y a pas à se poser des questions là-dessus. Vous me dites qu'il a vingt ans. À cet âge-là, on est supposé savoir ce qu'on fait. Je pense que votre mari a pris la bonne décision en exigeant que votre garçon marie cette fille-là. Je veux bien croire qu'il va être obligé d'arrêter ses études, mais il faut aussi penser à la future mère.

— Je sais bien, monsieur le curé.

— Le devoir de votre garçon est de la marier. Il y a pas autre chose à faire. Si j'ai un conseil à vous donner, essayez de les aider à partir du bon pied. Pardonnez, madame. Votre Jean va avoir besoin de vous et de votre mari.

— On va essayer de l'aider autant qu'on va le pouvoir, promit Amélie.

— Dites donc à votre garçon de passer me voir, ajouta le prêtre en se levant pour signifier la fin de l'entrevue. On pourrait avoir une petite conversation tous les deux. S'il est pour se marier dans la paroisse, il faudra aussi penser à faire publier les bans.

— Est-ce que ça devrait pas être au père de la mariée de s'occuper de ça ? demanda Amélie en se levant à son tour.

— Habituellement, oui. Si la future mariée appartient à la paroisse, il faudra que son père vienne me voir.

La mère de famille quitta le presbytère un peu rassérénée. Le curé l'avait rassurée en affirmant que son mari et elle avaient pris la bonne décision en poussant Jean à demander la main de Reine. Par ailleurs, elle s'était bien gardée de mentionner au prêtre le nom de sa future bru. Bien sûr, il allait le connaître quand Fernand Talbot viendrait payer pour la publication des bans, mais l'information ne viendrait pas d'elle.

Chapitre 11

Du caractère

Ce jour-là n'avait été qu'une suite de frustrations pour Jean Bélanger. Parti tôt le matin, le jeune homme avait poursuivi sa quête d'un emploi entreprise la veille, sans plus de succès. Il s'était heurté partout à des refus, souvent à peine polis.

Ce matin-là, au moment de partir, il avait eu le pressentiment qu'il trouverait facilement du travail comme journaliste à *La Presse*, au *Devoir*, au *Petit Journal*, à *La Patrie* ou au *Montréal-Matin*. Il fit donc la tournée de ces cinq journaux, passant une grande partie de la journée dans les tramways. Il était persuadé que son expérience de deux années comme reporter pour le journal du collège ainsi que ses excellentes notes en français et en littérature allaient lui ouvrir toutes grandes les portes de l'un ou l'autre de ces journaux. Après tout, il avait presque terminé son cours classique, ce qui n'était pas rien à ses yeux. Il était même certain de faire sa marque dans l'un ou l'autre de ces journaux et de devenir un journaliste célèbre en quelques mois.

Sa première entrevue à *La Presse* le fit rapidement déchanter. Le directeur du personnel lui apprit sans mettre de gants blancs qu'il avait tous les journalistes dont il avait besoin et qu'il refusait même les articles des pigistes, mot dont le jeune homme ignorait la signification. Au journal *Le Devoir*, même réponse. Après un long trajet en tramway, il s'était présenté aux bureaux de *La Patrie*, un quotidien très populaire. Il se heurta à une porte fermée.

Après avoir avalé rapidement un bol de soupe pour son dîner, Jean avait décidé d'aller poser sa candidature au *Montréal-Matin*, un journal qui se vantait d'être à la fine pointe de l'actualité. La dame chargée de l'embauche se montra très humaine et nota son nom en lui promettant de le contacter s'il y avait une ouverture. Quand il se résigna à lui dire qu'il était prêt à faire n'importe quel travail, elle s'engagea à penser à lui dès qu'un travail de livreur serait disponible. Au milieu de l'après-midi, passablement découragé, il se rendit dans les locaux du *Petit Journal*. Là, après l'avoir laissé poireauter plus d'une heure, on lui répondit tout simplement et en moins d'une minute qu'on n'embauchait que des journalistes qui avaient fait leurs classes dans les journaux régionaux.

Enfin, avant de rentrer, le jeune homme se décida à se présenter au bureau du personnel du Canadien National en se disant qu'il pourrait peut-être décrocher un emploi permanent dans cette compagnie qui l'avait engagé les trois derniers étés pour participer au nettoyage des wagons.

Pour une fois, Jean eut un peu plus de chance. Il se retrouva devant Aimé Corriveau, l'homme à qui il avait affaire chaque printemps, quand il se présentait pour postuler un emploi d'été.

— Eh bien ! On dirait que t'as peur de pas avoir ta *job* l'été prochain, dit l'homme avec un grand sourire. On est juste en février. On n'a pas encore commencé à engager des jeunes pour l'été prochain.

— C'est pas pour une *job* d'été, monsieur Corriveau, expliqua le jeune homme. Je cherche de l'ouvrage à temps plein.

— Mon pauvre gars, j'ai pas grand-chose à t'offrir, à part du nettoyage.

— Je prendrais cette *job*-là, si vous avez pas autre chose. Ce serait mieux que rien, monsieur.

— T'es sûr que c'est ce que tu veux faire ? s'étonna l'autre. Avec tes études, t'es pas capable de te trouver autre chose ?

— J'ai pas le temps de chercher encore longtemps, avoua Jean.

— Bon, on est jeudi. Si ça t'intéresse, tu commences lundi matin, 7 heures. Tu vas faire la même chose que tu faisais l'été passé. Nettoyer les wagons de passagers. Je te mets dans l'équipe d'Onésime Gagnon.

Jean eut du mal à réprimer une grimace. L'homme avait été son chef d'équipe deux étés auparavant et il ne l'avait pas lâché de la saison en lui confiant les tâches les plus rebutantes. Il semblait avoir une aversion naturelle envers les étudiants qu'il appelait méchamment les futurs membres inutiles de la société. Il se ressaisit tout de même pour remercier, conscient que l'urgence de la situation ne lui permettait pas de faire la fine bouche.

— Merci, monsieur Corriveau. Puis-je vous demander quel salaire vous allez me donner ?

— Pour commencer, quinze piastres par semaine.

Jean n'hésita qu'une fraction de seconde avant d'accepter.

— Je vais être là à sept heures lundi matin, promit-il avant de quitter les lieux.

La mine sombre, il prit place dans la foule de travailleurs qui, en cette fin d'après-midi, prenait d'assaut les tramways pour rentrer à la maison après leur journée de travail. Il avait trouvé un emploi, mais quel emploi ! Avoir étudié si longtemps et si fort pour en arriver à exercer un travail qu'un analphabète aurait été tout aussi capable de faire... Ce n'était pas la situation à laquelle il aspirait la semaine dernière encore. Debout dans le tramway et bousculé par les gens qui s'y entassaient, il se promit qu'il ne garderait ce travail de concierge que le temps de trouver mieux. Il avait d'abord besoin d'argent pour se marier. Après son mariage, il allait sérieusement se mettre à la recherche d'un emploi correspondant à ses goûts et à ses capacités intellectuelles.

Fort de cette résolution, son moral monta d'un cran et il rentra chez lui peu après cinq heures. Au pied de l'escalier, il croisa sa sœur Lorraine.

— As-tu trouvé quelque chose ? lui demanda-t-elle.

— Je vais retourner au CN. C'est la seule place que j'ai trouvée.

— Tant mieux. De mon côté, je me suis informée chez Messier pour savoir s'ils avaient besoin de quelqu'un, lui dit-elle. Ils engagent pas.

— T'es ben fine d'avoir demandé, la remercia-t-il en la faisant passer devant lui pour monter l'escalier.

Le frère et la sœur retirèrent leurs manteaux et leurs bottes avant d'aller embrasser leur mère en train de mettre la dernière main au souper. La table était déjà mise.

— Ton père est en train de lire son journal dans le salon et Claude est dans la chambre, dit Amélie à son fils.

— C'est correct. Je vais aller rejoindre p'pa.

— On soupe dans dix minutes, précisa la mère de famille. Attends une seconde, ajouta-t-elle, attendant de toute évidence que Lorraine ait quitté l'entrée pour aller dans sa chambre changer de robe, comme elle le faisait tous les soirs en rentrant de son travail.

— Oui, qu'est-ce qu'il y a, m'man ?

— Je suis allée voir monsieur le curé à matin, lui annonça-t-elle.

— Pas pour lui raconter mes affaires, j'espère ? fit Jean, mis de mauvaise humeur par la nouvelle.

— Il aimerait que tu passes le voir, dit Amélie sans se donner la peine de répondre à son fils.

— Il en est pas question, m'man. Là, j'ai ben assez de trouble avec ce qui m'arrive sans avoir à endurer les sermons du curé Pelletier.

— Il veut juste te parler.

— Ben, il va attendre parce que, là, j'ai des affaires pas mal plus importantes à faire, dit Jean sur un ton sec avant de tourner les talons pour aller rejoindre son père.

À l'entrée de son fils dans le salon, Félicien baissa le journal qu'il était en train de lire. Le facteur retira ses lunettes à monture d'acier et se passa une main sur le visage, comme pour effacer la fatigue de sa journée de travail.

— Puis, as-tu trouvé quelque chose ? demanda-t-il.

— Oui, je commence lundi prochain au CN.

— Qu'est-ce que tu vas faire ?

— La même chose que je faisais l'été, p'pa.

— T'as pas pu te trouver une meilleure *job* que ça ? Une *job* de bureau, par exemple ?

— J'ai essayé, mais ça a rien donné. J'ai pris cet ouvrage-là en attendant de trouver mieux.

— Tu te rappelles que tu dois aller voir le garçon de l'ancien locataire de Talbot à soir ?

— Oui, je soupe et j'y vais, répondit Jean sans grand enthousiasme.

— Veux-tu que j'y aille avec toi ? proposa Félicien du bout des lèvres.

Le père de famille faisait un effort en formulant cette proposition. C'était un peu le fruit de la brève discussion qu'il avait eue avec sa femme à son retour du travail, cet après-midi-là. Quand elle lui avait avoué être allée consulter le curé de la paroisse au sujet de Jean, Félicien s'était emporté.

— Qu'est-ce que t'avais affaire à aller raconter nos troubles au curé, toi ? lui avait-il demandé, en colère.

— Je voulais avoir un conseil, Félicien Bélanger. Tu sais ce que monsieur le curé m'a dit ?

— Non !

— Il m'a dit que notre devoir était de l'aider le plus possible.

— Il peut ben parler, lui, avait répliqué le facteur. C'est pas lui qui est poigné avec ça.

Cependant, cette remarque de sa femme lui fit oublier sa promesse de la veille de ne pas s'en mêler, de laisser son fils s'en tirer seul.

Jean réfléchit un court instant à la proposition de son père avant de répondre :

— Merci, p'pa, mais je vais me débrouiller tout seul.

— C'est correct, fit Félicien. Essaye de te souvenir que le gars va peut-être chercher à profiter d'un jeune pour demander trop cher pour les meubles de son père. Oublie pas qu'il est poigné avec ces meubles-là, si on se fie à ce qu'a dit le père de ta blonde hier soir. Ça fait qu'offre-lui pas trop cher et essaye de le faire baisser le plus possible.

— Je vais m'en souvenir, promit Jean au moment où sa mère appelait les siens à passer à table.

— Et puis, comme t'as pas d'argent pour le payer tout de suite, il va falloir que tu t'entendes avec lui pour qu'il accepte un petit montant chaque mois ou chaque semaine.

— C'est une bonne idée, p'pa. Je vais lui en parler si je lui achète quelque chose, dit Jean en se levant pour suivre son père dans la cuisine.

— Oublie pas que les appartements à louer sont encore pas mal rares, crut bon d'ajouter Félicien. Ça fait que montre-toi pas trop difficile s'il y a des choses qui font pas ton affaire dans celui que le père de ta blonde te loue. Je pense qu'il te le laisse à un bon prix.

Jean hocha la tête. Il se rappelait encore très bien avoir entendu ses tantes et son oncle Émile au jour de l'An parler des difficultés de se trouver un appartement convenable, même un an et demi après la fin de la guerre. La construction de maisons venait à peine de reprendre et les logements étaient introuvables, du moins à un prix raisonnable.

Après le repas en famille, Jean quitta la maison une heure plus tard. La température s'était étrangement adoucie et de gros flocons tombaient sur la ville. Cette neige lourde rendait tous les sons feutrés et donnait un aspect fantomatique aux rares passants en ce début de soirée de février. En arrivant devant le 1225, rue Mont-Royal, le jeune homme prit une grande inspiration pour tenter de calmer son appréhension avant de sonner chez Reine. Comme la veille, ce fut la jeune fille qui vint lui ouvrir. Debout sur le palier, à l'étage, elle l'invita à monter. Il secoua bruyamment ses pieds sur le paillasson au pied de l'escalier avant de monter la rejoindre.

— Entre, l'invita Reine en s'effaçant pour le laisser passer.

Elle referma la porte derrière elle.

— Ôte ton manteau et viens t'asseoir dans le salon, lui dit-elle aimablement. Le garçon de monsieur Tremblay vient juste d'arriver en haut. Mon père dit qu'on est mieux de lui laisser une couple de minutes avant d'aller le voir.

Jean entendait Fernand et Yvonne Talbot en train de discuter dans la cuisine, au fond de l'appartement. Il s'assit sur le divan et la jeune fille vint prendre place à ses côtés.

— Je suis allée voir le docteur cet après-midi, lui chuchota-t-elle. Tout est correct. Je dois retourner le voir seulement au mois de mai.

— Moi, je me suis trouvé de l'ouvrage au Canadien National, lui apprit-il.

— Qu'est-ce que tu vas faire ?

— La même chose que je faisais l'été passé. Mais c'est juste en attendant de trouver mieux.

Durant les quelques minutes qui suivirent, les deux jeunes gens rétablirent tant bien que mal les ponts coupés par leur séparation survenue plusieurs semaines auparavant. L'un et l'autre avaient conscience qu'ils devaient faire bloc contre la mauvaise humeur de leurs parents et la réprobation de leur entourage. Depuis quelques jours leur vie avait basculé, mais ils n'avaient pas encore eu de moments seuls ensemble pour prendre du recul et discuter de leur relation. Quoique très bref, cet échange leur fit le plus grand bien.

— Tu dois trouver ça pas mal drôle de pas travailler un vendredi soir ? lui demanda-t-il.

— C'est pas arrivé souvent. Mais c'est mon père que ça dérange le plus que je sois pas au magasin. À part ça, comme il tient absolument à venir nous présenter au garçon de monsieur Tremblay, il a été obligé de demander à une ancienne vendeuse qui a déjà travaillé pour lui de venir nous remplacer tous les deux à soir. Il va descendre vite la retrouver au magasin.

— Ta mère aurait pas pu y aller quelques minutes, le temps que ton père nous présente, non ?

— Penses-tu ! Il lui a même pas demandé. Il la connaît assez pour savoir qu'elle aurait refusé. Pour elle, ce serait une honte de servir derrière un comptoir.

Pendant un bref moment, Jean demeura muet devant tant de snobisme.

— Comment on va faire pour payer les meubles du bonhomme Tremblay, si on en achète ? s'inquiéta la jeune fille.

— Je vais lui offrir de le payer à tempérament, affirma Jean, sans mentionner que l'idée venait de son père.

— Et pour le ménage de l'appartement ?

— Aussitôt que ton père va me donner les clés, je vais commencer à nettoyer le soir, après le souper.

— Je vais te donner un coup de main, lui promit Reine.

— Merci, c'est gentil. À deux, c'est sûr que ça ira plus vite. On va s'en sortir, ajouta Jean, qui appréciait l'aide et l'écoute de Reine.

À cet instant précis, Fernand Talbot apparut à la porte du salon.

— Je vais monter avec vous autres pour vous présenter à Antoine Tremblay, dit-il. Après, je vais vous laisser vous entendre avec lui si vous voulez lui acheter des meubles de son père. Prenez aussi le temps de faire le tour de l'appartement. Dites-vous que vous êtes pas obligés de le louer s'il vous convient pas.

— On s'était entendus hier soir pour le prendre, monsieur Talbot. On reviendra pas là-dessus, dit Jean.

Au moment de quitter l'appartement, le jeune homme aperçut brièvement sa future belle-mère dans la cuisine. Cette dernière ne se donna pas la peine de se lever pour le saluer. Devant ce comportement hostile, il feignit de ne pas la voir mais n'en pensa pas moins. Tous les trois montèrent à l'étage et le propriétaire frappa à la porte.

Un homme âgé d'une quarantaine d'années vint leur ouvrir et les invita à entrer.

— Dites-moi pas que vous êtes encore tout seul à soir pour paqueter ? lui demanda Fernand avec sympathie.

— Ben oui, et je peux vous dire que j'ai hâte en maudit que ce soit fini, affirma l'homme en passant une main sur sa calvitie passablement avancée. Le père était pas mal ramasseux et j'en finis plus de remplir des boîtes de cossins. Je sais vraiment pas où je vais pouvoir sacrer ces boîtes-là et les vieux meubles chez nous. Ma femme arrête pas de râler en pensant à toute la place que ça va prendre. Bon, vous êtes pas là pour m'entendre me lamenter. Je suppose que vous aimeriez faire visiter l'appartement à de futurs locataires ? Je vous laisse visiter pendant que je continue à ramasser. Excusez-moi, mais j'ai pas encore eu le temps de faire un peu de ménage.

— Ce sont des jeunes locataires, précisa Fernand Talbot sur un ton bonhomme. En fait, c'est ma fille qui se marie dans deux mois et qui va venir rester ici dedans. Je vous présente Reine, ma fille, et Jean Bélanger, mon futur gendre.

— Antoine Tremblay, dit l'homme en saluant de la tête Reine et Jean.

— Bon, je les laisse jeter un coup d'œil à l'appartement et moi, je redescends, annonça le propriétaire.

Sur ces mots, Fernand salua de la main l'héritier de Wilfrid Tremblay et quitta l'endroit. Un peu intimidés, Reine et Jean ne surent d'abord quoi faire en présence de ce dernier.

— Gênez-vous pas pour moi, les prévint-il. Jetez un coup d'œil où vous voulez pendant que je travaille.

L'appartement de feu Wilfrid Tremblay était identique à celui des Talbot, à l'étage au-dessous. Par contre, il était extrêmement sale et encombré de multiples boîtes remplies d'objets ayant appartenu au vieil homme décédé.

— La seule différence avec notre appartement, en bas, murmura Reine à son futur mari, c'est que c'est pas mal plus propre chez nous et, nous autres, on a le téléphone.

— Vous avez le téléphone ? s'étonna Jean. J'avais jamais remarqué.

— Parce qu'il est dans la cuisine, lui expliqua Reine. Quand mon père en a fait installer un en bas, dans la biscuiterie, il s'est fait faire un prix pour un deuxième, dans l'appartement. C'est pratique. Surtout que ma mère téléphone presque chaque jour à ma sœur Estelle.

Un couloir un peu encombré par une fournaise à huile séparait l'appartement en deux. À l'avant, deux pièces semblaient avoir servi de salon et de chambre à coucher à Wilfrid Tremblay. Leurs fenêtres ouvraient sur la rue Mont-Royal. Le mobilier de la chambre à coucher était en noyer et composé d'un lit, d'une commode à quatre tiroirs et d'un miroir. Le mobilier de salon était constitué de deux vieux fauteuils et d'un divan aux coussins passablement fatigués. Le tout était recouvert d'une peluche verte élimée. Plus loin, dans le couloir, une seconde chambre, plus petite celle-là, était dépourvue de tout mobilier et faisait face à une minuscule salle de bain. Enfin, à l'arrière, la cuisine était voisine d'une dernière chambre et les fenêtres des deux pièces s'ouvraient sur la galerie arrière. La cuisine n'était meublée que d'une glacière, d'un vieux poêle l'Islet, d'une table en érable et de quatre chaises. Deux vieilles chaises berçantes complétaient l'ameublement de la pièce.

— J'ai jamais vu une maison aussi encrassée, chuchota Reine à l'oreille de celui qu'elle considérait dorénavant comme son fiancé.

— Moi non plus. Si ma mère voyait ça, elle aurait une syncope, ajouta-t-il en tentant d'ouvrir la porte donnant sur la galerie. Tu trouves pas que c'est pas mal grand juste pour nous deux?

— Pour nous trois, le corrigea Reine.

— Même pour nous trois, c'est un grand cinq et demie.

— C'est vrai que c'est grand, mais oublie pas que mon père nous le loue pas cher. C'est le prix qu'on paierait peut-être un trois et demie.

Même en poussant très fort, Jean ne parvint à entrouvrir que de quelques pouces la porte donnant sur la galerie. Près de deux pieds de neige s'y étaient entassés depuis la dernière fois qu'elle avait été déneigée.

— T'es aussi bien de la refermer, t'arriveras pas à l'ouvrir plus grand, lui conseilla Reine. C'est comme chez nous. La galerie donne sur un hangar. J'espère juste que le garçon de monsieur Tremblay a pensé à le vider.

— Probablement pas, rétorqua Jean. S'il l'avait fait, il aurait été obligé de pelleter la galerie pour se rendre là.

— Tu ferais mieux de lui rappeler de le faire, lui fit remarquer la jeune fille.

Les deux jeunes tournèrent en rond durant quelques instants dans la cuisine, ouvrant et fermant les portes d'armoire et inspectant le garde-manger.

— Bon, est-ce que tu vas lui parler des meubles ? demanda Reine.

— Oui, mais il faut que tu me dises d'abord ce que t'aimerais qu'on essaye de lui acheter.

La jeune fille réfléchit un bref moment avant de dire d'une voix hésitante :

— Qu'est-ce que tu dirais si on lui offrait d'acheter le *set* de cuisine, le poêle, la fournaise à l'huile et la glacière. Pour le reste, on pourra toujours se débrouiller. Je suis sûre que mon père va me laisser emporter mon *set* de chambre et on n'est pas obligés d'avoir un *set* de salon tout de suite. Ça peut attendre.

— On peut toujours lui demander combien il veut pour ses vieux meubles, proposa Jean. Ça coûte rien de s'informer, ajouta-t-il avec un aplomb qu'il était loin d'éprouver.

Les futurs époux allèrent rejoindre Antoine Tremblay en train de transporter une boîte de vieux vêtements qu'il venait de tirer de la garde-robe de la chambre située à l'avant de l'appartement. En les voyant s'approcher, l'homme déposa sa boîte.

— Vous avez déjà fini de faire le tour? leur demanda-t-il.

— Oui, monsieur Tremblay. Je pense que ça va nous faire un bon appartement, répondit Jean.

— Tant mieux s'il fait votre affaire, fit l'héritier.

— On se demandait, Reine et moi, si vous aimeriez pas vous débarrasser de quelques meubles de votre père, reprit Jean. On pourrait peut-être s'entendre et comme ça, vous seriez pas obligé de les déménager. Qu'est-ce que vous en dites?

L'homme ne fut pas dupe de l'air détaché de son vis-à-vis et une lueur d'intérêt s'alluma dans son regard.

— Ça dépend, laissa-t-il tomber sur un ton qui se voulait indifférent. On peut toujours discuter. Venez. On va aller parler de ça dans la cuisine où on va pouvoir s'asseoir.

Il entraîna les deux jeunes au fond de l'appartement et les invita à s'asseoir autour de la table.

— Bon, qu'est-ce qui vous intéresse dans les meubles laissés par mon père? Ils sont pas neufs, mais ils sont en bon état, prit-il la précaution d'ajouter.

Devant l'air hésitant de Jean, Reine prit sur elle de mener les négociations. Si Antoine Tremblay s'imaginait pouvoir flouer le jeune couple et profiter de sa naïveté, il se rendit rapidement compte que la jeune fille n'était pas prête à s'en laisser conter. Elle œuvrait dans le commerce de détail depuis plusieurs années déjà, et ça se voyait. Durant plus d'une demi-heure, elle discuta pied à pied avec le quadragénaire, l'obligeant à en rabattre sur ses prétentions pour chacun des meubles. Finalement, extrêmement agacé, l'homme prétendit ne plus vouloir vendre.

— Vous comprenez, ces meubles-là, c'est tout ce que mon vieux père me laisse, affirma le fils du disparu. Ça a tout l'air qu'il avait pas une maudite cenne à part les cinq piastres qui étaient dans ses poches quand ils l'ont transporté à l'hôpital. Je comprends pas, par exemple, où il a ben pu cacher son argent, s'il en avait. Il m'a toujours laissé entendre qu'il me laisserait un petit montant. Là, je vais en être de ma poche pour payer le docteur, l'hôpital et ses funérailles.

— Je vous comprends, monsieur Tremblay, mais on peut pas donner plus, dit Reine en feignant d'avoir pitié de lui. C'est comme vous voudrez, laissa-t-elle tomber. Mon fiancé et moi, on va certainement trouver un meilleur prix pour des meubles usagés dans les petites annonces dans les journaux. C'est plein de gens qui veulent se débarrasser de leurs vieux meubles.

— Oui, mais là, vous voulez presque que je vous donne les meubles de mon père. Ça a pas d'allure ! s'emporta Antoine Tremblay.

— Soixante piastres pour des meubles usagés, j'appelle pas ça donné, moi, monsieur Tremblay, rétorqua Reine, furieuse.

— Oui, mais pour ça, vous avez un *set* de cuisine, un *set* de salon, un *set* de chambre, une glacière, un poêle et une fournaise.

Jean ouvrit la bouche pour intervenir, mais Reine lui lança un tel regard glacial, qu'il choisit de se taire.

— Tout est vieux comme la lune, reprit-elle sur un ton modéré. En plus, vous devez calculer que vous sauvez un camion de déménagement en nous vendant les vieilles affaires de votre père. Vous allez avoir juste les boîtes à transporter. Ça compte, ça aussi.

— Vous oubliez qu'il me reste un *set* de chambre à sortir d'ici dedans. Soixante piastres ! Pas une maudite cenne de moins ! s'entêta l'héritier de Wilfrid Tremblay. J'ai déjà descendu de vingt piastres, c'est assez. Je suis pas fou au point de donner mon stock, torrieu !

— Bon. On va pas y passer la soirée, dit la jeune fille sur un ton impatient. D'accord pour soixante piastres, mais à condition que vous nous laissiez l'autre *set* de chambre. Comme ça, on vous en débarrasse...

— V'là autre chose !

— Là, c'est à prendre ou à laisser, reprit Reine en se levant.

Antoine Tremblay lui jeta un regard mauvais, mais finit par céder.

— Et vous allez me payer comptant, j'espère.

— Soyez raisonnable, monsieur Tremblay. Mon fiancé vient juste de se trouver de l'ouvrage et on se marie dans deux mois. En se serrant la ceinture, on va être capables de vous donner cinq piastres par semaine.

— Vous pourriez emprunter cet argent-là à votre père. C'est le propriétaire, il doit pas être dans la misère.

— Ça regarde pas mon père, fit Reine d'une voix coupante.

Vaincu, Antoine Tremblay accepta la proposition sans gaieté de cœur.

— Je pense que vous êtes mieux de partir avant que je change d'idée, dit-il, mécontent de l'arrangement.

—Vous avez pas à vous inquiéter, je vais aller vous payer tous les vendredis soir, au plus tard le samedi matin. Vous pouvez compter dessus, promit enfin Jean qui n'avait pas ouvert la bouche durant toutes les négociations.

— Mon fiancé va venir vous donner les premiers cinq piastres demain soir, assura Reine à l'homme avant d'ouvrir la porte d'entrée.

— C'est correct.

— Mon père nous a dit que vous pensiez vider l'appartement demain ou au commencement de la semaine prochaine ? demanda-t-elle.

— Demain soir, je devrais normalement en avoir fini, confirma Antoine Tremblay, sans entrain.

— Vous oublierez pas ce qu'il y a dans le hangar en arrière, lui rappela la jeune fille. D'après mon père, il est pas mal plein.

À la grimace esquissée par l'homme, il était bien évident qu'il avait compté faire semblant d'oublier de vider l'endroit. Au moment où Jean passait devant lui pour suivre Reine dans l'escalier, Antoine Tremblay ne put s'empêcher de lui dire :

— Fais ben attention, mon gars. J'ai comme l'impression que tu seras pas celui qui va porter les culottes dans ton ménage.

Jean ne dit rien et se contenta de suivre Reine qui était déjà parvenue au palier sur lequel ouvrait l'appartement de ses parents.

— Entre, l'invita Reine avec une sourire charmeur. Je vais te verser un verre de liqueur.

Même s'il aurait préféré retourner immédiatement à la maison, le jeune homme la suivit dans le salon où Fernand Talbot était occupé à écouter *Nazaire et Barnabé*. Jean avait reconnu la grosse voix d'Ovila Légaré en pénétrant dans la pièce.

— Faites pas trop de bruit, ta mère dort déjà, dit-il au jeune couple.

— Il est juste neuf heures, protesta sa fille.

— Elle avait encore mal à la tête. Puis, vous êtes-vous arrangés avec le garçon de Tremblay ? demanda-t-il, curieux.

— Oui, p'pa. Jean lui a acheté tous ses meubles pour pas cher.

— Pas cher ? Ça veut dire combien ? fit le petit homme bedonnant en secouant son cigare au-dessus du cendrier.

— Ça a pris du temps, mais Jean a fini par tout lui arracher, même le poêle et la fournaise, pour soixante piastres, dit-elle en regardant le jeune homme avec fierté.

— Tabarouette ! Sais-tu, jeune homme, que j'aimerais pas avoir à marchander avec toi ! s'exclama Fernand en feignant l'admiration. C'est toute une affaire que t'as faite là. Je veux ben croire qu'il cherchait à se débarrasser de ses meubles, mais là, c'est presque donné.

Jean prit un air embarrassé devant de telles louanges imméritées.

— Je m'en allais nous chercher un verre de Kik, p'pa. Est-ce que vous en voulez un ? proposa Reine.

— Non, laisse faire. Je vais aller me faire une tasse de thé.

Le père et la fille sortirent ensemble de la pièce, et seule Reine revint, porteuse de deux verres de boisson gazeuse.

— Veux-tu ben me dire pourquoi t'as raconté à ton père que c'est moi qui étais arrivé à arracher les meubles de son père à Tremblay pour soixante piastres quand c'est toi qui as tout fait ? lui demanda Jean.

— Parce que c'est à l'homme de faire ce genre d'affaire-là, répondit-elle avec aplomb. Je suis sûre que t'aurais marchandé comme moi si t'avais été moins poli, ajouta-t-elle pour lui redonner confiance.

— C'est vrai que j'allais le faire, avança-t-il d'une voix peu convaincante.

— Cinq piastres par semaine, penses-tu que tu vas y arriver ? lui demanda-t-elle en se nichant contre lui.

Bien malgré lui, Jean fut ému par ce contact. Tout à coup, elle se faisait toute petite et faible contre lui. Elle lui tendit ses lèvres et, impulsivement, il l'embrassa. Il sentit alors une agréable chaleur l'envahir.

— Ce sera pas un problème, fit-il d'une voix plus assurée.

— Quand est-ce que tu penses être capable de commencer à nettoyer en haut ?

— La semaine prochaine, si ton père est toujours prêt à payer la peinture.

— Inquiète-toi pas, le rassura-t-elle. Je vais m'arranger pour qu'il me donne l'argent dès demain. Comme ça, tu l'auras quand tu seras prêt à aller acheter la peinture.

Durant l'heure suivante, Jean fut à même de se rendre compte que Reine s'était déjà fait une bonne idée de la décoration future de leur intérieur. Il la laissa parler tout son soûl de rideaux et de cadeaux de noces. À aucun moment il ne s'étonna de voir que le père de son amie avait apparemment décidé de leur laisser le libre usage du salon en demeurant dans la cuisine. Au moment de quitter l'appartement des Talbot, le jeune homme ne put s'empêcher de faire remarquer à Reine :

— Ta mère a l'air de m'en vouloir à mort. Elle me regarde même pas.

— T'en fais pas, fit-elle. Elle est pas mal à l'envers avec notre mariage, mais elle va retomber sur ses pieds. Elle aura pas le choix... Pendant que j'y pense, ajouta-t-elle en lui tendant son manteau, si tu travailles pas demain, on pourrait peut-être aller acheter la peinture ensemble ?

— Quand ?

— Demain après-midi, qu'est-ce que t'en penses ?

— Tu travailles pas demain ? s'étonna-t-il.

— Oui, mais là, c'est spécial. Je vais demander à mon père de me libérer pour y aller avec toi. Il est capable de se débrouiller tout seul à la biscuiterie pendant une heure ou deux.

— C'est correct. Je vais passer te prendre après le dîner, lui promit-il.

À son retour à la maison quelques minutes plus tard, Jean découvrit ses parents encore au salon. C'était exceptionnel qu'ils ne soient pas au lit après dix heures, même si Félicien n'avait pas à se lever à cinq heures pour aller travailler le samedi matin parce qu'il était en congé.

— Vous êtes pas encore couchés ? leur demanda-t-il en demeurant debout dans l'entrée du salon.

— Non, on t'attendait, lui répondit sa mère. On voulait savoir comment tu t'étais débrouillé pour acheter tes meubles.

— Tout est arrangé. Je lui ai acheté tous ses meubles. On va avoir tout ce qu'il nous faut.

— Est-ce qu'il te les a vendus cher ? lui demanda son père.

— Soixante piastres. Mais pour ce prix-là, on a la glacière, le poêle, la fournaise et les meubles pour deux chambres, la cuisine et le salon.

— Cybole ! s'exclama son père. À ce prix-là, c'est presque du vol.

Jean se rengorgea. Il ne sentit pas le besoin de préciser à ses parents que les négociations avaient été menées de main de maître par Reine.

— Et l'appartement, lui ? fit sa mère.

— Il est pas mal sale. Il va avoir besoin de tout un ménage. Je me suis entendu avec Reine pour aller acheter la peinture avec elle demain après-midi. Elle va demander l'argent à son père. Comme ça, la semaine prochaine, je vais pouvoir commencer à nettoyer le soir. Antoine Tremblay nous a dit qu'il allait finir de tout vider demain ou au commencement de la semaine prochaine, au plus tard.

— Bon. Ça, ce sont de bonnes nouvelles, fit sa mère en se levant du fauteuil, apparemment soulagée. À cette heure, on va aller se coucher pas mal moins inquiets.

— Ouais, confirma Félicien en l'imitant. Oublie pas d'acheter de l'eau de Javel, de la térébenthine, des pinceaux et des tubes de teinture avec ta peinture, demain, ajouta-t-il. Pour l'escabeau, tu pourras toujours prendre celui qu'on a dans le hangar.

— Ah ! Pendant que j'y pense, tu vas inviter Reine à venir souper avec nous autres dimanche, fit Amélie.

— En quel honneur, m'man ?

— C'est normal, répliqua sa mère. Elle va faire partie de la famille dans pas longtemps. Il est temps qu'on la connaisse un peu. En plus, ce sera comme un petit souper de fiançailles.

— Parlant de fiançailles, intervint Félicien, as-tu pensé à lui acheter une bague ?

— Non, p'pa, reconnut son fils. Tout est allé tellement vite. En plus, j'ai pas grand argent pour acheter une affaire comme ça.

— Il va pourtant falloir que tu y penses, conclut son père.

On se souhaita une bonne nuit et Jean se dirigea vers la cuisine où il s'arrêta pour boire un grand verre d'eau. Il entendit des pas dans son dos et, en se retournant, vit Lorraine entrer dans la pièce.

— Est-ce que ça s'est bien passé à soir ? lui murmura-t-elle.

— Pas trop mal, reconnut Jean sur le même ton.

— J'ai vu que p'pa et m'man t'avaient attendu pour savoir.

— Oui, en plus, p'pa vient de me parler de bague de fiançailles. J'avais pas pensé à ça et j'ai pas une maudite cenne à mettre là-dessus avec tout ce que j'ai à payer pour l'appartement. Je suis déjà endetté jusqu'au cou.

— Écoute, fit sa sœur. J'ai cinquante piastres de ramassées. Je peux te les passer si ça peut te rendre service. Tu pourrais peut-être trouver quelque chose qui a du bon sens dans un magasin juif de la rue Saint-Laurent, en bas de la rue Sainte-Catherine. J'ai entendu dire qu'on pouvait acheter n'importe quoi pas cher dans ces places-là. On sait jamais.

— T'es ben fine, mais je sais pas quand je pourrai te rembourser.

— Ça presse pas pantoute, lui fit remarquer sa sœur. J'en ai pas besoin tout de suite. Cet argent-là, c'était pour mon trousseau. À cette heure que j'ai plus de chum, le trousseau peut attendre. Attends une minute, je reviens.

Lorraine disparut un court moment dans sa chambre et revint en lui tendant toutes ses économies, soit cinquante dollars. Jean, gêné par tant de générosité, la remercia en lui promettant de lui remettre son argent dès qu'il le pourrait. Il pénétra ensuite dans sa chambre à coucher sans allumer le plafonnier pour ne pas réveiller Claude qui devait dormir depuis au moins une heure. Il s'assit sur son lit pour enlever ses souliers quand il entendit la voix de l'adolescent dans le noir.

— Es-tu content d'avoir tous tes meubles ? lui demanda-t-il.

— D'après ce que je peux voir, t'as encore écornillé aux portes, lui fit remarquer l'aîné.

— Comment tu veux que je sache ce qui se passe ici dedans si je fais pas ça, répliqua Claude. Tout le monde arrête pas de faire des messes basses comme s'il y avait un mort dans la maison, sacrifice !

— OK, je suis content de les avoir achetés.

— La semaine prochaine, je vais aller te donner un coup de main à faire ton ménage, offrit l'adolescent, plein de bonne volonté.

— Tu seras pas de trop parce que c'est crotté en maudit, fit Jean en se glissant dans son lit.

Le lendemain après-midi, Jean alla chercher Reine à la biscuiterie.

— On va aller chez Mayer, au coin de Garnier et Gilford, annonça Reine en passant son bras sous celui de son futur mari. Mon père dit qu'il a tout ce qu'il faut.

— Je connais la place, affirma Jean. Est-ce que ton père t'a donné de l'argent pour payer ?

— Oui, mais en grinçant des dents, plaisanta la jeune fille. J'ai demandé un peu plus d'argent pour acheter tout ce qu'il faut pour laver les plafonds et les murs. Ma mère a dit qu'on pouvait pas peinturer par-dessus la crasse.

— Tiens, ta mère te parle, à toi ? plaisanta-t-il.

— Inquiète-toi pas, le rassura son amie, elle est en train de se calmer.

Ils montèrent la rue Brébeuf en faisant attention de ne pas glisser tant le trottoir était mal déneigé. À certains endroits, il y avait des plaques de glace dissimulées sous une mince couche de neige. Avant de pousser la porte de la petite quincaillerie située au coin des rues Gilford et Garnier, Reine tendit à son compagnon l'argent que son père lui avait remis quelques minutes auparavant. En ce début d'après-midi, ils étaient les seuls clients dans le magasin.

— Qu'est-ce que tu dirais de tapisser le salon ? demanda Reine après avoir choisi divers tubes de couleur.

— J'ai déjà peinturé, affirma Jean, mais j'ai jamais tapissé.

— C'est pas mal facile, d'après ma sœur Estelle. Elle a tapissé elle-même son salon et je te dis que ça fait chic.

— Si tu penses que ton père dira rien, concéda Jean, guère enthousiaste.

— Il s'en apercevra même pas.

Les deux jeunes choisirent du papier peint beige représentant de grosses fleurs rouges. Le quincaillier en avait huit rouleaux, ce qui, à son avis, était largement suffisant pour couvrir les murs de leur salon.

Ce dernier se fit un plaisir de leur vendre tout ce dont ils avaient besoin pour faire le ménage de leur futur appartement. Il ajouta à la commande deux casquettes blanches offertes par la compagnie C.I.L. et quelques bâtons pour brasser la peinture.

— Il y a trois boîtes à rapporter, constata Jean en considérant les boîtes de carton déposées sur le comptoir par le marchand. Je viendrai chercher ça avec mon frère à la fin de l'après-midi, précisa-t-il après avoir payé la facture que venait de lui présenter Eugène Mayer.

— Non, on est mieux de faire livrer ça chez mon père, fit Reine. Ma mère est à la maison. Elle va laisser ça dans le couloir et t'auras juste à tout monter dans l'appartement lundi soir, quand tu commenceras le ménage, si Tremblay est parti.

Il restait une dizaine de dollars de la somme avancée par Fernand Talbot pour couvrir les achats.

— Tiens, tu pourras remettre ça à ton père et lui donner la facture en même temps, fit Jean en lui tendant l'argent et la facture au moment où ils quittaient la quincaillerie.

— Non, je vais garder l'argent. Mon père a pas besoin pantoute de voir la facture. Si on a oublié quelque chose pour le ménage, il nous en restera un peu pour le payer.

Jean ne protesta pas. Ils marchèrent durant quelques instants avant que le jeune homme se souvienne brusquement de l'invitation qu'il devait faire à sa promise au nom de ses parents.

— Mes parents t'invitent à souper demain soir, lui dit-il.

— En quel honneur? ne put s'empêcher de demander Reine.

— Ma mère dit qu'il est temps que tu connaisses un peu mieux la famille. En plus, elle dit que ce sera comme une sorte de repas de fiançailles…

— Mais on n'a jamais parlé de fiançailles, se récria-t-elle.

— D'après ma mère, c'est normal de se fiancer avant de se marier.

— Ça me gêne pas mal, avoua la jeune fille en se serrant un peu plus contre lui.

— T'as pas à être plus gênée que moi quand je mets les pieds chez vous. T'es au moins sûre que ma mère te fera pas la baboune comme la tienne me la fait…

— C'est correct. Je vais aller souper chez vous demain soir, accepta Reine. Mais s'il doit y avoir absolument des fiançailles, c'est ma mère qui va les préparer, comme ça doit se faire. Elle l'a fait pour ma sœur Estelle, je vois pas pourquoi elle le ferait pas pour moi.

— Si elle le veut pas, insiste pas, lui conseilla Jean, mal à l'aise. On s'en passera.

— Je vois pas pourquoi on devrait s'en passer. On se marie, on y a droit, dit-elle avec assurance.

— Parlant de fiançailles, il serait normal que je t'offre une bague, même si j'ai presque pas d'argent.

— C'est vrai, j'avais pas pensé à ça pantoute, reconnut Reine en levant la tête vers lui.

— J'ai un petit montant dans mes poches. On m'a dit que je pourrais peut-être trouver quelque chose de pas trop cher sur Saint-Laurent, dans le bas de la ville. Penses-tu que ton père va chialer si t'arrives plus tard à la biscuiterie?

— Il chialera si ça lui tente, déclara Reine en haussant les épaules.

— Dans ce cas-là, on va prendre le tramway sur Mont-Royal et on va aller voir si on peut te trouver une bague de fiançailles à un prix raisonnable.

Le jeune homme se garda bien de dire qu'il allait payer le bijou avec les économies de sa sœur. Ils montèrent dans un tramway qui les déposa rue Saint-Laurent et décidèrent d'en prendre un autre qu'ils quittèrent au coin de la rue Sainte-Catherine. Ils entreprirent ensuite de descendre cette artère lentement vers la rue Dorchester en scrutant les vitrines sales des magasins situés du côté ouest de la rue. Ils entrèrent dans une ou deux boutiques où les marchands proposaient les objets les plus hétéroclites, mais ils ne trouvèrent pas ce qu'ils cherchaient. Il faisait froid et humide et la marche ne parvint pas à les empêcher d'être rapidement transis.

Un peu découragé, Jean finit par dire à sa compagne :

— On traverse de l'autre côté de la rue et on regarde. Si on trouve rien, on oubliera ça.

Reine l'approuva. Cependant, quelques minutes plus tard, ils pénétrèrent chez une sorte de prêteur sur gages qui avait étalé dans sa vitrine des montres, des bagues et des alliances. Le commerçant, vêtu d'une lévite noire luisante d'usure, arborait une barbe de patriarche et avait des manières doucereuses. Il demeura assis derrière l'un des trois comptoirs de son magasin, laissant les jeunes gens scruter tout à loisir les bijoux qu'il proposait dans son étroite boutique à la propreté douteuse.

— Combien as-tu d'argent ? demanda Reine à voix basse.

— J'ai juste cinquante piastres, avoua Jean, un peu gêné d'avoir si peu.

— Tu sais que tu dois essayer de faire baisser les prix dans une place comme ici ?

— Ben oui, Reine, je suis pas niaiseux, rétorqua Jean, agacé.

Tous les deux s'approchèrent du comptoir derrière lequel l'homme venait de se lever en vérifiant du bout des doigts la position de la calotte noire posée sur sa tête. Jean demanda à voir des bagues pour sa fiancée.

— J'en ai de tous les prix, affirma l'homme. Combien voulez-vous mettre ?

Quand le jeune homme lui dit le montant, le Juif eut une grimace.

— Pour ce prix-là, je peux pas vous donner grand-chose.

— Si c'est comme ça, on va laisser faire, dit Jean en faisant signe à Reine de se diriger vers la porte.

— Non, non, attendez, dit précipitamment le commerçant. Il y a peut-être moyen de trouver quelque chose qui va plaire à votre petite dame.

Ce disant, il ouvrit la vitrine derrière laquelle il se tenait et se mit à farfouiller à l'intérieur avant de sortir quelques écrins.

— Êtes-vous sûr que vous pouvez pas mettre un peu plus ? s'informa le vendeur. Pour soixante-cinq piastres, je pourrais vous vendre cette belle bague avec un petit zircon qui a l'air d'un vrai diamant.

— Non, je peux pas.

— Essayez-la, mademoiselle, fit le marchand en tirant une bague en or jaune et en la tendant à Reine qui la glissa à son annulaire.

La jeune fille leva la main pour admirer le bijou. Il était évident que ce dernier lui plaisait. Évidemment, l'homme le remarqua et insista pour que Jean l'achète.

— Je vous répète que je peux pas l'acheter, finit-il par affirmer sur un ton impatient. J'ai pas une cenne de plus que cinquante piastres.

Reine retira la bague et la remit dans l'écrin avec regret.

— Viens, on va aller voir ailleurs. On va certainement finir par trouver quelque chose dans nos prix, lui dit Jean.

— Attendez ! Attendez ! les supplia le commerçant juif. Vous êtes jeunes et vous vous mariez. Je vais vous faire un cadeau de mariage. Je vous laisse la bague à soixante piastres. Là, j'y perds, mais ça me fait plaisir de faire un cadeau à une si belle femme.

— Merci, mais je peux pas payer aussi cher. J'ai pas l'argent, fit Jean en s'éloignant du comptoir en entraînant Reine avec lui.

Au moment où il allait ouvrir la porte et laisser passer sa compagne devant lui, le commerçant s'écria d'une voix geignarde :

— Bon d'accord, je vous la laisse pour cinquante-cinq piastres.

— Non, c'est encore trop cher, je ne peux pas. Une autre fois, peut-être.

L'homme sortit de derrière son comptoir et s'avança vers ce client qui s'apprêtait à quitter les lieux sans avoir rien acheté.

— Cinquante piastres ! Mais vous voulez me ruiner, me mettre à la rue. J'ai des enfants à nourrir et un loyer à payer, moi aussi !

Jean leva les épaules et ouvrit la porte.

— C'est correct pour cinquante piastres, concéda-t-il, des larmes dans la voix comme si on lui arrachait le cœur.

Toute joyeuse, Reine revint vers le comptoir pour admirer la bague. Jean, moins enthousiaste, sortit l'argent de sa poche de pantalon et le compta soigneusement avant de le tendre au marchand. Ce dernier lui tendit l'écrin de velours rouge dans lequel reposait la bague de fiançailles qu'il venait de payer.

Les deux jeunes gens revinrent dans leur quartier au moment où le soleil commençait à baisser. Reine quitta son ami devant la biscuiterie après qu'il lui eut précisé à quelle heure il entendait venir la chercher le lendemain après-midi.

— Je vais parler à mes parents à soir pour nos fiançailles. À cette heure que tu vas me donner une bague, je vois pas pourquoi on n'aurait pas un vrai repas de fiançailles, déclara-t-elle, sérieuse.

À son retour à la maison, Jean s'empressa de montrer à ses parents la bague de fiançailles qu'il allait offrir à Reine.

— Où est-ce que t'as trouvé l'argent pour payer ça ? lui demanda son père, apparemment inquiet.

— J'ai pris le reste de l'argent que j'ai gagné l'été passé, mentit-il. En plus, elle m'a pas coûté cher. Je l'ai achetée chez un Juif de la rue Saint-Laurent.

Amélie lança un regard d'avertissement à son mari avant de reprendre :

— As-tu dit à Reine qu'elle était invitée à souper demain soir ?

— Oui, et elle vous remercie. Elle va venir.

De son côté, dès que Reine mit les pieds dans la biscuiterie, elle eut tôt fait de se rendre compte du mécontentement de son père.

— Veux-tu ben me dire d'où tu sors, toi ? s'écria-t-il.

— Je suis allée acheter tout ce qu'il faut pour le ménage de l'appartement.

— Prends-moi pas pour une valise, Reine Talbot. Ça prend pas quatre heures pour aller acheter une couple de gallons de peinture.

— En plus, Jean a tenu à m'emmener acheter une bague de fiançailles.

— Quoi ? Une bague de fiançailles ? Une vraie bague ?

— Oui.

— Calvaire ! Avoir su qu'il était si riche que ça, je lui aurais laissé payer la peinture.

— Il est pas riche, p'pa, affirma Reine en endossant son sarrau qu'elle entreprit de boutonner.

— Pour un simple étudiant, moi, je trouve qu'il a pas mal d'argent. Où est-ce qu'il l'a pris, cet argent-là ?

— Il me l'a pas dit, mais vous pouvez être sûr qu'il l'a pas volé, répondit sèchement la jeune fille.

À cinq heures, Fernand verrouilla la porte de la biscuiterie. Comme tous les soirs, Reine fit le tour des boîtes de biscuits pour vérifier par leur lucarne plastifiée si elles étaient assez pleines. Ensuite, elle s'empressa de remplir les pots de bonbons avant de se mettre à passer une serpillière sur le parquet sali par les clients durant la journée. Pendant ce temps, son père compta l'argent contenu dans la caisse et prépara les commandes à passer le lundi suivant.

Une demi-heure plus tard, le père et la fille quittèrent le commerce et montèrent à l'étage pour un repos bien mérité. Fernand semblait avoir déjà oublié son accès de mauvaise humeur causé par l'absence de sa vendeuse. En mettant les pieds chez lui, il s'empressa d'annoncer à sa femme que sa fille venait de se faire offrir une bague.

— Il t'a acheté une bague de fiançailles ! s'exclama Yvonne en cessant soudain de remplir le bol de soupe qu'elle tenait à la main.

— P'pa m'a pas acheté de bague, fit Reine en feignant de se méprendre.

— Je le sais bien que c'est pas ton père qui te l'a achetée, répliqua sa mère avec humeur.

— Avez-vous peur de dire son nom, m'man ? reprit la jeune fille sur un ton frondeur. Il s'appelle Jean, Jean Bélanger et il va être votre gendre.

— Si c'était juste de moi...

— Sa mère m'a invitée à souper demain soir. Elle a dit que c'était une sorte de repas de fiançailles, tint à préciser la jeune fille. Elle doit penser que vous êtes trop pauvres pour en organiser un, ajouta-t-elle avec une certaine arrogance et surtout beaucoup de méchanceté, une manière évidente de rendre à son père la monnaie de sa pièce à la suite de son commentaire désobligeant après son arrivée tardive à la biscuiterie.

— Comment ça, un repas de fiançailles ? demanda son père.

— C'est normal, p'pa, des fiançailles avant le mariage, non ?

— Avant un mariage normal peut-être ! ne put s'empêcher de préciser sa mère avec hauteur.

— Ce qui serait normal, m'man, c'est que vous me fassiez un souper de fiançailles, comme vous en avez fait un pour Estelle. Je suis pas plus folle qu'elle, après tout.

— J'aurai tout entendu ! s'exclama Yvonne, les mains sur les hanches.

— Je vais avoir l'air fine chez les Bélanger demain quand je vais être obligée de leur dire que vous voulez rien faire pour nos fiançailles.

— Mange avant que ce soit froid, lui ordonna sa mère, le visage fermé. Je vais en parler avec ton père après le souper.

Reine sut alors que c'était gagné. Par orgueil, son père n'allait jamais accepter d'être taxé de pauvre ou d'avare par les Bélanger.

De fait, ce soir-là, Fernand Talbot eut une brève discussion avec sa femme quand elle vint le rejoindre dans le salon.

L'entretien ne dura que quelques minutes. S'il était évident que la situation ne les enchantait guère et que le mariage de Reine n'avait rien à voir avec celui d'Estelle, il fallait tout de même assurément préserver l'image de la famille Talbot.

Un peu plus tard, le petit homme grassouillet alla dans la cuisine pour se préparer une tasse de thé. À la vue de sa fille sortie de sa chambre pour prendre une collation, il se contenta de lui dire :

— Dimanche prochain, on va te faire un repas de fiançailles. T'inviteras Jean et ses parents à venir souper.

Sans rien ajouter, il se retira dans le salon.

Chapitre 12

Une fin de semaine occupée

Le dimanche matin, Jean se leva quelques minutes après son père. Ce dernier, habitué à ouvrir l'œil tous les jours de la semaine dès l'aurore, ne parvenait pas à faire la grasse matinée bien longtemps durant la fin de semaine.

— Il est juste six heures moins quart, fit remarquer Félicien à son fils. T'aurais ben pu dormir un peu plus longtemps.

— J'ai mal dormi, p'pa, se contenta de dire Jean.

Évidemment, il ne révéla pas à son père qu'il avait rêvé de Blanche Comtois toute la nuit et qu'à plus d'une reprise il s'était réveillé en sursaut en constatant que la jeune mariée qu'il accueillait au pied de l'autel se transformait en Reine alors qu'il attendait Blanche.

Jean avait envie d'une tasse de café, mais il n'était pas question de briser le jeûne obligatoire du dimanche matin chez les Bélanger. Il fallait pouvoir aller communier. Son père leva le nez du journal de la veille, qu'il n'avait apparemment pas eu le temps de lire au complet, pour lui dire:

— Aujourd'hui, il va falloir que tu trouves un peu de temps pour aller annoncer à ta grand-mère et à tes tantes que tu te maries.

— Aujourd'hui ? fit Jean. Est-ce que c'est vraiment nécessaire ? ajouta-t-il, peu désireux d'affronter les trois femmes.

— Ça te sert à rien de retarder ça, dit Félicien, l'air préoccupé. À partir de demain, tu vas travailler et, le soir, tu auras le ménage de ton appartement à faire. T'es mieux de te débarrasser de ça le plus vite possible. Tu connais ta grand-mère, plus tu vas attendre, pire ça va être.

— Je le sais ben, p'pa, mais grand-mère et vos sœurs vont me poser toutes sortes de questions.

— Je pense que t'es assez vieux pour te débrouiller avec elles. Arrange-toi seulement pour pas dire que ta blonde est en famille. Elles sont pas folles. Elles vont s'en douter juste à voir à quelle vitesse vous vous mariez, mais dis-leur pas. Contente-toi de raconter que t'es en amour par-dessus la tête et que tu veux plus attendre.

— Grand-mère croira jamais ça, fit Jean, inquiet à juste titre de la réaction de la mère de son père.

— Il y a pas autre chose à faire. Débarrasse-toi aujourd'hui de cette affaire-là.

— J'avais ben besoin de ça aujourd'hui, fit Jean, mis de mauvaise humeur par cette corvée imprévue.

Il se retira dans sa chambre dans l'intention de se préparer lentement pour la messe. En entrant dans la pièce, il ferma un peu trop bruyamment la porte, ce qui eut pour effet de réveiller Claude. Ce dernier ouvrit péniblement les yeux et regarda vers la fenêtre.

— Bâtard ! Veux-tu ben me dire ce que tu fais debout en pleine nuit ? se plaignit-il. Il fait encore noir dehors et on est dimanche.

— Je m'endormais plus, mentit son frère aîné.

— Tu pourrais au moins laisser dormir les autres, ronchonna l'adolescent en s'assoyant dans son lit. Qu'est-ce que tu vas faire aussi de bonne heure ?

— Rien. P'pa veut que j'aille voir grand-mère aujourd'hui pour lui annoncer que je me marie et ça me tente pas pantoute. Ça tombe mal. J'ai pas le temps d'aller courir sur la rue Saint-Urbain. Je dois aller chercher Reine pour l'amener souper cet après-midi.

— T'as juste à y aller après la messe, lui suggéra son frère. Si tu niaises pas, tu pourrais revenir pour dîner.

— Grand-mère va me faire une belle façon encore quand je vais lui dire ça.

— C'est sûr qu'elle sera pas de bonne humeur de voir que t'arrêtes ton cours classique, répliqua son jeune frère, mais qu'est-ce que ça peut ben te faire ? Après tout, elle te mangera pas !

Ces paroles de son cadet eurent pour effet de rassurer quelque peu Jean.

Plus tard, il entendit sa mère se lever et il retourna dans la cuisine au moment où son père informait la mère de famille que leur fils allait rendre visite à sa grand-mère cet avant-midi-là. Un simple coup d'œil à Jean suffit à Amélie pour comprendre à quel point cette visite lui pesait.

— Ton père a raison, dit-elle. T'es aussi bien de te débarrasser de ça aujourd'hui. On va aller à la basse-messe. Comme ça, ça va te donner du temps pour aller les voir avant le dîner.

Le jeune homme accompagna les siens à la basse-messe, mais il passa tout le temps du service religieux à imaginer les réponses qu'il allait faire à sa grand-mère et à ses tantes parce qu'il se doutait bien qu'elles allaient se montrer particulièrement curieuses. De retour à la maison, il prit une rapide collation et quitta les lieux peu après dix heures.

Autant pour économiser que pour se donner le temps de réfléchir, il décida de marcher jusqu'à la rue Saint-Urbain. Parvenu à destination, il descendit jusqu'à la rue

Prince-Arthur. Il s'arrêta un court instant devant la maison en pierre grise au rez-de-chaussée de laquelle ses tantes et sa grand-mère habitaient. Il prit une profonde respiration avant de se résoudre à sonner à la porte.

Il entendit la sonnerie se répercuter à l'intérieur de l'appartement. Il y eut un bruit de pas et tante Rita écarta légèrement le rideau masquant la fenêtre de la porte.

— Eh bien, c'est de la visite rare, ça ! s'exclama l'infirmière en invitant son neveu à entrer. Ôte ton manteau et tes bottes et viens t'asseoir avec nous autres dans la cuisine. On peut dire que tu tombes bien. Ta tante Camille et moi, on est en congé aujourd'hui et on vient juste d'arriver de la messe.

Jean lui obéit avec un sourire contraint après l'avoir embrassée sur la joue qu'elle lui tendait.

— Qui est-ce que c'est ? demanda la voix aiguë de Bérengère Bélanger du fond de l'appartement.

— C'est Jean, m'man, lui répondit sa fille. Il enlève son manteau et on arrive.

Le jeune homme suivit sa tante sans aucun entrain.

— Seigneur ! Qui t'a jeté en bas de ton lit à matin ? demanda la vieille dame en embrassant son petit-fils.

— Personne, grand-mère. Je suis allé à la basse-messe, expliqua Jean en embrassant sa tante Camille, encore en robe de chambre.

— Je trouve pas ça bien convenable de recevoir du monde en robe de chambre, Camille, reprocha Bérengère à la cadette de ses filles. À quarante-cinq ans, il me semble que t'es assez vieille pour savoir ça.

— Voyons, m'man ! fit la maîtresse-femme en serrant tout de même plus étroitement contre elle les pans de sa robe de chambre rouge vin. Pour une fois que je pouvais dormir tard un dimanche… On a une messe spéciale cet après-midi à la chapelle de l'hôpital. J'ai l'intention d'y aller, expliqua-t-elle à son neveu.

— Chicanez-la pas pour rien, grand-mère. C'est pas sa faute, c'est la mienne. Je passe pas mal de bonne heure à matin.

— C'est vrai, ça. Viens-tu nous voir parce que tu t'ennuyais sans bon sens de nous autres ou bien parce que t'as besoin de quelque chose ? lui demanda Rita en lui tendant une tasse de café après avoir déposé la cafetière sur la table.

— Je viens rien quêter et ça me fait toujours plaisir de vous voir, fit Jean, diplomate. Non, c'était pour vous annoncer une nouvelle, ajouta-t-il, la gorge subitement sèche.

— Une bonne, j'espère ? intervint sa grand-mère qui ne le quittait pas des yeux.

— Je pense qu'elle est pas mauvaise, grand-mère.

— Tu viens nous dire que t'as changé d'idée et que t'as décidé de devenir prêtre, suggéra Camille, visiblement pleine d'espoir.

— Non, ma tante. Ce serait plutôt le contraire.

— Quoi, le contraire ? fit Bérengère.

— Je viens vous annoncer que je me marie au mois d'avril, dit Jean tout d'une traite, bien décidé à en finir le plus rapidement possible.

Les trois femmes furent tellement sidérées par la nouvelle qu'elles demeurèrent figées sur leurs chaises, incapables de proférer le moindre mot durant un long moment.

— J'espère que c'est une farce ? fit sèchement la grand-mère.

— Non, pourquoi vous dites ça ? C'est pour vous inviter à mes noces que je suis passé à matin.

— C'est pas vrai ! s'exclama Camille. Tu peux pas faire ça !

— Ça a ni queue ni tête, intervint Rita en regardant tour à tour sa mère et sa sœur.

— Ça se peut pas, reprit la vieille dame, le visage sévère. T'as presque fini ton cours classique. C'est toi-même qui nous as dit cet été que tu voulais devenir avocat. Pour être avocat, il va falloir que t'ailles à l'université.

— J'arrête d'étudier, grand-mère. Je suis pas allé au collège cette semaine. Je me suis déjà trouvé de l'ouvrage. Je commence demain; mais je dis pas que je reprendrai pas un jour mes études...

— Est-ce que t'es en train de nous dire que ton père et ta mère ont fait tous ces sacrifices-là pour rien quand ils t'ont envoyé au collège ? lui demanda Camille, apparemment révoltée par tant d'insouciance.

— C'est pas pour rien, ma tante. Mes études vont me servir à me trouver une bonne *job*.

— Mais qu'est-ce qui te presse tant ? fit Rita.

— J'ai juste envie de me marier et j'ai même déjà trouvé mon appartement, ma tante. Je commence à faire le ménage demain soir, prit-il la peine d'expliquer pour bien faire comprendre aux trois femmes qu'il était vraiment sérieux.

— Et ton père et ta mère acceptent ça ? lui demanda grand-mère Bélanger, la voix mauvaise.

— Ben oui, grand-mère.

Il allait lui répondre qu'ils n'avaient pas eu le choix, mais il s'était retenu à la dernière seconde, persuadé qu'une telle réponse aurait déclenché une avalanche de questions plus insidieuses les unes que les autres.

— Ma foi du bon Dieu, Félicien est tombé sur la tête ! dit la grand-mère Bélanger à ses filles, comme si son petit-fils n'avait pas été présent dans la pièce. Voulez-vous bien me dire ce qui lui prend d'accepter une affaire aussi folle que celle-là ? Et Amélie m'a pas l'air plus fine dans tout ça !

Les deux infirmières secouèrent la tête en signe d'ignorance. Jean en profita pour se lever, faisant ainsi comprendre à ses hôtesses son intention de les quitter.

— Pars pas si vite, mon garçon, lui ordonna sa grand-mère en le scrutant avec insistance. Ce mariage-là m'a l'air de cacher quelque chose et je voudrais bien savoir quoi.

— Voyons, grand-mère, protesta le jeune homme, mal à l'aise.

— T'as pas fait une niaiserie, j'espère ?

— Ben non ! se défendit-il en mettant toute la conviction dont il était capable dans sa voix.

— Avec tout ça, tu nous as même pas dit qui tu mariais, intervint Camille.

— Reine Talbot, ma tante. Son père a une biscuiterie sur Mont-Royal.

— Qu'est-ce qu'elle a de si spécial, cette fille-là, pour que tu te dépêches tant à la marier ? lui demanda sa tante Rita.

— C'est une belle fille et on s'entend bien, ma tante.

— Une belle fille ! Une belle fille ! s'exclama Bérengère, l'air dégoûté. Mon pauvre petit garçon, tu me déçois bien gros. J'aurais cru que t'avais plus de tête que ça. Tu devrais savoir que la beauté, ça passe vite et quand on se marie, c'est pour toute la vie.

— Je le sais, grand-mère.

— Dire que t'avais un si bel avenir, regretta Camille à haute voix. Sans même ton baccalauréat, t'auras jamais une belle situation. Je suppose que t'en es bien conscient.

— Oui, ma tante, répondit-il, soudain fatigué de toute cette inquisition.

— J'espère que tu regretteras pas cette folie-là un jour, conclut Bérengère, comme si elle s'était déjà résignée à l'irréparable.

— Inquiétez-vous pas pour moi, tout va bien aller, grand-mère. Bon, c'est pas que je m'ennuie ici dedans, mais il faut que j'y aille, annonça le jeune homme qui s'empressa d'embrasser les trois femmes avant de se diriger vers la patère à laquelle son manteau était suspendu.

Sa grand-mère et Camille étaient demeurées dans la cuisine. Seule sa tante Rita l'avait raccompagné. Il avait eu tellement chaud qu'il sentait sa chemise trempée dans son dos.

— Tu me jures que tout va bien, hein? lui demanda sa tante à voix basse.

— Certain, ma tante.

— C'est correct. Tu salueras tes parents pour nous autres.

— J'y manquerai pas, promit-il en quittant l'appartement.

Une fois à l'extérieur, il prit une grande respiration et se mit en marche vers la rue Mont-Royal. Dans la maison qu'il venait de quitter, Rita était revenue s'attabler avec sa mère et sa sœur. Toutes les trois étaient attristées.

— Ce mariage-là sent le mariage obligé à plein nez, affirma sèchement Bérengère Bélanger. La prochaine fois que je vais voir Félicien et Amélie, je vais en avoir le cœur net, je vous en passe un papier.

— Voyons, m'man, si c'est vrai, vous savez bien qu'ils le diront jamais. Il y a pas de quoi s'en vanter.

— C'est sûr, reconnut la vieille dame acariâtre, mais même à soixante-quinze ans, je suis encore capable de compter les mois jusqu'à neuf.

Cet après-midi-là, quand il se présenta chez les Talbot un peu après deux heures, Jean eut la surprise de voir sa future belle-mère venir lui ouvrir la porte.

— Entre, lui dit-elle sans montrer trop de chaleur. Reine est presque prête. Tu peux passer au salon.

Sur ces mots, elle l'abandonna dans l'entrée et retourna dans la cuisine. Le jeune homme retira ses bottes et son manteau et pénétra dans le salon où le père de son amie écoutait les informations radiophoniques lues par Jean-Paul Nolet.

— Assois-toi, elle s'en vient, se contenta de dire Fernand.

Moins d'une minute plus tard, Reine vint le rejoindre et prit place à ses côtés en lui demandant ce qu'il avait fait depuis la veille. Peu après, Fernand éteignit la grosse radio Marconi au moment où on annonçait une émission d'information sur ce qu'on appelait le plan Marshall, que les Américains avaient décidé de mettre sur pied pour aider à la reconstruction de certains pays européens.

— Bon, on va dire que ça va faire, dit-il en quittant son fauteuil.

Il allait sortir du salon quand il s'arrêta brusquement pour fouiller dans l'une de ses poches et en extirper deux clés.

— Tiens, fit-il en les tendant à Jean. Le garçon de Tremblay a fini par déménager toutes les affaires de son père hier et il m'a remis les clés. L'appartement est à toi, à cette heure. Comme vous vous mariez seulement au mois d'avril, je vous chargerai le loyer qu'à partir du mois de mai. Ma femme et moi, on a décidé que les deux mois avant les noces, ce serait une partie de notre cadeau de mariage.

— Merci, monsieur Talbot.

— À cette heure, si vous voulez aller jeter un coup d'œil à l'appartement pour voir s'il vous a ben laissé tous les meubles que vous lui avez achetés, vous pouvez y aller. Tu pourrais même en profiter pour nous débarrasser de ce que vous avez acheté chez Mayer. C'est resté dans le couloir.

Jean et Reine quittèrent la pièce. Le jeune homme prit une boîte et, précédé par son amie, monta à l'étage. Elle alluma le plafonnier du couloir et il la suivit jusqu'à la cuisine. Il déposa la boîte contenant des gallons de peinture. Il retourna chercher le reste des achats effectués la veille avant de suivre la jeune fille dans une rapide tournée des autres pièces de l'appartement.

— Mais c'est bien sale ! s'exclama Reine en passant la tête dans les toilettes. On dirait que c'est pire que ce que j'ai vu il y a deux jours. C'est à croire que cet homme-là nettoyait jamais rien.

— Inquiète-toi pas, la rassura Jean. On va décrotter ça vite.

Avant de descendre chez les Talbot, le jeune homme eut l'idée de regarder par la fenêtre de cuisine. Il s'aperçut alors que la galerie n'avait pas été déneigée.

— Calvince ! Je vais te gager qu'il a pas vidé le hangar pantoute ! s'écria-t-il. La galerie a pas été pelletée. Il a même pas essayé d'ouvrir la porte. Il y a pas de traces de pas et il y a au moins deux pieds de neige dessus.

— Lui, il va m'entendre, fit la jeune fille, l'air mauvais.

— Attends avant de t'énerver, la mit en garde Jean. Il a peut-être laissé toutes sortes d'affaires utiles dans le hangar. On va d'abord regarder avant de crier. S'il y a rien de bon, on pourra toujours essayer de lui faire baisser le prix des meubles en disant qu'on a dû passer deux ou trois jours à vider la place.

De retour dans l'appartement des Talbot, Reine profita de ce qu'ils étaient seuls dans le salon pour lui anoncer que ses parents allaient leur offrir un souper de fiançailles le dimanche soir suivant et qu'il devait transmettre l'invitation à ses parents.

— Tu les inviteras toi-même tout à l'heure, lui suggéra-t-il. Mais je suis surpris quand même que ta mère veuille faire ça, ne put-il s'empêcher de lui faire remarquer.

— J'espère que tu t'es aperçu que ma mère t'a parlé aujourd'hui, lui dit Reine.

— Oui, elle m'a dit deux ou trois mots quand je suis arrivé, reconnut-il, un peu sarcastique.

— C'est un commencement, fit la jeune fille pour l'encourager. Pour changer de sujet, reprit-elle après un bref silence, tu m'as dit tout à l'heure que tu étais allé chez ta grand-mère pour lui annoncer notre mariage, mais tu m'as pas raconté comment elle avait pris la nouvelle.

— Elle va faire comme mes deux tantes, elle va s'habituer à l'idée.

— Bon, je vois, dit-elle, le visage assombri.

Une heure plus tard, Jean annonça à son amie qu'il était temps d'aller chez ses parents. L'après-midi tirait à sa fin et ils les attendaient pour souper.

À leur sortie de la maison, l'obscurité était déjà tombée. Jean donna le bras à la jeune fille et ils se dirigèrent vers l'appartement des Bélanger, rue Brébeuf.

Ce jour-là, à leur retour de la messe, Amélie avait pris la peine d'envoyer Claude chercher des pâtisseries françaises chez Frenette. Le simple fait de servir des éclairs au chocolat et des cornets à la crème Chantilly au souper signalait l'importance que l'hôtesse accordait à l'événement du soir.

— Cybole, deviens pas folle ! avait protesté Félicien, surpris par la dépense inattendue. C'est pas la reine d'Angleterre qu'on reçoit à soir.

— Je le sais, avait rétorqué sa femme, mais c'est un souper spécial. En plus, c'est mercredi des Cendres la semaine prochaine et, pendant quarante jours, on va se priver.

En entendant sa mère, Claude avait grimacé. Il avait complètement oublié l'approche du carême. Comme chaque année, elle allait insister pour que chacun des siens prenne une résolution et voir à ce qu'il la respecte.

Lorsqu'ils arrivèrent au pied de l'escalier extérieur, Jean sentit l'hésitation de Reine. Il était évident que la jeune fille était nerveuse et inquiète du genre de réception qu'on allait lui réserver dans sa future belle-famille.

— Énerve-toi pas pour rien, lui dit-il pour la calmer. Si ma mère et mon père t'ont invitée à souper, c'est pas pour te dire des bêtises. Ils sont pas comme ça.

Ces paroles parurent l'apaiser un peu. Dès qu'ils pénétrèrent dans l'appartement, Félicien et Amélie vinrent accueillir Reine et lui souhaiter la bienvenue. Avant même de retirer son manteau de drap gris, Reine tendit à l'hôtesse une petite boîte joliment emballée. Elle se garda bien de mentionner que la boîte de chocolats était un cadeau offert à sa mère au jour de l'An. Yvonne la lui avait donnée après le dîner en lui faisant remarquer qu'on offrait habituellement un cadeau aux gens qui nous recevaient.

— C'est une question de classe, ma fille, lui avait-elle dit.

— C'était vraiment pas nécessaire, dit Amélie, agréablement surprise par cette attention.

— C'est pas grand-chose, madame Bélanger.

Jean lui prit des mains son manteau. La jeune fille portait pour l'occasion une robe en velours vert bouteille et un simple collier de fausses perles. Lorraine et Claude vinrent rejoindre leurs parents dans le couloir et se présentèrent à l'invitée.

— Moi, je suis le plus beau de la famille, plaisanta l'adolescent.

— Tu pourrais attendre qu'on te le dise, lui fit remarquer sa mère en riant.

— C'est ce que je fais aussi, mais personne se décide à me le dire, répliqua-t-il du tac au tac.

Tous éclatèrent de rire et on passa au salon. Pour l'occasion, Reine se montra particulièrement gentille et charmante, ce qui eut l'air de rassurer Amélie. Quand cette dernière s'excusa quelques minutes plus tard en prétextant avoir besoin de finir de préparer son repas, Reine se leva en même temps que Lorraine, prête, à l'évidence, à participer aux préparatifs.

— Bien non, reste avec Jean. On est bien assez de deux pour finir, protesta la mère de famille, de nouveau agréablement surprise.

— Votre garçon peut se passer de moi pendant une demi-heure, madame Bélanger. Il est pas en perdition. Il est avec son père et son frère.

Quand les hommes de la maison s'approchèrent de la table, ils trouvèrent Reine, la taille ceinte par un tablier, comme son hôtesse et sa fille.

— On mange, déclara Amélie avec bonne humeur. Reine, tu t'assois à côté de Jean. Et toi, l'haïssable, ajouta-t-elle à l'endroit de Claude, tu vas t'asseoir à côté de ta sœur.

Chacun se trouva devant une assiette dans laquelle la cuisinière avait déposé une large tranche de jambon, des pommes de terre en purée et un morceau de pâté à la viande.

— Il y a rien d'aussi bon que du jambon dans la fesse ! s'exclama Félicien en avalant une première bouchée.

— Et c'est le fun d'avoir de la visite, parce qu'on mange ben dans ce temps-là, poursuivit Claude.

Sa mère lui adressa un regard noir qui l'incita à se taire.

Pour terminer le repas de fête, Amélie déposa au centre de la table une large assiette remplie d'une douzaine de pâtisseries appétissantes. Durant le souper, la conversation roula sur l'installation du jeune couple au second étage de l'immeuble de la rue Mont-Royal et sur le ménage qu'il aurait à effectuer. Personne ne formula la moindre remarque déplacée sur ce mariage à la va-vite et il était évident que chacun faisait attention de ne pas gâter l'atmosphère détendue qui régnait autour de la table. Naturellement, il fallut que Claude se mette les pieds dans les plats. Il avait cependant l'excuse d'ignorer tout de la situation de sa future belle-sœur.

— Pourquoi vous attendez pas cet été pour vous marier ? demanda-t-il innocemment au moment où les femmes se levaient pour commencer à débarrasser la table. Non mais c'est vrai, avril s'en vient vite, et il me semble qu'un mariage en été ce serait ben plus agréable pour les noces qui suivent la cérémonie.

Le visage de Reine changea, mais Amélie se porta à son secours.

— Ça, monsieur la fouine, ça te regarde pas. Si quelqu'un te pose la question, tu lui diras que c'est pas toi qui te maries, mais ton frère et qu'il a le droit de choisir la date qu'il veut.

— C'est correct ! C'est correct ! fit l'adolescent, offusqué de se faire rabrouer. Moi, je disais ça juste comme ça. Comme on me demande jamais mon opinion ici dedans, je vous la donne ! Mais j'ai compris, je dirai plus rien, dit Claude pour clore la discussion qui semblait mettre tous les convives met à l'aise autour de la table.

— Tu peux aller t'asseoir dans le salon avec Jean, offrit Amélie à son invitée sans plus s'occuper de son jeune fils.

— Bien non, madame Bélanger. Après un bon repas comme ça, faire la vaisselle va juste m'aider à digérer.

Quand Reine quitta l'appartement des Bélanger à la fin de la soirée, elle était certaine d'être parvenue à séduire toute la famille. Elle avait incité Jean à refuser de l'entraîner avec lui dans le salon pour demeurer avec les autres membres de la famille dans la cuisine à jouer aux cartes. Elle avait chaleureusement remercié ses hôtes pour le repas et les avait invités au souper de fiançailles offert par ses parents le dimanche suivant.

Jean la raccompagna chez elle.

— Je pense que tu leur as plu, lui dit-il quand ils arrivaient au bas des marches de l'escalier extérieur.

— Je l'espère bien, laissa-t-elle tomber. En tout cas, j'ai fait tout ce que je pouvais pour ça. Ta mère est pas mal fine, ajouta-t-elle quoique sans trop d'enthousiasme.

Le jeune homme ne dit rien jusqu'au moment où ils atteignirent le coin des rues Brébeuf et Mont-Royal.

— As-tu toujours l'intention de commencer le ménage de l'appartement demain soir ? lui demanda-t-elle.

— Oui.

— Si je suis pas trop fatiguée après ma journée d'ouvrage, j'irai te donner un coup de main, promit-elle.

Le jeune homme la laissa devant chez elle et il retourna à la maison.

Quelques minutes plus tard, toutes les lumières s'éteignirent chez les Bélanger. En prenant place dans le lit après avoir terminé sa prière du soir, Félicien se tourna vers sa femme.

— Puis, qu'est-ce que t'en penses ?

— Je le sais pas trop, répondit Amélie d'une voix hésitante. Elle a l'air fine comme ça, mais va donc savoir. C'est à la longue qu'on va finir par la connaître.

— Par contre, toi, t'as peut-être été trop fine avec elle, lui reprocha son mari.

— Pourquoi tu dis ça ?

— T'étais pas obligée de lui offrir de faire tous ses rideaux.

— C'est vrai, mais as-tu pensé que Jean aura pas les moyens de payer une couturière pour les faire ? J'ai bien plus pensé à lui qu'à elle quand je l'ai offert.

Chapitre 13

L'appartement

Le lendemain matin, Jean se leva à cinq heures, peu après son père. Il fit une toilette rapide et vint s'attabler devant le bol de gruau que sa mère avait déposé à sa place. À l'extérieur, il faisait noir et on entendait le vent souffler.

— Ça a pas l'air chaud pantoute dehors à matin, dit son père en allumant sa première cigarette de la journée.

— Vos lunchs sont sur le comptoir, fit Amélie en se versant une tasse de café. Aussitôt que vous allez être partis, je vais trier mon linge. Je veux faire mon lavage de bonne heure aujourd'hui.

Peu avant six heures, le père et le fils quittèrent l'appartement. Ils se séparèrent sur un « bonne journée » au coin de la rue. Jean eut le temps de grelotter quelques minutes avant de pouvoir monter à bord d'un tramway bondé qui se dirigeait vers l'ouest. À voir la mine sombre et fatiguée de la plupart des passagers, il ne put s'empêcher de se demander s'il allait leur ressembler dans quelque temps. À cette seule pensée, il eut un frisson.

Il poussa la porte de la gare Windsor à peine quelques minutes avant sept heures et il dut se précipiter pour ne pas arriver en retard le premier matin. Dès son entrée dans le local réservé aux employés d'entretien, il se retrouva devant un Onésime Gagnon goguenard.

— Ah ben, Jériboire! si c'est pas notre pousse-crayon, s'exclama-t-il en feignant une bonne humeur qu'il n'éprouvait sûrement pas. Dis-moi pas qu'on est déjà rendus en été et que je m'en suis pas aperçu!

— Bonjour, monsieur Gagnon, le salua Jean, peu surpris de l'accueil sarcastique que lui réservait son chef d'équipe.

Il y eut quelques ricanements chez la douzaine d'employés d'entretien qui attendaient de commencer leur quart de travail.

— Qu'est-ce qui se passe? Est-ce que t'as décidé de faire quelque chose d'utile de tes dix doigts?

— En plein ça, se contenta de laisser tomber sèchement le jeune homme.

— Ça tombe ben en maudit, reprit le superviseur en affectant soudainement un air bon enfant. On a justement besoin d'un spécialiste pour nettoyer à fond les toilettes des chars. Pas vrai, les gars? demanda-t-il en se tournant, moqueur, vers les employés qui formaient son équipe.

Onésime Gagnon était un petit homme dans la cinquantaine avancée tout en nerfs, dont les yeux fureteurs ne laissaient rien échapper. Quand on le regardait, on oubliait rapidement sa couronne de cheveux gris et sa petite moustache hirsute au profit de son gros nez bourbonien d'ivrogne et de son menton en galoche.

— Tu vas faire équipe avec Marcel Magnan, précisa Gagnon en montrant de la main un homme âgé d'une trentaine d'années au visage blafard. Bon, c'est l'heure maintenant. On y va, annonça-t-il en se dirigeant déjà vers la porte ouvrant sur le quai.

Jean suivit Marcel Magnan jusqu'au placard où était entreposé le matériel utilisé pour l'entretien des wagons.

L'homme lui tendit un seau, une serpillière et divers produits nettoyants avant de s'emparer d'un balai et d'une brosse à poils durs. Il semblait taciturne et le jeune homme se demandait s'il était mécontent d'être obligé de faire équipe avec lui. Ils longèrent une rame de wagons avant de s'immobiliser devant le dernier.

— On commence par lui, lui dit Magnan en montant à bord. Occupe-toi pas de ce qu'a dit Gagnon. Tu fais les toilettes de ce char-ci, je ferai celles du prochain. Est-ce que t'as déjà fait ce genre de *job* ?

— Oui, durant l'été.

— Dans ce cas-là, j'ai pas à te dire quoi faire. On y va parce que tu vas voir arriver le bonhomme dans dix minutes qui vient vérifier si on avance assez vite.

Jean ne dit rien. Il se dirigea vers les toilettes à l'extrémité du wagon et entreprit de les récurer. Lorsqu'il eut terminé, son compagnon le chargea d'amasser tous les détritus laissés par les voyageurs dans les poches de rangement à l'arrière des dossiers et de vider les cendriers. Les deux employés finissaient le nettoyage de leur premier wagon quand Onésime Gagnon monta à bord pour vérifier la qualité du travail. Après avoir tout inspecté minutieusement, il sembla déçu de ne rien trouver à redire.

— C'est pas mal, laissa-t-il tomber avant de quitter le wagon, mais faites ça plus vite. Vous avez l'air de dormir debout.

Magnan fit signe à Jean de ne rien dire et attendit que le superviseur se soit éloigné avant de chuchoter :

— Perds pas ton temps à essayer de lui parler, il comprend rien et il est pas parlable. C'est une maudite tête de cochon qui se prend pour un grand *boss*. Une de ces fois, il va tomber sur son homme et en manger toute une, le vieux Christ !

Jean lui adressa un sourire de connivence et ils passèrent au wagon voisin. Le travail était tout de même assez routinier, mais il demandait de l'énergie. À midi, Magnan laissa tomber sa brosse.

— Moi, je vais manger au restaurant de la gare, annonça-t-il à son jeune camarade.

— J'ai mon lunch, fit Jean.

— Dans ce cas-là, on se revoit à une heure. En passant, tu peux aller manger ton lunch dans la salle où t'es arrivé à matin. La plupart des gars mangent là. Mais si tu veux dîner en paix, tu ferais mieux de manger tes sandwichs dans un des chars.

Jean le remercia du conseil et Magnan disparut rapidement. Il s'installa dans le prochain wagon qu'il aurait à nettoyer et mangea de bon appétit les deux sandwichs préparés par sa mère. Il regretta de ne pas avoir apporté *Bonheur d'occasion*, un roman de Gabrielle Roy qu'il avait emprunté à la bibliothèque de Montréal la semaine précédente. Il en avait déjà lu plus de la moitié et il lui plaisait beaucoup. Cependant, il était conscient qu'il ferait mieux de dissimuler son livre dans un sac s'il devait l'apporter au travail sous peine de s'attirer les sarcasmes de Gagnon.

Lorsqu'il quitta son travail à quatre heures trente, le jeune homme était fourbu. Il n'avait qu'une hâte, arriver à la maison pour s'étendre quelques minutes sur son lit avant le souper. Heureusement, il n'eut pas à attendre le tramway trop longtemps. Assis sur une banquette, il regarda défiler par la fenêtre le triste spectacle des rues enneigées éclairées par de trop rares lampadaires. Soudain, il fut frappé par le fait que la journée était passée sans qu'il s'en aperçoive. Il était entré au travail dans l'obscurité et il le quittait après le coucher du soleil.

À son arrivée à la maison, il alla embrasser sa mère en train de préparer le souper et il lui annonça son intention de dormir un peu avant de manger.

— Vas-y, ça va te faire du bien, dit Amélie, un peu inquiète de voir son visage marqué par la fatigue. Il y a juste Claude d'arrivé. Tu peux lui dire de venir faire ses devoirs ici, dans la cuisine.

Jean entra dans sa chambre et découvrit son frère cadet confortablement installé à ce qui avait toujours été son bureau.

— Eh ben! Où il y a de la gêne, il y a pas de plaisir, ne put-il s'empêcher de dire à l'adolescent.

— Ben, j'ai pensé que comme t'étudies plus, je pouvais m'installer à ta place, dit Claude, incertain de la réaction de son frère aîné.

— Ça me dérange pas, avoua Jean avec tout de même un pincement au cœur. Mais fais pas de bruit. Je veux dormir un peu avant le souper.

À peine déposa-t-il sa tête sur l'oreiller qu'il s'endormit comme une masse. Claude dut le secouer par une épaule pour le tirer du sommeil quelques minutes plus tard.

— Aïe, la marmotte! Tout le monde attend après toi pour manger.

Jean se leva et le suivit dans la cuisine où Lorraine et son père étaient déjà attablés. Sa mère lui servit deux boulettes de bœuf haché et des pommes de terre avant de s'asseoir à son tour.

— On dirait que ton ouvrage te rentre dans le corps, fit Félicien en regardant son fils.

— C'est parce que c'est la première journée, p'pa. Je vais m'habituer. C'était comme ça l'été quand je faisais la même chose.

— As-tu toujours l'intention de commencer le ménage de ton appartement à soir?

— Oui, mais je travaillerai pas tard. Demain matin, je vais partir un peu plus de bonne heure qu'aujourd'hui. J'ai failli arriver en retard à matin.

— Tu te rappelles qu'il faut laver les plafonds et les murs avant de peinturer ?

— Oui, et c'est ce que j'haïs le plus faire, dit Jean sur un ton las.

— Claude et moi, on va aller te donner un coup de main à soir, lui annonça son père.

— Sentez-vous pas obligé, p'pa. Vous avez travaillé toute la journée.

Félicien fit comme s'il ne l'avait pas entendu. Il se serait bien passé de cette tâche et aurait préféré écouter tranquillement la radio dans le salon, mais on sentait que sa femme l'avait fortement encouragé à donner un coup de main à son fils par charité chrétienne.

— As-tu pensé qu'il te faudrait un escabeau ?

— J'avais oublié, reconnut le jeune homme. Je pourrais peut-être emprunter celui du père de Reine.

— Laisse faire, on va apporter le nôtre, le rassura son père. Je te l'ai offert vendredi passé. Dis donc, tu m'as pas dit hier que le fils du locataire avait pas déneigé la galerie et qu'il avait rien sorti du hangar ?

— Pour moi, il avait pas le goût de pelleter toute la neige qui est tombée là. Il était pressé d'en finir, expliqua Jean.

— Si c'est de même, je vais me charger de nettoyer le balcon, proposa Claude avec beaucoup de bonne volonté. J'apporte une pelle, comme ça tu vas ben voir s'il y a quelque chose dans le hangar. Peut-être que le bonhomme a laissé un escabeau…

Moins d'une heure plus tard, les trois Bélanger pénétrèrent dans l'appartement situé au-dessus de celui occupé par les Talbot.

— Cybole ! s'exclama Félicien. Tu vas avoir affaire à partir la fournaise à l'huile dans le corridor. On gèle tout rond ici dedans. Un coup parti, pars aussi le poêle dans la cuisine. Veux-tu ben me dire pourquoi ils sont éteints tous les deux ?

— C'est Reine qui a dû monter les éteindre, répondit Jean.

— Dis-lui de pas faire ça, lui recommanda son père. On fait pas ça en plein hiver. Elle risque de faire geler les tuyaux. Si ça arrive, son père aimera pas trop les dégâts que ça va faire dans la maison. Laisse au moins la fournaise chauffer quand t'es pas ici dedans.

— Je vais lui dire, promit son fils.

En fait, Reine lui avait déclaré la veille que c'était gaspiller de l'huile inutilement que de laisser fonctionner le poêle ou la fournaise quand ils n'étaient pas dans l'appartement. Quand il lui avait fait remarquer que l'endroit allait ressembler à une glacière et qu'il grelotterait durant une heure au moins quand il viendrait peinturer, elle s'était contentée de hausser les épaules.

Claude ne perdit pas de temps. Il se dirigea tout de suite vers la cuisine et essaya d'ouvrir la contre-porte, mais il y avait trop de neige sur la galerie.

— Ça a tout l'air que je vais être obligé de passer par la ruelle, déclara-t-il à son père. Il y a pas moyen d'ouvrir la porte.

Il dévala l'escalier, toujours armé de sa pelle, sortit et fit le tour par la ruelle. Quand il eut repéré la maison des Talbot, il dut escalader la clôture et se frayer un chemin jusqu'au pied de l'escalier. Il monta ce dernier que personne n'avait songé à dégager depuis un certain temps. Sur le premier palier, il aperçut Reine en conversation avec sa mère dans la cuisine. Il lui adressa un signe de reconnaissance, mais la jeune fille ne sembla pas le voir. Il poursuivit péniblement sa route jusqu'au second étage.

Il vérifia s'il pouvait projeter la neige dans la cour sans rencontrer d'obstacle et il entreprit de déneiger la galerie de l'appartement de son frère. L'accumulation était importante et la neige avait été durcie par les grands froids du mois de janvier. Il lui fallut près d'une heure pour tout enlever. Quand il eut fini, il frappa à la porte et Jean vint lui ouvrir.

— C'est correct. Tu peux ouvrir le hangar à cette heure, lui déclara-t-il en lui montrant fièrement la galerie déneigée. As-tu trouvé une clé quelque part ? Il y a un vieux cadenas rouillé sur la porte.

Jean se mit à chercher partout dans la cuisine et finit par trouver une clé suspendue dans l'armoire. Il la tendit à son frère.

— Il doit y avoir une lumière dans le hangar, si c'est comme chez nous. Regarde si tu trouves pas un escabeau ou quelque chose sur quoi monter. Là, je dois grimper sur une chaise pour laver le plafond et c'est malcommode.

Claude alla déverrouiller le hangar et trouva une ampoule nue qu'on pouvait allumer en tirant sur une chaîne. L'endroit renfermait un véritable fouillis d'objets hétéroclites probablement amassés au fil des ans par le défunt locataire. L'adolescent découvrit un vieil escabeau couvert de peinture et l'apporta dans l'appartement après avoir verrouillé le hangar.

— Tiens, dit-il à son frère. Est-ce que ça fait ton bonheur, ça ?

— Parfait, fit son père qui arrivait de la pièce voisine.

— Tu devrais voir tout le stock qu'il y a dans le hangar, reprit Claude. Il y en a jusqu'au plafond.

— Calvince ! jura Jean. J'avais ben besoin de ce trouble-là.

— Peut-être, fit Félicien, mais avant de te plaindre à ton propriétaire, va voir si tu trouverais pas des choses qui feraient ton affaire. On sait jamais.

Vers dix heures, les Bélanger rentrèrent à la maison, fatigués, mais deux des cinq pièces de l'appartement avaient été soigneusement lavées.

— Sais-tu, mon frère, que ta blonde risque pas de s'être donné un tour de rein en travaillant à soir, fit remarquer Claude à son frère aîné.

— Elle savait que c'était de l'ouvrage d'homme qu'on avait à faire à soir, l'excusa Jean sans grande conviction.

— Je savais pas que le lavage était devenu une *job* d'homme, se moqua l'adolescent.

Cette nuit-là, Jean dormit d'un sommeil sans rêve. Quand le réveille-matin sonna à cinq heures, il eut l'impression de sortir d'un gouffre et, surtout, de venir à peine de s'endormir. La sonnerie réveilla aussi Claude qui se souleva sur un coude pour tenter d'apercevoir l'heure indiquée sur le gros Westclock.

— Bâtard ! On est encore en pleine nuit, se plaignit-il en se laissant retomber et en se couvrant la tête avec ses couvertures.

Jean se leva et alla faire sa toilette. Au moment où il arrivait dans la cuisine pour déjeuner, il vit son père et sa mère pénétrer dans la pièce.

— Va finir de t'habiller pendant que je fais le déjeuner, lui dit Amélie en déposant le grille-pain sur la table.

Quand il revint dans la pièce quelques minutes plus tard, il trouva ses parents attablés devant leur déjeuner.

— J'ai discuté avec ton père hier soir, dit Amélie. Qu'est-ce que tu dirais si on te donnait comme cadeau de noces un *set* de vaisselle et tes rideaux ?

— C'est ben trop, protesta mollement Jean.

— Bon, c'est entendu. Cet après-midi, je vais aller faire un tour à la biscuiterie pour voir si Reine peut venir avec moi prendre les mesures des fenêtres et acheter le tissu.

Ce jour-là, Onésime Gagnon fut particulièrement difficile à supporter, trouvant à redire à chacune de ses inspections. À la fin de la journée, Jean en était à se demander combien de temps il allait pouvoir encore l'endurer.

À son retour à la maison, sa mère lui montra le tissu choisi par Reine pour les rideaux de leur appartement. Son amie avait pu quitter son travail une heure au début de l'après-midi pour l'accompagner à la mercerie, au coin de la rue Saint-André.

— Qu'est-ce que tu penses du matériel choisi par Reine? lui demanda Amélie.

— Il est pas mal beau, m'man. J'espère que vous avez pas fait des folies en payant ça.

— Inquiète-toi pas pour ça, le rassura sa mère. On t'a dit que ça faisait partie de ton cadeau de noces.

Au moment où il allait se diriger vers la glacière pour y prendre la pinte de lait, sa mère reprit:

— Pendant que j'y pense. T'as reçu une lettre. Je l'ai laissée sur ton bureau, dans ta chambre.

Le jeune homme alla dans sa chambre après avoir bu un verre de lait et il s'empressa d'ouvrir la lettre. Elle provenait du directeur du Collège Sainte-Marie qui l'invitait à venir le rencontrer le plus rapidement possible pour discuter de son avenir.

Durant un long moment, il resta planté devant la fenêtre, regardant sans la voir la ruelle enneigée où deux jeunes, à moitié dissimulés par une clôture, s'amusaient à se lancer des balles de neige. Puis, il déchira la lettre et la laissa tomber dans le panier. Ce geste avait quelque chose de définitif qui lui fit mal au cœur. Jean devait regarder en avant maintenant et, dans son esprit, le cours classique n'en faisait plus partie.

Après le souper, il annonça son intention d'aller poursuivre le lavage de son appartement.

— Je vais aller te donner un coup de main à finir cet ouvrage-là, dit Félicien en quittant sa chaise berçante. Quand le lavage sera fini, je te laisserai peinturer tout seul.

— Moi aussi, j'y vais, fit Claude.

— Non, monsieur, intervint sa mère. T'es arrivé ici dedans à cinq heures. T'as pas eu le temps de faire tes devoirs. T'iras pas traîner chez ton frère à soir. D'abord tes devoirs.

— Mais m'man…

— Il y a pas de «mais m'man». Grouille-toi de t'installer à table avec tes affaires.

Quelques minutes plus tard, Jean et son père furent rejoints dans l'appartement par Reine qui avait décidé de venir nettoyer à fond les armoires. Armée d'un seau et d'une serpillière, elle se mit au travail dans la cuisine pendant que les deux hommes entreprenaient le lavage des deux pièces donnant sur la rue Mont-Royal. À la fin de la soirée, ils avaient même eu le temps de laver le plafond et les murs de la cuisine. L'appartement fleurait bon l'eau de Javel.

— Il reste juste la salle de bain à laver, annonça Jean en essuyant la sueur qui perlait à son front. Je vais m'en occuper demain soir et je vais peut-être être capable de commencer à peinturer. Ce sera pas un luxe. C'est jauni partout. Ça va faire du bien une bonne couche de peinture.

— Ça, ça me surprendrait pas mal que tu puisses faire quoi que ce soit demain soir, dit son père, qui venait de ranger l'escabeau. T'oublies que c'est le mercredi des Cendres demain. Tu connais ta mère. Il sera pas question de pas aller recevoir les cendres à l'église.

— Si tu y vas, viens me chercher, proposa Reine.

— C'est correct.

— Ta mère t'a-t-elle montré le matériel qu'on a choisi pour nos rideaux ?

— Oui. Ton père a pas trop rien dit quand elle est venue te chercher à la biscuiterie ?

— Non, et puis il pouvait difficilement refuser devant ta mère.

— Bon, on va dire que ça va faire pour ce soir, dit-il en endossant son manteau, après avoir jeté un coup d'œil à sa montre.

À leur sortie de la maison, le père et le fils découvrirent avec plaisir que la température était beaucoup plus clémente qu'en début de soirée et que quelques flocons tombaient mollement. Félicien prit son étui à cigarettes et, sans y penser, le tendit à son fils.

Jean hésita un instant avant d'en prendre une. Il n'avait fumé qu'une ou deux fois et il n'avait pas particulièrement apprécié la chose. De plus, l'argent gagné difficilement durant l'été était exclusivement réservé pour payer son transport et ses livres. Comme ses parents assumeraient toutes ses autres dépenses, ils auraient probablement mal vu qu'il gaspille de l'argent dans l'achat de cigarettes. Mais là, sa situation avait changé. Il pouvait fumer si le cœur lui en disait et s'il estimait en avoir les moyens. Il se considérait maintenant comme un homme, et tous les hommes qu'il connaissait fumaient.

Son père lui tendit la flamme de son briquet et le jeune homme aspira profondément. Il sentit une sorte de bien-être l'envahir. À ce moment précis, s'il regrettait d'avoir abandonné son cours classique, il tirait pour une première fois une certaine fierté de sa nouvelle situation.

— Je pense, p'pa, que je vais me mettre à fumer, dit-il à son père.

— T'es assez vieux pour savoir ce que tu veux, reconnut ce dernier. Mais dis-toi que ça va te coûter pas mal moins cher de faire tes cigarettes que de les acheter toutes faites. Avec une boîte de tabac, tu peux en faire deux cents.

Dès le lendemain soir, comme prévu, Amélie entreprit de mettre les siens dans l'esprit du carême.

— Vous avez pas oublié que c'est mercredi des Cendres, leur dit-elle en déposant sur la table une assiette dans laquelle elle avait déposé une quantité respectable de crêpes.

— On risquait pas de l'oublier avec toi, fit remarquer son mari sans grand enthousiasme.

— Une chance, Félicien Bélanger ! rétorqua-t-elle. Ça, ça veut dire que c'est le carême qui commence et…

— Qu'on va être poignés pour prendre une résolution, compléta Claude, l'air sombre.

— C'est ça, t'as tout compris, fit sa mère. Moi, j'ai promis d'aller à la messe tous les matins.

— Moi, je peux pas faire ça, déclara Félicien tout net.

— Qu'est-ce que tu dirais d'arrêter de fumer pendant le carême ?

— Recommence pas avec ça, dit sèchement son mari. Tu le sais comme moi que ça me rend marabout quand je fume pas. C'est de valeur à dire, mais je peux pas m'en passer. Je pense que je vais faire la même chose que l'année passée, je boirai pas de liqueur du carême.

— C'est pas trop difficile, une promesse comme ça, fit sa femme.

— Ça, c'est toi qui le dis, répliqua Félicien, que la perspective de se priver de boisson gazeuse durant quarante jours ne réjouissait pas particulièrement.

— Moi, je vais faire mon lit tous les matins avant de partir, promit Claude, qui avait réfléchi durant l'échange entre ses parents.

— Et tu vas faire ta chambre aussi, ajouta sa mère.

— Si je comprends ben, m'man, ma résolution va surtout vous donner pas mal moins d'ouvrage à faire, lui fit remarquer l'adolescent, moqueur.

— Moi, je mangerai pas de sucré du carême, s'empressa de dire Lorraine avant que sa mère se fâche.

— Moi, je sais pas trop, fit Jean à son tour.

Il venait de mesurer soudain à quel point sa situation était différente de celle de l'année précédente. Le printemps dernier, il avait promis de ne pas se coucher après dix heures trente durant tout le carême. S'il promettait la même chose cette année, ce serait un cadeau qu'il se ferait tant il était fatigué après sa journée et sa soirée de travail.

— Fais un effort, insista sa mère, sévère.

Il se creusa la tête durant un bon moment avant de dire :

— Bon, c'est correct. Je promets de dire mon chapelet chaque jour durant le carême.

— Toute une promesse, ton affaire ! se moqua Claude. Comment on va savoir que tu la tiens ?

— En te disant que c'est pas de tes maudites affaires, rétorqua son frère.

— En tout cas, je trouve pas ça ben juste, reprit l'adolescent. Tout le monde va pouvoir vérifier si ma chambre et mon lit vont être faits, mais moi, je pourrai pas voir si vous autres vous tenez votre résolution du carême.

— T'auras juste à nous espionner, la fouine, dit Lorraine en riant. T'en as l'habitude.

— On se grouille pour faire la vaisselle si on veut être à temps pour l'imposition des cendres à sept heures et demie, déclara Amélie en commençant à ramasser la vaisselle sale sur la table.

— Moi, je les ai reçues à matin. Je suis allé à l'église avec toute l'école, fit Claude.

Jean regarda son père qui haussa les épaules, comme s'il voulait lui rappeler qu'il le lui avait bien dit la veille. Il sortit un paquet de Player's de la poche de poitrine de sa chemise et tendit son paquet à son père.

— C'est pas vrai ! s'exclama sa mère. Dis-moi pas qu'on va être poignés avec un autre boucaneux dans la maison. Depuis quand tu fumes, toi ? demanda-t-elle à son fils.

— Depuis hier, m'man.

— Ça t'a pas tenté de promettre de pas fumer pendant le carême qui commence ?

— Ça aurait pas été un grand sacrifice, je viens juste de commencer à fumer.

— Vas-tu fumer des toutes faites ? fit Félicien.

— Non, c'est un paquet aux trois quarts plein que j'ai trouvé dans un wagon cet après-midi. Demain, je vais m'acheter du tabac et un tube pour faire mes cigarettes.

Quand Jean rentra dans sa chambre à coucher quelques minutes plus tard, Claude s'approcha de lui pour lui chuchoter :

— C'est le fun en maudit que tu fumes à cette heure. Tu vas pouvoir m'en passer une de temps en temps.

— Aïe, laisse-toi sécher le nombril d'abord, fit son frère. Tu penses tout de même pas que je vais t'encourager à fumer quand t'as pas encore la permission. T'oublies que t'as juste quatorze ans.

— Presque quinze, le corrigea Claude. Envoye ! Sois pas chien. Donne-moi une cigarette. Je vais la fumer tranquillement pendant que vous allez être partis à l'église.

Vaincu, Jean tira une cigarette de son paquet et la tendit à son frère. Il n'était tout de même pas le mieux placé pour lui faire un sermon.

Au moment où il remettait son paquet dans sa poche, il se rappela la scène qui s'était déroulée dans le vestiaire alors qu'il s'apprêtait à partir. Il venait d'allumer une cigarette quand Gagnon se matérialisa devant lui.

— Dis-moi pas que ton père t'a donné la permission de fumer, lui dit-il, pour le ridiculiser devant les autres.

Jean en avait assez et ne vit pas pourquoi il endurerait son chef d'équipe plus longtemps alors que la journée de travail était terminée.

— Il y a rien de surprenant là-dedans, monsieur Gagnon, répliqua-t-il. Il a pour son dire que les jeunes sont moins dangereux que les vieux quand ils fument. Ils risquent moins de sacrer le feu quelque part.

Cette répartie inattendue de son souffre-douleur laissa le contremaître sans voix et suscita quelques ricanements chez les employés encore présents dans la pièce. Sur ces mots, Jean avait endossé son manteau et quitté l'endroit avant que Gagnon ait trouvé une réplique.

En quittant sa chambre, Jean n'oublia pas la promesse faite à Reine la veille et il passa la prendre chez elle pour l'imposition des cendres.

— Tes parents viennent pas ? lui murmura-t-il en s'apercevant que Fernand et Yvonne Talbot ne semblaient pas prêts à sortir.

— Non, ils vont jamais à ça, se contenta de répondre la jeune fille.

Jean se rendit alors compte qu'elle ne venait à l'église que pour l'accompagner. En revenant de la brève cérémonie, Reine lui apprit que son père était passé au presbytère durant l'après-midi pour la publication des bans. Ce bref rappel de leur mariage prochain le secoua un peu. Pris par son nouvel emploi et le ménage de l'appartement, il avait consacré peu de temps à songer à son mariage et... à l'enfant qui allait naître.

Chapitre 14

La tentation

Deux jours plus tard, à la fin de l'après-midi, Onésime Gagnon rassembla la douzaine d'hommes qui formaient son équipe et tendit à chacun une petite enveloppe beige contenant son salaire de la semaine. Jean toucha alors sa première paye et en éprouva une intense satisfaction, même s'il savait qu'un tiers de la somme allait se retrouver directement dans les poches d'Antoine Tremblay pour le paiement des meubles. Avant de quitter la gare, il salua Marcel Magnan avec qui il avait travaillé toute la semaine. Harassé, il sortit dans la rue La Gauchetière et marcha pour aller prendre place dans la queue qui attendait déjà le tramway.

Il se sentait sale et fatigué en cette fin de la dernière semaine de février. En plus de son travail éreintant, le nettoyage de l'appartement après le souper n'était pas étranger à son épuisement. Encore hier, il lui avait fallu toute la soirée pour laver à fond la salle de bain, et ce matin il s'était levé en retard. Ses pensées étaient ailleurs et il regardait avec une envie certaine trois étudiants qui chahutaient sur le trottoir en attendant aussi le tram. Il lui semblait avoir connu cette camaraderie et cette insouciance dans une autre vie, il y a bien longtemps déjà.

— Un sou pour connaître vos pensées, monsieur Bélanger, fit une voix douce dans son dos.

Le jeune homme sursauta et se tourna vers celle qui venait de s'adresser à lui. Stupéfait, il découvrit Blanche Comtois, toute souriante, emmitouflée dans un élégant manteau de drap noir. La même toque de mouton légèrement inclinée sur le côté encadrait son petit visage mutin. Il lui fallut un court instant pour retrouver ses moyens. Il venait de prendre conscience, en un éclair, de sa tenue négligée. Il eut honte de son pantalon fripé, de sa chemise à col ouvert et de sa barbe qui ombrageait ses joues. Depuis quelques jours, il avait pris l'habitude de se raser le soir avant de se mettre au lit.

— Tu gaspillerais ton argent pour rien, répondit-il en faisant un réel effort pour adopter un ton léger et cacher sa gêne. Je pensais à rien, sauf que je commence à avoir les pieds gelés à attendre le tramway.

— Comme c'est romantique ! plaisanta la jeune fille avec bonne humeur.

— T'as raison, c'est plutôt terre à terre. Qu'est-ce que tu fais si loin d'Outremont ? Tu es venue constater par toi-même de quoi a l'air la plèbe après une journée de travail ?

— Je ne suis pas si curieuse que ça, se défendit-elle avec un sourire. Je viens d'aller conduire à la gare une amie qui est venue passer trois jours à la maison. Et toi, qu'est-ce que tu deviens ?

La chance sourit à Jean parce qu'un tramway vint s'immobiliser en grinçant au milieu de la rue. Il fit passer Blanche devant lui et la suivit en réfléchissant à ce qu'il allait lui raconter. Ils eurent la chance de trouver une place libre sur une banquette et Jean s'écarta galamment pour permettre à la jeune fille de s'asseoir. Il demeura debout devant elle et se pencha dans sa direction pour pouvoir continuer à lui parler. Avant même qu'il ait pu dire quelque chose, Blanche reprit la parole.

— Paul m'a dit que tu as lâché le collège, poursuivit Blanche. Il paraît que tes amis ont été pas mal surpris que tu disparaisses comme ça, sans rien leur dire, ajouta-t-elle avec une légère note de reproche dans la voix.

— Tout s'est passé pas mal vite. Mon père est tombé malade. J'ai pas eu le choix, il a fallu que j'arrête d'étudier pour aller travailler, mentit-il avec une aisance qui le surprit lui-même.

— Il n'y avait vraiment pas moyen de t'arranger autrement ? insista la jeune fille.

— Non, ça n'aurait pas été raisonnable.

— Je trouve ça dommage, reprit-elle. D'après Paul, tu avais de très bonnes notes.

— Pas tant que ça, dit modestement Jean. Mais j'ai pas renoncé à finir mon cours classique. Quand tout va être rentré dans l'ordre, je vais retourner étudier.

Durant une seconde, il rêva que cela se produise un jour.

— Bon, assez parlé de moi. Toi, qu'est-ce que tu deviens ?

— Je suis toujours mes cours de danse et de peinture.

— Et tes amours ? Tu sors toujours avec Rémi Durand ?

— Qui t'a parlé de lui ? demanda Blanche, apparemment surprise qu'il soit au courant de ses fréquentations.

— Ton frère. Paul m'a même dit que c'était très sérieux entre vous deux.

— Il aurait dû se mêler de ses affaires, celui-là, rétorqua la jeune fille, mécontente. Si ça t'intéresse, je ne vois plus Rémi depuis plus de trois semaines. C'est terminé.

— C'est dommage, dit Jean, sans grande conviction.

— Je me suis aperçue que ses amis étaient beaucoup plus importants que moi et que je passais toujours en dernier.

— Je suis certain que t'auras pas de mal à te trouver un nouveau cavalier, dit-il, le cœur gros.

En prononçant ces paroles, Jean aurait tout donné pour être celui-là. Mais c'était désormais impossible.

Blanche scruta son visage durant un instant et sembla se retenir de lui faire des avances. Il en eut conscience et ce constat n'en fut que plus cuisant. La jeune fille sembla se secouer pour lui demander ce qu'il faisait maintenant.

— Je travaille pour le Canadien National.

— Dans les bureaux ou sur la route ?

— Dans les bureaux, mentit-il de nouveau. Un travail pas très intéressant. Mais c'est temporaire.

Soudain, Blanche se leva, le forçant à s'écarter.

— Bon, je descends au prochain arrêt, dit-elle. J'ai un achat à faire chez Morgan avant de rentrer.

— Un vendredi soir, il va y avoir beaucoup de monde,

— Si t'es pas trop pressé de rentrer chez vous, tu pourrais peut-être m'accompagner, lui suggéra-t-elle, aguichante.

La proposition était tentante et Jean n'hésita qu'un court moment avant de l'accepter.

— J'aurais dû deviner que tu cherchais juste quelqu'un pour porter tes paquets, plaisanta-t-il.

— Peut-être, mais je veux aussi quelqu'un capable de me faire la conversation, précisa-t-elle en se faufilant entre les voyageurs debout dans le tramway au moment où ce dernier ralentissait pour s'immobiliser à l'arrêt suivant.

Ils descendirent du tramway et Blanche s'empressa de lui prendre le bras pour franchir plus aisément la légère accumulation de neige en bordure du trottoir. En sentant sa main sous son bras, Jean en oublia sa tenue négligée et même sa fatigue, tout heureux d'être en sa compagnie. « Au diable le ménage à soir ! se dit-il. J'ai bien le droit de souffler un peu. »

Ils marchèrent sans se presser jusqu'au magasin Morgan en discutant aussi bien de la toute récente découverte du pétrole à Leduc, en Alberta, que de l'acharnement du premier ministre Duplessis à l'endroit des Témoins de Jéhovah. Jean se sentait bien. Il retrouvait la Blanche qu'il avait connue à Noël, c'est-à-dire la jeune fille qui avait une opinion tranchée sur tous les sujets. Il continuait à trouver que cela faisait un heureux changement avec Reine que rien n'intéressait.

Blanche fit l'acquisition d'une cravate qu'elle destinait à son père dont l'anniversaire aurait lieu trois jours plus tard.

— J'ai fini, déclara-t-elle à son chevalier servant en lui tendant la petite boîte dans laquelle la vendeuse venait de ranger son achat. Penses-tu être assez fort pour porter ça ?

— Je vais faire un effort, plaisanta-t-il en s'allumant une cigarette.

— J'ignorais que tu fumais, remarqua-t-elle.

— Pas depuis longtemps.

— Es-tu attendu pour souper à la maison ?

— Non, affirma-t-il, en mentant avec aplomb pour la troisième fois. Est-ce que ça te tente d'aller manger au même restaurant où on est allés avec ton frère à Noël ?

— Pourquoi pas ? fit-elle, enthousiaste.

Quelques minutes plus tard, ils se retrouvèrent installés sur une banquette du petit restaurant sans prétention situé au coin des rues Mont-Royal et Saint-Laurent.

— On est vendredi, on ne pourra donc pas manger de viande, déclara Blanche, moqueuse, après avoir retiré sa toque.

— J'ai l'impression d'entendre ma mère, fit Jean avec bonne humeur.

— Je vais te donner l'exemple, espèce de païen. Je vais commander une omelette et des frites.

— C'est correct, je vais prendre la même chose pour te rassurer. Après tout, il faut que je prouve que les Jésuites ont pas complètement perdu leur temps avec moi.

Durant le repas, Blanche sembla se garder de poser des questions embarrassantes sur la situation familiale de son compagnon. Elle devait sentir qu'il était gêné d'en parler. Par contre, elle s'étendit longuement sur ses cours et ses lectures. Dans ce dernier domaine, elle semblait partager les mêmes goûts que lui.

Après avoir longuement traîné à table, il leur fallut quand même se résoudre à quitter l'endroit. L'un et l'autre donnèrent l'impression de le faire à regret.

— Si t'as terminé tes achats, lui dit Jean en sortant du restaurant, je peux te raccompagner chez toi.

— As-tu le temps de le faire à pied, comme la dernière fois ? lui demanda-t-elle.

— Si t'as pas peur d'avoir trop froid, accepta le jeune homme avec plaisir.

Ils se dirigèrent sans trop se presser vers la résidence des Comtois, chemin de la Côte-Sainte-Catherine, en parlant de tout et de rien. Il était évident qu'ils se sentaient bien ensemble. Lorsqu'ils arrivèrent devant l'imposante demeure du docteur Comtois, Blanche offrit à son compagnon d'entrer boire une tasse de café pour se réchauffer. La mort dans l'âme, ce dernier refusa en alléguant qu'il devait rentrer chez lui pour ne pas inquiéter inutilement ses parents. En réalité, il ne souhaitait pas avoir à affronter Paul qui ne manquerait pas de l'interroger sur les raisons qui l'avaient poussé à abandonner ses études.

— Est-ce qu'on va se revoir bientôt ? lui demanda Blanche, apparemment déçue de voir son offre repoussée.

— Je l'espère bien, répondit Jean sans trop y croire.

— Tu sais où je reste. Fais-moi signe dès que tu auras une soirée libre, lui dit-elle en l'embrassant sur une joue avec une spontanéité pleine de tendresse.

Jean eut envie de la saisir par la taille pour lui rendre son baiser, mais elle s'était déjà éloignée sur l'allée asphaltée où était stationnée la voiture de son père. Elle le salua de la main avant de pénétrer chez elle.

— Maudite malchance ! ragea-t-il en tournant les talons.

Plus que jamais, Blanche lui paraissait être la fille qu'il rêvait de fréquenter. Cette rencontre venait de lui faire comprendre encore plus durement tout ce qu'il allait perdre en épousant Reine. Il n'avait pas l'impression de trahir cette dernière en entretenant ce genre de rêve. Par contre, il venait de réaliser que c'était probablement la dernière fois qu'il voyait Blanche Comtois. Dans quelques semaines, il allait être un homme marié, bientôt père de famille. S'il lui avait avoué la véritable raison de l'abandon de ses études, il était certain qu'elle l'aurait regardé avec horreur et n'aurait eu qu'une envie : fuir.

Après avoir marché un long moment, il monta dans un tramway pour revenir à la maison. Il faillit rater l'arrêt au coin de De La Roche tant il était plongé dans ses pensées. Il en était venu à regretter de n'avoir rien dit à la jeune fille qui n'allait pas comprendre son silence obstiné après les avances qu'elle lui avait faites. Pourquoi lui avoir laissé espérer qu'il la contacterait ? Il l'ignorait lui-même. Il ne se sentait pas encore la force suffisante pour couper tous les ponts avec ce rêve qu'il entretenait depuis maintenant deux mois.

À sa descente du tramway, il décida de passer par la ruelle pour rejoindre la rue Brébeuf afin de ne pas avoir à passer devant la biscuiterie que Reine et son père devaient être près de quitter. Il ne voulait pas se retrouver face à face à ce moment-ci avec celle à laquelle il devait se fiancer deux jours plus tard.

Dans la ruelle, il suivit l'étroit sentier ménagé depuis le début de l'hiver par le passage quotidien des jeunes du quartier. Dès qu'il poussa la porte d'entrée de l'appartement, sa mère sortit de la cuisine.

— Veux-tu bien me dire où t'étais passé ? lui demanda-t-elle, inquiète. Il est presque neuf heures.

— Je le sais, m'man, mais ils ont décidé de fêter un gars à l'ouvrage et j'ai pas pu faire autrement que d'être là.

Il se méprisa pour sa facilité à mentir. Il lui sembla qu'il n'avait pas cessé de le faire depuis la fin de l'après-midi.

— Une fête ?

— Ben, on est tous allés à la taverne boire une bière.

— Est-ce que tu veux souper ? lui proposa-t-elle, rassurée.

— C'est correct, j'ai pas faim.

— En tout cas, si t'as envie de manger quelque chose, il reste des binnes sur le poêle. Tu peux t'en prendre une assiettée.

Au moment où il allait se rendre dans sa chambre, son père l'interpella du salon.

— As-tu l'intention d'aller peinturer à soir ?

— Je pense que je vais attendre demain, p'pa. Là, il est déjà pas mal tard et le temps de me préparer, ça vaudra plus la peine.

En réalité, il ne voulait pas affronter Reine ce soir-là. Il était certain qu'elle allait passer à l'appartement pour voir l'avancement des travaux quand elle l'entendrait marcher de chez elle.

— Je te pensais parti payer Tremblay pour ses meubles, dit Félicien.

— Lui, je pense qu'il va attendre la semaine prochaine, décida tout à coup Jean. S'il est trop pressé, je vais lui dire deux mots sur le hangar qu'il a pas vidé avant de partir.

— T'as eu ta paye ? lui demanda son père.

— Oui.

Soudain, Jean s'immobilisa au milieu de la pièce. Il venait de réaliser qu'il devait logiquement payer une pension à ses parents puisqu'il travaillait et recevait un salaire.

— J'allais l'oublier, dit-il. Combien me chargez-vous pour ma pension ?

Tout en parlant, il tira de l'une de ses poches l'enveloppe contenant son salaire.

— Rien, trancha son père. Garde ton argent. Tu vas en avoir besoin pour payer tout ce que t'as à acheter.

— Mais p'pa, voulut-il protester.

— Fais ce que ton père vient de te dire, intervint sa mère. Tu vas avoir besoin de cet argent-là bien plus que nous autres.

Le jeune homme remercia ses parents et entra dans sa chambre pour découvrir son frère cadet en train de faire des mimiques, campé devant le miroir suspendu au-dessus de la commode.

— Qu'est-ce que tu fais là ? lui demanda-t-il, sarcastique. Essayes-tu de te faire peur ?

— Ben non, sans-dessein, répondit Claude en se regardant de profil. T'as pas vu que je me suis acheté du Brylcreem ? Regarde mes cheveux. J'ai pu me faire un maudit beau coq.

— En quel honneur ? fit l'aîné, curieux.

— Je pense qu'il y a une fille qui me trouve pas mal à son goût, déclara l'adolescent avec une certaine suffisance.

— Elle te l'a dit ?

— Pas encore, mais je connais les filles, prétendit le cadet. Elle est à la veille de venir se pâmer devant moi.

Jean regarda le front de son cadet couvert de boutons d'acné, mais se retint de lui faire une remarque. Il préféra l'interroger, amusé :

— Qu'est-ce qui te fait dire ça ?

— Je suis pas niaiseux. Je vois ben qu'elle arrête pas de me regarder quand je la rencontre en revenant de l'école. Même mes chums l'ont remarqué. Pour moi, elle en revient pas qu'un beau gars comme moi ait pas encore une blonde...

— Ah bon !

— Dis donc, j'ai pensé à quelque chose, dit Claude en abandonnant son reflet dans le miroir pour regarder son frère. Est-ce que je suis invité à tes fiançailles dimanche soir ?

— Je penserais pas, répondit Jean d'une voix hésitante. Les parents de Reine ont parlé juste de p'pa et de m'man pour le souper.

— C'est drôle quand même, une affaire comme ça, laissa tomber le dernier-né de la famille Bélanger. En tout cas, c'est ce que Lorraine et moi, on pense. D'après m'man, d'habitude, la famille au complet est invitée à des fiançailles.

— Ça, je le sais pas, reconnut Jean, surpris de l'apprendre.

Le jeune homme se douta alors que ses parents avaient dû parler de cela en présence de son frère et de sa sœur. Sans le lui dire, ils s'étonnaient de ce que les Talbot n'aient pas jugé bon d'inviter son frère et sa sœur au souper. Il prit la résolution de clarifier la situation avec Reine dès le lendemain.

~

Jean se réveilla vers six heures le samedi matin, alors que tout le monde dormait encore dans l'appartement. Il se leva sans bruit, s'habilla et alla déjeuner, tout de même étonné de ne pas voir son père déjà installé dans la cuisine. Après un rapide déjeuner, il s'empara d'une pile de vieux journaux et quitta l'appartement.

La veille, il avait décidé de commencer tôt sa journée de travail. Il voulait entreprendre ce matin-là son travail de peintre. La perspective de peinturer lui plaisait beaucoup plus que le lavage. Peu après sept heures, il pénétra dans son futur appartement, alluma le poêle et la fournaise à l'huile avant de s'installer pour peindre le plafond de ce qui allait devenir le salon. Quelques minutes plus tard, il entendit la porte d'entrée s'ouvrir. Il découvrit alors Reine, debout sur le seuil de la pièce, tenant une tasse de café à la main.

— Descends-tu déjà au magasin? lui demanda-t-il en quittant l'escabeau.

— Pas avant huit heures et demie, lui répondit-elle. Tiens, je t'ai apporté une tasse de café. Tu peux bien arrêter un peu pour souffler, ajouta-t-elle en lui adressant un sourire.

— Merci, dit-il en s'emparant de la tasse qu'il déposa un instant sur une marche de l'escabeau pour s'allumer une cigarette.

Reine sourcilla.

— Tu fumes à cette heure? lui demanda-t-elle, réprobatrice.

— Ben oui. J'aime ça.

— Moi, j'ai toujours trouvé que souffler de la boucane, c'était gaspiller de l'argent.

— À chacun ses vices, répliqua-t-il, agacé de la voir déjà se mêler de ce qui ne la regardait pas.

— T'es pas venu peinturer hier soir? fit-elle avec l'air de ne pas y toucher.

— Non, je suis revenu trop tard de l'ouvrage. Ça valait plus la peine.

— Dis-moi pas que t'as fait de l'*overtime* ?

— Non, ils ont fait une petite fête pour un gars qui travaille avec nous autres. Il a fallu que je reste. Pendant que j'y pense, qu'est-ce qu'on fait pour Tremblay ? lui demanda-t-il pour changer de sujet de conversation. J'ai été payé hier, mais j'avais pas le goût d'aller lui porter son argent chez eux. La rue Montcalm, c'est pas la porte d'à côté.

Reine resta silencieuse un court moment, comme si elle réfléchissait à la chose.

— T'as peut-être bien fait. Pour moi, on va lui voir le bout du nez aujourd'hui. Si ça fait ton affaire, tu peux me l'envoyer au magasin. Je vais lui dire deux mots pour le hangar qu'il a pas vidé. Il me semble que t'as déjà bien assez d'ouvrage sans avoir à l'endurer.

— C'est sûr que ça ferait mon affaire, répliqua Jean.

— Tu peux me donner cinq piastres. S'il vient sonner, dis-lui de venir me voir pour se faire payer.

— Parfait, laissa-t-il tomber, soulagé d'être débarrassé de cette corvée.

Jean tira un billet de cinq dollars de son porte-monnaie et le lui remit.

— J'espère que tu travailles pas à soir, reprit-elle. Il reste encore presque six semaines avant notre mariage. On va avoir amplement le temps de finir le ménage.

— Non, je vais arrêter à la fin de l'après-midi.

— Comme ça, je vais t'attendre après le souper.

— Parlant de souper, fit Jean, est-ce qu'il y a juste mon père et ma mère qui sont invités à souper dimanche soir ?

— Ben oui.

— Tu trouves pas que ça fait drôle de laisser mon frère et ma sœur tout seuls à la maison ?

— Peut-être, mais tu dois comprendre que ma mère a pas une grosse santé et elle a jamais été une bien bonne cuisinière. Elle déteste ça faire à manger. Juste recevoir ton père et ta mère la met à l'envers depuis une semaine. Demain après-midi, je vais être poignée pour l'aider, sinon elle va encore se ramasser avec un de ces maux de tête qui la rendent malade pendant deux ou trois jours.

— C'est correct. Je demandais ça juste pour savoir, s'excusa presque le jeune homme en lui tendant sa tasse de café vide.

Reine quitta l'appartement et il se remit au travail. À la fin de la matinée, il était parvenu à peinturer tout le salon. Lorsqu'il rentra à la maison pour dîner, il découvrit Claude seul, attablé devant une assiette de spaghettis.

— Où est m'man ? demanda-t-il.

— Partie faire des commissions avec p'pa. Elle nous a laissé du spaghetti réchauffé.

Jean se servit et mangea avec appétit. À la fin du repas, il sortit son étui à cigarettes et en alluma une, sous l'œil envieux de son jeune frère.

— Je vais aller te donner un coup de main cet après-midi, proposa Claude.

— T'es ben fin, accepta l'aîné.

— En échange, tu me fournis en cigarettes, par exemple.

— T'as pas la permission de fumer, lui rappela son frère.

— Laisse faire tes sermons, bâtard ! Tu t'en trouveras un peintre qui charge pas plus cher que moi.

— Si jamais m'man apprend que je te donne des cigarettes, je vais me faire engueuler, moi.

— Puis après, t'en mourras pas. À part ça, comment veux-tu qu'elle le sache ? Elle est pas là et elle sera pas dans ton appartement cet après-midi.

— En tout cas, si jamais t'entends quelqu'un monter à l'appartement, tu éteins ta cigarette et tu fais disparaître ton mégot, tu m'entends. J'ai déjà ben assez de trouble comme ça, sans me faire engueuler en plus par p'pa ou m'man.

— Entendu, fit Claude, heureux d'avoir gagné.

De retour à l'appartement de la rue Mont-Royal, Jean, aidé par son jeune frère, entreprit de couvrir le linoléum de la cuisine de feuilles de journaux pour le protéger de la peinture. Ensuite, il commença à peindre à l'émail le plafond de la pièce pendant que Claude se chargeait du travail rebutant de repeindre le garde-manger et l'intérieur des armoires.

Au milieu de l'après-midi, les deux jeunes firent une pause. Au moment de reprendre le travail, Jean tendit une autre cigarette à son frère sans formuler le moindre commentaire.

— Je l'allumerai tout à l'heure, expliqua l'adolescent en arborant un air satisfait. Là, je veux finir de peinturer le bas de l'armoire le plus vite possible avant de mourir étouffé la tête là-dedans. C'est écœurant comment cette peinture-là sent fort.

Jean ne dit rien. Il se mit à couvrir d'émail les contours de la fenêtre et de la porte qui donnaient sur la galerie. Quelques minutes plus tard, absorbé par son travail, il n'entendit pas la porte de l'appartement s'ouvrir. Quand il se retourna, il aperçut son père debout à l'entrée de la cuisine, regardant avec attention Claude dont la tête et les épaules disparaissaient à l'intérieur de l'armoire. Le plus étonnant était que de la fumée s'échappait de l'endroit.

— Vous avez pas trop de misère? demanda Félicien d'une voix forte, comme pour alerter celui qui était agenouillé devant l'armoire.

Il y eut un bruit d'étouffement en provenance de l'endroit suivi de quelques gestes convulsifs. Finalement, le peintre sortit la tête de l'armoire, la figure toute blême.

— Dis donc, es-tu ben sûr qu'il y a pas le feu dans cette armoire-là ? s'enquit Félicien auprès de son fils aîné. On dirait ben qu'il y a de la boucane qui sort par la porte…

Jean jeta un regard furieux à son jeune frère.

— S'il y avait le feu, p'pa, Claude s'en serait aperçu. Ça fait deux heures qu'il peinture là.

Le père de famille feignit de se laisser convaincre par cette explication.

— En tout cas, Claude, sors la tête de là de temps en temps, on dirait que t'es en train de crever. T'es blanc comme un drap, cybole !

— Je vais faire attention, p'pa, promit l'adolescent d'une voix mal assurée.

— Avez-vous besoin d'aide ? offrit timidement le père de famille.

— Merci, p'pa, mais on finit la cuisine et on arrête, lui apprit Jean.

— Dans ce cas-là, on se voit à la maison tout à l'heure, dit Félicien. Oublie pas de laisser une fenêtre entrouverte pour laisser sortir l'odeur de peinture, recommanda-t-il avant de partir.

Les deux jeunes attendirent d'entendre la porte située au pied de l'escalier se refermer sur leur père avant de parler.

— Je t'avais dit de faire attention, calvince ! s'emporta Jean.

— Il m'a pas vu, se défendit son frère.

— Un fou ! P'pa est pas aveugle ! Penses-tu qu'il a pas deviné ?

— Il a rien dit en tout cas.

— Tire pas trop sur la corde, lui conseilla son frère aîné. Cet après-midi, il est de bonne humeur, mais fais ben attention qu'il te prenne pas une autre fois en train de fumer. Je pense que tu devrais considérer ce qui vient d'arriver comme un bon avertissement.

— OK, mais là, j'ai pas fini l'armoire. J'en ai encore pour une couple de minutes. Toi, t'as presque fini de peinturer la porte. Si j'étais à ta place, je commencerais à nettoyer avec de la térébenthine toute la peinture que t'as mise sur le plancher. Puis oublie pas les vitres de la fenêtre et de la porte.

— Il y en a pas tant que ça, prétendit Jean.

— Il y en a assez pour que ça vaille la peine de l'essuyer, trancha Claude avant de tremper son pinceau dans son gallon de peinture.

Ce soir-là, Jean eut la surprise d'être accueilli par une Reine d'excellente humeur qui avait pris la peine de lui cuisiner du sucre à la crème qu'elle avait déposé sur la table du salon, à côté d'un cendrier.

— Si ma mère me voyait manger ça en plein carême, dit le jeune homme après avoir dégusté un gros morceau de friandise, j'en entendrais parler.

— Quand on a travaillé toute la journée comme tu l'as fait, on a droit à des petites compensations, affirma Reine en se lovant contre lui.

— Pendant que j'y pense, as-tu vu Tremblay aujourd'hui ? lui demanda-t-il.

— Il est venu après le dîner.

— Comment ça se fait qu'il soit pas monté me voir ?

— Il a voulu d'abord saluer mon père au magasin. C'est bien tombé, il y avait pas de clients quand il est entré. Je lui ai dit qu'il aurait pas à monter parce que t'étais pas là.

— Ton père a rien dit en entendant ça ?

— Non. Tremblay m'a d'abord dit qu'il était pas content d'avoir été obligé de venir jusque chez nous pour se faire payer alors qu'on lui avait promis d'aller le payer chez eux.

Je lui ai expliqué qu'on avait l'argent, mais qu'il y avait quelque chose qu'il avait fait de pas correct et qu'on voulait lui en parler.

— Puis ?

— Quand je lui ai parlé du ménage du hangar qui avait pas été fait, il a changé de ton. Il a tout de suite vu que je le croyais pas quand il me disait avoir oublié de le vider. En tout cas, à force de discuter, il a finalement accepté de baisser le prix des meubles qu'il nous a vendus de cinq piastres en échange du ménage du hangar.

— C'est vrai ? fit Jean, enthousiaste.

— Disons que ça a pris du temps avant de le convaincre que l'ouvrage que ça allait te donner valait au moins cinq piastres.

— Je trouve que c'est une bonne nouvelle, apprécia Jean. Il y a pas à dire, t'es bonne pour négocier.

Elle le remercia d'un baiser qu'il lui rendit, même s'il avait l'impression d'être infidèle à Blanche en se laissant aller. Dans vingt-quatre heures, il allait franchir une étape décisive et c'était avec Reine qu'il allait faire sa vie. À ce moment-là, il ne serait plus question de reculer.

Chapitre 15

Les fiançailles

Le lendemain après-midi, Félicien finissait de lire *La Patrie* quand sa femme fit son apparition dans le salon.

— Il serait peut-être temps que tu te prépares, lui dit-elle.

— Il est juste trois heures et demie, fit-il après avoir regardé sa montre.

— Il faut être là-bas à quatre heures. On n'est pas pour arriver là juste pour l'heure du souper, ça aurait l'air mal élevé.

— De toute façon, je suis prêt, répliqua-t-il, un peu agacé par la nervosité apparente de sa femme.

— Tu vas pas aller là sans ta cravate. Mets un col dur, ça a l'air plus propre.

— Saint cybole ! dis-moi pas que je vais être poigné pour étouffer pendant toute la soirée, se plaignit-il en quittant son fauteuil, de mauvaise humeur.

Il passa dans la pièce adjacente et en sortit avec un col amidonné qu'il tendit à Amélie.

— Aide-moi au moins, lui ordonna-t-il.

Sa femme attacha son col dur d'un geste sec et il entreprit de faire son nœud de cravate. Ensuite, en maugréant, il se mit à la recherche de ses boutons de manchettes dans l'un des tiroirs de sa commode.

— Est-ce que je peux entrer dans le salon ? demanda Jean.

Comme la chambre des parents avait toujours été la pièce ouverte sur le salon, les enfants avaient pris l'habitude de demander s'ils pouvaient entrer dans le salon sans être indiscrets.

— Entre, on a fini de s'habiller, répondit sa mère en train de se parfumer avec le vaporisateur à parfum à demi plein d'*Evening in Paris*.

Jean avait déjà endossé son veston bleu marine et serré sa cravate rouge vin.

— Je voulais juste vous dire que j'ai demandé à Reine pourquoi ses parents avaient pas invité Claude et Lorraine à souper. Elle m'a répondu que sa mère était pas une bonne cuisinière et que ça l'énervait pas mal d'avoir à nous recevoir. Ça fait que…

— Laisse faire, l'interrompit Amélie en constatant son malaise. Ta sœur et ton frère en mourront pas. Ils sont capables de se débrouiller tout seuls. En plus, tu connais ton frère, il va préférer écouter le match de hockey à la radio.

— Les Canadiens jouent contre les Rangers à soir, dit Félicien, comme pour lui-même.

Sa voix dissimulait mal son regret de rater ce match, surtout que les joueurs vedettes du club, Maurice Richard et Toe Blake, accumulaient les buts à un rythme particulièrement soutenu depuis quelques joutes.

— Il y a des choses pas mal plus importantes que le saudit hockey, déclara sa femme d'une voix énergique. C'est à soir que ton garçon se fiance. Du hockey, tu en as au moins deux fois par semaine.

— Je le sais ben, répliqua Félicien, piqué au vif. Bon, t'as pas oublié la bague ? demanda-t-il en se tournant vers Jean.

— Je l'ai, p'pa, répondit ce dernier en tapant sur une poche de son veston.

— Dans ce cas-là, on est aussi ben d'y aller, fit le père de famille en sortant de la pièce pour se diriger vers la patère placée à l'entrée.

Tous les trois quittèrent l'appartement et descendirent avec précaution l'escalier tournant extérieur dont les marches avaient été rendues glissantes par les quelques flocons de neige tombés au début de l'après-midi. Quelques minutes plus tard, Jean sonna chez les Talbot.

Encore une fois, ce fut Reine qui vint ouvrir. Dès que la sonnerie se fit entendre, Jean poussa la porte et l'aperçut debout sur le palier de l'étage.

— Bonjour, on n'est pas trop de bonne heure, j'espère ? s'enquit poliment Amélie en commençant à monter l'escalier.

— Bien non, madame Bélanger, montez. On vous attendait. Tout le monde est déjà arrivé.

Jean suivit ses parents et tous s'arrêtèrent sur le palier. Amélie, toujours aussi chaleureuse, embrassa sa future bru et Félicien ne put faire autrement que l'imiter. Les visiteurs entendaient des voix en provenance de l'appartement dont la porte était ouverte. Avant même qu'ils soient entrés, Fernand et Yvonne Talbot apparurent derrière leur fille et serrèrent cérémonieusement la main aux parents de Jean. Yvonne dominait Amélie de presque une tête et son maintien rigide donnait l'impression qu'elle était encore plus grande.

— Entrez, les pria le maître des lieux. Ôtez votre manteau et venez vous asseoir au salon.

Reine débarrassa Jean et ses parents de leur manteau et les invita du geste à suivre ses parents dans la pièce voisine où son frère aîné, Lorenzo, discutait avec sa sœur Estelle et son mari. Les Talbot avaient pris soin de repousser la petite table en noyer pour faire de la place à deux chaises disposées le long d'un des murs de la pièce. Ces sièges s'ajoutaient au divan et aux deux fauteuils.

— Reine, fais donc les présentations, dit Yvonne en s'immobilisant sur le seuil de la porte, tout en conservant son air hautain assez désagréable.

La jeune fille fit un pas en avant et désigna un jeune homme à l'épaisse chevelure noire rejetée vers l'arrière.

— Bon, monsieur et madame Bélanger, je vous présente d'abord le plus vieux de la famille, mon frère Lorenzo.

— Bonjour, salua ce dernier en adressant un sourire aux visiteurs. Et celui qui se cache en arrière, c'est mon futur beau-frère, je suppose? plaisanta le représentant de commerce qui dépassait son père d'une tête.

— En plein ça, reconnut Jean en lui tendant la main.

— Ma sœur Estelle, poursuivit Reine en présentant la jeune femme dont la robe gris perle était agrémentée d'une broche qui semblait coûteuse.

Estelle se leva comme à regret du divan et adressa un sourire sans chaleur aux nouveaux arrivés. Elle accorda à peine un regard à l'amoureux de sa sœur.

— Charles Caron, son mari, poursuivit Reine.

L'homme de trente-deux ans un peu grassouillet et aux tempes légèrement dégarnies tendit la main aux Bélanger.

— Moi, je suis l'étranger de la famille, plaisanta-t-il. Je suis content de voir qu'il y en a un autre qui va venir me tenir compagnie.

Fernand invita les parents de Jean à prendre place sur le divan et toutes les personnes présentes s'assirent, sauf l'hôte qui offrit des rafraîchissements. Dès que ce dernier fut sorti du salon, il y eut un moment de gêne assez pénible durant lequel personne ne sembla décidé à prendre la parole pour briser la glace. Yvonne croisait et décroisait ses mains en les fixant d'un air absent tandis que sa fille aînée lissait sa robe. Finalement, ce fut Lorenzo qui prit la parole pour demander à Félicien s'il ne trouvait pas l'hiver trop pénible, en tant que facteur. De toute évidence, ses parents lui avaient parlé de la famille de son futur beau-frère.

Le quinquagénaire parla de son habitude des grands froids et du fait qu'il avait connu bien pire au début de la guerre. Ensuite, Charles Caron sortit de sa réserve pour s'enquérir de l'emploi que Jean avait trouvé. Le fils de Félicien se limita à dire qu'il travaillait pour le Canadien National tout en prenant soin de préciser qu'il avait bien l'intention de trouver un travail plus intéressant à la fin du printemps.

— Il va y avoir moins de chômeurs ben vite, assura Fernand en revenant dans la pièce porteur d'un plateau de rafraîchissements. L'ouvrage va reprendre quand le gouvernement d'Ottawa va annoncer la fin du rationnement dans une couple de mois.

— Il est à peu près temps, intervint Lorenzo. Moi, le rationnement du fromage, du sucre et des matériaux de construction m'a dérangé pas mal moins que celui de l'essence. Je sais pas si vous vous en doutez, mais compter ses coupons de rationnement, c'est pas ce qui rend son ouvrage facile pour un représentant comme moi.

Estelle et sa mère n'avaient pas encore ouvert la bouche et Amélie semblait mal à l'aise devant leur réserve réfrigérante. Elle se sentit obligée finalement de s'adresser à Reine pour lui dire qu'elle avait commencé ses rideaux.

— T'as choisi du beau matériel, dit-elle à sa future bru. En plus, il se coud bien.

— J'ai bien hâte de les voir dans mes fenêtres, admit Reine.

— Est-ce que votre fille vous a parlé de ses rideaux? demanda la femme de Félicien à Yvonne.

— Un peu, se contenta de répondre l'hôtesse.

— Est-ce que vous savez coudre ? ajouta Amélie pour faire la conversation.

— Non, j'ai jamais appris.

— Et toi ? fit-elle en s'adressant à Estelle.

— Moi non plus. Je laisse ça aux couturières, ajouta-t-elle dédaigneuse.

— C'est pourtant bien utile à savoir, s'entêta Amélie en feignant d'ignorer l'air déplaisant de la jeune femme.

Fernand Talbot n'eut pas cette délicatesse. Il adressa un regard mauvais à sa fille avant de dire :

— J'ai une fille qui s'imagine qu'elle peut rester à rien faire à cœur de jour parce que son mari gagne ben sa vie. Je suis pas encore arrivé à lui faire comprendre que savoir faire quelque chose de ses dix doigts, c'est loin d'être une honte. Reine est plus raisonnable.

— P'pa ! protesta l'épouse du dentiste en rougissant légèrement.

Son mari eut un petit rire qui sembla l'agacer prodigieusement. Fernand en profita pour faire un signe éloquent à sa femme, qui ne broncha pas.

— On n'a pas des hors-d'œuvre ? demanda-t-il ensuite.

— Je vais aller les chercher, p'pa, proposa Reine, prête à se lever.

— Laisse faire. Ta mère va venir me donner un coup de main, dit Fernand en lui faisant signe de demeurer assise près de Jean.

Yvonne quitta comme à regret le fauteuil qu'elle occupait et suivit son mari dans la cuisine.

— Calvaire ! vas-tu arrêter de faire cet air bête là ? jura à mi-voix le petit homme chauve. À quoi ça rime d'inviter le monde et de leur faire une face de carême ?

— J'ai mal à la tête, se plaignit sa femme.

— Achale-moi pas avec ton mal de tête! répliqua-t-il sèchement. T'as mal à la tête chaque fois que ça fait ton affaire. Là, tu fiances ta fille. Les Bélanger tordent probablement le bras de leur gars pour qu'il la marie. As-tu le goût qu'ils lui disent de laisser faire parce que sa future belle-famille est pas du monde?

— Bien non.

— À ce moment-là, secoue-toi, bonyeu! Puis, tu vas trouver le moyen d'avertir ta fille Estelle de débarquer de ses grands chevaux et d'arrêter de regarder tout le monde de haut...

— Pourquoi tu le fais pas toi-même? se rebiffa Yvonne que ce sermon commençait à énerver.

— Si je le fais, ça va être devant tout le monde et t'aimeras pas ça.

— C'est correct. Je vais lui parler, promit sa femme en s'emparant d'un plateau de hors-d'œuvre, aussitôt imitée par son mari.

Ils revinrent au salon, un sourire artificiel plaqué sur le visage. Ils offrirent aux invités des biscuits Ritz sur lesquels l'hôtesse avait étalé quelques pâtés. Quelques minutes plus tard, la maîtresse de maison demanda à sa fille aînée de venir l'aider à dresser la table.

— Je vais aller vous donner un coup de main, offrit Amélie avec bonne volonté.

— Vous êtes gentille, madame Bélanger, mais c'est pas nécessaire. Tout est déjà pas mal prêt. À deux, ça va nous prendre juste cinq minutes.

Estelle quitta la pièce sur un sourire contraint et suivit sa mère dans la cuisine.

— Ton père est pas de bonne humeur, dit-elle d'entrée de jeu à son aînée.

— Qu'est-ce qu'il a? demanda la femme du dentiste, sincèrement étonnée.

— Il aime pas ta façon de regarder de haut les Bélanger.

— Je les regarde pas de haut, m'man, se défendit Estelle. C'est pas ma faute s'ils sont pas de notre classe.

— Je pense que t'es mieux d'oublier leur classe si tu veux pas que ton père explose. Tu dois comprendre que l'important, ce soir, c'est que Jean fiance ta sœur et que rien vienne le faire changer d'idée. Fais ça pour nous autres, Estelle.

Estelle Caron hocha la tête et aida sa mère à disposer les couverts sur la table.

— Même si vous avez ajouté une table à cartes au bout de la table de cuisine, on va être tassés pour manger, m'man, fit-elle remarquer à sa mère.

— On est neuf. Il y avait pas moyen de faire autrement. On se tassera.

Peu après, Estelle se rendit au salon pour annoncer que le repas était prêt et qu'on pouvait passer à table. Dès leur entrée dans la cuisine, Yvonne installa les futurs fiancés aux places d'honneur et indiqua à chacun l'endroit où il pouvait s'asseoir. L'hôtesse et sa fille servirent d'abord un bol de soupe aux légumes, suivi d'une généreuse portion de poulet disposée sur un feuilleté et nappée d'une épaisse sauce blanche. Elle avait opté pour cette recette dans l'intention manifeste d'épater les Bélanger. Un gâteau aux fruits déjà tranché attendait sur le comptoir.

Durant les premières minutes du repas, un silence embarrassé régna à nouveau dans la cuisine des Talbot. Chacun mangeait en se concentrant sur le contenu de son assiette. Finalement, ce fut Amélie qui rompit le silence pour féliciter la cuisinière.

— Ça fait bien longtemps que j'ai pas mangé quelque chose d'aussi bon ! s'exclama-t-elle en avalant la dernière bouchée de poulet contenue dans son assiette.

— Moi aussi, fit Fernand avec bonne humeur.

— C'est vrai que ça change pas mal de ce que je me cuisine, intervint Lorenzo.

— Toi, viens pas te plaindre, dit son père. J'arrête pas de te dire de te marier au plus sacrant si tu veux manger comme du monde.

— J'ai rien contre, p'pa, reprit l'aîné, mais toutes les filles que je rencontre ont mauvais caractère et veulent me mener par le bout du nez.

— Arrive en ville, le beau-frère, dit Charles, mi-sérieux. Les femmes sont toutes comme ça.

— Whow ! fit Reine.

— Aïe ! Exagérez pas, tout de même, se crut obligée de dire Estelle.

— Je suis ben prêt à gagner mon ciel, mais pas à n'importe quel prix, plaisanta le représentant des produits Familex.

— Ben, c'est ça, mange des sandwichs tous les jours et viens pas te plaindre, conclut son père en riant.

— Avant que les jeunes en apprennent trop sur les inconvénients du mariage, on pourrait peut-être passer aux choses sérieuses, suggéra Félicien qui n'avait pratiquement rien dit durant le repas.

— Bonne idée, approuva Fernand en faisant un signe à Jean, assis en face de lui.

Le jeune homme regarda Reine et tous les deux se levèrent. Jean tira un écrin de la poche de son veston. Tout le monde se tut et il rougit un peu quand il se rendit compte qu'on s'attendait à ce qu'il prenne la parole.

— C'est drôle, je trouve qu'il fait tout à coup pas mal chaud, plaisanta-t-il après s'être raclé la gorge. J'ai demandé la main de Reine à son père et il me l'a donnée, dit-il comme entrée en matière.

— Il espère que tu vas bien vouloir prendre le reste aussi, lui fit remarquer Lorenzo, déclenchant un rire un peu emprunté autour de la table.

— Monsieur et madame Talbot ont accepté de célébrer nos fiançailles ce soir. Reine et moi, on les remercie beaucoup.

Sur ces mots, il ouvrit l'écrin et le présenta à sa compagne qui y prit la bague qu'elle glissa à l'annulaire de sa main droite. Il y eut des applaudissements polis autour de la table.

— Tu l'embrasses pas ? demanda Charles Caron au fiancé en feignant l'étonnement.

— Tu vois pas qu'il attend la permission de mon père, dit Lorenzo en riant.

Jean regarda Fernand Talbot qui lui adressa un léger signe de tête. Alors, il embrassa Reine devant tous les invités et ce geste incita ces derniers à applaudir encore les fiancés, mais beaucoup plus chaleureusement que lorsque Reine avait glissé la bague à son doigt.

Après le dessert, l'hôtesse invita tout le monde à passer au salon.

— Je vais vous donner un coup de main à laver la vaisselle, offrit généreusement Amélie.

— On ne lave pas la vaisselle, déclara Yvonne. J'ai une femme de ménage qui va venir s'occuper de ça demain matin et remettre la maison en ordre.

Sur ces mots, grande dame, elle accompagna la mère de son futur gendre au salon.

Durant l'heure suivante, on s'informa des projets du jeune couple, puis la conversation dériva vers les origines de chacune des familles. Charles Caron avoua être la troisième génération de dentistes puisque son grand-père et son père l'avaient été avant lui.

— Même chose pour les Talbot, se crut obligé de spécifier son beau-père. On est commerçants de père en fils.

— Tu n'es que la deuxième génération, Fernand, fit remarquer Yvonne avec une certaine hauteur. Ce n'est pas comme dans ma famille. Je suis une Grenier et les Grenier ont toujours été dans les affaires et dans la politique. Mon père, Octave Grenier, a été organisateur libéral durant une trentaine d'années pour Alexandre Taschereau, et j'ai un oncle qui a été député. Mon frère Étienne possède une compagnie dans le Maine et mon autre frère, Henri, a un poste de directeur dans une compagnie d'assurances. Il vit à Verchères. Ma sœur Jeanne-Mance, elle, a épousé le notaire Brien, qui a été maire dans la région de Québec.

Yvonne se tut en se gourmant, attendant de toute évidence que les Bélanger lui livrent, à leur tour, quelques informations sur leur famille. Jean, un peu gêné, regarda ses parents pour tenter de voir comment ils avaient apprécié les vantardises de sa future belle-mère.

— Malheureusement, ma famille a rien d'extraordinaire, dit Amélie avec un petit sourire d'excuse. Je suis une Corbeil et j'ai été élevée sur une petite terre à Saint-Alexis. On était une famille de sept enfants. Tout ce que je peux dire, c'est que mon père et ma mère se sont tués à l'ouvrage pour nous nourrir. Avec eux, on a appris à travailler d'un soleil à l'autre. Aujourd'hui, il me reste un frère et deux sœurs. Émile est soudeur, ici, à Montréal. Mes sœurs, Agathe et Élisabeth, ont marié des cultivateurs de Sainte-Marie-Salomé. J'ai un frère qui est mort dans un accident et deux de mes sœurs sont décédées de la grippe espagnole, quand elles étaient petites.

— Et vous, monsieur Bélanger? demanda Fernand en se tournant vers son invité.

— Moi, j'ai toujours vécu à Montréal. Mon père était laitier pour la laiterie Saint-Alexandre. Il est mort il y a huit ans. Ma mère vit encore. Elle reste avec mes deux sœurs qui sont gardes-malades à l'hôpital Hôtel-Dieu. Même si on n'était pas ben riches, j'ai jamais eu honte de ma famille. Chez nous, personne a jamais volé une cenne à quelqu'un.

Après cette mise à jour de l'histoire des deux familles, la conversation redevint languissante. Yvonne et sa fille aînée semblaient incapables de participer aux échanges ou, mieux, de les relancer. Finalement, vers neuf heures, les Bélanger signifièrent leur intention de partir et se levèrent.

— Je dois me lever ben de bonne heure, s'excusa poliment Félicien en saluant toutes les personnes présentes.

Avant de quitter leurs hôtes, ils les remercièrent de leur hospitalité. Leur départ incita les autres invités à les imiter dans les minutes suivantes. Estelle évoqua son état pour se retirer en compagnie de son mari et Lorenzo parla des nombreux clients qu'il avait promis d'aller voir le lendemain matin. Bref, à neuf heures trente, les parents de Reine se retrouvèrent seuls en compagnie des fiancés. Jean offrit ses services pour remettre de l'ordre dans le salon, mais Yvonne refusa en alléguant de nouveau la présence de la femme de ménage le lendemain. Le jeune homme remercia les Talbot de leur invitation au moment où ils quittaient la pièce pour laisser aux jeunes un peu d'intimité.

— J'espère que tes parents ont aimé ça, fit Reine dès qu'ils se retrouvèrent seuls.

— C'est certain qu'ils ont aimé ça, affirma-t-il. Mais je savais pas que vous aviez une femme de ménage, reprit-il.

— Madame Huot vient faire le ménage une fois par semaine depuis des années, expliqua la jeune fille.

— Ta mère est pas capable de le faire ? s'étonna Jean.

— Elle est capable, mais elle a jamais aimé faire du ménage. En plus, elle a souvent mal à la tête...

Jean abandonna le sujet et, durant quelques minutes, il énuméra ce qu'il avait l'intention de faire dans leur appartement la semaine suivante. Un peu après dix heures, il prit congé à son tour et rentra chez ses parents.

À son arrivée, la maison était déjà plongée dans l'obscurité. Sa mère n'avait laissé allumée que l'ampoule au-dessus de l'évier. Il fut un peu déçu que ses parents se soient déjà retirés dans leur chambre. Il aurait aimé pouvoir connaître leurs impressions sur la famille Talbot.

En réalité, il était préférable qu'il laisse un peu de temps à ses parents. L'un et l'autre n'étaient pas rentrés très enchantés de leur premier contact avec la future belle-famille de leur fils.

— As-tu déjà vu du monde plus déplaisant que ça, toi? s'était exclamé Félicien au moment où ils quittaient la maison des Talbot.

— Pas tous, quand même, tempéra la petite femme à ses côtés. Le père et le frère de Reine sont bien parlables.

— Ce sont ben les seuls, cybole! La bonne femme se prend pas pour rien, elle. J'ai jamais vu quelqu'un d'aussi enflé.

— C'est vrai qu'elle est un peu fraîche, reconnut Amélie.

— Un peu fraîche! s'exclama le facteur. L'as-tu entendue nous dire avec son air de duchesse que c'était pas nécessaire que tu l'aides à faire la vaisselle? Sa femme de ménage, ma chère, va s'en occuper demain matin.

— Si son mari a les moyens de lui payer une femme pour faire le ménage, tant mieux pour elle.

— Fais-moi pas rire, bonyeu! Talbot est tout de même pas Rockefeller! C'est juste un vendeur de biscuits et de nananes.

— Au fond, c'est pas bien grave, s'empressa de dire Amélie pour le calmer.

— Moi, du monde qui porte pas à terre, ça m'écœure ! poursuivit le facteur. Et sa fille, la grande fraîche, elle se prend pour une princesse parce qu'elle a marié un dentiste. Mais bâtard ! Un dentiste, c'est juste un arracheur de dents, non ?

— Il faut reconnaître qu'ils sont un peu orgueilleux, mais c'est pas du mauvais monde, dit Amélie sur un ton conciliant.

— C'est pas du mauvais monde, mais c'est pas du monde comme nous autres, répliqua Félicien. Le pire a été quand la Talbot a commencé à se vanter de sa famille avec ses airs pince-fesse, ajouta-t-il. Après ça, as-tu vu comment elle avait l'air dédaigneux quand on a dit que toi, tu venais de la campagne et que moi, mon père était juste un laitier ?

— C'est pas grave. On sera pas obligés de les fréquenter, même si Jean marie leur fille.

— Mais as-tu pensé à ce que notre garçon va avoir à endurer ?

— J'espère juste une chose, c'est que Reine ressemble pas trop à sa mère et à sa sœur, répondit Amélie. Si notre bru est comme elles, elle va se faire remettre vite à sa place quand elle va venir chez nous parce que je sens que je pourrai pas l'endurer.

Une heure plus tard, à son entrée dans sa chambre, Jean découvrit que Claude ne dormait pas. Il lisait encore un *Tintin*.

— Es-tu à la veille de lâcher *Tintin* pour lire autre chose ? lui demanda-t-il en s'assoyant sur son lit pour retirer ses chaussures.

— J'haïs les autres livres, il y a pas de dessins dedans.

— Tu devrais avoir honte. Tu vas avoir quinze ans au mois de mai.

— Laisse faire. Je lis ce que je veux. Puis, est-ce que ça a été le fun ? demanda l'adolescent, toujours aussi curieux.

— J'espère que t'es pas resté réveillé juste pour me demander ça, répondit Jean en mettant son pyjama.

— C'est sûr. Si tu me racontes comment ça s'est passé, je vais t'apprendre une nouvelle importante.

— Tu vas me dire, je suppose, qui a gagné la partie, dit en riant l'aîné.

— Non, plus important que ça. Pour le hockey, tu le croiras pas, on s'est fait planter 2 à 0 par les Rangers. Leswick a compté les deux buts.

— Bon, envoye, s'impatienta Jean en s'installant dans son lit. Je me lève à cinq heures demain matin.

— Non, toi d'abord, s'entêta son frère.

— Correct. Ça s'est ben passé. Toute la famille de Reine était là.

— Ah bon ! Toute sa famille était invitée et nous autres, les Bélanger, il y avait juste p'pa et m'man qui ont pu y aller.

— C'était aussi ben comme ça. On était tassés comme des sardines et c'était pas ben drôle, confessa Jean, qui avait bien senti à quel point ses parents avaient dû faire des efforts pour se montrer aimables durant la soirée.

— Ouais ! Je pense que t'as raison. J'étais mieux de rester tranquille ici dedans. Bon, tu devineras jamais la nouvelle. J'ai parlé à Lorraine pendant le souper. Tu sais pas la meilleure ? Je pense qu'elle s'est fait un nouveau chum !

— Puis après ? Elle a...

— Attends. Je t'ai pas dit le meilleur, le coupa Claude. Son nouveau chum, il paraît que c'est un Français de France.

— Arrête donc !

— Je te le dis. Ça se peut qu'on lui voie la face la fin de semaine prochaine, à moins qu'il change d'idée et qu'il décide d'aller voir une autre fille.

— Bon, OK. T'as fini tes commérages ? À cette heure, bonne nuit. Je dors, dit Jean sur un ton définitif en éteignant sa lampe de chevet.

Chapitre 16

Les préparatifs

Le mardi suivant, Fernand Talbot poussa un profond soupir de satisfaction après avoir avalé sa dernière bouchée de pain qu'il venait de tremper dans du sirop d'érable. Il but une gorgée de thé et recula légèrement sa chaise, au bout de la table, pour se donner plus d'espace pour respirer.

Tous les Talbot attablés levèrent les yeux vers le plafond quand ils entendirent des bruits de pas à l'étage supérieur.

— On dirait que Jean est déjà arrivé, fit remarquer le père de famille.

— Il y a encore pas mal d'ouvrage à faire en haut, dit Reine en se levant pour commencer à desservir la table.

On soupait assez tard chez les Talbot parce qu'on ne fermait jamais la biscuiterie avant six heures les soirs de semaine. Maintenant, pratiquement chaque soir, Jean se mettait au travail dans l'appartement au moment même où sa fiancée et ses futurs beaux-parents terminaient leur repas du soir.

— Attends donc avant de démettre la table, ordonna le père de famille à sa fille. Ça presse pas comme un coup de couteau. On a des affaires importantes à régler.

Reine regarda sa mère au moment où cette dernière échangeait un regard de connivence avec son mari. Aussitôt, la jeune fille se mit sur ses gardes. Elle venait de deviner qu'ils avaient eu une discussion à son sujet en dehors de sa présence. Elle se rassit et attendit. Son père se racla la gorge et prit le temps d'allumer un cigare avant de reprendre la parole.

— À cette heure qu'on a fêté tes fiançailles, il est temps de voir quelles noces on va t'organiser, dit-il. Le 12 avril, ça s'en vient vite.

Reine hocha la tête sans rien dire.

— On a parlé, ta mère et moi. Ta mère dit qu'elle aimerait mieux des petites noces. Moi, je sais pas trop. Toi, qu'est-ce que t'en penses ?

Reine regarda sa mère avant de se tourner vers son père.

— Pourquoi des petites noces, m'man ? Je suis pas plus folle qu'Estelle. Vous lui avez fait des belles noces à elle. Pourquoi pas à moi ?

— Au cas où tu l'aurais oublié, c'est pas tout à fait la même chose, lui dit Yvonne d'une voix cassante.

— Si vous pensez au fait que je suis en famille, je vous fais remarquer que c'est pas écrit dans mon front, rétorqua Reine d'une voix cinglante. En plus, on se marie au mois d'avril justement parce que ça paraîtra pas.

— Quant à ça, fit Fernand, indécis, en dodelinant la tête de droite à gauche.

— À part ça, je trouverais pas ça juste pantoute, s'entêta la jeune fille, au bord des larmes. Je suis autant votre fille qu'elle.

Fernand ne dit rien et se laissa attendrir. Encore une fois, Reine était parvenue à ses fins en versant quelques larmes au bon moment.

— C'est correct. Tu vas avoir les mêmes noces que ta sœur, dit-il sur un ton décidé en jetant un regard d'avertissement à sa femme. Demain matin, je vais aller réserver une salle chez Duquette, sur Saint-Hubert. Quand je serai revenu, toi, tu iras commander les faire-part chez Simoneau, sur Saint-Denis, et tu lui demanderas de les faire pas plus tard que cette semaine.

— Il va falloir que tu demandes à ton Jean le nom et les adresses de ceux qu'il veut inviter, intervint Yvonne sans grand enthousiasme. Dis-lui de pas traîner. On est déjà en retard pour envoyer des faire-part.

— Combien de personnes est-ce qu'il va pouvoir inviter ? demanda Reine à son père, en se rappelant que cela avait posé quelques problèmes lors du mariage de sa sœur aînée.

— Une trentaine. Nous autres, ça dépassera pas ce nombre-là.

— Et pour ma robe de mariée ?

Il y eut un léger flottement dans la cuisine. Reine allait-elle se marier en blanc ?

— Tu verras ça avec ta mère la fin de semaine prochaine. C'est pas les magasins de robes de mariée qui manquent sur Saint-Hubert. Mais sers-toi tout de même de ta tête quand tu vas en choisir une. Essaye de te souvenir que je suis pas riche comme Crésus.

— C'est promis, p'pa. J'en prendrai une qui va pas coûter plus cher que celle qu'Estelle a choisie, précisa-t-elle d'une voix acide.

Fernand Talbot ne put retenir une grimace au simple souvenir de la facture qu'il avait dû acquitter lors des noces de son aînée.

— Calvaire ! c'est pas encore cette année qu'on va pouvoir mettre une cenne de côté ! jura-t-il en quittant la table avec l'intention d'aller se réfugier dans le salon avec son journal.

— Tu t'énerves bien pour rien, lui fit remarquer Yvonne. T'oublies que les tissus sont encore rationnés. J'ai beau avoir encore pas mal de coupons, on trouvera pas facilement une robe de mariée qui a du bon sens.

— Estelle s'est mariée pendant la guerre, m'man, dit Reine, et elle a eu une belle robe quand même.

— T'as l'air d'oublier, ma fille, que ta sœur s'est pas mariée pressée comme toi, ne put s'empêcher de rétorquer Yvonne. On a ramassé des coupons pendant des mois avant. En plus, elle l'a pas achetée toute faite. Elle a eu le temps de se trouver une couturière qui lui a fait sa robe.

Sur ces mots, la mère de famille entreprit de laver les poêles et les casseroles après avoir vidé le contenu d'une bouilloire d'eau chaude dans le plat à vaisselle. Reine, fâchée par la remarque désagréable de sa mère, s'empara de mauvaise grâce d'un linge à vaisselle.

— En plus, il va bien falloir que je m'achète une robe neuve pour tes noces, reprit Yvonne en feignant de ne pas remarquer la mauvaise humeur de sa fille.

— Vous êtes pas obligée, m'man, laissa tomber Reine. Vous avez des robes plein votre garde-robe.

— Tu t'imagines tout de même pas, ma petite fille, que je vais aller à des noces avec des guenilles sur le dos, rétorqua sa mère sur un ton hautain. Je vais en acheter une ivoire. Oublie pas de le dire à Jean pour que sa mère achète pas une robe de la même couleur que la mienne, si elle a les moyens de se payer une robe neuve pour l'occasion, évidemment...

— Voyons donc, m'man ! protesta Reine. Vous savez bien qu'elle viendra pas à nos noces avec une guenille sur le dos. Elle est plus fière que ça.

— On le sait pas, ma fille. On dirait que tu te rends pas compte que c'est pas du monde de notre rang.

— C'est entendu, fit la jeune fille sur un ton exaspéré. Si ça vous fait rien, je vais aller porter une tasse de café à

Jean et le mettre au courant de ce que p'pa a décidé pour nos noces.

— C'est correct, mais reste pas trop longtemps toute seule avec lui dans l'appartement. Ça pourrait faire jaser.

— Voyons, m'man, protesta Reine. On est tout seuls dans la maison. Et en bas, c'est la biscuiterie. Qui pourrait jaser, je voudrais ben le savoir ?

— Ça fait rien, c'est une question de réputation, s'entêta la grande femme.

Sa fille aurait pu lui faire remarquer que question réputation, il était un peu tard pour y songer, mais elle résista à la tentation en se disant que la conversation qui s'ensuivrait ne pourrait qu'être désagréable et ne mènerait nulle part.

Après avoir rangé la cuisine, Reine monta à l'étage en prenant soin de ne pas renverser de café dans l'escalier. Elle était impatiente d'informer son fiancé des décisions que son père venait de prendre. Elle le trouva en train de peindre la salle de bain.

S'il l'entendit pénétrer dans l'appartement, il n'en montra rien. La jeune fille se planta debout devant la porte ouverte de la petite pièce et observa pendant un long moment son fiancé qui appliquait une première couche de peinture, monté sur le vieil escabeau du défunt locataire.

— Je sais pas comment tu fais pour respirer cette odeur-là, lui dit-elle en fronçant le nez. Ça donne mal à la tête.

— C'est normal que ça sente fort, c'est de l'émail, fit-il sans bouger de son perchoir.

— En tout cas, moi, je sais pas si c'est parce que je suis en famille, mais ça me fait mal au cœur cette odeur-là. J'espère que ça sentira pas trop longtemps ici dedans.

— Inquiète-toi pas, dans deux trois jours tu sentiras plus rien; juste le propre.

— T'as l'air fatigué, reprit-elle en examinant son visage. Viens t'asseoir cinq minutes. Je t'ai apporté une tasse de café.

— C'est sûr qu'après dix heures de ménage au Canadien National, je suis pas trop reposé, reconnut-il en se résignant à descendre de son escabeau pour la rejoindre dans le couloir.

Elle l'embrassa.

— Attention de pas te tacher, la mit-il en garde.

Quand Reine lui eut expliqué le type de noces que son père s'apprêtait à leur offrir, Jean, fatigué, eut un mouvement de mauvaise humeur.

— Calvince ! Est-ce que c'est ben nécessaire tous ces flaflas-là ? Il me semble que des petites noces ben tranquilles juste avec mes parents et les tiens, ce serait bien assez, non ?

— Là, je suis pas de ton avis, répliqua abruptement sa fiancée. Ma sœur a eu des belles noces et j'en veux des pareilles. Je vois pas pourquoi on n'en profiterait pas, nous autres aussi.

— Ça va coûter pas mal cher à ton père.

— Laisse faire mon père, fit-elle. Il a les moyens de payer. Il paiera. En plus, réfléchis une seconde. Plus on va avoir d'invités, plus on va avoir de cadeaux. Je vois pas pourquoi on cracherait dessus.

— C'est ben le seul avantage, laissa tomber Jean, qui n'avait aucune envie de se disputer avec elle ce soir-là.

— Je suis montée pour te mettre au courant et aussi pour te demander de m'apporter cette semaine la liste des invités de ta famille. Du côté des Talbot, on devrait être une trentaine. Ça fait que tu peux en inviter autant, d'après mon père. Demande à ta mère l'adresse de chacun. Je vais essayer de faire fabriquer les faire-part cette semaine et en fin de semaine, je les posterai.

— C'est correct.

— Je vais aller acheter ma robe de mariée cette semaine avec ma mère. Tu vas voir que je vais être belle le jour de nos noces, ajouta-t-elle, coquette.

— Mais t'es toujours belle, dit Jean en lui tendant sa tasse de café vide.

— Merci, fit-elle avec un charmant sourire.

À la vue du profond contentement qui se peignit sur les traits du visage de sa fiancée, le jeune homme se promit d'être moins avare de compliments dans l'avenir.

— C'est ben beau tout ça, mais ma peinture s'étendra pas toute seule sur les murs. Je vais retourner travailler, déclara-t-il en se levant.

— Moi, je descends avant que ma mère s'imagine toutes sortes de choses, dit Reine, à son tour. Essaye de pas travailler trop tard. Il manquerait plus que cette odeur-là te rende malade avant notre mariage.

Jean suivit son conseil et rentra chez lui vers dix heures, au moment où ses parents s'apprêtaient à se mettre au lit pour la nuit. Il s'empressa de les informer des belles noces que le père de Reine s'apprêtait à organiser.

— Est-ce que ça vous dérangerait de faire la liste de ceux qui seront invités dans notre famille ? demanda-t-il à sa mère.

— Je vais essayer de te faire ça demain, promit-elle. Est-ce que tu veux inviter des amis du collège ?

— Non, m'man. Juste la famille, ça devrait suffire. Il paraît que madame Talbot a l'intention de s'acheter une robe couleur ivoire pour les noces, ajouta-t-il.

— Ça me dérange pas, affirma Amélie. J'ai ma robe bleue que j'ai étrennée aux fêtes. Elle va faire l'affaire pour tes noces.

— La même chose pour mon habit gris, intervint Félicien en remontant le mécanisme de son réveille-matin. Toi, as-tu l'intention de t'acheter un habit neuf ?

Le futur marié hésita un court moment avant de déclarer :

— Je pense que mon costume bleu marine va faire l'affaire. Ça me tente pas de dépenser une trentaine de piastres pour m'habiller.

En entrant dans sa chambre, il dut repousser du pied une couverture qui était par terre. La pièce était plongée dans l'obscurité, mais Claude ne dormait pas encore. Jean alluma sa lampe de chevet.

— C'est quoi la couverte à terre ? demanda-t-il à son frère cadet.

— Pas si fort, lui ordonna l'adolescent. C'est juste pour que p'pa voie pas la lumière sous la porte quand ma lampe est allumée.

— Tu ferais ben mieux de dormir plutôt que de lire tes *comics*, lui conseilla-t-il.

— Tu sauras que c'est pas ça que je lis, se défendit Claude. Je lis un livre sérieux, ajouta-t-il en lui montrant un livre épais.

Jean se pencha pour en lire le titre.

— Sacrifice ! *Les Trois Mousquetaires*. T'es capable de lire ça, toi ?

— Aïe ! me prends-tu pour un gnochon ? Tu sauras que je suis aussi capable que toi de lire des gros livres.

— C'est correct. J'ai rien dit, s'excusa Jean en riant.

— Dis donc, j'ai entendu ce que t'as dit à p'pa et à m'man dans la cuisine. Si le bonhomme Talbot fait des grosses noces, est-ce que ça veut dire que je peux amener une fille à tes noces ?

— As-tu une blonde ? demanda Jean, narquois.

— Non, mais j'ai le temps de m'en faire une, répliqua l'adolescent, l'air avantageux.

— Trouve-toi une fille et après ça on en reparlera, conclut son frère en se glissant sous ses couvertures.

Il remonta le mécanisme de son réveille-matin, éteignit sa lampe de chevet et poussa un soupir de profond contentement en s'allongeant dans son lit. Le sommeil vint rapidement.

Lorsque Jean alla veiller chez sa promise le samedi soir suivant, il la trouva rayonnante de bonheur. Son père lui avait donné congé et elle avait consacré toute sa journée à faire la tournée des grands magasins. Elle était rentrée à l'heure du souper, on ne peut plus satisfaite de ses achats. Sa robe de mariée allait être prête dans une semaine et elle avait pu acheter tous les accessoires nécessaires. Évidemment, la somme de ses achats ajoutés à ceux de sa mère avait suscité la colère de son père dès le retour des femmes à la maison quelques heures plus tôt.

— Sacrement ! avait-il juré quand sa fille et sa femme lui avaient révélé la somme que leur avaient coûté leurs achats. Mais vous êtes devenues complètement folles, toutes les deux ! Vous avez juré de me mettre dans la rue !

— On a fait attention, Fernand, lui avait dit sa femme avec hauteur. Au cas où tu aurais oublié, ça nous a coûté pas mal plus cher quand Estelle s'est mariée.

— Ça, c'est toi qui le dis, avait ragé Fernand en se passant une main sur la tête. Tout ce que je sais, moi, c'est que je l'imprime pas, cet argent-là.

Finalement, le père de famille s'était calmé après quelques minutes et il n'avait plus été question des dépenses des deux femmes de la maison.

— Est-ce que je vais pouvoir voir de quoi a l'air ta robe avant la noce ? la taquina Jean.

— Il en est pas question, trancha Reine, sérieuse. Tu sais aussi bien que moi que ça porte malchance de montrer la robe de la mariée avant le matin de la cérémonie. Tout ce que je peux te dire, c'est que c'est une robe blanche toute simple avec un peu de broderie sur le corsage. Mais tu devrais voir le beau voile en tulle que je suis arrivée à trouver.

Jean n'insista pas et la conversation dériva rapidement vers d'autres sujets. Il apprit ainsi que l'imprimeur lui avait promis les faire-part pour le lundi matin et elle allait les adresser le soir même puisque Jean lui avait remis la liste de ses invités quelques jours plus tôt.

Ce soir-là, Reine se montra particulièrement amoureuse. Tout allait bien pour elle. Ses nausées matinales avaient disparu comme par enchantement deux jours auparavant. De plus, sa silhouette ne s'épaississait pas, ce qui lui faisait espérer qu'elle aurait encore sa ligne de jeune fille le jour de son mariage. En fait, autant le mariage avait été bousculé, autant aujourd'hui tout semblait reprendre place et l'avenir s'annonçait prometteur.

Chapitre 17

Le Français

Claude s'était trompé ou du moins Lorraine avait présumé de son charme en croyant attirer aussi rapidement dans le salon des Bélanger son nouvel ami. En fait, ce dernier ne fit sa première apparition dans l'appartement de la rue Brébeuf que quelques semaines plus tard, soit le premier mars, deux jours après que Jean eut terminé le ménage de son appartement.

Ce soir-là, ce dernier avait quitté la maison depuis près de deux heures pour aller veiller chez Reine quand un coup de sonnette impératif fit sursauter Félicien et son fils Claude en train d'écouter religieusement le match de hockey dans le salon.

Le père et le fils entendirent les pas précipités de Lorraine sortant de sa chambre et se dirigeant vers le couloir.

— Prends ton temps pour aller répondre, lui recommanda sa mère. Aussi tard que ça, ça risque pas d'être lui qui vient veiller. Puis, si c'est lui, il partira pas si tu le fais attendre une minute de plus à la porte.

La mère de famille abandonna son tricot sur sa chaise berçante et se dirigea rapidement vers le salon.

— Vous deux, dit-elle en s'adressant à Félicien et à Claude, je pense que vous êtes mieux de déménager dans la cuisine. Lorraine va avoir besoin du salon.

— Tu parles d'une heure de fou pour venir veiller avec une fille, protesta le père de famille à mi-voix.

Au fur et à mesure que la soirée avait avancé, Félicien avait fini par croire que la visite du nouveau prétendant annoncée par Lorraine à l'heure du souper n'aurait pas lieu encore ce soir-là.

— Dis donc, avait-il dit à sa fille vers sept heures trente. Est-ce que ton nouveau chum aurait peur de nous autres, par hasard ?

— Pourquoi vous me demandez ça, p'pa ?

— Parce que ça doit ben faire presque un mois que tu nous annonces chaque samedi soir qu'il va venir veiller, et on lui a pas encore vu le bout de l'oreille, à ce gars-là.

— Il a dû avoir un empêchement à la dernière minute, s'était contentée de dire la jeune fille avant de se retirer dans sa chambre.

— Achale-la pas avec ça, avait chuchoté Amélie à son mari. Tu vois pas que ça la met à l'envers d'avoir à l'attendre pour rien.

— Moi, j'ai ben hâte de voir quel maudit numéro elle a trouvé.

— En tout cas, avoir rencontré ce gars-là, ça a l'air de lui faire du bien.

Amélie n'avait pas tort. Depuis quelques semaines, la jeune fille semblait avoir retrouvé un certain équilibre. Elle ne traînait plus dans l'appartement cet air d'âme en peine qui inquiétait tant sa mère. Il s'était opéré dans son cas une sorte de miracle. Tout laissait croire qu'elle était en train de guérir de sa peine d'amour et d'oublier peu à peu son Édouard Lacombe. Au fil des jours, sa mère avait cru déceler qu'un autre garçon avait commencé à l'intéresser. Tous les indices étaient là: elle était en train de tomber amoureuse d'un autre.

Ainsi, ce soir-là, quand elle avait déclaré aux siens qu'un ami devait venir veiller avec elle au salon, Amélie avait adressé un regard de connivence à son mari, comme si elle lui disait: «Je te l'avais bien dit.» Pour sa part, Claude s'était bien gardé de dire quoi que ce soit. Il avait promis à sa sœur de garder le silence et il avait tenu parole. Il ne s'était échappé qu'en présence de Jean, et cela, pour obtenir des informations sur ce qui s'était passé durant son repas de fiançailles.

— Il est passé neuf heures. La soirée achève, cybole! avait poursuivi Félicien, de mauvaise humeur.

— En tout cas, le tata, il aurait pas pu arriver entre deux périodes, au moins, se plaignit l'adolescent en quittant le salon derrière son père et sa mère.

— Chut! Il va vous entendre, les sermonna la jeune fille, tout énervée.

— Ça en fait une affaire, fit Claude en levant les épaules lorsqu'il passa près d'elle.

Lorraine attendit quelques instants qu'ils aient regagné la cuisine et en profita pour examiner le bon ordre de sa coiffure devant le miroir suspendu dans le couloir. Elle ouvrit enfin la porte en affichant un sourire de bienvenue.

— Bonsoir, fit une voix grave.

— Bonsoir. Entre, fit Lorraine en s'effaçant pour laisser passer devant elle un grand jeune homme mince qui la dépassait d'une tête. Donne-moi ton manteau et ton chapeau, lui offrit-elle.

Le garçon retira son paletot noir que Lorraine suspendit à la patère.

— Viens, je vais te présenter à ma famille, lui dit-elle en l'entraînant vers la cuisine où la voix de Michel Normandin décrivait l'action du match qui se déroulait au Forum.

Félicien baissa le son et se leva quand sa fille entra dans la pièce en compagnie de l'inconnu.

— P'pa, m'man, je vous présente Christian Dupriez. Il est Français et il est à Montréal depuis seulement trois mois, dit Lorraine.

Très vieille France, l'homme, haut de plus de six pieds et quatre pouces et d'une maigreur assez extraordinaire, se courba à la fois avec gêne et courtoisie vers Amélie et Félicien pour leur serrer la main.

— Je suis vraiment enchanté de faire votre connaissance, madame et monsieur Bélanger, dit-il avec un léger accent chantant. Lorraine m'a beaucoup parlé de vous.

— J'ai aussi deux frères, poursuivit la jeune fille. Lui, c'est Claude, le plus jeune de la famille.

Il serra la main de Claude aussi cérémonieusement que celles de sa mère et de son père.

— Vous êtes le bienvenu, dit Amélie, souriant à l'invité de sa fille. Amène ton ami au salon, suggéra-t-elle à Lorraine. On va vous rejoindre dans quelques minutes. Vous allez être bien plus confortables là pour parler.

Lorraine entraîna Christian au salon.

— Sacrifice ! chuchota l'adolescent à ses parents. J'ai eu l'impression de serrer la main d'un vrai squelette.

— En plus, il est long comme un jour sans pain, reconnut son père avec un petit rire.

— Ça va faire, vous deux, les réprimanda Amélie, sévère. Il a surtout l'air de quelqu'un qui sait vivre. Toi, dit-elle à Claude, tu peux rester dans la cuisine et continuer à écouter ta partie de hockey pendant qu'on va aller jaser un bout de temps avec ta sœur et son nouvel ami.

— Si je fais ça, je saurai pas ce qu'il a dit, rouspéta l'adolescent.

— Aie pas peur, on va tout te raconter, la mémère, fit son père, mais toi, écoute la partie comme du monde pour me dire ce qui s'est passé. Richard l'a pas à soir; j'espère qu'il va se réveiller en troisième période. Tu me diras. Envoye, la mère, ajouta-t-il à l'endroit de sa femme. Cette maudite affaire-là me fait manquer la fin de ma partie de hockey.

Quand Félicien entra dans le salon, il était tout de même bien décidé à en apprendre le plus possible sur le nouveau prétendant de sa fille. Il n'était pas question de tolérer chez lui un second Édouard Lacombe qui allait faire perdre encore des années à sa fille aînée.

Christian Dupriez admit, d'entrée de jeu, être venu à Montréal pour s'y établir définitivement.

— Dupriez, est-ce que c'est un nom courant en France ? demanda aimablement Amélie.

— Mon patronyme n'est pas très commun, madame Bélanger. Jusqu'à la précédente génération, on l'écrivait en deux mots. Ma famille appartient à la petite noblesse de la région de la Marne, précisa-t-il en se rengorgeant avec une satisfaction évidente.

— Ah bon, fit Amélie en jetant un coup d'œil vers son mari.

— On peut vous demander votre âge ? reprit-elle.

— J'ai vingt-six ans, madame, répondit poliment le jeune homme assis aux côtés de Lorraine.

— Quel ouvrage vous faites dans la vie ? demanda abruptement Félicien.

— Plaît-il ?

— Mon père veut savoir quel travail tu fais, se sentit obligée d'expliquer Lorraine.

— Excusez-moi, monsieur Bélanger, mais je ne suis pas encore habitué à votre accent.

— À mon accent! Mais j'ai pas d'accent, se défendit le postier. C'est toi qui en as un, rétorqua Félicien tout en passant au tutoiement pour bien marquer qu'il n'allait pas s'en laisser imposer par un étranger qui avait l'air de le prendre de haut.

— C'est bien possible, reconnut l'homme au visage émacié. Pour répondre à votre question, je travaille à l'hôtel Windsor, rue Peel, depuis un mois.

— Qu'est-ce que vous faites à l'hôtel? demanda Amélie.

— Je suis chef cuisinier, madame.

— Vous faites la cuisine? s'étonna la mère de Lorraine.

— Oui, madame.

— Et t'aimes ça? s'étonna Félicien.

— J'adore ça, mais mon intention, c'est d'ouvrir un restaurant ou un petit hôtel à Montréal. C'est un projet auquel je tiens beaucoup.

— Ça va te coûter pas mal cher, lui fit remarquer le père de Lorraine. Pour arriver à avoir assez d'argent, tu vas être obligé de gratter pas mal d'années, à moins que tes parents soient riches.

— Gratter? demanda Christian en tournant la tête vers Lorraine, en quête d'une explication.

— Économiser, se contenta-t-elle de dire.

— On n'a rien sans mal, pas vrai, monsieur Bélanger? Mes parents sont à l'aise, même s'ils ont perdu pas mal d'argent durant la guerre, mais ils ne sont pas assez riches pour m'aider. J'ai deux sœurs plus jeunes que moi et ils vont s'occuper plutôt de leur constituer une dot.

Il y eut un court silence dans la pièce avant qu'Amélie se décide à interroger plus avant l'invité de sa fille, même si Lorraine commençait à manifester une certaine impatience devant la curiosité de ses parents.

— Est-ce que vous demeurez loin ? demanda-t-elle à Christian.

— Rue Sanguinet, madame.

— Vous avez un appartement ?

— Non, je me suis contenté de louer une chambre dans une pension. C'est plus facile pour moi et c'est surtout moins onéreux. Je travaille de longues heures à l'hôtel et il me reste peu de temps pour faire du ménage et surtout, me faire à manger.

— Et naturellement, t'es pas marié ? se décida à demander Félicien en scrutant le prétendant.

— Voyons, p'pa ! protesta Lorraine, gênée qu'il ose formuler une telle question.

— Laisse, ma douce. C'est normal que ton père me pose cette question. Non, monsieur Bélanger. Je suis célibataire. Je me suis battu dans la résistance durant la guerre et disons que la situation ne se prêtait pas tellement à faire des projets d'avenir avec une jeune fille.

— Ah oui, la résistance, j'ai beaucoup de respect pour tous ces hommes qui ont combattu les Allemands. Ici aussi, il y a pas mal de Canadiens qui sont allés aider les Français.

— Vous avez raison, monsieur Bélanger, mais je peux vous dire que ce n'était pas une période facile en France.

— On dit même que sans l'aide de nos Canadiens, la guerre serait pas encore finie et la France encore occupée.

— Je ne sais pas si je serais prêt à dire ça, mais c'est certain que sans aide, la France aurait eu beaucoup plus de mal encore. On ne dira jamais assez merci.

— C'est ce que je pensais. Bon, c'est parfait, dit le père de famille en arborant un air satisfait, on va vous laisser jaser tout seuls, poursuivit-il en quittant son fauteuil.

— Comment vous êtes-vous rencontrés ? demanda Amélie en se levant à son tour.

— C'est un pur hasard, madame, fit le jeune homme. Au début du mois de février, j'avais besoin de certaines choses et un copain m'a recommandé L.-N. Messier. J'y suis allé et j'ai rencontré votre fille. Elle m'a plu tout de suite et je me suis arrangé pour aller la voir au magasin chaque fois que j'en avais la chance.

— Bon, on vous laisse, intervint Félicien en faisant signe à sa femme de l'accompagner.

Il était déjà dix heures quinze quand il sortit du salon. Il aurait bien aimé rappeler à sa fille qu'il souhaiterait qu'elle mette son prétendant à la porte à onze heures pour pouvoir se coucher à une heure raisonnable, mais il était impossible de le faire devant le garçon. Il fut donc dans l'obligation de s'installer dans la cuisine en compagnie d'Amélie et d'attendre que Lorraine ait à venir dans la pièce pour lui mentionner que leur chambre était une pièce ouverte sur le salon et que lui et sa mère n'attendaient que le départ du Français pour se mettre au lit.

Vers onze heures, Jean rentra à la maison. Dès qu'il eut retiré son manteau, sa sœur s'empressa de lui présenter son amoureux. Il le salua brièvement avant de se diriger vers la cuisine où ses parents attendaient stoïquement le départ du visiteur pour aller enfin se reposer.

— Pauvres vous autres ! Vous êtes pas chanceux, leur dit-il. Il a pas l'air de vouloir partir pantoute, chuchota-t-il.

— Ça fait exprès, fit son père les dents serrées. Lorraine est pas venue une seule fois dans la cuisine pour qu'on lui parle.

— Voulez-vous que je l'appelle ? proposa-t-il.

— Laisse faire, intervint sa mère. Il va bien finir par s'en aller.

Jean s'esquiva dans sa chambre après avoir souhaité une bonne nuit à ses parents. À peine venait-il de revêtir son pyjama dans le noir qu'il entendit la voix de son frère.

— T'as manqué un maudit bon match de hockey, chuchota ce dernier. Les Canadiens ont remonté en troisième.

— Tu dors pas encore, toi ?

— Ben non ! Ça arrête pas de marcher dans l'appartement et, en plus, Omer, en haut, a l'air en pleine crise. Il arrête pas de déplacer des meubles. Ça fait une heure que sa sœur crie après lui. As-tu vu le chum de Lorraine ?

— Ben oui.

— As-tu entendu son accent de frais chié ?

— C'est un Français. C'est normal qu'il parle de même, dit Jean en se glissant sous les couvertures.

— Ouais ! fit l'adolescent, sceptique. Il a l'air d'avoir une grande gueule, en tout cas. À part ça, il est ben trop grand. Quand il marche à côté de Lorraine, on dirait Mutt et Jeff dans les *comics*, sacrifice ! J'ai entendu m'man dire tout à l'heure qu'il est cuisinier… Tabarnouche, c'est pas une *job* d'homme pantoute, cette affaire-là. En plus, il est maigre comme un casseau. Moi, j'aurais pas confiance pantoute à un cuisinier gros comme un cure-dents.

— C'est correct, fit Jean, exaspéré par ce flot de commérages. Là, tu me laisses dormir.

— Maudit que t'es plate, toi ! laissa tomber Claude. Il y a jamais moyen de te parler. Je te dis que ta femme va trouver le temps long avec toi.

— Ta gueule ! murmura Jean avant de se tourner sur le côté, bien décidé à trouver le sommeil.

Les deux frères dormaient depuis longtemps quand Félicien, à bout de patience, se leva et se dirigea vers sa chambre à coucher qui ouvrait sur le salon encore occupé par les amoureux. Bien déterminé à faire comprendre au visiteur que l'heure de tirer sa révérence était arrivée, il s'empara de son gros Westclock et se mit à le remonter bruyamment. Quand il se rendit compte que son geste ne suscitait aucune réaction dans la pièce voisine, il prit les grands moyens.

— Quelle heure il est, Lorraine ? demanda-t-il à sa fille, comme s'il s'apprêtait à mettre son réveille-matin à la bonne heure.

— Minuit moins quart, p'pa, répondit la jeune fille en tournant la tête vers la chambre qui n'était séparée du salon que par de lourds rideaux verts.

— Cybole, il est ben tard ! fit le père de famille en feignant la surprise.

Lorraine sembla réaliser subitement ce que son père essayait de lui faire comprendre. Elle chuchota quelques mots à l'oreille de Christian pendant que Félicien retournait dans la cuisine. Une minute plus tard, le cuisinier quitta le divan et la suivit jusqu'au couloir où son manteau était suspendu.

— Dis-moi pas qu'il se décide enfin à sacrer son camp, murmura Félicien à sa femme, qui rangea son tricot après avoir poussé un soupir de soulagement.

Christian Dupriez endossa son manteau et, chapeau à la main, vint saluer les parents de Lorraine avant de partir. Après avoir refermé la porte sur le visiteur, la jeune fille revint dans la cuisine pour demander à ses parents ce qu'ils pensaient de son nouvel amoureux.

— Il a l'air pas mal *smart*, dit Amélie, diplomate. On voit qu'il est bien élevé et il parle bien.

— Il a juste un problème, lui fit remarquer son père en retirant ses chaussures. Il a pas l'air ben fort pour lire l'heure.

— C'est vrai qu'il est parti pas mal tard, reconnut Lorraine, un peu mal à l'aise. Vous comprenez, il a fini de travailler à sept heures à l'hôtel. Le temps d'aller se changer et de venir jusqu'ici, il pouvait pas arriver plus de bonne heure.

— On comprend ça, voulut la rassurer sa mère, mais…

— Mais il va falloir que tu lui expliques que nous autres, on se lève de bonne heure le matin et qu'on se couche pas passé onze heures, la coupa sec son mari.

— T'auras juste à lui dire de venir plus souvent et de rester moins longtemps, concéda Amélie en faisant les gros yeux à Félicien.

— Venir plus souvent, mais la fin de semaine, se sentit obligé de préciser le père de famille avant de se diriger vers sa chambre à coucher.

— Qu'est-ce que je pourrais bien manger ? demanda Lorraine à sa mère. J'ai faim.

— T'es pas sérieuse ? Il est passé minuit. Si tu manges, tu pourras pas aller communier demain matin… Non, à matin, je veux dire.

— Ça fait exprès, j'ai faim sans bon sens, se plaignit Lorraine.

— Tu connais le monde, ma fille, la réprimanda la petite femme ronde. Si on te voit rester assise dans ton banc à la communion, on va penser que t'es pas en état de grâce.

— Mais m'man, c'est peut-être encore de même à la campagne, mais en ville…

— En ville, le monde est pas différent, tu sauras. Prends sur toi ! lui ordonna sa mère, sur un ton sévère. Si t'as de la misère à t'endormir, dis ton chapelet. Offre ça pour que le mariage de ton frère marche bien.

— Je vois pas pourquoi ça irait pas bien, protesta la jeune fille, mécontente.

— Tu sauras, ma fille, que c'est pas ce qu'on appelle partir du bon pied dans la vie… Fais-moi pas parler pour rien.

Sur ces mots, Amélie sortit de la pièce.

Chapitre 18

Des visiteurs

Trois semaines plus tard, Amélie fut la première réveillée dans l'appartement de la rue Brébeuf en ce dimanche matin. Il faisait noir dans la chambre à coucher. Durant un court instant, elle eut la tentation de demeurer étendue, au chaud, aux côtés de son mari qui ronflait. Elle se fit pourtant violence. Elle repoussa les couvertures, posa ses pieds sur le linoléum froid et enfila son épaisse robe de chambre déposée au pied du lit avant de quitter silencieusement la pièce.

Elle passa par le salon et s'arrêta un bref moment devant la fenêtre pour écarter un peu les rideaux qui la masquaient en partie. Le jour n'était pas encore levé, mais à la lueur des lampadaires, elle vit la neige poussée à l'horizontale par un vent violent.

— C'est pas vrai ! murmura-t-elle. Dis-moi pas qu'on va avoir encore une tempête de neige. On est rendus à la fin du mois de mars. Il me semble qu'on mérite de souffler un peu. Si ça a du bon sens une température comme ça !

Elle se dirigea vers la cuisine, alluma le plafonnier et remplit la bouilloire d'eau pour procéder à sa toilette. Elle regretta d'être un dimanche matin. Elle allait devoir se passer de café jusqu'à son retour de la grand-messe, vers onze heures.

Lorsqu'elle revint dans la chambre pour mettre sa robe et y prendre sa brosse à cheveux, Félicien se souleva sur un coude pour lui demander l'heure.

— C'est l'heure de te lever. Il est passé sept heures et demie. Ça fait longtemps que tu t'es pas levé aussi tard un dimanche matin, lui fit-elle remarquer.

— Cybole ! Quand on se couche à des heures de fou, c'est ce qui arrive, répondit-il, bougon.

Félicien faisait allusion au fait qu'il n'avait pu se mettre au lit la veille qu'un peu avant minuit parce que l'amoureux de sa fille avait encore fait son apparition chez sa belle vers neuf heures seulement. À l'entendre, il avait dû travailler jusqu'à huit heures ce soir-là. Évidemment, le jeune homme n'avait quitté les lieux que bien après onze heures, ce qui avait mis le postier dans tous ses états. Amélie avait eu du mal à l'apaiser, même si elle mourait d'envie de se coucher, elle aussi.

— Si ça peut te mettre de bonne humeur, il neige pas mal fort.

— Ils en annonçaient hier, au radio.

— Oui, mais ça a l'air à tourner en tempête, lui fit-elle remarquer. Pour moi, vous allez être obligés de pelleter l'escalier avant d'aller à la messe.

— Les gars vont faire ça.

— Je viens de les avertir. Ils sont en train de se lever, eux autres aussi.

Comme tous les dimanches matin, il régnait une atmosphère maussade chez les Bélanger. Le fait de ne pouvoir déjeuner au réveil les rendait tous un peu bougons. Au moment où Jean entrait dans la cuisine, sa mère lui demanda :

— Est-ce que Reine est contente de ses rideaux ?

La veille, Jean avait transporté chez les Talbot les rideaux que sa mère avait mis deux semaines à confectionner pour l'appartement du jeune couple.

— Elle était ben contente, m'man. Elle vous remercie beaucoup. Elle voulait même qu'on aille les installer tout de suite hier soir, mais comme j'avais travaillé toute la journée dans l'appartement, je lui ai dit d'aller les suspendre elle-même à un moment donné cette semaine. Je trouve que c'est une *job* de femme.

— Tu lui diras que si elle a besoin d'aide, je pourrai aller lui donner un coup de main, proposa Amélie, toujours aussi serviable.

— Je vois pas pourquoi vous iriez faire ça, m'man. Madame Talbot peut ben aller l'aider si c'est nécessaire. Il me semble que vous en avez ben assez fait comme ça.

— Comme tu voudras. Faites vos lits et remettez votre chambre en ordre avant de sortir pelleter, ordonna-t-elle à ses fils sur un ton péremptoire.

— Grouille, fit Jean à son frère. Je dois passer chercher Reine pour aller à la messe.

— Énerve-toi pas, répliqua l'adolescent. On a en masse le temps de pelleter le balcon et l'escalier avant la messe. On n'est pas obligés d'arriver à l'église une heure avant le temps pour dire le chapelet en plus.

Du coin de l'œil, il surveilla malicieusement la réaction de sa mère. Depuis le début du carême, cette dernière entraînait les siens à l'église le dimanche matin de plus en plus tôt et profitait de l'occasion pour les inciter à réciter leur chapelet en attendant le début de la cérémonie religieuse.

— Sacrifice, m'man ! Si ça continue, on va être poignés pour écouter la moitié de la basse-messe en plus de la grand-messe, avait protesté Claude à plusieurs reprises.

— Ça te fera pas de mal de prier plus, s'était contentée de lui dire sa mère chaque fois.

— Lorraine et moi, on est tout seuls à être obligés de faire ça.

En fait, l'adolescent avait raison. Jean était épargné parce qu'il allait chercher sa fiancée chez elle et voyait à n'arriver au temple que cinq minutes avant le début de la célébration. Félicien coupait court à cette corvée en allumant une cigarette peu avant d'arriver devant l'église et prétextait chaque fois vouloir finir de la fumer avant d'entrer. Il s'organisait pour traîner longuement à l'extérieur et ne venait rejoindre sa femme et son fils qu'à la toute dernière minute.

Ce matin-là, dans l'appartement des Bélanger, le bruit des pelles raclant et heurtant le balcon accompagnait les commentaires de Roger Baulu à la radio qui donnait les dernières informations sur la tempête de neige qui s'abattait sur le sud de la province depuis le milieu de la nuit. Les autorités conseillaient aux gens de ne pas prendre la route en raison des fortes accumulations tombées depuis quelques heures.

— Pas de saint danger qu'ils en auraient parlé hier, se plaignit Amélie en posant son chapeau sur sa tête.

— Ils ont annoncé de la neige, répéta Félicien, mais t'écoutes pas ce qu'ils disent.

— Ils ont pas parlé d'une tempête, en tout cas.

— J'espère au moins que c'est la dernière de l'hiver, fit Lorraine. Du train que c'est parti, la neige sera même pas encore toute fondue au mois de juillet.

— Comment ton Christian aime ça, notre neige? lui demanda sa mère, curieuse.

— Pour lui, c'est comme la fin du monde, répondit la jeune fille. Il en a jamais vu avant. La première fois que je l'ai rencontré, il avait même pas de bottes et il avait sur le dos un petit manteau de printemps. Il en faisait pitié.

Il y eut un court silence dans la pièce.

— Il me semble qu'on pourrait ben laisser faire la messe pour une fois, suggéra Félicien, planté devant la fenêtre pour voir où ses fils en étaient rendus avec le déneigement de l'escalier tournant. Il y a rien de déneigé. On va être obligés de marcher dans la rue…

— Il en est pas question, Félicien Bélanger, trancha Amélie. On n'est pas malades. On est capables de marcher jusqu'à l'église. En plus, c'est le dimanche des Rameaux.

Le facteur, qui espérait souffler un peu et profiter d'une journée de repos, poussa un soupir d'exaspération avant de laisser tomber :

— Si le curé avait deux ou trois paroissiennes comme toi, il aurait pas besoin de vicaires, cybole !

Amélie haussa les épaules et retourna dans la cuisine, suivie par Lorraine.

À neuf heures, l'appartement se vida de ses locataires. Même si la galerie avait été déneigée moins de quinze minutes plus tôt, elle était déjà couverte de cette neige lourde, digne d'une véritable giboulée de printemps.

— Ça, c'est une neige à sucre, comme disait mon père, fit Amélie en baissant la tête pour résister au vent.

— Laisse faire le sirop d'érable et tiens ben la rampe, lui conseilla Félicien au moment de poser le pied sur la première marche de l'escalier. C'est glissant.

Jean, déjà parvenu au trottoir, se dirigeait péniblement vers la rue Mont-Royal dans un peu plus d'un pied de neige. Quelques personnes marchaient prudemment en file indienne dans la rue, longeant les voitures enneigées immobilisées le long du trottoir. Amélie et les siens se joignirent à l'étrange défilé dont les participants avançaient tête baissée et collets de manteau relevés pour se protéger de la neige que le vent projetait contre eux.

— Maudite niaiserie ! ragea Félicien pour lui-même. Comme si on n'avait pas pu sauter un dimanche…

Sa femme l'entendit, mais ne se donna pas la peine de le réprimander. Têtue, elle marchait en tête, bien décidée à assister, contre vents et marées, à sa grand-messe dominicale. À leur arrivée à l'église Saint-Stanislas-de-Kostka, les Bélanger étaient transformés en bonshommes de neige et ils durent secouer leur manteau et leur chapeau avant de pénétrer dans le temple.

Après avoir humecté ses doigts dans le bénitier et s'être signée, la mère de famille posa sa main sur un bras de son mari.

— Achète deux rameaux pour les faire bénir, lui chuchota-t-elle.

— Pourquoi deux ?

— Tu sais ben que Jean pensera pas pantoute à en acheter un pour son appartement, lui expliqua-t-elle.

En ce dernier dimanche de mars 1947, le curé Pelletier monta en chaire après la lecture de l'Évangile. S'il remarqua qu'un bon quart des bancs étaient vides, il se garda d'en faire la remarque. Même si le dimanche des Rameaux était un moment fort de l'année liturgique, il dut comprendre que la tempête excusait cette baisse évidente de la fréquentation. Il se contenta de parler longuement des cérémonies prévues pour la semaine sainte et surtout de l'importance de faire ses pâques.

Amélie tourna légèrement la tête et aperçut Jean et Reine, assis côte à côte, quelques bancs derrière elle. Même si elle ne les vit pas, elle était certaine qu'Yvonne Talbot et son mari n'étaient pas très loin du jeune couple. Les parents de sa future bru avaient sûrement tenu à assister à la messe pour entendre la publication des bans qui devait obligatoirement se faire ce dimanche-ci. Elle avait croisé la mère de Reine chez le boucher la semaine précédente et cette dernière l'avait à peine saluée. « Drôle de femme », ne put-elle s'empêcher de penser.

Pendant quelques instants, la femme du facteur cessa d'écouter ce que disait le pasteur de la paroisse pour penser aux dernières semaines. Elle avait participé à la retraite annuelle qui s'adressait aux femmes de la paroisse et qui, cette année, était prêchée par un franciscain. Ensuite, elle avait harcelé son mari pour qu'il assiste à celle destinée aux hommes. Elle aurait bien aimé que Jean accompagne son père, mais son fils avait refusé en prétextant qu'il avait encore trop de travail à faire dans la préparation de son appartement. Là, il lui faudrait voir à ce qu'il fasse au moins ses pâques, décida-t-elle.

Comme à l'accoutumée, le curé mit fin à son sermon dominical avec les nouvelles d'intérêt paroissial. Après avoir annoncé une réunion des Lacordaire le mercredi suivant ainsi que des membres de la ligue du Sacré-Cœur, le lendemain, il passa enfin à la publication des bans.

— Il y a promesse de mariage entre Reine Talbot, fille de Fernand et Yvonne Talbot de cette paroisse, et Jean Bélanger, fils de Félicien et Amélie Bélanger, également de cette paroisse. Toute personne connaissant un empêchement à cette union devra le faire connaître ou se taire pour toujours.

À ces paroles du prêtre, Reine saisit discrètement la main de son fiancé. Ce dernier, ému, regarda droit devant lui, s'imaginant à tort que tout le monde tournait la tête dans sa direction. Le curé Pelletier retourna à l'autel terminer la messe pendant que la chorale paroissiale entonnait le chant de l'offertoire.

À la fin de la cérémonie, Jean chuchota à l'oreille de la jeune fille :

— Oublie pas de remercier ma mère pour les rideaux. Elle a travaillé pas mal d'heures dessus.

Reine, agacée, se borna à hocher la tête. Elle ne se préoccupa pas de ses parents qui venaient de quitter leur place pour rentrer à la maison et elle attendit patiemment que les Bélanger se dirigent vers la sortie pour les suivre en compagnie de Jean.

À l'extérieur, la neige avait continué à tomber durant la messe. Le bedeau, armé de sa large pelle, s'écarta des marches qui conduisaient au parvis pour laisser s'écouler le flot de paroissiens pressés de rentrer chez eux. Dès qu'elle posa les pieds à l'extérieur, Reine salua ses futurs beaux-parents et se plia à la demande de son fiancé. Elle remercia Amélie avec effusion en disant à quel point elle trouvait ses rideaux magnifiques.

La jeune fille mentait. Elle les avait à peine regardés et s'était contentée, le matin même, d'aller les déposer sur le divan de son futur appartement en projetant de les suspendre un soir de la semaine suivante, après sa journée de travail.

— Ça s'en vient vite votre mariage, se crut obligé de mentionner Félicien pour se montrer aimable.

— À qui le dites-vous, monsieur Bélanger, fit-elle en remontant le col en renard de son manteau. J'ai de la misère à croire que je vais être mariée samedi dans deux semaines, ajouta-t-elle avant de saluer Lorraine et Claude.

— Je pense qu'on est aussi ben de se dépêcher à rentrer avant d'être complètement gelés, suggéra Jean.

Ils se mirent tous en route en longeant le banc de neige qu'un chasse-neige avait créé quelques minutes auparavant en passant sur le boulevard Saint-Joseph.

— Au moins, ça marche mieux que tout à l'heure, fit remarquer Claude en prenant les devants en compagnie de Lorraine.

Comme il n'était pas question de se déplacer en groupe au milieu de la rue, on marcha à la queue leu leu, du moins tant qu'on se déplaça sur le boulevard. Dans la rue Brébeuf, une artère moins achalandée, il fut possible de marcher côte à côte. De plus, la tempête semblait s'être brusquement un peu essoufflée. Le vent faiblit et les flocons tombèrent de façon plus espacée. À la hauteur de la maison des Bélanger, Reine salua ces derniers avant de poursuivre sa route en compagnie de Jean jusqu'au coin de la rue.

— Maudit que ce monde-là a l'air bête! dit Félicien à voix basse à sa femme au moment de commencer à monter l'escalier extérieur qui conduisait à leur appartement.

— De qui tu parles? demanda Amélie en tournant la tête vers lui.

— Des Talbot, cette affaire! Pas de danger qu'ils nous disent bonjour, ces maudits frais-là. T'as pas remarqué? Ils marchaient devant nous autres. Ils se sont pas tournés une fois pour nous regarder.

— C'est pas bien grave, dit-elle pour l'apaiser.

— Qu'ils mangent de la…

— Félicien, les enfants!

Le facteur ne finit pas sa phrase. La petite femme grassouillette arriva sur le palier à bout de souffle, tout heureuse d'entrer enfin chez elle.

Jean rejoignit les siens quelques minutes plus tard, après avoir laissé Reine devant sa porte.

— As-tu autre chose à faire à ton appartement aujourd'hui? lui demanda son père au moment où le jeune homme lui tendait son porte-cigarettes.

— Non, tout est prêt. Il reste juste les rideaux à poser et Reine va s'en occuper cette semaine. Cet après-midi, on va peut-être aller voir un vieux film de Michel Simon au Bijou.

Jean se garda bien de dire qu'il s'était empressé de suggérer cette sortie, malgré la neige qui encombrait les rues, parce que Reine venait de lui apprendre que sa sœur et son beau-frère venaient passer l'après-midi chez les Talbot. Supporter la sœur en plus de la mère, il avait senti d'instinct que cela allait dépasser ses forces.

Quand le jeune homme quitta la maison après le dîner, son frère était occupé à pelleter encore une fois la neige accumulée sur la galerie. Arrivé au pied de l'escalier, il dut demander à Omer Lussier de se lever pour le laisser passer. Emmitouflé dans sa canadienne et la tuque bien enfoncée sur la tête, le gros quadragénaire était plongé dans un monologue dans lequel il formulait les questions et les réponses. Jean dut lui répéter sa demande pour l'inciter à se lever.

— Reste pas trop longtemps dehors, Omer, dit-il au pauvre homme en prenant le temps de bien articuler pour se faire clairement comprendre. Tu vas attraper la grippe.

— Ben non ! Omer est pas fou, répliqua le voisin qui parlait de lui à la troisième personne.

Au coin de la rue, Jean croisa le nouvel ami de sa sœur au moment où il tournait. Il le salua au passage sans être assuré que Christian Dupriez l'avait reconnu. Par contre, Claude vit le grand homme dégingandé se diriger vers la maison et il s'empressa de se retirer au fond de la galerie pour ne pas être aperçu. Il était curieux de voir comment l'amoureux de sa sœur allait s'en tirer avec Omer.

Le Français s'apprêtait à monter l'escalier quand il dut s'arrêter brusquement. Le gros homme à l'air malcommode était assis, malgré le froid et la neige, sur la deuxième marche. Rien n'indiquait qu'il avait l'intention de se lever pour libérer le passage.

— Excusez-moi, monsieur, dit poliment le chef cuisinier. Est-ce que je peux passer ?

Omer Lussier leva vers lui sa grosse figure ronde et lui tira la langue, ce qui fit sursauter le prétendant.

— Non ! déclara Omer sur un ton sans appel.

— Voyons, monsieur, soyez raisonnable, fit Christian, désarçonné par cet obstacle imprévu. Je dois monter chez les Bélanger.

— Passe par en arrière ! exigea l'autre, intransigeant et un rien menaçant.

— C'est insensé ! s'exclama le Français.

— Passe par en arrière, je te dis, répéta l'autre, en refusant obstinément de broncher d'un pouce.

Sa masse imposante obstruait toute la largeur de l'escalier et il était impossible de le contourner. Claude s'avança un peu pour mieux voir et se recula précipitamment quand il vit le visiteur lever la tête, en quête probablement d'une aide. Il s'apercevait bien que l'homme était anormal, mais il ne voyait vraiment pas comment le faire bouger.

— La ruelle est par là, fit Omer en pointant l'entrée de la ruelle voisine.

Le jeune homme sembla hésiter un instant à employer la force pour faire bouger son interlocuteur, puis il y renonça. Il dut se résigner à poursuivre son chemin jusqu'à la ruelle. Claude fut incapable de réprimer un rire malicieux et dut attendre un moment pour retrouver son sérieux avant de pousser la porte d'entrée.

— T'as déjà fini de nettoyer le balcon ? lui demanda son père, assis dans le salon.

— Oui, p'pa.

— Et la galerie en arrière ?

— Je vais me réchauffer un peu et j'irai la pelleter tout à l'heure.

L'adolescent s'empressa de retirer son manteau et ses bottes et se dirigea vers la cuisine. La maison était silencieuse. Sa mère somnolait dans sa chaise berçante et Lorraine devait être dans la salle de bain en train de se préparer pour la visite de son amoureux.

Il alla se planter devant la fenêtre, comme s'il examinait l'épaisseur de neige qui couvrait la galerie. En réalité, il guettait le passage de Dupriez qui devait se frayer un chemin dans la ruelle et tenter d'identifier la maison de sa belle. Quelques minutes plus tard, il eut du mal à retenir quelques gloussements ravis à la vue du jeune homme se déplaçant difficilement avec de la neige à mi-jambe et obligé de regarder vers les fenêtres des maisons qu'il longeait, tentant vainement de reconnaître celle de Lorraine.

— Tu parles d'un innocent! murmura Claude. Il aurait pu au moins compter les maisons depuis le coin de la rue. Comme ça, il aurait pu savoir où on reste.

— Qu'est-ce que tu dis, toi? lui demanda sa mère que sa voix avait éveillée en sursaut.

— Rien, m'man, je me parlais, mentit-il.

— Qu'est-ce que tu fais planté devant la fenêtre?

— Je me demande si je vais aller pelleter la galerie tout de suite ou attendre un peu.

La mère de famille sembla se désintéresser de l'affaire et ses yeux se fermèrent lentement. Pendant ce temps, Christian Dupriez venait d'enjamber la clôture de la maison voisine et cherchait, tant bien que mal, à atteindre l'escalier qui conduisait à l'étage. Claude pouffa à la vue des difficultés du prétendant de sa sœur.

Au moment où le Français allait parvenir à prendre pied sur la première marche de l'escalier, la porte du rez-de-chaussée s'ouvrit pour livrer passage à un berger allemand qui s'élança vers lui en grondant.

— Qu'est-ce que tu fais là, toi? lui demanda le propriétaire du chien d'une voix peu amène alors que sa bête s'approchait dangereusement des mollets de l'intrus.

— Je m'en vais chez les Bélanger. Je n'ai pas pu passer par en avant, quelqu'un bloque l'escalier, dit Christian l'air misérable en s'écartant maladroitement du berger allemand. Vous ne pourriez pas rappeler votre bête ?

— Médor ! cria l'homme, qui sembla réaliser soudain que le fils Lussier pouvait bien être celui qui avait empêché le visiteur de passer.

Le chien s'arrêta brusquement et tourna la tête vers son maître.

— T'es pas pantoute dans la bonne maison, fit l'homme, tout de même encore un peu suspicieux. C'est la maison à côté.

— À gauche ou à droite, monsieur ?

— À droite, se contenta de répondre l'homme avant de siffler son chien qui revint vers lui.

Christian Dupriez ne demanda pas son reste. Il se dépêcha de quitter la cour et il inspecta soigneusement la cour voisine avant de se risquer à franchir la petite clôture de bois qui la séparait de la ruelle. Claude, toujours debout devant la fenêtre, s'éloigna un peu pour que le Français ne l'aperçoive pas. Quand il le vit commencer à monter difficilement l'escalier enneigé conduisant à la galerie, il disparut dans sa chambre, incapable de retenir plus longtemps son hilarité.

Lorsque Christian Dupriez frappa à la porte arrière de l'appartement, Amélie sursauta violemment et fut incapable de retenir un cri de surprise en apercevant le grand homme debout sur la galerie.

— Ma foi du bon Dieu ! Veux-tu bien me dire ce qu'il fait là, lui ? se demanda-t-elle à mi-voix. Lorraine ! cria-t-elle à sa fille en quittant sa chaise berçante. Ton ami est arrivé. Il est en arrière, sur le balcon.

— Hein ! Mais qu'est-ce qu'il fait là ? s'étonna la jeune fille, stupéfaite, en se précipitant hors de sa chambre.

Il y eut des bruits de pas sur la galerie et Lorraine aperçut Christian au moment où il frappait de nouveau à la porte. Alerté par le cri de sa femme, Félicien avait quitté le salon pour venir voir ce qui se passait dans la cuisine.

— Ah ben, cybole ! J'aurai tout vu, ne put-il s'empêcher de dire en apercevant le visiteur à son tour. Envoye, Lorraine, ouvre-lui la porte avant qu'il meure gelé.

— Et organise-toi pour qu'il mouille pas tout mon plancher de cuisine, lui recommanda sa mère, un ton plus bas.

La porte fut ouverte et le Français, apparemment très soulagé, pénétra dans la pièce après avoir heurté ses pieds l'un contre l'autre pour en faire tomber la neige. Il salua Lorraine et ses parents en enlevant poliment son chapeau.

— Mais veux-tu bien me dire pourquoi t'arrives par en arrière ? lui demanda Lorraine en l'invitant à retirer son manteau.

— Je n'ai pas pu passer par en avant. Un homme m'a empêché de monter, expliqua-t-il.

— Ah non ! Ça, c'est encore Omer ! s'exclama la jeune fille en se tournant vers ses parents. On n'est tout de même pas pour continuer à endurer ça bien longtemps.

— C'est pas de sa faute, il est pas normal, expliqua Amélie pour disculper le voisin.

— J'ai cru le remarquer, laissa tomber Christian.

— Mais j'y pense, fit Amélie en se tournant vers Claude, qui n'avait pas ouvert la bouche depuis l'entrée de l'amoureux de sa sœur. Dis donc, toi, t'étais pas sur la galerie en avant en train de la pelleter tout à l'heure ?

— Oui.

— T'as pas vu qu'Omer empêchait l'ami de ta sœur de passer ?

— Non, mentit l'adolescent en adoptant un air angélique. Pour moi, je devais déjà être rentré quand c'est arrivé.

Quelques instants plus tard, Lorraine entraîna son ami au salon et Claude se dirigea vers sa chambre à coucher.

— Toi, mon maudit haïssable ! Tu me feras pas croire que t'as rien vu de ce qui s'est passé dehors, l'apostropha sa mère à mi-voix. Prends-moi pas pour une folle ! C'est pas pour rien que t'es venu écornifler dans la vitre de la cuisine. Tu savais qu'il s'en venait par en arrière.

Félicien lança un regard méfiant à son fils cadet, mais il était évident qu'il trouvait la mésaventure du cavalier de sa fille plutôt amusante lui aussi. Cependant, le père de famille ne pouvait trop le laisser voir et il sentit que le regard de sa femme lui imposait de faire une remarque à son fils Claude.

— Si ça continue, je vais finir par lui louer une chambre, à ce maudit fatigant-là, murmura-t-il à sa femme.

Depuis quelque temps, le maître des lieux regrettait amèrement d'avoir accepté que sa fille reçoive son amoureux plus souvent les fins de semaine. La veille, Christian Dupriez était venu passer la soirée avec elle, l'obligeant ainsi à écouter le match de hockey dans la cuisine et il était parti très tard. Voilà qu'il était revenu cet après-midi-là, l'empêchant d'aller faire sa sieste dans son lit.

— Si encore on avait une chambre fermée, je pourrais aller dormir une heure ou deux, ajouta-t-il.

— Bien oui ! Et moi, je serais poignée pour faire le chaperon toute seule pendant que tu dormirais, répliqua Amélie, sarcastique.

Félicien allait dire quelque chose quand on sonna à la porte d'entrée.

— Bon, qui est-ce qui vient encore nous déranger, saint cybole ? s'écria-t-il en quittant la chaise sur laquelle il venait de s'asseoir. Pas moyen d'avoir la paix le dimanche après-midi dans cette maison de fous.

— Si tu vas ouvrir, on va le savoir, répondit Amélie.

Lorraine avait devancé son père et avait déjà ouvert la porte avant qu'il ait parcouru la moitié du couloir.

— Entrez, grand-mère, dit-elle. Bonjour, ma tante, poursuivit-elle en s'effaçant devant les deux femmes avant de fermer la porte derrière elles.

— Ah ben ! Ça, c'est de la visite rare ! s'écria le facteur en s'avançant vers les deux femmes pour les embrasser à tour de rôle.

— On peut le dire, dit la maîtresse de maison qui s'était empressée de venir à la rencontre de sa belle-mère et de sa belle-sœur. Venez vous réchauffer.

Félicien et sa femme se doutaient bien que cette visite hors de l'ordinaire devait avoir une raison précise. La grand-mère ne sortait pratiquement pas de chez elle durant l'hiver, et encore moins quand il venait de tomber de la neige.

Camille Bélanger et sa mère retirèrent leur épais manteau de drap et leur chapeau que Félicien alla déposer sur son lit.

— Vous êtes pas mal braves de prendre le chemin après une tempête comme ça, dit-il aux visiteuses en revenant vers elles.

— Il fallait bien qu'on le fasse, vous venez pas nous voir, rétorqua sèchement la mère de Félicien sur un ton plutôt désagréable en vérifiant du bout des doigts la correction de son chignon blanc.

— C'est vrai que vous êtes pas venus nous voir une seule fois depuis les fêtes, reprit l'infirmière qui dépassait sa vieille mère de plus d'une demi-tête. On commençait à se demander si vous étiez pas morts.

— Ma pauvre petite fille, on a eu tellement à faire depuis trois mois qu'on sait plus trop où donner de la tête, s'excusa Amélie. Rita est pas venue avec vous autres ?

— Elle est de garde à l'hôpital aujourd'hui, répondit Camille.

— Est-ce que je peux vous présenter mon ami ? intervint Lorraine, qui n'avait pas encore réintégré le salon où attendait patiemment Christian.

Sans attendre la réponse de sa grand-mère et de sa tante, la jeune fille invita du geste son amoureux à se lever et à venir les rejoindre dans le couloir.

— Christian, je te présente ma grand-mère Bélanger et ma tante Camille, fit Lorraine dès qu'il arriva dans le couloir.

Bérengère Bélanger leva la tête. Ses petits yeux vifs derrière les verres de ses lunettes à fine monture de fer examinèrent le grand jeune homme qui se tenait devant elle.

— Bonjour, mon garçon, finit-elle par dire en hochant la tête.

— Enchanté de vous connaître, mesdames, dit le Français.

— Seigneur, mais vous êtes bien grand, vous ! ne put s'empêcher de s'exclamer la vieille dame en serrant la main du jeune homme. Je vais ben attraper un torticolis à vous regarder. Combien vous mesurez ?

— Un mètre quatre-vingt-quatorze, madame.

— C'est quoi, cette grandeur-là ?

— À peu près six pieds quatre, grand-mère, intervint Lorraine.

— Est-ce que c'est Dieu possible de faire du monde aussi grand ?

Christian eut un petit rire poli.

— Voyons, m'man ! fit Camille sur un ton réprobateur.

— Il n'y a pas de mal, protesta Christian sur un ton bon enfant.

— Bon, on va laisser les jeunes jaser au salon et nous autres, on va aller boire une tasse de café dans la cuisine, décida Amélie.

Pendant que les amoureux retournaient dans le salon, Félicien, sa mère et sa sœur suivirent la maîtresse de maison dans la cuisine et prirent place autour de la table.

— Où sont passés les garçons? demanda Bérengère en regardant autour d'elle, comme si Claude et Jean avaient pu se cacher dans un coin de la pièce.

— Jean est parti aux vues avec Reine. Claude doit dormir dans sa chambre, répondit Félicien.

Comme pour faire mentir son père, Claude ouvrit la porte de sa chambre. Sans grand entrain, l'adolescent alla embrasser sa grand-mère et sa tante.

— Ma foi du bon Dieu! Je pense qu'il a encore grandi, remarqua Bérengère.

— Vous avez raison, m'man, notre Claude est en train de devenir un bel homme, renchérit Camille avec un chaud sourire.

— C'est sûr que je vais être le plus beau de la famille, plaisanta Claude.

— Peut-être, mais pas le moins orgueilleux, intervint sa mère.

— Est-ce que ça va bien à l'école? lui demanda sa grand-mère.

— Pas mal, grand-mère.

— C'est parfait. Tu peux retourner faire ce que tu faisais avant qu'on arrive, reprit-elle. J'ai à parler à ton père et à ta mère.

L'adolescent allait répliquer quand il perçut le signe impératif et discret de son père lui ordonnant de retourner dans sa chambre. Humilié, il quitta la pièce, mais en prenant bien soin de laisser la porte de sa chambre à coucher entrouverte pour entendre ce qui allait se dire dans la pièce voisine.

La maîtresse de maison déposa une tasse de café devant chacun et sortit de la glacière la pinte de lait qu'elle plaça au centre de la table, à côté du sucrier et d'une assiette sur laquelle elle venait de disposer des biscuits à la noix de coco. La grand-mère attendit que sa bru eût pris place à table avant de reprendre la parole.

— Est-ce que Jean vous a dit qu'il était venu nous voir ? demanda-t-elle aux parents.

— Bien oui, madame Bélanger, fit Amélie.

— Je dois vous dire que j'ai eu bien de la misère à croire que vous aviez accepté qu'il lâche ses études pour se marier. J'ai même pensé que c'était une farce, même si on a reçu les faire-part, ajouta-t-elle.

— Mais, m'man, voulut protester sa fille Camille.

— Laisse-moi parler, ma fille, la coupa sèchement la septuagénaire. J'ai pas risqué de me casser une jambe en sortant aujourd'hui pour rien. Voulez-vous bien m'expliquer pourquoi vous laissez faire une affaire folle comme ça ?

— Ils voulaient absolument se marier ce printemps, m'man. Ça servait à rien d'essayer de les empêcher de le faire, ils se seraient mariés quand même.

— Mais ton Jean est pas encore majeur, riposta Bérengère. Tu peux refuser ton consentement et il aura pas le choix d'obéir.

— Ça aurait juste retardé le mariage de deux mois. Il va avoir vingt et un an au mois de juin, expliqua Félicien, exaspéré.

— Mais qu'est-ce qui les presse tant, bondance ?

— Ils s'aiment, madame Bélanger, se borna à répondre Amélie sans y mettre trop de conviction.

— Êtes-vous bien sûrs de ça, vous deux? demanda la vieille dame, soupçonneuse. Moi, j'ai comme l'impression que c'est un mariage obligé.

— Voyons donc, m'man! protesta Félicien à qui la moutarde commençait à monter au nez. Dites pas n'importe quoi! Notre gars, on l'a ben élevé et il aurait jamais osé faire ça. Ils se marient dans quinze jours parce qu'ils s'aiment. Il y a rien d'autre à dire. Si ça vous chante, vous pourrez vous amuser à compter les mois.

— Ouais, fit Bérengère, peu convaincue. On verra bien. En tout cas, il me semble que vous auriez pu faire un effort pour tenter de persuader votre garçon d'attendre de finir ses études avant de se marier, s'il est pas obligé de traîner cette fille-là au pied de l'autel, évidemment, tint-elle à ajouter d'une voix cassante.

— Allez pas croire qu'on n'a pas essayé, madame Bélanger, intervint Amélie. Jean a vingt ans et il est têtu comme tous les... Il est pas mal têtu.

La mère de famille allait dire «comme tous les Bélanger».

— Au moins, vous avez l'air de vous être débarrassés du petit crapaud à lunettes qui fréquentait votre fille depuis une éternité, reprit la grand-mère, sans désarmer.

— De qui parlez-vous? demanda Amélie sans aménité.

— Je me rappelle pas son nom, admit la vieille dame.

— Édouard, m'man, fit Camille, mal à l'aise au bout de la table.

— On n'a pas eu à se mêler de ça, intervint Félicien sans sourire. Je pense que tous les deux se sont aperçus que ça marchait pas et ils ont décidé de se séparer.

— On peut dire qu'il en a mis du temps à s'ouvrir les yeux, ce garçon-là, conclut Bérengère d'une voix désagréable.

— Le nouveau cavalier de Lorraine a un accent, dit Camille, pour orienter la conversation dans une autre direction. C'est pas un Canadien français?

— Non, c'est un Français de France, répondit Amélie. Ça fait juste trois mois qu'il est arrivé ici.

— Qu'est-ce qu'il fait? demanda la grand-mère.

— Il est chef cuisinier à l'hôtel Windsor.

— Pour être maigre comme il est, il doit pas faire de la bien bonne cuisine, laissa tomber la grand-mère sur un ton toujours aussi irascible.

— C'est un beau et grand jeune homme, conclut l'infirmière. J'espère que Lorraine va bien s'entendre avec lui.

— Nous autres aussi, on le souhaite, fit Amélie.

Félicien et sa femme firent ensuite dévier la conversation vers la parenté éloignée et on échangea des nouvelles pendant encore une heure.

Un peu avant quatre heures, les visiteuses décidèrent de prendre congé.

— Pourquoi vous restez pas à souper? leur demanda Amélie sans trop insister.

— Je travaille ce soir, répondit l'infirmière. Là, je vais juste avoir le temps de manger rapidement avant d'aller faire ma nuit.

Comme à chacune de leurs visites, Félicien accompagna sa mère et sa sœur jusqu'à la rue Mont-Royal et les aida à héler une voiture taxi Diamond qui allait les ramener chez elles, rue Saint-Urbain. À son retour, il croisa Christian Dupriez au pied de l'escalier. Le jeune homme le salua avant de se diriger vers le coin de la rue.

— Est-ce qu'il revient veiller à soir? demanda-t-il à Lorraine en enlevant son manteau.

— Non, il travaille jusqu'à minuit, p'pa.

Félicien ne dit rien, heureux de pouvoir profiter enfin de son salon et, surtout, d'avoir la possibilité de se coucher tôt s'il en avait envie ce soir-là.

— Le moins qu'on puisse dire, c'est que ta mère digère vraiment pas le mariage de Jean, fit Amélie au moment où il entrait dans la cuisine.

— Qu'est-ce que tu veux ? Il faut croire que c'est trop pour elle. Il y a même pas un an, elle le voyait déjà avec une soutane sur le dos.

— Même si Camille a pas trop parlé, je serais pas surprise que tes sœurs acceptent pas plus ce mariage-là.

— Elles, elles ont rien à dire. C'est pas de leurs maudites affaires, s'énerva le facteur. Bon, là, j'ai assez entendu parler de ça aujourd'hui, ajouta-t-il sur un ton définitif.

Lorsque Jean rentra à la maison vers six heures, sa mère lui apprit la visite de sa grand-mère et de sa tante sans entrer dans les détails de la conversation.

— Puis ? demanda le jeune homme.

— Elles ont reçu les faire-part et elles sont bien contentes d'assister à un mariage dans la famille, se contenta de lui répondre son père, qui ne voulait pas revenir sur l'événement.

Chapitre 19

L'accident

Le mercredi suivant, Reine dut faire appel à toute son énergie pour se décider à monter après le souper dans ce qui allait être son appartement pour enfin y suspendre les rideaux aux fenêtres. La jeune femme n'avait pas eu un instant de répit depuis le début de la semaine. La journée de lundi avait été harassante parce qu'elle avait dû aider son père à refaire les étalages de la biscuiterie et à dresser l'inventaire. La veille, elle n'était rentrée à la maison qu'en début de soirée. La couturière appointée par la boutique où elle avait acheté sa robe de mariée l'avait longuement fait attendre avant de procéder aux dernières retouches.

— Tu pourrais bien attendre encore un jour ou deux, lui suggéra sa mère qui se frottait les tempes du bout des doigts, en proie à l'une de ses habituelles migraines. Tu pourrais aussi demander à Jean de venir t'aider.

— C'est de l'ouvrage de femme, m'man. Je l'ai pas aidé à peinturer. Là, je suis tout de même pas pour aller sonner chez les Bélanger pour le faire venir me donner un coup de main. J'aurais l'air d'une vraie sans-dessein. De toute façon, Jean m'a dit qu'il avait pas l'intention de venir à l'appartement de la semaine. Il reste juste à faire le ménage du hangar et il va le faire samedi prochain avec son frère.

— Si c'est comme ça, pourquoi t'attends pas un autre soir où j'irais mieux?

— Ben non, m'man. Mes rideaux vont finir par se froisser. C'est correct, je suis capable de me débrouiller toute seule.

Sur ces mots, Reine mit un lainage sur ses épaules et quitta l'appartement. Quand elle entra dans son futur foyer, elle réprima un frisson. La fournaise à huile du couloir réchauffait à peine le grand appartement.

Elle alluma le plafonnier et se dirigea vers la cuisine où elle vérifia si Jean avait bien éteint le poêle avant de quitter les lieux la dernière fois qu'il était venu, comme elle le lui avait demandé.

— Il y a bien assez d'avoir à chauffer la fournaise quand on n'est même pas là sans faire chauffer le poêle en plus, lui avait-elle dit.

Elle boutonna sa veste pour avoir plus chaud.

— C'est cru, mais c'est endurable, dit-elle à mi-voix en allant chercher l'escabeau laissé par Jean dans l'une des chambres.

Elle décida de commencer par la fenêtre du salon puisque tous les rideaux avaient été déposés sur le grand divan brun.

La jeune femme eut du mal à installer les lourdes tentures de velours sur la tringle, mais elle y parvint après de longues minutes d'efforts. Ensuite, il lui fallut plus d'une heure pour répéter la même opération dans chacune des chambres.

Quand il ne lui resta plus à suspendre que les rideaux de la porte arrière et de la fenêtre de la cuisine, elle poussa un soupir de soulagement. Il s'agissait de deux courts voiles en coton fleuri jaune. Elle déposa l'escabeau devant la fenêtre, prit les rideaux et monta trois marches pour se retrouver à la bonne hauteur. Au moment où elle allait saisir la tringle, elle s'aperçut qu'elle avait placé son escabeau un peu trop loin.

— Maudit ! fit-elle avec impatience.

Au lieu de descendre de son escabeau et de pousser ce dernier plus près de la fenêtre, elle s'étira de plus en plus pour saisir la tringle. Au moment où ses doigts allaient se refermer sur la longue tige en métal, elle sentit l'escabeau basculer lentement sur le côté et chercha immédiatement à retrouver son équilibre en essayant de se rattraper à quelque chose. Mais il n'y avait rien qui puisse empêcher sa chute. L'escabeau se déroba sous elle et elle tomba lourdement sur le parquet, sa tête heurtant un pied de la table de la cuisine.

— Ayoye, calvaire ! jura-t-elle en empruntant un juron paternel tout en portant une main à son front.

Elle demeura assise par terre durant un court moment, tout de même un peu étourdie par sa chute. Quand elle entendit quelqu'un monter les marches depuis l'appartement de ses parents, elle s'empressa de se lever et de se rendre à la porte d'entrée qu'elle ouvrit.

— Es-tu tombée ? lui demanda son père, debout sur le palier du premier étage.

— Non, p'pa. J'ai juste échappé l'escabeau, mentit-elle instinctivement.

— Ta mère et moi, on a eu peur que tu sois tombée, fit le petit homme. As-tu besoin d'aide ?

— Non, merci. J'ai presque fini, dit-elle avant de refermer la porte.

La jeune femme retourna lentement dans la cuisine en boitant un peu. Elle examina l'une de ses cuisses. Un bleu commençait à se former. De plus, après s'être tâté le front du bout des doigts, elle sentit qu'elle allait avoir droit à une belle bosse.

— J'avais bien besoin de ça, dit-elle, folle de rage.

Pour se défouler, elle flanqua un coup de pied à l'escabeau avant de le redresser. Dix minutes plus tard, le travail était terminé et elle éteignit le poêle de la cuisine avant de descendre chez ses parents en boitillant.

— Qu'est-ce que t'as au front? lui demanda son père.

— J'ai pas regardé où je marchais, mentit-elle. Je me suis cognée contre le cadrage de la porte de la chambre et je me suis fait mal à un pied, en plus.

— As-tu besoin de quelque chose pour te soigner? lui demanda sa mère, étendue sur le divan, un linge mouillé sur le front.

— Non, c'est correct.

— As-tu eu le temps de tout faire?

— Oui. Là, je suis fatiguée. Je m'en vais me coucher, annonça-t-elle au moment où une émission consacrée à La Bolduc commençait.

Il était à peine neuf heures trente quand la jeune fille éteignit sa lampe de chevet. Avant de se mettre au lit, elle avait vérifié si elle allait être en mesure de dissimuler sous ses cheveux la bosse qu'elle s'était faite quelques minutes plus tôt. Ensuite, elle s'attarda un court moment devant sa robe de mariée suspendue dans sa garde-robe. Un frisson d'excitation la parcourut à la pensée de la journée de son mariage qui allait avoir lieu dans dix jours.

Reine, épuisée, s'endormit profondément, si profondément qu'elle n'entendit pas sa mère venue lui souhaiter une bonne nuit quelques minutes plus tard.

La jeune fille rêva qu'elle se baignait seule dans l'eau d'une rivière par une belle journée d'été. Soudain, le courant se mit à l'emporter et elle s'apercevait qu'elle ne savait pas nager. Elle avait beau se débattre, le courant l'entraînait. Elle cria à l'aide, mais il n'y avait personne pour lui porter secours. Le cœur battant la chamade, elle se réveilla brusquement, prête à crier. Alors, seulement une fois assise sur son lit, elle se rendit compte qu'elle était en sécurité dans sa chambre et les battements de son cœur se calmèrent progressivement.

Elle regarda les chiffres phosphorescents de son réveille-matin : les aiguilles indiquaient deux heures trente. Un élancement dans sa cuisse droite lui rappela sa chute. Elle grimaça de douleur dans le noir. Durant un court instant, elle crut que c'était cela qui l'avait réveillée au milieu de la nuit. Puis une brusque contraction lui coupa pratiquement le souffle. Affolée, elle se demanda ce qui lui arrivait. Une autre contraction encore plus violente survint quelques instants après. Cette douleur atroce revint à deux autres reprises et elle sentit un liquide chaud couler entre ses cuisses. Paniquée, elle ne savait que faire et eut tout de suite une pensée pour son petit, en mettant instinctivement sa main sur son ventre.

— Qu'est-ce qui m'arrive ? fit-elle, au bord des larmes.

Elle attendit un court moment le retour de la douleur… Elle ne revint pas. Alors, elle tendit le bras et alluma sa lampe de chevet. Avec appréhension, elle écarta les couvertures. Sa robe de nuit et son drap étaient souillés. Il y avait du sang et autre chose…

— C'est pas vrai ! s'exclama-t-elle à mi-voix. J'ai perdu mon petit.

Déçue et désemparée, elle se laissa tomber sur ses oreillers et se mit à pleurer convulsivement en serrant à nouveau ses bras contre son ventre douloureux. Il lui fallut plusieurs minutes avant de se calmer. Elle devait se lever et aller aux toilettes. Il lui fallait aussi nettoyer. Durant un long moment, elle demeura immobile dans son lit souillé, se demandant si elle allait avoir la force de bouger.

Elle finit par se lever, peu solide sur ses jambes. Elle prit une robe de nuit propre dans un tiroir de sa commode et retira le drap souillé. Elle ouvrit la porte de sa chambre et attendit, immobile, les oreilles aux aguets. Après avoir vérifié si elle n'avait pas réveillé son père et sa mère, elle alla s'enfermer sans bruit dans les toilettes. Elle s'empressa de verrouiller la porte et se regarda longuement dans le miroir suspendu au-dessus du lavabo : ses yeux étaient cernés et sa figure était pâle. Elle se lava et nettoya sa robe de nuit du mieux qu'elle put.

Quand elle revint dans sa chambre à coucher, elle se sentait déprimée et surtout faible au-delà de toute expression. Elle eut à peine la force de dissimuler le drap sale au fond de sa garde-robe, remettant au matin la mise en place d'un drap propre. Elle éteignit sa lampe et s'enfouit sous les couvertures, recroquevillée sur elle-même.

Elle ne portait plus d'enfant. Qu'allait-elle faire maintenant ? Elle avait le cœur à l'envers et tout se bousculait dans sa tête. Elle ne savait même plus si son ventre lui faisait mal tant elle était bouleversée. En fait elle avait mal partout. Devait-elle en parler à sa mère ? Quelle serait sa réaction ? Elle pouvait aussi bien tout mettre en œuvre pour faire avorter ce mariage qu'elle n'approuvait pas que l'inciter à cacher la vérité pour que l'union se fasse afin de ne pas perdre la face.

Plus important encore, devait-elle apprendre à Jean qu'elle avait perdu le bébé qu'elle portait ? Il était le premier concerné. Elle se doutait à quel point il lui en avait coûté d'abandonner ses études et ses rêves de devenir avocat pour prendre ses responsabilités. Maintenant, plus rien ne l'obligeait à l'épouser. Si elle lui révélait ce qui venait d'arriver, il pouvait fort bien décider de remettre leur mariage à plus tard, à beaucoup plus tard…

Et son père, comment allait-il réagir devant cette nouvelle ? Il avait déjà beaucoup déboursé pour être en mesure de lui offrir un beau mariage. Avoir dépensé en pure perte autant d'argent allait sûrement le jeter dans une rage folle.

Elle-même tenait-elle absolument à se marier si rapidement avec Jean Bélanger ? Après une brève hésitation, elle se ressaisit et décida que la réponse était oui. Elle n'était absolument pas prête à remettre à plus tard ce mariage. Elle sentait qu'il pouvait fort bien lui préférer une autre fille entre-temps si elle lui permettait de s'esquiver. De plus, les bans étaient déjà publiés. Elle n'allait pas accepter d'être montrée du doigt dans la paroisse. Les gens connaissant les Talbot allaient faire des gorges chaudes et imaginer toutes sortes de raisons à l'annulation de la cérémonie de mariage. Non. Elle allait garder pour elle ce qui venait de lui arriver. Plus tard, elle apprendrait la vérité à Jean…

Durant de longues minutes, elle chercha la meilleure solution pour échapper à ce dilemme. Puis, finalement, une sortie de secours lui apparut. Pourquoi ne pas cacher tout simplement la vérité jusqu'après le mariage ? Ce serait tellement plus simple. Quelques jours après les noces, elle n'aurait qu'à feindre de perdre l'enfant et tout serait dit.

Après que toutes ces pensées se furent bousculées rapidement dans son esprit, affaiblie par sa fausse couche, elle finit par plonger dans le sommeil comme on se noie.

Quelques heures plus tard, la voix de sa mère la réveilla en sursaut. Yvonne avait entrouvert la porte de sa chambre.

— Veux-tu bien me dire ce que t'as à matin ? lui demanda-t-elle. Ça fait cinq minutes que ton cadran a sonné et je t'ai appelée deux fois pour déjeuner. Il est huit heures.

— J'ai mal dormi, répondit-elle d'une voix maussade. Je me lève.

Elle attendit que sa mère ait refermé la porte pour se lever en boitillant. Le bleu sur sa cuisse lui faisait mal. À la vue du matelas sans drap, elle s'empressa d'en prendre un propre dans le dernier tiroir de sa commode et de faire son lit. Il n'aurait plus manqué que sa mère voie cela. Ensuite, elle prit le temps de placer ses cheveux de manière à dissimuler la bosse qui ornait son front avant de sortir de la pièce et d'aller s'asseoir à table.

— T'as l'air mal lunée, lui fit remarquer Fernand en la regardant.

— J'ai été malade durant la nuit, dit-elle sans entrer dans les détails. J'ai eu de la misère à me rendormir, mentit-elle. Est-ce que ça vous dérangerait que je me recouche ? Je me sens pas dans mon assiette pantoute, p'pa.

Yvonne regarda son mari, cherchant à lui faire comprendre que l'état de leur fille pouvait exiger de sa part une plus grande compréhension. Le père saisit le message, mais il n'en était pas heureux pour autant.

— C'est correct, recouche-toi. Je descends au magasin, viens me rejoindre quand tu te sentiras mieux, ajouta-t-il en poussant un soupir d'exaspération. Oublie pas qu'on reçoit une dizaine de caisses d'œufs de Pâques qu'il va falloir placer aujourd'hui, lui rappela-t-il.

Reine le remercia. Elle mit deux tranches de pain dans le grille-pain à deux portes placé sur la table et se versa une tasse de café pour s'aider à reprendre pied dans la réalité. Sa mère disparut dans sa chambre à coucher, probablement pour s'habiller.

Profitant de sa solitude, la jeune fille dressa des plans en cette veille de son vingtième anniversaire de naissance. En priorité, elle descendrait à la biscuiterie aider son père à préparer les étalages d'œufs de Pâques dans une heure ou deux, avant de feindre un malaise à son retour de dîner pour pouvoir aller rendre visite au docteur Laflamme. Il lui fallait s'assurer que sa fausse couche n'allait pas avoir des conséquences fâcheuses pour sa santé. En soirée, elle trouverait le moyen de laver son drap souillé et de le faire sécher dans sa chambre à l'insu de sa mère.

Si Reine donnait l'impression d'être en plein contrôle et d'avoir clairement établi ses devoirs pour la journée, elle n'en était pas moins bouleversée sur le plan émotionnel. Elle vivait toujours avec le dilemme de dire ou non à sa mère et à Jean ce qui venait de se passer. Cette situation amenait évidemment son lot d'inquiétudes liées au mariage et à son avenir. Tout cela la secouait et lui causait un nœud au niveau du ventre qui l'empêchait d'y voir clair.

Ce matin-là, chez les Bélanger, Amélie avait prévenu les siens qu'on était jeudi saint et qu'elle avait l'intention, comme chaque année, de s'absenter pour visiter les sept églises, ce qui allait lui assurer une indulgence plénière.

— Je trouve ça bien de valeur que vous puissiez pas venir, vous autres aussi, déclara-t-elle aux siens.

— On a au moins tenu nos promesses de carême, lui fit remarquer son mari en adressant un clin d'œil de connivence à Jean.

Claude entra dans la cuisine en bâillant et prit place à table.

— C'est vrai, ça, m'man. Moi, en tout cas, ma chambre a été faite tous les jours. On peut pas en dire autant de ceux qui avaient promis de dire leur chapelet. Je sais pas quand ils l'ont récité, mais c'est pas le soir en se couchant, par exemple. J'en connais qui ronflent en fermant leur lumière.

Jean ne dit rien, sachant fort bien qu'il était celui visé par son frère.

— En tout cas, vous auriez dû demander que ceux-là récitent leur chapelet à genoux. Comme ça, on aurait pu savoir si la promesse était tenue.

— Ça va faire, la mémère, le coupa Amélie. Sais-tu, je pense à quelque chose. Aujourd'hui, tu dois finir l'école à midi, non ?

— Ben oui, m'man. C'est les vacances de Pâques.

— Tu pourrais bien venir me rejoindre pour finir la visite des églises. Il me semble que ça te ferait pas de mal.

— Exagérez pas, m'man, protesta l'adolescent. Déjà que je vais être poigné pour aller à la cérémonie à l'église, à soir.

— Tu seras pas tout seul, mon garçon. On va tous y aller, déclara la mère de famille sur un ton qui n'acceptait pas la contestation.

— Mais, m'man, voulut dire Jean.

— Il y a pas de « mais » qui tienne. On est une famille catholique et ici dedans, tout le monde fait ses pâques. Au cas où vous l'auriez oublié, les confessionnaux sont pleins le vendredi saint et le samedi saint. Ça fait qu'on est aussi bien de s'organiser pour aller à la confesse à soir.

— Moi, c'était ce que j'avais l'intention de faire, confirma Lorraine. Mais je travaille vendredi soir et samedi toute la journée.

— Je pense que moi aussi j'ai pas grand choix d'y aller, concéda Jean. Demain, c'est la fête de Reine et je pense pas qu'elle ait dans l'idée de venir passer la soirée à l'église. En plus, la biscuiterie est ouverte jusqu'à neuf heures.

— C'est vrai ça, reconnut Amélie. Pour moi, elle a pas le choix de venir faire ses pâques aujourd'hui. Vendredi et samedi, elle pourra pas.

Après avoir passé la fin de l'avant-midi à servir la clientèle et à ranger tout ce que les fournisseurs avaient livré très tôt le matin, Reine monta dîner dès que son père vint la remplacer derrière le comptoir. La jeune fille avait profité de la brève absence paternelle au milieu de la matinée pour appeler au bureau du docteur Laflamme. Ce dernier avait accepté de la recevoir au début de l'après-midi quand elle avait signalé qu'il s'agissait d'une urgence qui ne pouvait être différée.

À une heure quinze, la jeune fille descendit au magasin, son manteau sur le dos.

— Où est-ce que tu t'en vas ? lui demanda son père, surpris de la voir vêtue comme pour sortir.

— Je dois aller voir le docteur Laflamme. Je me sens pas bien, se contenta-t-elle de lui dire.

Le visage du petit homme prit un air contrarié.

— T'aurais pas pu choisir une autre journée qu'aujourd'hui ? On va pas arrêter d'avoir du monde.

— Vous serez pas plus avancé, p'pa, si je suis malade le jour des noces, rétorqua-t-elle en vérifiant si elle avait des billets de tramway dans sa bourse.

— C'est correct. Vas-y, mais traîne pas pour revenir. J'ai besoin de toi.

Reine quitta la biscuiterie et se dirigea à pied vers le boulevard Saint-Joseph en montant la rue Brébeuf. Il faisait beau. Le ciel était dégagé et le soleil de ce début d'avril était assez chaud pour faire fondre la neige entassée le long des trottoirs. Déjà, des jeunes avaient commencé, les jours précédents, à creuser des rigoles jusqu'aux caniveaux pour faciliter l'évacuation de l'eau de fonte. L'air était doux et on pouvait sentir que la nature cherchait à renaître. Cette température agréable apaisa un peu les appréhensions de la jeune femme et lui donna le goût de marcher.

En passant devant la maison des Bélanger, elle leva la tête. Elle ne vit qu'un gros homme, debout sur la galerie à l'étage, en train de casser de la glace avec le talon de l'une de ses bottes. À peine venait-elle de s'éloigner qu'elle se retrouva face à face avec un Claude d'excellente humeur.

— Salut, Claude, dit Reine.

— Est-ce que tu t'en vas à l'église? lui demanda-t-il après l'avoir saluée.

— Peut-être, si j'en ai le temps après avoir fait des commissions, répondit-elle.

— Tabarnouche! Dis-moi pas que tu vas ressembler à ma mère, plaisanta-t-il.

Reine s'éloigna en riant. Quelques minutes plus tard, sur le boulevard Saint-Joseph, elle poussa la porte du bureau d'Aurèle Laflamme et elle fut accueillie par la même secrétaire que la fois précédente. La femme au visage sympathique releva son nom avant de la prier de prendre un siège en attendant que le médecin revienne de dîner.

Heureusement, la jeune femme n'eut pas à patienter aussi longtemps que lors de sa première visite. À peine venait-elle de s'asseoir près de la fenêtre que le sémillant docteur pénétrait dans son bureau. Le temps d'enlever son manteau et d'endosser son sarrau, il ouvrit la porte de son bureau pour l'inviter à entrer. Le médecin l'écouta lui expliquer ce qui s'était passé avant de se livrer à un examen minutieux de sa jeune patiente.

— Bon, tu peux te rhabiller, lui ordonna-t-il en retournant s'asseoir derrière son bureau.

Il consulta son dossier et attendit qu'elle vienne prendre place sur l'une des deux chaises réservées aux visiteurs.

— Il y a pas grand-chose à faire, dit-il à sa patiente. T'as bien perdu ton petit. Je sais que c'est triste, ajouta-t-il en la scrutant, mais t'es jeune et t'en auras d'autres.

— Merci, docteur, dit Reine en finissant de boutonner son chemisier.

— T'as pas fait exprès de tomber pour essayer de t'en débarrasser, j'espère ?

— Ben non, docteur, fit-elle en prenant un air insulté.

— C'est correct. J'ai rien dit, poursuivit-il sur un ton égal. Tu sais, je pratique depuis plus de vingt ans et j'en ai vu de toutes les couleurs.

— Peut-être, docteur, mais je vous jure que c'était un accident. Je me marie dans une semaine, vous savez.

— Mes félicitations.

— Est-ce que vous allez parler de ça à ma mère ? se décida enfin à demander Reine.

— Ce qui se passe dans mon bureau regarde pas ta mère, ma fille, répliqua sèchement le praticien.

— Je disais ça parce que vous êtes notre docteur de famille, fit Reine, comme pour s'excuser.

— T'as pas à t'inquiéter. Ta mère en saura rien. Je te laisse l'informer toi-même.

— Merci, docteur. Ça sera fait bientôt, mais je crois que j'ai encore besoin de temps à moi pour digérer la nouvelle.

— Je comprends ça, dit le médecin.

Reine, rassérénée, quitta le bureau du docteur Laflamme après avoir acquitté le prix de sa visite. Elle se sentait brusquement comme neuve. Il ne lui resterait plus qu'à choisir avec soin le moment de révéler aux siens qu'elle avait perdu son enfant.

En revenant lentement vers la biscuiterie, elle eut une pensée pour sa sœur Estelle qui attendait avec une impatience croissante la venue de son premier enfant. Eh bien ! elle allait pouvoir profiter de son moment de gloire seule, sans avoir à supporter la concurrence de sa jeune sœur.

Ce soir-là, Jean rentra du travail harassé. Deux employés d'entretien ne s'étaient pas présentés. Malgré tout, Onésime Gagnon s'était mis en tête de faire exécuter tout le travail, même si l'équipe était incomplète. Il n'avait pas cessé de le houspiller et de le traiter de pousse-crayon incapable depuis le début de la matinée. À un moment donné, Magnan, son coéquipier, dut sentir que le jeune homme était à bout et allait sauter à la gorge de leur contremaître, car il intervint pour inviter ce dernier à les lâcher un peu. Brusquement, Gagnon avait paru se rendre compte du danger. Il avait alors tourné les talons pour aller s'occuper d'autres membres de son équipe en train de nettoyer une autre rame de wagons.

Après le souper, Jean alla faire sa toilette en ronchonnant contre l'obligation d'avoir à aller à l'église. Sa mère avait déjà donné le signal du départ.

— Bâtard ! jura Claude en changeant de chemise. Il me semble que m'man devrait en avoir eu ben assez de faire la tournée des églises aujourd'hui. Elle pourrait nous laisser tranquilles à soir. Moi, je viens juste de commencer mes vacances. Si je l'écoutais, je les passerais toutes à l'église.

— Tu devrais assez connaître m'man pour savoir que tu perds ton temps à te plaindre, lui fit remarquer son frère aîné. On n'a pas le choix. On y va.

À sa sortie de sa chambre, sa mère lui suggéra d'inviter Reine à les accompagner. Excédé, Jean ne put se retenir de lui répondre :

— M'man, je suis trop fatigué à soir. Si elle veut y aller, elle est capable d'y aller toute seule.

— C'est comme tu voudras, laissa tomber Amélie. Bon, on y va, ordonna-t-elle aux siens.

— Mais m'man, il est même pas encore sept heures, protesta Claude en regardant l'horloge suspendue au mur de la cuisine.

— Je suis pas aveugle, Claude Bélanger. Je le sais qu'il est juste sept heures moins vingt. Si on part de bonne heure, il va y avoir moins de monde devant les confessionnaux et on va avoir le temps de se confesser avant la cérémonie.

— Mais moi, je veux pas retourner me confesser, plaida l'adolescent. J'y suis allé avec ma classe avant-hier.

— Il y a personne qui t'oblige à y retourner, rétorqua sa mère en vérifiant la position de son chapeau dans le miroir. T'auras juste à dire ton chapelet pendant ce temps-là.

— Maudit que c'est plate, cette affaire-là, se plaignit-il. Il fait clair et je pourrais aller casser de la glace dans la ruelle avec mes chums.

— Laisse faire tes chums, trancha sa mère en lui faisant signe de sortir. Aller prier est bien plus important que d'aller casser de la glace qui va fondre toute seule.

Déjà, Félicien, Lorraine et Jean les attendaient au pied de l'escalier. Tous se mirent en route en même temps. Claude, les deux mains enfoncées dans ses poches de pantalon, marchait en avant et boudait ostensiblement.

Les Bélanger montèrent les deux volées de marches conduisant au parvis de l'église en même temps qu'une poignée de fidèles. À leur entrée dans le temple, Amélie remarqua immédiatement les ampoules allumées au-dessus de la porte centrale de quatre confessionnaux.

— On est chanceux, chuchota-t-elle à son mari. Il y a quatre prêtres qui confessent et il y a pas trop de monde qui attend.

Jean n'entendit pas la suite. Il se dirigea immédiatement vers le premier confessionnal où la file d'attente était la moins importante. Claude était sur ses talons.

— Essaye de pas poigner le curé, conseilla-t-il à voix basse à son frère aîné. Lui, ses pénitences en finissent plus. Je suis encore tombé sur lui avant-hier.

Jean fit comme s'il ne l'avait pas entendu et poursuivit son chemin pour aller prendre place derrière une grosse dame et deux vieillards qui attendaient debout, à distance respectueuse de l'isoloir de gauche du dernier confessionnal. Il était fatigué et n'avait qu'une hâte, se débarrasser de cette corvée.

Le confesseur assis dans la partie centrale avait entrouvert la porte pour laisser pénétrer un peu d'air. Au moment de se mettre à répertorier les péchés dont il souhaitait se confesser, le jeune homme aperçut Lorraine et son père se dirigeant vers le confessionnal voisin, alors que sa mère s'agenouillait dans un banc pour se recueillir avant d'aller se placer en ligne pour confesser ses péchés. Durant un bref moment, il envia la foi ardente de sa mère. S'il avait été aussi croyant qu'elle, il aurait persévéré dans son désir de devenir prêtre et, aujourd'hui, il serait encore étudiant.

Il chassa cette idée pour penser à ses fautes depuis sa dernière confession. Bien sûr, si le confesseur était le curé Pelletier ou le vieux vicaire Dumas, il allait insister sur les péchés d'impureté, comme si c'étaient les seules fautes qu'on pouvait commettre. Il se rappela les mises en garde terrifiantes de l'aumônier de l'école et même de son directeur de conscience au collège qui répétaient jusqu'à plus soif que l'on était toujours puni par où on avait péché et qui brandissaient les flammes de l'enfer pour l'éternité si on se laissait aller à une pensée ou à un geste impur.

Un bref moment, il s'interrogea sur la réaction du confesseur s'il lui avouait avoir fait l'amour avec une jeune fille en dehors des liens sacrés du mariage... Il renonça immédiatement à un tel aveu. Pourquoi l'aurait-il fait puisque, dans une semaine, ce qui était un péché aujourd'hui deviendrait permis ? À cette seule idée, il se sentit tout émoustillé. Il dut orienter ses pensées vers d'autres fautes commises.

Quand la grosse dame quitta l'isoloir pour lui céder la place, Jean pénétra dans ce lieu exigu et referma la porte derrière lui avant de s'agenouiller dans le noir. Il entendit des chuchotements de l'autre côté du grillage qui l'isolait du prêtre. Le bruit d'un guichet qu'on referme fut suivi par un autre. Alors, Jean aperçut vaguement le profil de son confesseur. Ce dernier venait d'ouvrir le guichet de son côté. Il fut soulagé de constater que ce n'était ni le curé Pelletier ni l'abbé Dumas.

— Pardonnez-moi, mon père, parce que j'ai péché, commença-t-il immédiatement à réciter avant d'énumérer ses fautes.

Son confesseur l'écouta sans rien dire, puis il formula quelques questions précises auxquelles il fut bien obligé de répondre. Finalement, le prêtre lui donna un chemin de croix à faire comme pénitence avant de lui donner l'absolution.

À sa sortie du confessionnal, il se rendit compte que son père et sa mère attendaient encore derrière quelques pénitents. Il eut la tentation d'aller s'asseoir sur un banc pour se reposer quelques instants et de remettre à plus tard son chemin de croix. Il vit Claude du coin de l'œil lui adresser des signes discrets de venir le rejoindre, et cela le décida à se débarrasser tout de suite de sa pénitence avant le début de la cérémonie.

Peu avant huit heures, les ampoules au-dessus des portes des confessionnaux s'éteignirent et les prêtres les quittèrent en retirant ostensiblement leur étole mauve tout en se dirigeant vers la sacristie. L'église était maintenant aux trois quarts remplie. Amélie, entourée de Félicien et de Lorraine, chercha des yeux ses deux fils au moment où le célébrant rejoignait l'autel, précédé par une douzaine d'enfants de chœur, un thuriféraire et un cérémoniaire. Dans un banc de l'autre côté de l'allée centrale, Jean et Claude se levèrent pour accueillir le prêtre, comme tous les autres fidèles.

— Ça va être long en maudit, dit tout bas Claude à son frère.

— Si tu trouves que c'est long aujourd'hui, attends demain après-midi quand le prêtre va lire la Passion, rétorqua Jean sur le même ton.

— Chanceux ! ne put s'empêcher de dire l'adolescent. Toi, tu vas travailler. Tu seras pas obligé de venir. Avec m'man, il y a pas grand chance que je puisse m'en sauver.

Après la lecture de l'Évangile, les fidèles assistèrent à la cérémonie traditionnelle du lavement des pieds.

— Je te dis que c'est pas le temps d'avoir des chaussons percés ou de puer des pieds, plaisanta tout bas Claude en se penchant vers son frère.

— Ferme ta boîte, lui ordonna ce dernier. M'man arrête pas de te regarder.

— Je m'en sacre. Moi, je suis écœuré. Ça fait des heures qu'on est poignés ici dedans. Est-ce que ça achève ?

— Il y en a encore pour un bon bout de temps, répondit Jean. Après la messe, il y a le dépouillement des autels.

— V'là autre chose !

Les fidèles ne quittèrent l'église qu'un peu après neuf heures trente.

— Cybole ! Un peu plus, le curé Pelletier nous gardait à coucher, ne put se retenir de faire remarquer Félicien en allumant une cigarette dès qu'il posa les pieds sur le parvis.

— C'est vrai que c'est long, reconnut Jean en imitant son père.

— Plaignez-vous donc, vous deux, intervint Amélie, sévère. Vous donnez même pas deux heures de votre temps au bon Dieu dans une semaine et vous trouvez encore moyen de vous lamenter.

L'air s'était passablement rafraîchi depuis le coucher du soleil et Jean réprima un frisson.

— C'est pas encore ben chaud, constata Félicien en boutonnant son manteau de printemps.

— On est juste au commencement d'avril, lui fit remarquer sa femme.

À leur retour devant leur maison, ils trouvèrent Omer Lussier, vêtu uniquement d'une chemise légère, occupé à ramasser des papiers et des déchets que la fonte des glaces avait finalement libérés de leur gangue le long de la clôture qui ceinturait le parterre des Dubé, les propriétaires qui habitaient le rez-de-chaussée.

— Omer, tu vas attraper ton coup de mort, fit Amélie en s'approchant de son voisin. Est-ce que Adrienne sait que tu es dehors ?

— Non, madame Bélanger. Adrienne est partie.

— Où est-ce qu'elle est partie ?

— Elle me l'a pas dit.

— Qu'est-ce que tu dirais de venir chez nous boire un verre de liqueur et manger des biscuits que je viens de faire ? proposa-t-elle pour l'inciter à rentrer au chaud.

— OK.

L'homme monta à l'étage rejoindre Lorraine et ses deux frères qui s'étaient arrêtés sur la galerie. Jean déverrouilla la porte et le fit entrer.

— Sonne donc chez les Lussier pour voir si sa sœur est pas là, lui ordonna son père à mi-voix avant de pénétrer à son tour dans l'appartement en compagnie d'Amélie.

Moins de deux minutes plus tard, Jean revint avec Adrienne Lussier. La sœur d'Omer, le nez rougi et la voix rauque, s'excusa du dérangement. Elle était victime d'une mauvaise grippe depuis quelques jours et elle s'était alitée tôt ce soir-là pour tenter de récupérer. De toute évidence, son frère en avait profité pour sortir sans rien sur le dos.

— Ça nous a pas dérangés une miette, dit Félicien pour la rassurer. On a juste eu peur qu'il attrape une pneumonie dehors, sans son manteau.

— Vous êtes bien fins.

Pendant que sa sœur s'entretenait avec ses hôtes, Omer, tranquille comme Baptiste, avait pris place à la table de la cuisine et mangeait paisiblement des biscuits à la mélasse cuisinés l'après-midi même par Amélie. Finalement, Adrienne Lussier parvint à entraîner son frère chez elle, non sans que ce dernier accepte avec un plaisir manifeste une demi-douzaine de biscuits qu'Amélie avait déposés dans un sac.

Chapitre 20

Le divan

Le lendemain matin, les Montréalais se levèrent sous une petite pluie froide.

— Une vraie température de vendredi saint, déclara Amélie en finissant de préparer les lunchs de son mari et de Jean. Je vous ai fait des sandwichs au beurre de peanuts pour dîner.

— On aurait pas pu en avoir aux œufs ? demanda Félicien en esquissant une grimace.

— T'oublies que c'est maigre et jeûne le vendredi saint. T'es encore chanceux de pouvoir manger.

— Whow, cybole ! Ceux qui travaillent ont le droit de manger, protesta-t-il en s'emparant quand même du sac de papier kraft dans lequel sa femme venait de déposer son maigre repas.

Son fils aîné prit le sien sans formuler le moindre commentaire.

— Ah ! J'oubliais, dit-il au moment de boutonner son manteau. Je rentrerai pas souper à soir. C'est la fête de Reine. Ça se peut que je l'amène au restaurant si son père accepte de la laisser partir avant la fermeture de la biscuiterie.

— Même si c'est sa fête, oublie pas que c'est tout de même jeûne aujourd'hui, lui rappela sa mère, sévère.

— Si je l'amène au restaurant, on va aller à La Binerie, entre Saint-Denis et Drolet. Et je vous promets, m'man, que si on trouve un morceau de lard dans notre assiette, on le mangera pas, on le regardera même pas, ajouta-t-il, moqueur.

Amélie feignit de ne pas remarquer le sarcasme et souhaita une bonne journée au père et au fils.

Les deux hommes se séparèrent au coin de la rue. Jean trouva cette dernière journée de la semaine passablement moins pénible que la veille. Les deux absents avaient réintégré l'équipe et le travail se déroula rondement. Le hasard voulut que le contremaître soit retenu pratiquement tout l'après-midi par son supérieur, ce qui permit à ses hommes de souffler un peu. Onésime Gagnon ne revint sur les quais de la gare qu'au moment de remettre les enveloppes de paye à ses hommes.

— Dépensez pas tout à la taverne, leur dit-il en leur remettant leur dû.

— Ça risque pas, répondit un nommé Lemay. D'abord, on est vendredi saint et toutes les tavernes sont fermées depuis midi. En plus, ma femme doit m'attendre proche de la porte pour me prendre ma paye.

— Et toi, le jeune, je suppose que même si les tavernes étaient ouvertes, t'as pas encore assez le nombril sec pour avoir le droit d'entrer boire une bière là-dedans ? reprit le contremaître déplaisant en s'adressant à Jean.

Ce dernier prit son enveloppe et ne se donna même pas la peine de lui répondre.

Il se dépêcha de quitter les lieux pour monter dans le premier tramway qui s'arrêta près de la gare Windsor tant il était pressé d'arriver. Habituellement, Reine n'abandonnait son poste à la biscuiterie que vers six heures quinze pour monter souper chez elle. Elle mangeait après son père et devait attendre que ce dernier vienne la remplacer, car le vendredi soir, le commerce demeurait ouvert jusqu'à neuf heures. Mais en ce vendredi saint, la biscuiterie avait dû fermer ses portes à midi, comme pratiquement tous les commerces du quartier. Jean se demanda s'il n'allait pas être obligé d'aller sonner à la porte des Talbot pour l'inviter.

Par chance, il l'aperçut dans la biscuiterie en passant devant la vitrine. Elle était en train de décorer le magasin pour Pâques. Il frappa contre la vitre. La jeune femme lui sourit et vint lui ouvrir la porte. Son fiancé l'embrassa après lui avoir souhaité un bon anniversaire.

— Je t'ai pas acheté de cadeau, lui avoua-t-il, mais j'ai pensé que t'aimerais peut-être que je t'amène souper à La Binerie pour fêter ça. Qu'est-ce que t'en penses ?

— Là, je sais pas si mon père va accepter que j'y aille, dit-elle, soudain soucieuse. Déjà que cet après-midi j'ai dû le laisser tout seul presque deux heures parce que ma mère tenait absolument à ce que j'aille me confesser avec elle.

— Écoute, si t'aimes mieux que je t'achète un petit cadeau, j'ai vu un miroir et une brosse à cheveux chez Woolworth, proposa Jean.

— Non, j'aime mieux aller manger au restaurant avec toi. On va attendre mon père. Il est supposé descendre me donner un coup de main.

— Dis donc, on dirait que ça a ben marché vos œufs de Pâques, dit-il en montrant l'étalage presque vide.

— On n'a pas arrêté d'en vendre de la semaine. C'est à se demander où le monde trouve les coupons de rationnement. Les œufs ont beau pas être bien gros, ça prend des coupons.

Quand Fernand Talbot descendit quelques minutes plus tard, il hésita à peine avant de permettre à sa fille de partir.

— T'es pas obligée de revenir vite, prit-il soin de lui spécifier. Je suis capable de finir ce que t'as commencé. Après tout, c'est ta fête. Oublie pas d'avertir ta mère en sortant, qu'elle t'attende pas pour souper.

Reine ne demeura à l'étage que cinq minutes, le temps de se maquiller quelque peu avant de descendre rejoindre son fiancé qui tentait maladroitement de faire la conversation à son futur beau-père. Les deux jeunes gens quittèrent la biscuiterie et Reine glissa son bras sous celui de Jean. La petite pluie froide qui était tombée toute la journée s'était transformée en légers flocons de neige. En ce vendredi soir, il était étonnant de constater que si peu de gens arpentaient la rue Mont-Royal dont la plupart des commerces avaient fermé leurs portes. Les rares piétons rencontrés semblaient surtout pressés de rentrer chez eux.

— Je trouve donc ça démoralisant de la neige quand on est en plein printemps, dit Reine en se serrant contre Jean.

— Ça durera pas, ça va fondre demain.

— As-tu pensé que dans une semaine on va être à la veille de se marier ? lui demanda-t-elle en surveillant sa réaction du coin de l'œil.

— Ça s'en vient pas mal vite, se contenta-t-il de répondre.

Quelques minutes plus tard, ils prirent place sur deux tabourets de La Binerie et commandèrent de la soupe aux pois et des fèves au lard. Le restaurant ne payait pas de mine et n'était certes pas le plus luxueux du quartier, mais il était le plus souvent pris d'assaut à l'heure des repas par une clientèle fidèle qui appréciait la cuisine canadienne.

À la fin du repas, Jean proposa à sa fiancée de l'accompagner jusqu'à la rue Montcalm avant de rentrer à la maison. Le matin même, il avait décidé d'aller verser à Antoine Tremblay les cinq dollars de remboursement pour les meubles qu'ils lui avaient achetés.

— Qu'est-ce qui presse tant? lui demanda-t-elle sur un ton cassant.

— Demain, j'ai prévu de passer une partie de la journée à enlever les doubles fenêtres autant chez mon père que chez nous.

— C'est correct, je te laisse y aller tout seul. J'aime mieux rentrer, décida-t-elle après avoir jeté un coup d'œil à l'horloge du restaurant. Oublie pas de faire remarquer à Tremblay que tu lui devras juste dix piastres après, au cas où il aurait pas compté comme il faut.

Ils quittèrent le restaurant. Jean la raccompagna jusque devant la biscuiterie et lui souhaita encore une fois un bon anniversaire avant d'aller prendre un tramway.

Le lendemain avant-midi, Jean tint absolument à prêter main-forte à ses parents pour enlever les contre-fenêtres et installer les grosses persiennes vertes.

— On aurait ben pu attendre encore deux ou trois fins de semaine, fit remarquer Félicien, mécontent de voir sa journée de congé gâchée.

— Non, fit Amélie, déterminée. La température commence à se réchauffer.

— Aïe! Il a neigé hier soir.

— Ça veut rien dire, s'entêta la mère de famille. On va être déjà à la mi-avril la semaine prochaine et on va avoir les noces. Du monde va venir à la maison pour porter les cadeaux de mariage et je veux avoir des vitres propres.

Claude et Jean se mirent au travail avec une bien meilleure volonté que leur père, et au milieu de la matinée tout était terminé. Après le dîner, Claude alla rejoindre des copains avec qui il devait disputer une partie de hockey dans la ruelle et Jean se garda bien de dire aux siens son intention de remplacer les contre-fenêtres par des persiennes dans son propre appartement de crainte que son père se sente obligé de venir l'aider.

Quand il dit sa volonté de passer à son appartement, sa mère s'empressa de lui remettre deux cadeaux laissés par des cousins la veille.

— Laisse donc ça chez les Talbot en passant, lui dit Amélie. Je suppose que la mère de Reine a installé une table quelque part pour y mettre vos cadeaux de noces.

— Reine m'a dit hier que sa mère avait l'intention d'en installer une dans le salon. Il paraît qu'elle avait pensé faire ça chez nous, mais Reine a pas voulu parce que ce monde-là allait salir nos planchers et se promener partout.

— Elle a bien fait, conclut Amélie en déposant dans ses bras deux boîtes enrubannées. La boîte bleue vient d'Alcide Moreau, l'autre vient d'Aurélie Provost, la cousine de ton père.

Pour ne pas avoir à affronter sa future belle-mère, Jean aurait préféré laisser les cadeaux à Reine, en train de travailler à la biscuiterie, mais il se doutait bien que sa fiancée lui dirait de laisser le tout chez ses parents en montant à l'appartement. Il frappa donc chez les Talbot au passage et Yvonne vint lui ouvrir, le visage fermé, comme d'habitude.

— Ce sont des cadeaux laissés par des cousins de mon père, lui dit-il, mal à l'aise.

— Tu peux les laisser dans le salon. On a mis une table pour ça, hier soir, se borna-t-elle à lui dire, avant de le laisser sur place et de retourner dans la cuisine.

Jean entra dans le salon et découvrit deux autres paquets qui avaient été ouverts sur une table recouverte d'une nappe blanche. Il ne se donna pas la peine de regarder ce que chacun renfermait. Il quitta l'appartement après avoir salué de loin la mère de Reine.

Mis de mauvaise humeur par l'accueil réfrigérant de sa future belle-mère, il entreprit de sortir les persiennes du hangar encombré laissé par l'ancien locataire. Il les lava avant de les installer en remplacement des contre-fenêtres. Vers quatre heures, il décida de s'accorder une pause bien méritée et alla s'asseoir sur le vieux divan couvert de peluche verte acheté à Antoine Tremblay avant d'allumer une cigarette.

Fatigué, il retira ses souliers et s'étendit sur les coussins pour fumer. Il n'y avait aucun bruit dans l'immeuble et il ferma les yeux un court moment pour profiter de ces quelques instants de repos. Après avoir fumé sa cigarette, il se releva, remit ses chaussures et pensa à replacer correctement les cousins. En déposant le dernier des trois coussins, ses doigts heurtèrent une chose dure qui avait dû accidentellement glisser entre le siège et le dossier.

Intrigué, Jean tâtonna plus profondément. Il voulait trouver un moyen de retirer ce rebut coincé profondément dans le divan, entre les coussins. Finalement, après dix minutes de travail intense, ayant écrasé les ressorts tant bien que mal pour agrandir l'ouverture, ses doigts extirpèrent quelque chose de rond et dur de l'endroit où il semblait niché depuis longtemps.

Stupéfait, il découvrit qu'il s'agissait de vieux billets de banque que son propriétaire avait pris la peine de rouler très serrés. Le cœur battant, il considéra durant un long moment ce qu'il venait de découvrir avant de se décider à l'apporter sur la table de cuisine pour être mieux à même de compter la somme.

Les jambes un peu flageolantes, il s'assit sur l'une des quatre chaises placées autour de la table. Il retira l'élastique et se mit à compter en défroissant chaque billet pour le déposer à plat devant lui.

— Trois cent vingt piastres ! s'exclama-t-il en plaçant le dernier billet sur la pile devant lui.

Aussitôt, il se mit à rêver à tout ce qu'il pourrait se payer avec une telle somme. C'était l'équivalent de plus de vingt semaines de salaire. Il s'agissait d'une véritable fortune ! Avec tout cet argent, il avait la possibilité de finir de rembourser Antoine Tremblay et de payer presque deux ans de loyer, s'il le désirait. Ou encore, il pourrait rembourser à Lorraine ses cinquante dollars et voir venir les premiers mois de vie commune avec Reine sans trop s'en faire. À la limite, il serait même capable d'envoyer promener Onésime Gagnon et le Canadien National et de prendre tout son temps pour se trouver un nouvel emploi plus convenable.

Soudain fébrile, il roula à nouveau les billets de banque empilés devant lui et les attacha avec l'élastique. Le cœur léger, il enfouit son magot dans l'une de ses poches et il allait se relever quand son excitation retomba brusquement. Soudain, il était pris d'un doute.

— Mais cet argent-là est pas à moi, dit-il à voix haute. Le garder, ce serait voler. Tremblay l'a dit lui-même que son père lui avait laissé de l'argent et qu'il ne savait pas où il l'avait caché.

Durant quelques minutes, il jongla avec l'idée de garder ou non l'argent. Après tout, c'était lui qui avait trouvé cet argent et c'était tout de même dans son propre appartement.

— Qui trouve garde ! murmura-t-il.

Mais sa conscience le taraudait toujours. L'argent ne lui appartenait pas et il connaissait, de plus, son propriétaire. Il ne vit aucune bonne raison de s'approprier le magot qu'il venait de découvrir et cela le mit de mauvaise humeur. Il tâta du bout des doigts l'importante somme d'argent enfouie dans ses goussets en affichant un air de profond regret.

— Il y a pas à dire, poursuivit-il à mi-voix avant de sortir de chez lui. Quand on n'est pas chanceux, on n'est pas chanceux.

La mort dans l'âme, il décida de retourner chez ses parents pour souper. Sa décision était prise. Son honnêteté avait triomphé. Il allait rapporter l'argent à son propriétaire légal et si ce dernier lui faisait un petit don pour le lui avoir remis, voilà qui serait de l'argent gagné honnêtement.

Dès qu'il poussa la porte de l'appartement de ses parents, il fut pris d'assaut par toutes sortes d'odeurs appétissantes. Il retira rapidement son manteau pour aller voir dans la cuisine ce qui mijotait et sentait si bon.

— Ôte ton grand nez de mes chaudrons, entendit-il sa mère lui ordonner au moment où elle entrait dans la pièce. C'est pour demain.

— Ça sent tellement bon que j'en aurais mangé pour souper, m'man.

— C'est pas la fin du monde, rétorqua sa mère, tout de même flattée. C'est juste un gros jambon aux ananas qui est en train de finir de cuire dans le four. Ce que tu sens, c'est surtout le gâteau aux carottes que j'ai fait cet après-midi.

— Et qu'est-ce qu'on mange pour souper ?

— Du steak et des patates.

— Ce sera pas mauvais, ça non plus.

Durant tout le repas, Jean eut du mal à ne pas révéler à ses parents la somme qu'il avait trouvée dissimulée dans le divan acheté à Tremblay. Il avait décidé d'apprendre d'abord la nouvelle à Reine.

Ce soir-là, le jeune homme se présenta chez sa fiancée au début de la soirée avec un autre cadeau, celui-là laissé par le frère de sa mère, Émile Corbeil. En pénétrant dans le salon, il se rendit compte que Reine avait ouvert les boîtes qu'il avait apportées au début de l'après-midi. En outre, il découvrit un magnifique coffret en noyer qui renfermait, selon toutes les apparences, une coutellerie.

— Tu aurais peut-être pu m'attendre pour les ouvrir ? lui fit-il remarquer, agacé qu'elle n'y ait pas songé. Après tout, ces cadeaux-là sont pour nous deux.

— Ça change quoi ? rétorqua-t-elle sèchement. Tu les vois là ! Ils sont sur la table.

Puis, sans plus se préoccuper de lui, elle entreprit de déballer le cadeau de l'oncle Émile. Ce dernier et sa femme Berthe avaient eu l'excellente idée de leur acheter un ensemble de vaisselle de quatre couverts.

— C'est pas mal, reconnut-elle du bout des lèvres, mais ça va avoir l'air pas mal *cheap* à côté de la belle coutellerie que mon oncle Henri nous a laissée cet après-midi.

— Il est venu chez vous ? C'est drôle, je l'ai pas entendu, lui fit remarquer Jean.

— Non, il était pressé. Il est arrêté au magasin et m'a laissé son cadeau de noces. Ma tante Germaine, sa femme, est pas mal fine. Sais-tu la meilleure ? demanda-t-elle, la voix soudainement excitée.

— Non.

— L'automne passé, ma tante a hérité de son père d'une petite maison qui donne sur le fleuve, à Verchères. Eh bien ! elle nous offre de nous installer là le temps qu'on va vouloir pour notre voyage de noces. Qu'est-ce que t'en penses ?

Jean réalisa brusquement qu'il n'avait nullement envisagé d'effectuer un voyage de noces. Il n'en avait ni les moyens ni le temps…

— On n'aura pas assez d'argent pour aller là, dit-il, la mine sombre.

— Mon oncle et elle vont nous laisser pour rien.

— Je veux bien le croire, mais t'oublies que je peux pas dire à mon patron que je pars en voyage de noces. Je viens juste de commencer à travailler là. Ce serait des plans pour me faire mettre à la porte.

L'excitation de Reine retomba brutalement.

— T'es certain qu'il voudra pas ? demanda-t-elle.

— Je suis presque sûr. Écoute, je vais tout de même lui en parler lundi et on verra ben ce qu'il va me répondre.

— Fais tout ton possible pour qu'il dise oui. Mon père, lui, est prêt à me donner au moins une semaine pour y aller.

— C'est correct, accepta-t-il sans se faire d'illusion.

— Je vais aller te chercher un verre de Coke, dit-elle en se levant du divan. Ah ! pendant que j'y pense, Charles est passé aussi cet après-midi pour dire que ma sœur invitait la famille à souper à Saint-Lambert demain soir. Il paraît qu'elle nous a préparé un repas spécial pour Pâques.

— Comment on va aller là ?

Reine eut soudain l'air un peu gênée.

— Charles a pas mentionné que t'étais invité, finit-elle par lui avouer.

— Ah bon ! fit Jean, humilié.

— J'ai presque envie de pas y aller, reprit sa fiancée, mais ma sœur risque de se fâcher et de bouder nos noces si j'y vais pas. Déjà que j'ai pas mis les pieds chez elle à son réveillon de Noël.

— Non, vas-y, l'encouragea Jean. Ça me dérange pas de pas y aller.

— T'es sûr de ça ?

— Certain, mentit-il.

À cet instant précis, Jean se souvint du rouleau de billets de banque dans l'une de ses poches de pantalon. Il attendit qu'elle soit revenue et lui ait tendu un verre de cola avant de lui raconter sa découverte de l'après-midi.

— C’est pas vrai ! s’exclama-t-elle, les yeux luisants de convoitise.

— Puisque je te le dis, fit Jean en extirpant l’épais rouleau de papier-monnaie de sa poche. Tiens, regarde.

— Combien t’as dit qu’il y avait là-dedans ?

— Trois cent vingt piastres, précisa-t-il en lui tendant l’argent.

Rouge d’excitation, la jeune fille retira l’élastique et se mit à compter l’argent contenu dans la liasse.

— C’est dommage que ce soit pas à nous autres, reprit-il au moment où elle finissait de compter.

— Comment ça, pas à nous autres ?

— Voyons, Reine, cet argent-là est à Tremblay. Tu te rappelles pas quand il nous a dit que son père lui avait laissé de l’argent qu’il avait pas trouvé.

— Mais c’est toi qui l’as trouvé, et dans notre appartement. Il est à nous autres, déclara-t-elle abruptement, le visage dur. Il avait juste à fouiller comme du monde. Il nous a vendu le *set* de salon, l’argent était dedans. Cet argent-là est donc à nous autres.

— Il en est pas question, fit Jean sur un ton décidé. Je vais lui remettre son argent. On n’est pas des voleurs et on commencera pas notre vie de couple en volant quelqu’un.

— C’est bien beau à dire, mais t’oublies qu’il nous a lui-même volé en nous vendant les vieilles guenilles de son père deux fois le prix.

— Dis pas ça. Il nous a pas vendu les meubles de son père trop cher. Loin de là.

Un long silence tomba entre les fiancés.

— Je suppose que t’es décidé à lui rapporter son argent cette semaine ? lui demanda-t-elle en affichant un petit air sournois assez déplaisant.

— Oui. Je vais le lui rapporter vendredi soir prochain avec les cinq piastres qu'on lui doit.

— Qu'est-ce que tu dirais si je lui rapportais moi-même son argent mardi après-midi ? lui offrit-elle. Tu m'as dit qu'il restait sur Montcalm, proche de Sainte-Catherine. Je dois aller m'acheter des affaires pour compléter mon trousseau dans un magasin pas cher pas loin de là, sur Sainte-Catherine.

— Je sais pas…

— Je viens de penser que je vais piger dans l'argent que j'ai ramassé et je vais payer en même temps les derniers dix piastres qu'on lui doit. Comme ça, on va être débarrassés de cette dette-là et t'auras juste à me remettre cet argent-là quand t'auras ta prochaine paye. Qu'est-ce que t'en dis ? ajouta-t-elle en tendant la main pour qu'il lui remette le rouleau qu'il venait de lui prendre des mains.

Jean n'hésita qu'un bref moment avant d'accepter son offre.

— T'es pas mal fine de te charger de ça, reconnut-il. Hier, quand je suis allé le payer, il m'a dit qu'il était imprimeur et qu'il travaillait de six heures à trois heures et demie. Il paraît qu'il revient à la maison vers quatre heures.

— Inquiète-toi pas. Je vais même lui demander un billet prouvant qu'on a bien payé tout ce qu'on lui devait.

— Il va peut-être vouloir me donner une récompense pour avoir trouvé son argent.

— Tu peux être certain que je vais lui faire penser de t'en donner une, lui promit-elle.

Ce soir-là, avant de la quitter, Jean lui laissa l'adresse d'Antoine Tremblay. Il rentra chez lui en traînant les pieds. Durant une bonne partie de la soirée, il avait eu du mal à cacher son ressentiment envers la famille Talbot. Encore une fois, Yvonne Talbot lui avait à peine répondu quand il l'avait saluée avant de partir et sa fille, la snob, l'ignorait ostensiblement en ne l'invitant pas à son souper de Pâques.

Lorsqu'il entra chez ses parents, son père venait de se lever pour éteindre la radio après avoir écouté les informations. Une fois son manteau retiré, il accepta avec plaisir d'aller s'attabler avec eux et Claude pour prendre une légère collation.

— Essayez de pas parler trop fort, prévint Amélie. Lorraine est couchée depuis une heure.

— Son chum est pas venu ? demanda Jean.

— Il travaillait à soir, répondit sa mère.

— Je te dis que Duplessis énerve pas mal de monde avec sa nouvelle loi sur la distribution des tracts dans la province, intervint Félicien, encore préoccupé par les nouvelles qu'il venait d'entendre.

Claude déposa plusieurs biscuits dans son assiette, sous le regard réprobateur de sa mère.

— C'est normal, p'pa, on a tous compris qu'il voulait s'en prendre seulement aux Témoins de Jéhovah avec sa loi, lui fit remarquer son fils aîné, presque aussi intéressé que son père par les nouvelles.

— Est-ce qu'on peut dire que le carême est fini, à cette heure ? demanda Claude, hors de propos, à sa mère.

— Pas avant minuit, trancha Amélie.

— Ça, est-ce que ça veut dire que demain matin je serai pas obligé de faire mon lit et ma chambre ?

— Pantoute, tu vas continuer.

— Si je comprends ben, je suis le seul nono de la famille poigné pour faire un sacrifice de carême toute l'année, insista l'adolescent pour faire rager sa mère. Je devrais me faire payer…

— Ah ! Parlant de payer, intervint Jean. J'en ai une bonne à vous raconter.

Le jeune homme révéla sa découverte en ménageant ses effets.

— Arrête donc ! T'es pas sérieux ? s'exclama Amélie.

— Puisque je vous le dis, m'man.

— Naturellement, tu vas aller le porter au fils du vieux monsieur Tremblay, reprit-elle.

— Ben oui, m'man. Vous savez ben que je l'aurais jamais gardé. Reine va s'en occuper mardi en allant faire des commissions.

— Aïe ! Le bonhomme va peut-être t'en donner la moitié pour te remercier, supposa Claude, excité. Tu vas être riche, mon frère !

— Je penserais pas, déclara Jean en finissant son verre de lait. S'il m'offre quelque chose, vous pouvez être certain que je refuserai pas.

Chacun mangea quelques biscuits en silence. Au moment de se lever de table, la mère de famille demanda à son fils aîné :

— Est-ce que les Talbot t'ont invité à souper demain soir ?

— Non, m'man.

— Dans ce cas-là, tu diras à Reine de venir manger avec nous autres. Le jambon est bien assez gros. On n'en manquera pas.

— Merci de l'inviter, mais les Talbot vont souper chez Estelle, la sœur de Reine, à Saint-Lambert.

— Tu vas y aller ? fit son père en allumant une dernière cigarette avant d'aller se mettre au lit.

— Je suis pas invité, laissa tomber Jean.

Félicien regarda sa femme qui lui fit signe de ne pas commenter.

Le matin de Pâques, il faisait un temps magnifique quand Jean alla chercher Reine pour l'accompagner à la grand-messe. La température douce avait incité la plupart des femmes à se vêtir d'un léger manteau de printemps et, surtout, à étrenner un chapeau d'aspect moins sévère que celui qu'elles portaient durant l'hiver.

Les fiancés s'installèrent dans le banc voisin de celui occupé par les Bélanger. De temps à autre, Amélie coulait un regard inquisiteur vers sa future bru, cherchant à détecter si sa grossesse commençait à paraître, même légèrement. Elle ne vit rien, mais elle se dit en aparté que le manteau de la jeune fille pouvait dissimuler un peu son état.

À la fin de la cérémonie, Jean attendit un court moment ses parents sur le parvis de l'église après avoir rappelé à la jeune fille que ce serait une excellente idée qu'elle leur souhaite des joyeuses Pâques. Par ailleurs, il vit que Fernand et Yvonne Talbot étaient déjà parvenus au pied des escaliers conduisant à l'église. À aucun moment ils n'avaient cherché à lui parler ou à s'adresser à ses parents qu'ils savaient présents à la messe.

Reine offrit ses vœux aux Bélanger sans trop manifester de chaleur, ce qui incita Amélie à lui faire remarquer :

— J'avais demandé à Jean de t'inviter à souper à la maison, mais il paraît que tu as déjà accepté d'aller manger chez ta sœur.

— Bien oui, madame Bélanger, fit Reine, un peu gênée.

— C'est pas bien grave, laissa tomber la mère de famille. On aura Jean avec nous autres toute la journée.

Reine sentit la pique et son visage changea d'expression.

Sur le chemin du retour, Amélie ne put s'empêcher de dire à son mari :

— Vinyenne qu'elle a des airs de sa mère, cette fille-là ! On sait jamais ce qu'elle pense.

— Elle va peut-être changer après le mariage, rétorqua Félicien pour la rassurer.

— Je sais pas trop. On dirait qu'elle a quelque chose de pas franc. En tout cas, si j'étais à sa place, je refuserais d'aller souper chez ma sœur parce qu'elle a pas invité mon fiancé. Je trouve ça pas mal insultant pour notre garçon.

— Fais attention, la mère. Tu te conduis déjà comme une belle-mère haïssable, la mit en garde le postier. Oublie pas que si tu t'organises pour que ton gars ait à choisir entre toi et sa femme, tu risques d'avoir des maudites surprises.

— Parlant de belle-mère haïssable, rétorqua la petite femme, je serai jamais aussi détestable que ta sainte mère, Félicien Bélanger. Elle, elle est difficile à battre. Te souviens-tu d'une seule fois où elle m'a fait un compliment en vingt-trois ans de mariage ? Jamais.

— C'est dans son caractère, on la changera pas à son âge.

— En tout cas, tout ce que je peux te dire, c'est que je plains bien gros tes deux sœurs. Je te dis que Camille et Rita gagnent leur ciel en vivant avec elle. Pour moi, si c'était à refaire, elles iraient jamais la chercher pour l'amener rester avec elles.

— Tu sais ben qu'elles l'auraient jamais laissée aller à l'hospice, fit Félicien. As-tu pensé que si mes sœurs s'en occupaient pas, ce serait nous autres qui serions poignés pour la garder ?

— Là, ce serait ma mort, tu peux en être sûr, affirma Amélie sur un ton définitif. Je serais jamais capable de l'endurer chez nous plus qu'une journée ou deux.

Chapitre 21

Quelques surprises

Le mardi après-midi suivant, Fernand Talbot poussa un soupir d'exaspération quand sa fille lui demanda encore une fois la permission de s'absenter de la biscuiterie.

— Pourquoi ? ronchonna-t-il.

— Pour aller acheter les derniers morceaux de mon trousseau, p'pa.

— Moi, je commence à avoir hâte que ces maudites noces-là soient passées, dit-il sur un ton rageur. Il me semble que je suis presque toujours tout seul dans le magasin. Vas-y, mais essaye de t'arranger pour que ce soit la dernière fois.

— C'est presque la dernière fois, p'pa, dit-elle en endossant son léger manteau de printemps beige. Il me restera juste la coiffeuse vendredi après-midi. Là, je suis obligée de prendre un peu plus de temps parce que je dois passer à la Caisse populaire pour aller me chercher de l'argent.

Pendant un bref moment, la jeune fille guetta la réaction paternelle au cas où il lui aurait offert une somme pour l'aider à payer ses achats. Voyant qu'il était retourné se plonger dans la pile de factures laissées par les fournisseurs, elle se résigna à quitter la biscuiterie.

Depuis quarante-huit heures, Reine éprouvait une étrange euphorie chaque fois qu'elle pensait à l'argent que

Jean lui avait laissé. À aucun moment elle n'avait songé à le remettre à son légitime propriétaire. Dès que son fiancé lui avait confié le rouleau de billets de banque, elle avait décidé de s'approprier la somme et de la déposer dans son compte de banque déjà passablement bien approvisionné, et cela, sans en dire un mot à personne. Il y avait déjà bien assez qu'elle devait en extraire dix dollars pour finir de rembourser Antoine Tremblay.

Tout en marchant vers la Caisse, coin Gilford et Garnier, elle ne pouvait s'empêcher de penser à la scène un peu pénible qui l'avait opposée à sa sœur la veille. Comme lors de chacune des invitations des Caron, Charles était venu chercher sa belle-famille en voiture pour les conduire chez lui, à Saint-Lambert. À leur arrivée dans la résidence cossue du dentiste, il avait entraîné son beau-père au salon et laissé Estelle montrer à sa mère et à sa sœur toutes les acquisitions faites par le couple en prévision de l'enfant que la future maman attendait. Évidemment, sa mère n'avait pas caché son admiration pour cette chambre d'enfant décorée avec un goût exquis et le trousseau qui n'attendait que le bébé.

— Et toi, est-ce que la chambre de ton petit est prête ? eut le malheur de demander la femme du dentiste à sa jeune sœur.

— Ben, tu vas d'abord me laisser le temps de me marier avant de tomber en famille, je suppose, avait-elle répondu d'une voix acide.

Estelle allait répliquer sèchement qu'elles avaient déjà parlé de son état, mais sa mère lui avait lancé un regard lourd de reproches pour lui signifier qu'elle n'était pas censée savoir que sa sœur était enceinte. Comme elle n'avait pas fait part à sa mère de l'entretien qu'elle avait eu avec Reine à ce sujet, elle préféra ne rien dire.

Mise de mauvaise humeur par cette remarque de sa sœur, Reine ne lui avait pas caché qu'elle n'appréciait pas du tout le fait d'avoir été invitée sans son fiancé. Excédée, Estelle avait fini par lui dire sèchement que son Jean ne faisait pas encore officiellement partie de la famille et qu'elle ne se sentait pas obligée de le convier à sa table.

À son arrivée à la Caisse, elle extirpa son carnet de banque de son sac à main et le tendit au caissier avant de déposer devant lui trois cent dix dollars. Ce dernier, habitué à la voir déposer dix dollars presque chaque semaine, ouvrit de grands yeux en apercevant la pile de billets de banque. Cependant, en employé bien formé, il se garda de formuler la moindre remarque.

— À bien y penser, dit Reine au caissier, je vais conserver vingt dollars.

— Donc, vous voulez déposer deux cent quatre-vingt-dix dollars, madame.

— C'est exact. J'avais oublié que j'avais besoin de ce petit montant tout de suite.

Le caissier inscrivit ce montant dans le livret avant de le lui rendre.

Reine passa le reste de l'après-midi à faire surtout du lèche-vitrine dans la rue Sainte-Catherine. Le soleil brillait et il faisait très doux. Elle acheta rapidement les quelques articles dont elle avait besoin et occupa l'heure suivante à attendre quatre heures avant de se présenter chez Antoine Tremblay, rue Montcalm.

La jeune fille regarda une seconde fois l'adresse qu'elle avait notée sur un bout de papier avant de se décider à sonner à une porte à la peinture écaillée. Elle s'était arrêtée devant une vieille maison en brique décrépite à deux étages érigée au centre de plusieurs autres immeubles aussi mal entretenus. Une sonnerie déclencha l'ouverture de la porte sur un escalier intérieur obscur. Elle leva la tête vers le palier, à l'étage, et reconnut Antoine Tremblay, en manches de chemise, debout devant la porte de son appartement.

— Bonjour, monsieur Tremblay. Mon fiancé m'a demandé de vous apporter les derniers dix dollars qu'on vous doit, dit-elle, toujours debout au pied de l'escalier.

— Montez, l'invita Tremblay. Mais il y avait rien qui pressait, ajouta-t-il alors que Reine montait le rejoindre. Il me semblait que le dernier paiement n'était pas avant la semaine prochaine ?

— Oui, mais on se marie samedi prochain et c'est un cadeau en argent qu'on a reçu hier, mentit-elle, en ouvrant son sac à main pour en tirer le billet de dix dollars qu'elle avait préparé.

— Vous pouvez entrer, proposa l'homme. Ma femme est là, ayez pas peur.

Reine tendit l'oreille et entendit quelqu'un déposer de la vaisselle sur un meuble.

— Je vais pas vous déranger longtemps, dit-elle avec un sourire. J'aimerais juste que vous me donniez un petit billet prouvant qu'on vous a payé tout ce qu'on vous doit.

Antoine Tremblay la précéda dans la cuisine de son appartement où une femme à l'air maladif était en train de dresser le couvert. Reine la salua. Elle sortit un crayon et une feuille de papier pliée en quatre de son sac et les tendit à son hôte. Ce dernier signa après avoir empoché l'argent.

— Vous pouvez bien prendre une tasse de café, proposa-t-il, apparemment heureux d'avoir touché tout son argent.

— Merci, mais ce sera pour une autre fois. Je travaille avec mon père à la biscuiterie et il aime pas trop quand je lui laisse tout l'ouvrage sur les bras.

Reine salua le couple et quitta la maison, soulagée et heureuse d'avoir mené à bien la mission qu'elle s'était donnée. Près d'une heure avant la fermeture de la biscuiterie, elle en poussa la porte, retira son manteau et reprit sa place derrière le comptoir.

— T'as trouvé tout ce que tu cherchais ? lui demanda son père en sortant de la pièce située à l'arrière du magasin.

— Oui, p'pa.

Jean avait vécu une avant-midi de travail pas tellement différente de celles des semaines précédentes, si ce n'est qu'il avait dû nettoyer trois wagons particulièrement sales.

— Ça, c'est le train de Toronto qui a ramené des partisans du Canadien, avait dit Magnan avec assurance en évaluant les dégâts. C'est toujours la même chose quand l'équipe gagne à Toronto. On dirait une gang de sauvages qui se sentent obligés de boire comme des cochons et de tout salir pour fêter.

— Naturellement, Gagnon le sait et c'est pour ça que c'est nous deux qui sommes poignés pour décrotter ce train-là.

— T'as tout compris.

À midi, il se dépêcha de quitter les quais de la gare pour se rendre au bureau du personnel en espérant que le directeur du personnel n'ait pas déjà quitté les lieux pour aller manger. Pour sa part, il était affamé et espérait ne pas avoir à attendre inutilement.

La chance fut de son côté. Aimé Corriveau était encore à son bureau au moment où il se présenta au comptoir d'accueil.

— Qu'est-ce que je peux faire pour toi ? lui demanda aimablement l'employé de bureau.

— J'aimerais parler à monsieur Corriveau, s'il est encore ici.

— Je vais voir, dit l'homme en se dirigeant vers une porte à la vitre dépolie derrière laquelle travaillait le directeur du personnel.

L'employé frappa à la porte et l'entrouvrit. Il dit quelques mots à son patron avant de se retourner vers Jean.

— Il va vous recevoir. Entrez.

Jean le remercia et pénétra dans le bureau. Aimé Corriveau, debout et prêt à partir, lui demanda la raison de sa visite.

— Je vous dérangerai pas longtemps, monsieur Corriveau. Je voulais juste savoir si j'avais droit à un congé spécial en me mariant, dit Jean, conscient d'arriver à un mauvais moment.

— Viens pas me dire que tu te maries ? fit le sympathique directeur.

— Samedi prochain, monsieur.

— Ouais ! dit l'homme, la mine soudain songeuse. Normalement, t'as pas assez d'ancienneté pour avoir droit à un congé.

— Je comprends.

— Écoute, je pense qu'on peut s'arranger pour compter comme ancienneté les étés où t'as travaillé pour la compagnie, dit le directeur du personnel en se dirigeant vers la porte que Jean lui ouvrit. C'est pas grand-chose, mais c'est mieux que rien. Tu prendras ton vendredi et lundi prochain. On va te payer ces deux jours-là.

— Merci, fit le jeune homme, surpris qu'on lui offre deux jours de congé payés.

— Si tu veux prendre le reste de la semaine prochaine, on peut s'organiser, mais les quatre autres jours seront pas payés.

— Je pense pas en avoir besoin, monsieur.

— Presse-toi pas pour me répondre, répliqua Aimé Corriveau, sérieux, en lui faisant signe de sortir en refermant la porte de la pièce derrière lui. Si ta femme veut un petit voyage de noces et que t'as les moyens de le lui offrir, fais-le, mais avertis-moi avant de partir jeudi soir.

— Merci, monsieur Corriveau. Est-ce que je peux vous demander de pas parler de mon mariage aux autres ? murmura Jean pour ne pas être entendu par l'employé.

— Pourquoi ? As-tu honte de te marier ? l'interrogea le responsable, l'air narquois.

— Non, mais je voudrais pas d'un enterrement de vie de garçon.

— Je te comprends. Je vais me taire, aie pas peur.

— Encore une fois, merci pour tout.

Les deux hommes quittèrent l'endroit en même temps et se séparèrent dans le couloir.

Le cœur léger, Jean alla manger ses sandwichs avec Magnan dans l'un des wagons qu'ils avaient nettoyés durant l'avant-midi. Cependant, le jeune homme se garda bien de parler de son prochain mariage à son compagnon de travail. Il connaissait trop bien la tradition qui voulait qu'on enterre bruyamment la vie de garçon du fiancé, la veille de son mariage. Il n'avait pas l'intention de se présenter malade à ses noces. Même s'il avait peu de contacts avec les autres employés, il savait que Magnan était apprécié par tous et qu'il se ferait un plaisir de leur apprendre la nouvelle. Bien peu résisteraient alors au plaisir de passer une soirée trop bien arrosée à la taverne après l'avoir attaché, exposé et largement couvert de tout ce qui leur tomberait sous la main.

À la fin de l'après-midi, il descendit du tramway, coin De La Roche, bien décidé à attendre pour apprendre les dernières nouvelles à Reine. Il n'avait pas l'intention d'aller sonner à la porte des Talbot ce soir-là. Il s'y sentait trop mal reçu. En passant devant la vitrine de la biscuiterie, il changea toutefois d'idée en apercevant Reine qui remplissait des boîtes de biscuits. Il frappa discrètement contre la vitre. La jeune fille leva la tête et vint lui ouvrir.

— Qu'est-ce que tu fais dans le magasin ? lui demanda-t-il en entrant. Il est passé six heures.

— Je le sais, fit-elle sans sourire. J'ai passé l'après-midi à faire des commissions et je suis revenue pas mal tard. Mon père vient juste de monter. Je lui ai dit que je finissais de placer le stock sur les tablettes.

— As-tu eu le temps d'aller chez Tremblay ?

— Oui. Attends, je vais te donner le billet qu'il m'a signé, dit-elle en tendant la main vers son sac à main d'où elle tira le document. Et en plus, il m'a dit de te remettre vingt dollars pour te remercier.

— Eh bien ! c'est gentil de sa part. Ça fait toujours plaisir, dit Jean en prenant le billet.

— Aïe ! T'as vu dans quel trou il reste avec sa femme ! Moi, quand je l'ai vu, j'ai tout de suite cru qu'il nous donnerait pas une cenne, dit-elle pour cacher sa propre pingrerie.

— En tout cas, moi je le trouve pas mal généreux d'avoir pensé à nous.

— Et toi, t'es-tu informé pour notre voyage de noces ? demanda Reine, pressée de changer de sujet de conversation, ne sachant pas trop quoi inventer d'autre.

Jean lui rapporta la proposition de son employeur,

— C'est pas mal *cheap* de pas te donner au moins une semaine, lui fit-elle remarquer, mécontente.

— T'as pas compris, lui dit-il. Corriveau m'offre une semaine, si je le veux.

— Ben oui, une semaine, mais pas payée.

— Je peux la prendre, si tu veux.

— Il en est pas question, trancha Reine. On n'a pas les moyens de jeter l'argent par les fenêtres. Ça va tout prendre pour arriver. On va faire juste un petit voyage de noces jusqu'à lundi soir.

— Je serai en congé payé seulement vendredi et lundi. Qu'est-ce qu'on fait avec l'offre de ton oncle Henri ?

— On va l'accepter.

— Mais comment on va aller à Verchères ? C'est pas la porte à côté.

— Inquiète-toi pas. Je vais m'organiser avec mon frère Lorenzo. Il va accepter de venir nous conduire là-bas après les noces.

— Qu'est-ce qu'il va faire pour l'essence ?

— Lui, il a pas de problème avec ça. Il a beau se plaindre souvent pour le *gas*, il finit toujours par avoir les coupons de rationnement qu'il lui faut. Je sais pas comment il se débrouille, mais durant toute la guerre il en a jamais manqué.

À son retour à la maison quelques minutes plus tard, Jean vint s'attabler devant une assiette de fricassée que sa mère venait de lui servir.

— T'arrives plus tard que d'habitude, lui fit-elle remarquer. As-tu fini plus tard de travailler ?

— Non, je suis juste arrêté quelques minutes à la biscuiterie parler à Reine de notre voyage de noces. Le Canadien National va me donner deux jours payés.

— Pas plus que ça ? lui demanda Félicien en allumant une cigarette.

— J'ai pas d'ancienneté, p'pa.

— Est-ce que Reine est allée chez Tremblay, comme elle te l'avait dit ?

— Oui.

— J'espère que cet homme-là t'a donné un petit montant pour te récompenser pour ton honnêteté, intervint Amélie.

— Il m'a donné vingt piastres, dit-il en montrant fièrement son billet.

— Il me semble qu'il aurait pu te donner plus. Il est pas mal cochon ! s'exclama Claude qui avait écouté jusqu'alors sans rien dire.

— Il était pas obligé, fit sa mère, et surveille ta façon de parler, toi.

— T'aurais peut-être dû y aller toi-même lui rapporter son argent, suggéra Félicien, songeur. Pour moi, il aurait été pas mal plus généreux si tu lui avais conté toi-même comment tu as trouvé cet argent-là.

— À cette heure que c'est fait, il y a rien à dire, conclut Jean, philosophe. J'ai jamais compté sur cet argent-là. Il était pas obligé de m'en donner, et il a décidé de me donner vingt piastres, c'est plus qu'une semaine de salaire. C'est pas mal d'argent !

Deux jours plus tard, le jeune homme quitta son travail à l'heure habituelle sans avoir mentionné à quiconque son projet de ne pas rentrer avant le mardi matin suivant. Heureux à la perspective de ces quatre jours de congé durant lesquels il n'aurait pas à supporter Onésime Gagnon, il salua Magnan avec bonne humeur avant de sortir du vestiaire des employés.

Il venait à peine de faire quelques pas dans la gare qu'il s'immobilisa un instant pour allumer une cigarette. En relevant la tête, il aperçut un peu plus loin une voyageuse qui lui tournait le dos. Elle était vêtue d'un imperméable gris clair et coiffée d'un coquet petit chapeau de la même couleur orné de deux plumes rouge vin. Quelque chose dans le maintien et le port de tête de la jeune femme lui donna l'impression qu'il la connaissait. Quand cette dernière tourna la tête vers la gauche, il vit son profil. C'était Blanche

Comtois. Son cœur s'étreignit. Partait-elle ? Arrivait-elle ? Attendait-elle quelqu'un ? Impossible de le savoir.

Son premier mouvement fut de se diriger vers elle, ne serait-ce que pour éprouver le plaisir de lui serrer la main, de l'admirer de plus près. Il fit deux pas dans sa direction avant de s'arrêter brusquement.

— À quoi bon ! dit-il à mi-voix, la gorge serrée.

Son attirance envers la jeune fille n'avait été en rien amoindrie par les semaines qui venaient de passer. À sa vue, il ressentait toujours le même émoi bouleversant. Il se rappela soudain son invitation à peine déguisée à la fréquenter lorsqu'il l'avait rencontrée deux mois auparavant. Elle avait dû l'attendre et se sentir rejetée quand elle avait constaté qu'il ne se manifestait pas. À la limite, elle avait même dû se mettre à le haïr.

Incapable de la quitter des yeux, il s'éloigna à reculons jusqu'au mur le plus proche, prit un vieux journal abandonné sur un banc par un voyageur et se dissimula derrière les pages ouvertes. Ainsi, il put la lorgner durant une dizaine de minutes, le temps qu'elle mit à examiner, nerveusement lui sembla-t-il, les gens qui se déplaçaient dans la gare.

Blanche ne lui était jamais apparue aussi belle ni aussi désirable qu'en cet instant. L'effort qu'il dut faire pour résister à la tentation de s'approcher d'elle le laissa sans force et désemparé.

Finalement, quand la jeune fille se dirigea lentement vers l'une des portes, il fut soulagé. Il continua à la guetter depuis l'intérieur de la gare alors qu'elle avait pris place dans la queue de voyageurs attendant un tramway dans la rue La Gauchetière. Peu après, un tramway s'immobilisa au milieu de la rue et il la vit, la mort dans l'âme, s'y engouffrer.

Il attendit encore un moment avant de se décider à sortir à son tour et il dut marcher durant quelques minutes avant de retrouver son aplomb. Cette rencontre, quarante-huit heures avant son mariage, ne pouvait plus mal tomber. Elle lui faisait réaliser subitement qu'il aimait probablement Blanche plus que Reine, et cette constatation le bouleversait.

Rentré chez ses parents, il soupa rapidement et prétexta la fatigue pour se retirer tôt dans sa chambre.

— Qu'est-ce que tu vas faire demain ? lui demanda Claude, installé à son bureau, en train d'exécuter un devoir de français.

— Je vais déménager mes affaires dans mon appartement. Ça devrait faire ton affaire, pas vrai ? Tu vas avoir toute la chambre pour toi, ajouta-t-il, sarcastique.

— Tu me dérangeais pas, lui fit remarquer l'adolescent, comme s'il venait de réaliser que son frère allait quitter définitivement la maison paternelle. Je peux même dire que ça va être pas mal plate tout seul. Il y a ben des fois où on a eu du fun tous les deux.

Jean comprit que son frère allait peut-être regretter son départ et il en fut ému. Lui aussi, il allait regretter la fouine, comme il l'appelait si souvent.

— Si tu t'ennuies, t'auras pas trop loin à aller pour venir chez nous. Tu sais où je vais rester.

— Ce sera plus la même chose, lui fit remarquer Claude. Tu vas avoir une femme.

— Ça m'empêchera pas d'aller jouer au hockey et au baseball avec toi quand ça va nous tenter.

— Pourquoi t'attends pas demain soir pour déménager ? Je pourrais te donner un coup de main.

— T'es fin de me le proposer, mais j'ai pas tant d'affaires que ça à transporter. Si j'ai pas fini demain après-midi, tu pourras toujours m'aider.

Rassuré, Claude ramassa ses affaires.

— Où est-ce que tu t'en vas ? lui demanda son frère aîné.

— Je t'ai entendu dire que t'étais fatigué. Moi, j'ai presque fini mon devoir. Je vais te laisser dormir tranquille. Je vais aller le finir sur la table de la cuisine.

Jean ne protesta pas et, dès que son frère eut quitté la chambre, il enfila son pyjama et se mit au lit. Durant un long moment, l'image de Blanche le hanta, mais il finit par s'endormir.

Le lendemain avant-midi, le jeune homme transporta la plupart de ses vêtements, ses livres et quelques souvenirs dans son futur appartement. Pendant tout ce transfert, il sentit sa mère émue et il fit son possible pour alléger la situation.

Amélie prenait plus encore conscience que la vie serait désormais différente dans l'appartement de la rue Brébeuf. Elle pensait aussi à son Jean, elle ressassait les moments de sa petite enfance et trouvait qu'il était encore si jeune. Était-il bien prêt à affronter une nouvelle vie ? Avec Reine ?

— Voyons, m'man, je m'en vais pas au bout du monde, finit-il par lui dire quand il s'aperçut qu'elle avait les larmes aux yeux. On va rester juste au coin de la rue.

— Je le sais bien, dit-elle en s'essuyant les yeux après avoir esquissé un pauvre sourire. C'est juste parce que t'es le premier à partir. Quand t'auras le temps, tu me sortiras ton habit bleu marin et ta chemise blanche pour que je les repasse. Il manquerait plus que tu te maries demain matin dans du linge tout froissé.

Peu avant le souper, alors qu'il était occupé à ranger ses effets personnels dans son nouveau chez-lui, il entendit quelqu'un marcher dans le couloir. Au moment où il allait ouvrir la porte de la chambre pour s'enquérir de l'identité de son visiteur, il aperçut Reine qui arborait une coiffure très seyante qui mettait en valeur son visage fin et ses yeux gris.

— T'es déjà allée chez la coiffeuse, lui dit-il. Ça te fait bien.

— J'en reviens à l'instant, fit-elle sans relever le compliment. As-tu fini de déménager ?

— Presque.

— Moi, j'ai fini. As-tu remarqué que je suis allée acheter du manger ?

— Non.

— Je suis allée faire une commande à matin. La facture est sur la table, dans la cuisine. Oublie pas de me rembourser, prit-elle soin de lui préciser.

— C'est correct.

— J'ai parlé à Lorenzo quand il est venu nous porter son cadeau de noces à midi. Il va venir nous conduire à Verchères demain après-midi et il va même venir nous chercher lundi, à l'heure du souper.

— Tu me feras penser de le remercier.

— Est-ce que du monde de ta parenté ont laissé des cadeaux chez vous ?

— Non. Ils vont probablement attendre demain.

— On a reçu quatre autres cadeaux cette semaine. Je les ai mis sur la table dans le salon, chez mon père. As-tu pensé quand est-ce qu'on va transporter tous nos cadeaux ici dedans ?

— Ben...

— On peut pas faire ça avant de partir en voyage de noces, il y a des invités qui vont venir chez mes parents pour les voir.

— Tes parents peuvent pas attendre qu'on revienne lundi soir ?

— Ça énerve pas mal ma mère d'avoir ça dans son salon. Elle trouve que ça a l'air à l'envers.

— Bon, j'ai compris, laissa-t-il tomber. Je vais demander à Claude de tout monter dans notre appartement dimanche. Comme ça, ta mère pourra pas se plaindre qu'on l'encombre.

— Je vais lui dire ça, promit-elle. J'espère que ton frère en profitera pas pour fouiller partout, dit-elle d'une voix acide.

— Si t'aimes mieux le faire toi-même, gêne-toi pas, répliqua-t-il d'une voix cinglante.

Cette saute d'humeur de son fiancé poussa la jeune fille à changer de ton.

— Non, demande à ton frère de le faire. Pour demain, tu te rappelles que tu dois être à l'église avant moi, à neuf heures et demie. Est-ce que ton père a loué un char ?

— C'est fait. Inquiète-toi pas, dit-il pour la rassurer.

— Si c'est comme ça, je vais descendre. J'ai encore laissé mon père se débrouiller tout seul tout l'après-midi. En plus, je dois aller chercher ma paye.

— Si je me fie à tous les congés que t'as pris cette semaine, elle sera pas ben grosse, dit Jean, pour plaisanter.

— Ah ben là ! Il manquerait plus qu'il me coupe du salaire, protesta la jeune fille d'une voix dure, avant de tourner les talons.

Jean secoua la tête et finit le rangement de ses effets personnels dans sa commode. Curieux, il jeta un coup d'œil dans les tiroirs de celle que s'était appropriée Reine : ils contenaient entre autres de la belle lingerie. Avant de quitter l'appartement, il alla éteindre le poêle à huile de la cuisine. Il ouvrit la porte du garde-manger et constata que sa fiancée l'avait convenablement rempli. D'ailleurs, la facture déposée bien en évidence au centre de la table le força à se délester d'une somme plutôt rondelette.

— Simonac ! il y a presque plus d'argent pour Verchères, jura-t-il en comptant les quelques billets de banque qui lui restaient, malgré les vingt piastres de monsieur Tremblay.

Il n'avait pas osé mentionner à Reine que son père avait négocié un forfait pour le lendemain avec Aurèle Durand, un chauffeur de taxi demeurant quelques maisons plus loin que les Bélanger, rue Brébeuf. Pour une somme très raisonnable, l'homme avait accepté de se mettre au service des Bélanger pour toute la durée de la journée. Quand Jean avait fait remarquer à son père que le voisin conduisait une vieille Pontiac 1936 bosselée et plutôt malpropre, ce dernier s'était borné à lui répondre :

— Sa bagnole roule, c'est ce qui compte.

— Vous avez raison, p'pa, s'était-il entendu dire.

Restait maintenant à savoir ce qu'allaient en penser les Talbot qui, aux dires de Reine, avaient retenu deux grosses Ford de l'année, une pour les jeunes mariés et l'autre pour eux-mêmes. Le taxi retenu par son père n'allait pas être le seul à faire partie du convoi nuptial. Sa grand-mère et ses tantes allaient sûrement adopter le même moyen de locomotion. De plus, la vieille Ford 1934 de l'oncle Émile ainsi qu'une ou deux autres voitures d'avant-guerre possédées par des cousins de sa mère n'allaient sûrement pas remonter le crédit de la famille Bélanger auprès de sa belle-famille. Il s'en fichait royalement. Son père avait fait au mieux avec le peu d'argent qu'il possédait. Il savait qu'il n'était pas du genre à lancer de la poudre aux yeux des gens.

Ce soir-là, Reine se mit au lit tôt après avoir discrètement suspendu un chapelet à la corde à linge, à la suggestion de sa mère pour s'assurer du beau temps le lendemain.

— C'est le meilleur moyen d'avoir une belle température pour le jour de ton mariage, lui avait promis Yvonne, sur un ton convaincu.

— Au lieu de ça, j'aurais bien plus besoin de savoir comment je vais pouvoir dormir cette nuit sans gâcher ma coiffure, avait répliqué Reine. Demain, je serai pas regardable, avait-elle ajouté, énervée.

— Enveloppe-toi la tête dans une serviette, lui avait conseillé Yvonne. Moi, c'est ce que je vais faire. Demain, quelques coups de brosse vont suffire pour tout remettre en place.

Peu convaincue, la jeune fille s'était tout de même enveloppé la tête dans une épaisse serviette en ratine et s'était couchée, persuadée que le sommeil viendrait tout de même rapidement après une journée aussi épuisante. Ce ne fut pas le cas. Pourtant, ce n'était pas l'idée de quitter le nid familial qui lui donnait du vague à l'âme. Pas du tout. Elle ne faisait que penser à tout ce qui l'attendait le lendemain.

— C'est la dernière nuit où je dors toute seule, murmura-t-elle. Ça va faire pas mal drôle d'endurer quelqu'un dans mon lit. Il faut que je m'endorme, demain, je vais avoir des poches sous les yeux…

Plus elle s'en faisait avec l'apparence que son insomnie allait lui donner, plus le sommeil la fuyait. Elle entendit ses parents aller se coucher après que sa mère eut entrouvert la porte de sa chambre pour vérifier si elle dormait déjà. Pour éviter d'avoir à lui parler, Reine ferma les yeux et feignit d'être plongée dans un profond sommeil.

Elle ne sut finalement jamais à quelle heure exactement elle s'endormit.

Tout à coup, elle se réveilla en sursaut, la sueur au front. Elle s'assit brusquement dans son lit, cherchant à reprendre pied dans la réalité. Elle venait de faire un cauchemar horrible. Elle avait rêvé qu'elle donnait naissance à son bébé à l'église, au moment où le curé Pelletier s'apprêtait à bénir son mariage. L'église s'était immédiatement remplie de cris et d'accusations. Jean avait mystérieusement disparu et elle voyait ses parents lui tourner le dos, se dirigeant vers la porte du temple.

Un coup d'œil vers son réveille-matin lui apprit qu'il était un peu plus de deux heures. Elle se leva et alla boire un verre d'eau avant de revenir se coucher. Elle se rendormit sans mal.

Tout ce dont elle se souvint le lendemain matin, à son réveil, fut qu'elle avait fait un cauchemar. Mais elle fut incapable de préciser en quoi il consistait, ce qui n'était pas plus mal dans les circonstances.

Chapitre 22

La noce

Ce matin-là, Yvonne Talbot dut s'y reprendre à trois reprises pour tirer sa fille du sommeil. Cette dernière, le teint brouillé, finit par sortir de sa chambre en bâillant bruyamment.

— Il est quelle heure ?

— Il est l'heure de commencer à te préparer, répondit sa mère déjà coiffée et maquillée. Il est sept heures et demie. Il faut te peigner et te maquiller avant de mettre ta robe. Laisse-moi te dire que t'es pas en avance, ma fille.

Reine fit comme si elle ne l'entendait pas et s'approcha de la fenêtre de la cuisine pour examiner le temps qu'il faisait. Le ciel était gris et le vent agitait les vêtements étendus sur la corde par la voisine de gauche.

— Il y a pas à dire, m'man, votre histoire d'accrocher un chapelet sur la corde à linge, c'est bon, persifla-t-elle. On dirait plutôt qu'il va mouiller. Avez-vous déjà déjeuné ? Moi, j'ai faim.

— Voyons, Reine, protesta sa mère. T'es pas pour déjeuner le matin de ton mariage. Il faut que tu ailles communier.

— C'est pas vrai ! fit la jeune fille avec mauvaise humeur. Dites-moi pas que je vais être obligée de passer l'avant-midi le ventre vide.

— Dis-toi que c'est pas pire que chaque dimanche matin, rétorqua Yvonne. Va me chercher ta brosse à cheveux et viens que je replace tes cheveux, ajouta-t-elle en lui enlevant la serviette qui avait protégé sa coiffure durant la nuit.

— Où est passé p'pa ?

— Il est parti fumer dehors. Il est nerveux sans bon sens depuis qu'il est levé. Il marie sa préférée aujourd'hui et ça l'énerve au plus haut point, précisa la mère de famille avec un sourire flatteur qu'elle destinait à sa fille pour la mettre en confiance.

Quelques minutes plus tard, assise devant sa mère armée d'une brosse, Reine s'impatientait.

— Arrête de grouiller comme un ver à chou ! lui ordonna Yvonne.

— Est-ce que ça achève ?

— J'ai presque fini. Prends patience.

Le ton de la mère de famille aurait dû alerter la future mariée. Depuis son lever, Yvonne se demandait comment aborder certaines questions avec sa fille. Elle finit par se jeter à l'eau.

— Est-ce qu'il y a des questions que t'aimerais me poser ? demanda-t-elle, la voix changée.

— Ben, m'man, protesta Reine, interloquée qu'elle lui pose une telle question.

— Il y a pas que ça, ma fille, dans le mariage, lui fit remarquer sa mère, en réalisant soudain ce que sa question pouvait avoir de loufoque, vu la grossesse de sa fille.

— Je vois pas, m'man.

— Laisse-moi au moins te donner un conseil ou deux, reprit Yvonne. Dis-toi qu'un homme a toujours envie de ce que tu sais et que si tu lui mets pas des bornes, tu vas passer ta vie en famille. Dans ton cas, disons que t'as tout un travail à faire parce que ton Jean semble pas avoir de limite si je me fie à ton état le jour de ton mariage.

— M'man, vous exagérez pas mal !

— OK, mais c'est à toi de t'organiser, dès le commencement de ton mariage, pour lui tenir la dragée haute et faire en sorte de te servir de ça pour obtenir ce que tu veux.

— Êtes-vous en train de me dire que c'est ce que vous faites avec p'pa ? lui demanda Reine, amusée par les paroles de sa mère, qui s'était toujours montrée particulièrement prude.

— Mêle pas ton père à ça. C'est une affaire entre femmes. Autre chose aussi, ma fille. Essaye de t'arranger pour que ce soit toi qui tiennes le porte-monnaie dans ton ménage. Ça, c'est un bien gros avantage.

— Pourquoi vous l'avez jamais fait ici dedans, m'man ? lui demanda Reine, étonnée du conseil.

— J'ai pas pu faire ça parce que ton père s'occupait du magasin et était déjà habitué à gérer de l'argent. Quand je me suis mariée, c'était pas la tradition dans la famille Talbot que les femmes se mêlent des finances de la famille. On leur donnait l'argent pour acheter la nourriture et c'était le seul argent qu'elles voyaient. Mais pour toi, c'est autre chose. Tu peux faire ce que faisait ma mère, ta grand-mère Grenier. Même si mon père était dans les affaires, c'était ma mère qui tenait les cordons de la bourse et il se dépensait pas une cenne dans la maison sans qu'elle le veuille.

Yvonne prêchait une convertie. Sa fille n'avait jamais eu l'intention de procéder autrement dans son ménage.

Quand sa mère eut terminé de remettre en place sa coiffure, elle disparut dans sa chambre pour se maquiller et mettre sa robe de mariée. Elle revint dans la cuisine une heure plus tard. Elle y trouva son père qui avait déjà endossé son veston de costume noir dont il avait pris soin d'orner la boutonnière d'un œillet.

— Ton bouquet est dans le salon, lui dit-il en examinant avec une admiration non feinte la cadette de ses filles. Tu vas être la plus belle mariée que la paroisse aura vue cette année, ajouta-t-il fièrement.

— Elle est déjà bien assez orgueilleuse comme ça, fit sa femme qui venait d'entrer derrière lui dans la pièce. Mais c'est vrai qu'on va donner à Jean Bélanger une bien belle fille.

Pour la première fois de la matinée, la future mariée esquissa un sourire de contentement. Sa mère la suivit au salon pour y prendre son bouquet de corsage qui avait été déposé sur la table basse.

— Oublie pas de demander à ton père sa bénédiction, dit-elle à voix basse à Reine.

— Pourquoi?

— Voyons, Reine. C'est ce qu'une fille bien élevée fait toujours le matin de ses noces.

— Ça, c'est une affaire qui se faisait à la campagne il y a longtemps, protesta-t-elle. C'est comme la bénédiction du jour de l'An. Il y a plus personne qui fait ces affaires-là.

— Peut-être, répliqua sa mère, sévère, mais ça fait plaisir à ton père et ça te coûte rien. Il me semble que c'est pas trop te demander après tout ce qu'il va dépenser aujourd'hui pour te donner les plus belles noces.

Sa fille exhala un soupir d'exaspération et retourna dans la cuisine demander à son père de la bénir. Ce dernier, ému, attendit qu'elle s'agenouille devant lui et il la bénit, les larmes aux yeux.

Ce matin-là, Jean fut le premier debout chez les Bélanger. Il était presque six heures et demie et le soleil n'était pas encore levé. Il avait passé une bonne nuit de sommeil et s'était réveillé frais et dispos. Il s'était empressé de faire bouillir de l'eau et de procéder à sa toilette avant que les autres envahissent la salle de bain.

Il venait à peine de sortir de sa chambre tout habillé quand son père et sa mère entrèrent dans la cuisine.

— Cybole ! T'es ben pressé d'aller te passer la corde au cou, plaisanta Félicien en voyant son fils déjà cravaté. Arrangé comme ça, tu vas être à l'église avant monsieur le curé.

— À six heures, je m'endormais plus, expliqua le jeune homme en prenant place sur une chaise, au bout de la table.

— Est-ce que ta valise est prête ? lui demanda sa mère.

— Oui, m'man. Je viens de mettre mes dernières affaires dedans. Pendant que vous vous habillez, je vais aller la porter chez les Talbot. Son frère a dit qu'il la mettrait avec celle de Reine dans le coffre arrière de sa voiture avant d'aller à l'église.

Jean mit son manteau, prit la petite valise cartonnée brune prêtée par ses parents et quitta l'appartement. Lorsqu'il arriva devant l'immeuble occupé par les Talbot, il jeta un coup d'œil à la vitrine où un écriteau de carton apprenait à la clientèle que la biscuiterie serait fermée toute la journée à cause du mariage. Il allait déverrouiller la porte qui permettait d'accéder au palier quand cette dernière s'ouvrit devant Fernand Talbot. Le commerçant, le cigare au bec, s'apprêtait à sortir.

— Tabarnouche ! T'es de bonne heure sur le pont, ne put-il s'empêcher de s'exclamer en apercevant son futur gendre. J'espère que tu viens pas me voler ma fille aussi tôt.

— Non, monsieur Talbot, répondit Jean avec bonne humeur. Je pense que je vais attendre après la cérémonie à l'église. Je venais juste porter ma valise pour notre voyage de noces chez vous. Votre garçon est supposé passer la prendre.

— C'est correct. T'as juste à la laisser en haut, devant la porte. Quand je remonterai tout à l'heure, je la rentrerai. Il faudrait pas que tu voies ta future femme avant qu'elle te rejoigne à l'église. Il paraît que ça amène la malchance.

Jean le remercia et suivit le conseil de celui qui ce jour-là allait devenir officiellement son beau-père. Lorsqu'il revint sur le trottoir, ce dernier avait disparu. Le jeune homme pensa qu'il était probablement dans son magasin. Le ciel était gris, mais la pluie ne menaçait pas vraiment. Comme il n'avait pas le goût d'aller s'asseoir dans la maison pour regarder sa famille se préparer à venir assister à son mariage, il décida de marcher un peu dans la rue Mont-Royal qui, à cette heure matinale, était déserte.

Il marcha lentement jusqu'à la rue Papineau. Il faisait doux. Seuls le livreur de glace et le laitier semblaient déjà au travail dans le quartier. Il vit le premier monter un escalier en maintenant avec ses pinces un bloc de glace posé sur l'une de ses épaules protégée par un sac de jute. De l'autre côté de la rue, un laitier de chez J.-J. Joubert se tenait debout derrière sa voiture et déposait bruyamment des pintes de lait dans son panier métallique.

Au moment où il allait tourner au coin de Brébeuf, Jean se retrouva nez à nez avec son père.

— Je viens d'aller voir si Durand se rappelait que c'était aujourd'hui qu'il nous conduisait, expliqua-t-il à son fils.

— Il s'en souvenait, j'espère ?

— Pas de problème, il m'a promis d'être devant la porte à neuf heures et quart.

— J'espère que ce sera pas une journée qui va vous coûter trop cher, p'pa, reprit le jeune homme.

— Pas mal moins cher qu'à ton beau-père, rétorqua Félicien avec un rire malicieux.

Il y eut un court silence entre les deux hommes pendant qu'ils se dirigeaient sans se presser vers la maison.

— Je suppose que t'as pas de conseil à me demander ? fit le postier sur un ton un peu emprunté.

— Je pense que ça peut aller, p'pa.

— Laisse-moi quand même te conseiller une affaire, reprit le père de famille en s'immobilisant au pied de l'escalier qui conduisait à l'appartement. Laisse-toi jamais manger la laine sur le dos par ta femme. Je le sais, les Talbot c'est pas du mauvais monde, mais, comme le disait mon père, ils ont tendance à péter plus haut que le trou et à regarder tout le monde de haut. T'es plus instruit qu'eux autres et t'as pas à ramper devant eux.

— J'en ai pas l'intention, p'pa.

— Je connais pas trop la fille que tu vas marier et je sais pas si elle est ben influençable. À ta place, je m'arrangerais pour que sa mère vienne pas trop souvent mettre son grand nez dans votre ménage en vous donnant des conseils. C'est peut-être ben pratique des fois des parents qui restent proche, mais ça peut devenir pas mal achalant aussi.

À leur entrée dans l'appartement, Claude criait à sa sœur de sortir de la salle de bain, et cette dernière, retranchée derrière la porte, lui répondait sur le même ton qu'il n'avait qu'à patienter, qu'elle n'en avait plus que pour cinq minutes. Soudain, Amélie sortit de sa chambre, déjà prête à partir.

— Veux-tu bien me dire ce que t'as à crier comme un perdu ? demanda-t-elle à l'adolescent avant même que son mari intervienne.

— Ça fait une heure qu'elle est enfermée dans les toilettes, protesta Claude. Moi, j'en peux plus. J'ai envie.

— Lorraine, laisse-le aller aux toilettes, ordonna la mère de famille à sa fille à travers la porte.

— Vas-y, fatigant, dit Lorraine en sortant. Vous le connaissez, m'man. Il a pas plus envie que la mer a soif. Il veut juste aller se regarder dans le miroir pour voir s'il y a pas d'autres boutons qui lui ont poussé dans le visage pendant la nuit.

— Si tu penses que je t'ai pas entendue, la grande niaiseuse, s'écria l'adolescent derrière la porte fermée.

— Grouille-toi. À force de me retarder, Christian va arriver et je serai même pas prête.

— Il attendra, le Français ! répliqua Claude avec une joie mauvaise.

Comme pour donner raison à la jeune fille, on sonna à la porte, ce qui incita cette dernière à se précipiter dans sa chambre après avoir demandé à ses parents de faire passer le visiteur au salon.

— Grouille-toi, fit sa mère. On peut pas te laisser toute seule avec lui dans la maison et nous autres, on doit partir. Le taxi est à la veille d'arriver.

Au moment où Félicien ouvrait la porte à Christian Dupriez, Claude sortit de la salle de bain et s'immobilisa dans le couloir pour regarder l'ami de sa sœur entrer dans l'appartement. Le Français portait un imperméable couleur mastic et, surtout, un béret bleu du plus étrange effet. L'adolescent retint avec un effort évident un gloussement d'amusement et s'empressa d'aller rejoindre Jean dans leur chambre à coucher.

— Tabarnouche ! t'as pas vu le chum de Lorraine, toi, dit-il à mi-voix à son frère. On dirait un poteau de téléphone avec une galette sur le dessus. Il a un béret ! Il a l'air d'un vrai maudit tata avec ça sur la tête. Je sais pas ce que va dire notre sœur quand elle va le voir avec ça sur la noix.

— C'est pas grave, lui fit remarquer Jean en train de fixer un œillet à sa boutonnière. Dis donc, toi, tu m'avais pas dit que tu viendrais à mon mariage avec une fille ? demanda-t-il pour plaisanter.

— J'avais dit : « peut-être », répondit l'adolescent avec une fausse assurance. J'ai ben regardé, mais j'en ai pas trouvé une à mon goût. Ça fait que je me suis dit que j'étais mieux d'aller à tes noces tout seul et que j'en trouverais peut-être une aujourd'hui qui aurait de l'allure dans la famille de Reine. Pour le grand tata assis dans le salon, j'espère pour lui qu'il va l'oublier ici dedans, son maudit béret, dit Claude en riant, pressé de changer de sujet de conversation.

Il sortit de la chambre, son veston sur le bras et se retrouva tout de suite devant sa mère qui l'examina.

— Tu vas attacher le dernier bouton de ta chemise et approche que j'arrange ton nœud de cravate, lui ordonna-t-elle. Avant de partir, va te peigner, t'as encore des cheveux qui se redressent.

— Ça se peut pas, m'man, j'ai mis du Brylcreem, protesta Claude en entrant dans les toilettes pour se regarder dans le miroir suspendu au-dessus de l'évier.

— Puis, sainte Bénite, arrête de jouer avec les boutons sur ton front, tu seras plus regardable, poursuivit Amélie en le voyant tenter de discipliner quelques mèches rebelles d'une main et tâter du bout des doigts quelques boutons qui ornaient son front.

Le visage de l'adolescent s'assombrit. Il détestait qu'on lui parle de son acné, ses boutons le rendaient particulièrement timide face aux filles. Il avait beau plastronner et feindre de faire le difficile dans ce domaine, aucun membre de la famille n'était dupe.

— On s'en va, le taxi vient d'arriver, annonça Félicien d'une voix forte en sortant du salon.

Le père de famille avait offert un siège à Christian et il s'était planté devant la fenêtre pour guetter l'arrivée de la voiture.

Lorraine apparut dans le salon vêtue d'une jolie robe vert eau qui mettait en valeur sa silhouette élancée et son épaisse chevelure bouclée. En l'apercevant, Christian ne put s'empêcher de s'exclamer, même en présence des parents de la jeune fille :

— Que t'es belle ! Tous les hommes présents à la noce vont m'envier aujourd'hui.

Lorraine rougit subitement. Ce n'était certes pas Édouard Lacombe qui lui aurait fait un pareil compliment, surtout pas en public. Elle appréciait de plus en plus le bagout et la bonne humeur du chef cuisinier que rien ne semblait jamais embarrasser.

— Il faut y aller, sinon on va être en retard, dit-elle à Christian, pour ne pas faire attendre inutilement ses parents.

— T'as les joncs ? demanda Félicien à son fils au moment où il passait la porte.

— Oui, répondit le jeune homme en tâtant la poche de veston dans laquelle il avait mis l'écrin renfermant les deux alliances que le prêtre aurait à bénir.

Tous quittèrent l'appartement en même temps. Avant de partir, Amélie s'était empressée de faire le tour des pièces parce qu'elle était certaine que plusieurs invités viendraient à la maison. D'ailleurs, la veille, elle avait cuisiné de manière à pouvoir leur servir quelque chose dans la soirée.

À leur arrivée au pied de l'escalier, Christian se rendit soudain compte qu'on n'avait pas prévu de place pour Lorraine et lui dans le taxi. Indécis, il inclina légèrement son béret et regarda Lorraine. Cette dernière lui chuchota quelques mots, ce qui l'incita à retirer précipitamment son couvre-chef.

— On peut toujours marcher jusqu'à l'église, dit la jeune fille sans grande conviction en regardant ostensiblement le ciel maussade.

— Mais non, protesta le Français. Nous allons trouver une voiture taxi, nous aussi.

Satisfaite, Lorraine dit à ses parents qu'ils les rejoindraient à l'église, avant de prendre la direction de la rue Mont-Royal où ils trouveraient facilement une voiture.

Jean n'ouvrit pas la bouche en se glissant sur la banquette arrière de la Pontiac jaune et noir d'Aurèle Durand. Assis aux côtés de sa mère et de Claude, il n'en pensa pas moins que l'homme aurait pu se donner la peine de laver sa voiture. Pendant qu'il contournait cette dernière pour s'asseoir derrière le volant, Amélie chuchota à son mari, installé sur la banquette avant :

— Il me semble qu'il aurait pu se faire la barbe et mettre son dentier, tu trouves pas ?

— Chut ! lui ordonna Félicien au moment où le conducteur ouvrait sa portière.

Le trajet jusqu'à l'église prit moins de cinq minutes.

— Où est-ce que vous voulez que je vous attende ? demanda Durand en immobilisant son véhicule sur le boulevard Saint-Joseph, au pied des deux volées de marches qui conduisaient au parvis de l'église Saint-Stanislas-de-Kostka.

La Ford 1934 noire d'Émile Corbeil était déjà rangée le long du trottoir.

— Ici, ça va être parfait, répondit Félicien. Je pense que c'est la meilleure place.

Les Bélanger sortirent de la Pontiac. Amélie reconnut son frère Émile et sa famille, debout sur le parvis, en grande conversation avec ses sœurs Agathe et Élisabeth accompagnées de leur mari. Quelques neveux et nièces discutaient, un peu à l'écart. Un peu plus loin, une douzaine de personnes, probablement des membres de la famille Talbot, s'étaient regroupées et attendaient les futurs mariés.

Amélie et Félicien saluèrent leur parenté au passage avant de s'engouffrer dans l'église en compagnie de Jean.

— Donnez-moi vos manteaux, ordonna Amélie à son fils et à son mari.

Ils obéirent avant de se diriger tous les deux vers l'un des fauteuils disposés devant la sainte table, à l'extrémité de l'allée centrale. Jean était si impressionné qu'il marchait aux côtés de son père, la tête droite, fixant le maître-autel. C'est à peine s'il se rendait compte qu'une vingtaine de personnes avaient déjà pris place dans l'église.

— Tu t'assois dans le fauteuil de droite, je pense, lui murmura son père avant de le laisser pour aller rejoindre sa femme et Claude déjà installés dans le premier banc, à sa droite.

Durant quelques minutes, le jeune homme suivit d'un œil distrait les évolutions du bedeau en train d'allumer les cierges sur l'autel et de vérifier si les burettes, déposées sur la crédence, avaient bien été remplies.

Soudain, des murmures dans son dos l'incitèrent à tourner la tête. Il vit alors Reine s'avancer lentement dans l'allée au bras de son père. La jeune fille était précédée par les chuchotements des personnes déjà présentes dans le temple. Jean ne remarqua même pas que les bancs s'étaient progressivement remplis tant sa fiancée, belle à couper le souffle, accaparait toute son attention dans sa robe blanche, la tête couverte d'un long voile en tulle.

La jeune fille vint s'asseoir à ses côtés et son père, avant d'aller rejoindre sa femme dans le premier banc du côté gauche de l'allée centrale, glissa un mot à l'oreille de son futur gendre pour lui signifier qu'il lui revenait maintenant de bien s'occuper de sa cadette. Jean posa sa main sur celle de sa future femme, incapable de cacher son émoi d'être près d'elle. Elle ne lui avait jamais semblé aussi désirable qu'en cet instant. En retour, Reine lui adressa un sourire complice.

Il était visible également qu'à ce moment précis Yvonne « buvait du petit-lait », comme le disait son mari. Dès son entrée dans l'église, la mère de la mariée avait constaté avec plaisir la présence d'un bon nombre de voisines et de connaissances. La grande femme, drapée dans sa robe couleur ivoire et les épaules couvertes par une étole de renard, se rengorgeait en prenant une pose impériale. Ces noces chics montraient à tous que les Talbot n'étaient pas n'importe quelle famille... Si Reine ne s'était pas mariée dans cet état, son bonheur aurait été parfait. Sous le prétexte de saluer un membre ou l'autre de sa famille, elle tourna la tête à plusieurs reprises vers l'arrière pour s'assurer que les Talbot comptaient largement plus d'invités que les Bélanger, et pour mieux scruter de quoi avait l'air la parenté de son futur gendre.

— Seigneur, ce qu'ils ont l'air miteux ! chuchota-t-elle à l'oreille de son mari.

— De qui tu parles ? fit le petit homme un peu boudiné dans son costume noir.

— Des Bélanger. Il y en a qui ont l'air d'être habillés à la chienne à Jacques. Le monde va bien se demander à quelle sorte de gens on marie notre fille, ajouta-t-elle, dépitée. Il y en a qui ont l'air de sortir de la campagne.

Du coin de l'œil, la mère de la mariée aperçut son fils Lorenzo qui venait de rejoindre Estelle et son mari dans le banc voisin. Il était accompagné d'une parfaite inconnue. Yvonne examina la jeune femme d'un œil inquisiteur avant de murmurer à son mari :

— Veux-tu bien me dire où Lorenzo a déniché cette fille-là ? Elle a l'air d'avoir un drôle de genre et...

— Chut ! Laisse faire la blonde de ton gars, l'interrompit Fernand en lui montrant d'un signe de tête le prêtre qui venait d'apparaître.

Le curé Pelletier venait d'entrer dans le chœur, encadré de deux servants de messe vêtus d'une soutane rouge et d'un surplis blanc. Tout le monde se leva et la cérémonie religieuse commença. Agenouillés au pied des marches conduisant à l'autel, les servants de messe faisaient les répons en latin.

Après la lecture de l'Évangile, le célébrant se dirigea vers la chaire. Il relut et expliqua l'épître de saint Paul aux Éphésiens à titre d'homélie. Reine, d'abord distraite, sembla tout à coup accorder une plus grande attention à ce qu'il disait.

« La femme doit être soumise à son mari comme au Seigneur. Car pour la femme, son mari est la tête de la famille, comme le Christ est la tête de l'Église. »

En entendant ces paroles, la jeune femme esquissa une petite moue qui en disait long sur son état d'esprit. Ses pensées vagabondèrent durant un bon moment et ne revinrent à la cérémonie qu'à l'instant où le prêtre concluait son sermon en citant encore les paroles de saint Paul : « Chacun de vous doit donc aimer sa femme comme lui-même, et la femme doit respecter son mari. »

Après l'offertoire, le curé Pelletier quitta l'autel et vint à la rencontre des deux jeunes gens qui se levèrent à son approche. Après une courte oraison, il bénit les anneaux et leur fit formuler à haute et distincte voix la promesse solennelle qui les engageait l'un envers l'autre pour la vie. Ensuite, sur son invitation, chacun passa à son conjoint l'un des anneaux qu'il venait de bénir.

Le prêtre dit quelques mots sur l'indissolubilité de l'union chrétienne avant de retourner à l'autel pour terminer la messe. Dès qu'il eut prononcé l'*Ite missa est*, l'organiste appointée par les Talbot plaqua les premières notes de la marche nuptiale de Mendelssohn. Tous les fidèles se levèrent et attendirent que les jeunes époux empruntent l'allée centrale en direction de la sortie. Debout dans le second banc, derrière son fils, Bérengère Bélanger examina sans ciller la nouvelle mariée qui s'avançait dans l'allée en donnant le bras à son petit-fils. Ses filles Rita et Camille, à ses côtés, en firent autant, mais se gardèrent bien de formuler la moindre remarque qui aurait pu alimenter la grogne de leur vieille mère.

Lors de la promesse, Amélie s'était mise à pleurer doucement. Sa belle-mère avait remarqué le tressautement de ses épaules et n'avait pu s'empêcher de se pencher vers l'avant pour lui chuchoter :

— Voyons, Amélie, arrête de pleurer comme un veau. Ton garçon est pas mort. Il fait juste se marier.

Félicien s'était alors tourné vers sa mère et lui avait adressé un regard lourd de reproches auquel la vieille dame avait semblé aussi insensible qu'à l'air désapprobateur de ses deux filles.

Les invités quittèrent un à un leur banc pour suivre les nouveaux époux à l'extérieur. Le ciel était toujours gris, mais il ne pleuvait pas. Un homme à l'épaisse moustache blanche demanda aux gens de s'immobiliser et de se regrouper sur les marches du parvis pour une photo.

— Cybole ! Talbot a fait les choses en grand, dit Félicien à son beau-frère Émile. Il a même engagé un photographe. Nous autres, à notre mariage, ça a tout pris pour qu'on aille se faire tirer le portrait chez Photos Modèles, sur Sainte-Catherine.

Les nouveaux mariés furent placés sur la première marche, encadrés par leurs parents. Derrière, tous les invités s'entassèrent les uns contre les autres pour être dans la photo-souvenir. Le photographe dut demander à deux reprises aux parents de la mariée de sourire, alors qu'ils ne parvenaient qu'à offrir un air emprunté à la caméra.

L'un et l'autre avaient une bonne raison d'être de mauvaise humeur. Ils avaient découvert derrière les deux magnifiques Ford grises louées à prix d'or pour le jeune couple et pour eux-mêmes une vieille Ford noire de plus de douze ans et trois taxis, dont deux étaient passablement sales. Le plus outrageant était que leurs conducteurs avaient même eu le culot d'orner le capot de leur véhicule de papier crépon blanc, pour bien montrer qu'ils faisaient partie de la noce. Les autres voitures décentes qui allaient participer au cortège avaient dû stationner plus loin.

— Fais quelque chose, Fernand, avait ordonné Yvonne à la vue de ce spectacle. De quoi on va avoir l'air quand on va défiler dans les rues du quartier ? On va penser que nous sommes une bande de pauvres.

— Qu'est-ce que tu veux que je fasse ? avait rétorqué son mari, aussi fâché qu'elle. Il y a du monde de notre noce qui ont engagé ces chauffeurs-là, je peux tout de même pas leur dire de s'enlever de là et de s'en aller à la fin de la queue parce qu'ils nous font honte.

— Ça vaut bien la peine de dépenser autant d'argent pour faire des belles noces et de se ramasser avec des gens comme ça.

Durant la prise de photos, Yvonne et Fernand ne pensaient qu'aux qu'en-dira-t-on. Quand vint le temps de monter à bord des véhicules, Fernand lutta un moment contre la tentation de donner l'ordre au conducteur de la première voiture du défilé, celle qui transportait les nouveaux époux, de prendre immédiatement la direction de la salle de réception, chez Duquette, rue Saint-Hubert. Il y renonça en se rendant compte que personne ne comprendrait une telle décision.

Le chauffeur de la première limousine ouvrit la portière arrière à Reine et Jean avant de prendre place derrière le volant. Debout sur le trottoir, quelques curieux, charmés par le spectacle, applaudirent. Reine leur adressa son plus ravissant sourire. Au moment où la voiture se mettait lentement en route, les premières gouttes de pluie se mirent à tomber.

— Il mouille à cette heure, dit Reine, peinée de voir sa journée de mariage gâchée par le mauvais temps.

— Ça durera pas, madame, lui dit l'homme chauve qui conduisait la voiture en mettant en marche les essuie-glaces de la Ford. Regardez au loin, le ciel est déjà en train de s'éclaircir.

En ce samedi matin du mois d'avril, la circulation sur le boulevard Saint-Joseph fut perturbée durant quelques minutes par ce bruyant défilé d'une quinzaine d'automobiles dont les conducteurs actionnaient le klaxon. Le cortège emprunta la rue De Lanaudière jusqu'à Mont-Royal. Coin Chambord, un tramway s'immobilisa en grinçant pour permettre aux autos de demeurer regroupées avant de tourner rue Brébeuf. En passant devant la maison de ses parents, Jean aperçut Adrienne Lussier et son frère Omer le saluant de la main. Il lui répondit en souriant.

Après avoir défilé jusqu'à Gilford, la première voiture descendit la rue De La Roche avant de prendre la direction du restaurant, dans la rue Saint-Hubert.

Le conducteur des nouveaux mariés avait eu raison. Lorsqu'il arrêta son véhicule devant la salle de réception, la pluie avait cessé, à la plus grande satisfaction de Reine. En quelques minutes, tous les invités s'engouffrèrent dans l'entrée de la salle après avoir laissé leur manteau au vestiaire.

Pendant ce temps, le maître de cérémonie engagé par le père de la mariée vérifia que le pianiste et le violoniste avaient bien pris place sur l'estrade placée derrière la table d'honneur avant de s'avancer vers les jeunes époux.

Le jeune homme aux manières un peu précieuses se présenta et disposa les nouveaux mariés et leurs parents à l'entrée de la salle pour recevoir les félicitations des invités. Durant un bref moment, Félicien eut la tentation de faire remarquer au jeune homme que sa mère devrait être debout à leurs côtés, comme le voulait la tradition, mais il y renonça quand il constata l'air revêche de Bérengère.

À l'invitation pressante du maître de cérémonie, il se forma rapidement une file d'invités qui félicitèrent les mariés et leurs parents. La plupart embrassèrent Reine après lui avoir adressé un compliment. Certains tendaient à Jean une enveloppe dans laquelle se trouvait leur cadeau de noces, tandis que d'autres leur apprenaient avoir laissé à leurs parents le présent qu'ils leur avaient acheté pour l'occasion.

Pendant ce temps, le duo de musiciens jouait une musique d'ambiance. Après avoir félicité les nouveaux époux, les invités s'empressaient d'entrer dans la salle et de prendre place autour de l'une ou l'autre des dix tables rondes disposées face à la table d'honneur. Évidemment, les gens se regroupaient selon leurs affinités.

Quand le curé Pelletier, les mariés et leurs parents s'installèrent à la table d'honneur au milieu de laquelle trônait un imposant gâteau à deux étages couvert de glaçage blanc, il était évident que les membres de la famille Talbot, comme ceux de la famille Bélanger, formaient des îlots séparés dans la salle. Une place était demeurée libre à la table d'honneur. Fernand dit quelques mots à l'oreille de

Félicien. Ce dernier hocha la tête et se dirigea vers la table où sa mère et ses deux sœurs étaient assises en compagnie de Lorraine et de Christian, ainsi que de deux copains et leurs épouses.

— M'man, il y a une place pour vous à la table d'honneur, dit le postier à Bérengère en se penchant vers elle.

— Je suis très bien où je suis, fit sèchement la vieille dame. Je vois pas pourquoi j'irais trôner à la table d'honneur quand je faisais même pas partie de ceux qui accueillaient les invités.

— C'est comme vous voudrez, répliqua Félicien, peu désireux de donner des explications.

Il retourna à la table et le prêtre se leva, à l'invitation du maître de cérémonie, pour réciter le bénédicité. À la fin, chacun se signa. Avant même que les serveuses se mettent à circuler entre les tables pour servir la soupe, le maître de cérémonie reprit la parole.

— Le gérant apprécierait beaucoup que vous frappiez sur votre table plutôt que sur votre coupe ou votre verre quand vous voudrez que les nouveaux mariés s'embrassent, dit-il sur le mode plaisant. En plus, monsieur Talbot, le père de la mariée, tient à ce que vous sachiez que c'est bar ouvert, que l'alcool est gratuit.

Cette dernière annonce fut suivie par des applaudissements nourris.

La dernière table située au fond de la salle avait été prise d'assaut par les jeunes de la famille Bélanger. Claude était attablé avec Réjean et Isabelle Corbeil ainsi qu'avec les cousins Paul et André Letendre, les fils de seize et dix-sept ans de sa tante Agathe. Claudine Brochu, la fille de quatorze ans de la tante Élisabeth, complétait le groupe.

— J'aime mieux aller m'asseoir avec Réjean et Isabelle même s'ils sont ben ennuyants que de manger avec grand-mère qui va passer son temps à me faire des sermons, avait-il chuchoté à Lorraine à leur entrée dans la salle.

Tout en mangeant sa soupe, l'adolescent regrettait presque son choix. Il n'avait pas vu les cousins Letendre depuis trois ou quatre ans et ils étaient devenus « de vrais baveux », selon ses critères. Ils le regardaient de haut et l'avaient même appelé « ti-cul », ce qui n'avait en rien amélioré son humeur. Comble de malchance, la cousine Claudine avait beaucoup grossi depuis la dernière fois qu'il l'avait vue et elle avait même des boutons d'acné, comme lui. Pendant que Réjean Corbeil lui racontait une bagarre survenue dans la cour de son école, la veille, Claude lorgnait une adolescente blonde assise entre ce qui semblait être ses parents, à la table voisine.

Au moment où les serveuses commençaient à déposer devant chacun des timbales au poulet, quelques invités se mirent à frapper sur les tables en cadence avec leurs ustensiles pour inciter les nouveaux mariés à se lever et à s'embrasser. Des cris d'encouragement fusèrent du côté des Bélanger, imités bien timidement par la famille Talbot. Durant les minutes suivantes, la même scène se répéta à plusieurs reprises, toujours à l'initiative des invités d'Amélie et Félicien Bélanger.

— De la vraie basse classe, ne put s'empêcher de chuchoter Estelle Caron à l'oreille de sa tante Germaine, assise à côté de son oncle Henri.

— J'espère qu'ils sont à la veille de se fatiguer de ce petit jeu idiot, laissa tomber une petite femme à l'air revêche vêtue d'une robe mauve et faisant étalage de bijoux qui semblaient fort coûteux.

— Inquiétez-vous pas, ma tante, reprit Estelle. Je connais ma sœur. Elle va bientôt refuser de se lever pour leur faire plaisir.

— Laissez-les donc faire si ça les amuse, fit Charles Caron, sur un ton bon enfant.

— Tout ce bruit me dérangerait moins s'il ne m'empêchait pas d'entendre la musique jouée par les musiciens que ton père a engagés, dit Jeanne-Mance Brien, la femme du notaire, qui se targuait d'être une mélomane avertie.

Au premier coup d'œil, tout observateur aurait reconnu en cette grande femme à l'air hautain la digne sœur d'Yvonne Talbot. Son mari, un homme plutôt effacé, se contentait d'écouter les conversations autour de la table depuis le début du repas. Il aurait préféré être assis près de son beau-frère Étienne, le propriétaire d'une petite scierie dans le Maine. Malheureusement, Étienne n'avait pu venir au mariage avec sa femme et il devait supporter Henri Grenier et son épouse Germaine avec qui il n'avait jamais eu beaucoup d'atomes crochus. Il en voulait un peu à sa femme d'avoir jeté l'ancre à cette table sans lui demander son avis.

Soudain, il y eut un échange de remarques assez lestes adressées aux nouveaux mariés. Elles provenaient de gens assis à des tables occupées par des Bélanger. Les plaisantins s'attirèrent un regard chargé de mépris d'Yvonne Talbot qui se crut obligée de les excuser auprès du curé Pelletier. Ce dernier, diplomate, hocha la tête et prétendit n'avoir rien entendu. Ensuite, il se retourna vers Amélie avec laquelle il s'entretenait avant d'être interrompu.

— Il ne manquait plus que ça ! fit une Jeanne-Mance Brien outrée qui avait bien entendu, elle, la dernière plaisanterie grivoise lancée par un cousin d'Amélie. Voulez-vous bien me dire d'où sortent ces gens ?

Quelques murmures de désapprobation se firent entendre en provenance des tables voisines.

Au moment du dessert, Estelle vit son père apparaître près d'elle. Il se pencha à son oreille pour lui chuchoter :

— Voudrais-tu faire un effort après le dîner pour aller parler à la parenté de Jean ? Il y a personne de notre famille qui a essayé de se mêler à eux.

— Je les connais pas, p'pa, se défendit mollement la jeune femme qui, enceinte d'un peu plus de six mois, portait ostensiblement une robe de maternité pour que chacun n'ignore pas son état de future maman.

— Comme ça, tu vas en connaître une couple, trancha son père, mécontent qu'elle ne comprenne pas l'importance de la démarche qu'il lui confiait.

— Je vais essayer, lui promit-elle avec un soupir d'exaspération.

Elle vit son père, tout sourire, faire la tournée des tables pour s'informer si tout avait été au goût des invités. Peu après, le repas prit fin et les invités se levèrent pour laisser le personnel desservir les tables et remettre de l'ordre dans la salle. Beaucoup d'hommes sortirent à l'extérieur pour fumer pendant que les femmes se regroupaient pour échanger des nouvelles.

Pour sa part, Claude avait remarqué que les cousins Letendre possédaient des paquets de cigarettes et il décida de les suivre à l'extérieur dans l'intention de leur en demander une. Il aurait préféré demeurer près de Réjean Corbeil qu'il connaissait mieux, mais il était trop niaiseux, à son avis, pour fumer. Dès qu'il se retrouva sur le trottoir au milieu d'une quinzaine d'hommes, il n'eut pas à quémander une cigarette. Son cousin Paul lui en offrit une et même du feu sans faire de commentaires. L'adolescent avait à peine tiré une bouffée de sa cigarette qu'il vit son père sortir à son tour de la salle de réception. Ce dernier ne pouvait avoir fait autrement que de le voir, la cigarette à la bouche. Pourtant, il lui tourna carrément le dos et l'ignora au lieu de venir dans sa direction pour lui faire honte devant tout le monde. Claude laissa tomber sa cigarette sur le trottoir et s'empressa de l'écraser sous son talon avant de revenir dans la salle.

Quelques minutes plus tard, Fernand Talbot apparut à la porte. Il incita les hommes à rentrer pour inviter leur femme à danser. Debout au centre de l'estrade, le maître de cérémonie annonça peu après aux invités que le barman était maintenant prêt à les servir et que les nouveaux mariés allaient ouvrir la danse.

À cet instant précis, le curé Pelletier prit congé des parents et se retira. Après son départ, on fit cercle autour de la piste de danse au milieu de laquelle Reine et Jean dansèrent un peu maladroitement une valse. Quelques mesures plus tard, plusieurs invités se joignirent à eux.

Déjà, un bon nombre d'assoiffés prenaient d'assaut le serveur retranché derrière le bar et les consommations commençaient à circuler dans la salle. Lorenzo Talbot et son beau-frère Charles Caron faisaient particulièrement honneur au bar, bien décidés à célébrer.

— C'est pas mal rare que le père paye la traite, plaisanta l'aîné de la famille Talbot. Il faut en profiter, mon Charles.

— Inquiète-toi pas, on laissera rien se perdre, rétorqua le dentiste, déjà de fort bonne humeur après tout le vin ingurgité durant le repas.

À l'instigation de Fernand Talbot, Jean et Reine avaient entrepris de faire la tournée des tables pour remercier les gens d'avoir assisté à leur mariage et de leur avoir donné de si beaux cadeaux. Jean avait d'abord entraîné sa femme vers la table occupée par sa grand-mère et ses deux tantes, surtout pour les lui présenter.

— Grand-mère est un peu raide, la prévint-il tout bas, mais elle est pas méchante.

Si les tantes Rita et Camille furent tout sourire et félicitèrent leur jeune nièce par alliance pour la beauté de sa robe de mariée, Bérengère se contenta de la saluer d'un bref hochement de tête. Quand Reine la remercia pour son cadeau, la grand-mère prit un ton perfide pour lui dire :

— J'aurais bien aimé vous acheter quelque chose pour vos noces, mais vous vous êtes décidés tellement vite que j'ai pas eu le temps. C'est pour ça que je me suis contentée de vous donner de l'argent.

— Je suppose que c'est pas bien grave, s'interposa Rita sur un ton léger. Vous savez mieux que nous autres ce dont vous avez besoin. Vous vous servirez de cet argent-là pour acheter ce qui vous manque.

— C'est sûr, fit Reine avec un sourire un peu figé.

L'antipathie manifestée par la vieille dame ne lui avait pas échappé… et elle la lui rendait bien.

Un peu plus loin, Estelle avait attiré sa mère à l'écart pour lui dire qu'elle avait essayé de pousser un ou deux couples chez les Bélanger à venir s'asseoir à des tables occupées par des Grenier ou des Talbot, mais que ça ne fonctionnait pas.

— Pourquoi as-tu fait ça ? lui demanda Yvonne en jetant un regard hautain autour d'elle.

— C'est p'pa qui m'a demandé de le faire.

— Laisse donc faire. Tu vois bien que ces gens-là sont pas du monde comme nous autres.

Rassurée, Estelle alla rejoindre quelques cousines à qui elle n'avait pas eu le plaisir d'annoncer sa grossesse. Elle contourna la piste de danse, vit Charles, un verre à la main, en grande conversation avec son oncle Henri, mais la scène qui se déroulait à sa gauche lui échappa.

Claude Bélanger avait tenté de se procurer une bouteille de bière au bar, mais cette fois il avait trouvé sa mère sur son chemin.

— Tu bois juste de la liqueur, pas autre chose, lui ordonna-t-elle.

— Ben oui, m'man. Ayez pas peur.

Amélie savait à quel point son fils était frondeur et elle préférait prévenir plutôt que guérir. Elle le surveilla du coin de l'œil, le temps qu'il se procure une bouteille de Coke. L'adolescent, un peu penaud, revint s'asseoir à une table déserte. Depuis plusieurs minutes, il avait repéré la jeune fille blonde qui avait dîné, entre ses parents, à la table voisine de la sienne. Il avait entendu qu'elle s'appelait Christine.

— Tu parles d'un beau nom! dit-il à mi-voix.

— C'est à moi que tu parles? lui demanda son cousin Corbeil, qui venait de se laisser tomber sur la chaise à côté de la sienne.

— Non, je me parle tout seul, répondit-il, agacé.

Depuis, l'adolescent de quatorze ans ne la quittait pas des yeux. Ses cheveux blonds ondulés, ses joues roses et sa petite bouche en cœur l'émouvaient. Quand elle s'était levée quelques instants plus tôt, il s'était aperçu qu'elle était encore plus belle et gracieuse qu'il ne l'avait imaginé.

— C'est en plein le genre de fille que j'aime, dit-il cette fois à son cousin. Elle a peut-être quinze ou seize ans, mais c'est juste un an ou deux de plus que moi. Il faut que je l'invite à danser un *Three Steps* ou un tango.

C'étaient les deux seules danses que Lorraine avait consenti à lui enseigner l'été précédent. Il devait trouver en lui le courage de l'inviter. Elle était tellement belle avec son petit air sage qu'elle le paralysait. À ce moment-là, il vit un invité laisser sur la table voisine un verre à demi plein d'un liquide incolore avant de se précipiter vers la piste de danse avec son amie ou sa femme. Après avoir jeté un coup d'œil autour de lui pour s'assurer que personne ne le surveillait, Claude se leva, le prit et en renifla le contenu: c'était de l'alcool. L'odeur forte fit grimacer l'adolescent.

— Qu'est-ce que tu fais là ? lui demanda son cousin, surpris de le voir s'emparer d'un verre à la table voisine.

Claude ne se donna pas la peine de lui répondre. Après avoir jeté un coup d'œil autour de lui pour vérifier si quelqu'un d'autre l'avait vu, il but d'un trait le contenu du verre. Il faillit s'étouffer tant l'alcool était fort. Les larmes aux yeux, il eut du mal à retrouver son souffle.

Claude se rassit, mais son cousin venait de quitter la table et il se retrouva seul. Il attendit quelques instants que l'alcool ait fait son effet. Quand il se rendit compte que les danseurs revenaient vers les tables parce que les musiciens venaient d'annoncer une courte pause, il s'empressa de quitter sa chaise et se dirigea vers les toilettes pour se donner une contenance. Il dut attendre une dizaine de minutes, le dos appuyé contre le mur au fond de la salle, avant que le pianiste et le violoniste reviennent. Maintenant, il se sentait étrangement bien et léger.

Lorsque la musique reprit, il aperçut le grand Christian Dupriez en train de danser en compagnie de sa sœur et il se rendit compte qu'il s'agissait de l'une des deux danses qu'il connaissait. Avec un aplomb auquel l'alcool consommé n'était pas étranger, il se précipita alors vers la jeune fille blonde.

— Veux-tu danser ? lui demanda-t-il en rougissant légèrement.

— Non, merci. Ça me tente pas, se contenta-t-elle de lui répondre sur un ton un peu dédaigneux en se tournant vers la fille assise près d'elle, comme s'il n'était déjà plus là.

— OK d'abord, ce sera pour une autre fois, fit-il avant de s'éloigner, le visage rouge d'humiliation.

L'adolescent, subitement dégrisé par ce refus, venait à peine de trouver un siège lorsqu'il vit son cousin, Paul Letendre, s'approcher à son tour de celle qui l'avait rejeté. Il ricana en songeant à la rebuffade que le fils du cultivateur de Sainte-Marie-Salomé allait essuyer. Son ricanement se transforma en stupeur quand il vit la blonde se lever immédiatement, donner la main à son cousin et, toute souriante, se diriger vers la piste envahie par les danseurs.

— Tu parles d'une maudite fraîche ! ne put-il s'empêcher de dire à haute voix à Réjean Corbeil, qui venait d'apparaître encore une fois à ses côtés.

— De qui tu parles ?

— De la blonde avec qui Paul danse. Je viens d'aller l'inviter et elle a pas voulu.

— Peut-être qu'elle t'aime pas la face ou qu'elle te trouve trop jeune pour elle, suggéra le fils d'Émile Corbeil. À ta place, j'inviterais plutôt Claudine. Personne l'a encore invitée à danser.

Claude chercha sa cousine du regard et la trouva assise en compagnie d'Isabelle, la sœur de Réjean. Il regarda la figure de sa cousine : les boutons d'acné étaient très visibles. Même s'il avait envie de danser, il y renonça. « On aurait l'air fin tous les deux avec nos boutons. Si encore je pouvais fumer », se dit-il en regardant son père en grande conversation avec son oncle Émile et les maris de ses tantes Élisabeth et Agathe.

— À voir comment certains boivent comme des cochons, j'ai ben l'impression que ça va coûter un bras au beau-père de ton gars, dit Émile Corbeil à son beau-frère en indiquant du menton Charles Caron qui revenait un peu chancelant du bar en portant deux consommations.

— C'est comme à toutes les noces, lui fit remarquer Félicien. Quand c'est *bar open*, il y en a qui ont pas de fond parce que c'est gratis. Mais quand on est obligé de payer ce qu'on boit, là, tout le monde traite le père de la mariée de *cheap*. Moi, en tout cas, une ou deux bouteilles de bière et j'en ai plein mon casque.

— La même chose pour moi, affirma le gros homme en tirant une bouffée de son cigare malodorant.

— Je veux pas trop rien dire, avança Georges Letendre à mi-voix, mais on dirait ben que la famille de ta bru est pas mal fraîche. J'ai essayé de parler à deux ou trois, ça a tout pris pour qu'ils me répondent.

— Ça, tu peux le dire, fit Félicien d'un air qui voulait tout dire.

Ce dernier n'avait jamais trouvé un repas aussi long que celui qu'il avait pris à la table d'honneur. Assis près d'Yvonne Talbot, c'est à peine si cette dernière lui avait adressé la parole durant tout le repas. Elle lui avait même tourné le dos à demi durant de longues minutes pour mieux s'entretenir avec le curé Pelletier, son voisin de droite. À plusieurs reprises, il avait regardé sa femme installée entre Reine et son père et elle ne lui avait pas paru mieux traitée. La nouvelle mariée s'occupait de Jean, et Fernand Talbot avait l'air nerveux et surtout préoccupé par le bon déroulement de la fête dont il assumait le coût.

Soudain, Félicien fut distrait par Charles Caron qui, maintenant, se parlait seul, assis un peu à l'écart. Il dodelinait de la tête. Les deux verres qu'il venait d'aller chercher étaient vides devant lui.

— Il a pas l'air dans son assiette, lui fit remarquer son beau-frère Émile avec un large sourire. Pour moi, il a fait le plein, le jeune.

— Laisse faire, v'là sa femme qui arrive. Elle va s'occuper de lui, répliqua le postier en voyant s'approcher Estelle, qui venait de repérer son mari.

Le hasard voulut que la musique cesse au moment où elle s'adressa au dentiste et plusieurs personnes l'entendirent.

— Tu me fais honte, lui dit-elle. Arrête de boire. Tout le monde te remarque.

— Et puis après, fit Charles d'une voix pâteuse. À des noces, on boit. C'est nor… normal.

— Va prendre l'air, ça va te faire du bien. T'es blanc comme un drap.

— Ça me ten… tente pas, bafouilla le dentiste en dodelinant de la tête.

Au même instant, Yvonne Talbot s'approcha de son gendre avec la grâce d'un navire amiral.

— Qu'est-ce qui se passe ? demanda-t-elle d'une voix impérieuse.

— Je pense que Charles a mangé quelque chose qui lui fait pas, mentit Estelle à mi-voix.

— Belle… Belle-maman, que je suis con… content de vous voir ! s'exclama Charles, assez fort pour être entendu par les gens assis aux tables voisines. C'est… c'est des mau… maudites belles noces.

— Mais il est soûl ! fit Yvonne, les dents serrées. T'aurais pas pu le surveiller un peu ! Tout le monde nous regarde.

À l'instant précis où elle prononçait ces mots, son gendre quitta difficilement sa chaise, le teint soudain livide. Instinctivement, Yvonne s'avança pour lui éviter de tomber quand elle le vit chanceler. Le dentiste eut d'abord un hoquet, puis vomit, éclaboussant abondamment la robe ivoire de la mère de sa femme. Il y eut des exclamations dégoûtées de la part des gens assis autour. On se leva précipitamment pour s'écarter le plus possible de l'endroit.

Émile Corbeil et Joseph Letendre esquissèrent le geste de se porter au secours de l'ivrogne, mais Félicien les retint.

— Laissez faire. Ils sont ben assez nombreux pour s'occuper de cet ivrogne-là.

Alerté par les éclats de voix, Fernand se précipita. D'abord interdite par ce qui venait de lui arriver, Yvonne Talbot repoussa sans ménagement son gendre, qui retomba assis sur le sol à côté de la chaise qu'il venait de quitter. Se tournant vers sa fille, elle ne put s'empêcher de s'en prendre à elle.

— Comment ça se fait que t'es pas capable de mieux surveiller ton mari, toi ? lui reprocha-t-elle d'une voix grinçante. Regarde ce qu'il vient de faire, ajouta-t-elle, l'air dégoûtée en lui montrant sa robe gâchée.

— C'est pas le temps de faire ta crise, lui ordonna sèchement Fernand. Estelle, va aider ta mère à nettoyer sa robe dans les toilettes. Lorenzo va s'occuper de ton mari.

Le petit homme écrasa son cigare malodorant dans un cendrier et ne perdit pas de temps en vaines jérémiades. Il aperçut son fils Lorenzo en compagnie de celle qu'il leur avait présentée sous le nom de Rachel Rancourt et il lui demanda d'emmener son beau-frère à l'extérieur. Ensuite, il se tourna vers une serveuse pour l'inciter à nettoyer rapidement les dégâts. Plusieurs membres de la famille Bélanger s'étaient rassemblés un peu plus loin et commentaient la scène à laquelle ils venaient d'assister.

Pendant ce temps, dans les toilettes pour dames, Yvonne, rouge d'humiliation, cherchait à rendre sa robe présentable avec l'aide d'Estelle.

— J'ai jamais eu aussi honte de ma vie. Devant tout le monde, à part ça !

— Voyons, m'man. C'est pas la fin du monde, chercha à tempérer Estelle. Ça arrive dans presque toutes les noces que certains boivent trop et sont malades.

— Je veux bien le croire, fit sa mère, toujours aussi en colère, mais pas à des noces que ton père organise et surtout pas quelqu'un de notre famille.

— De toute façon, m'man, il est trop tard. Charles va se remettre d'aplomb dehors, et dans une heure plus personne va se souvenir de ce qui s'est passé. Là, votre robe va sécher et ça paraîtra presque plus.

— C'est correct, déclara abruptement Yvonne. Toi, tu vas aller surveiller ton mari pendant que je vais demander à ton père d'envoyer les mariés se changer. Je pense qu'il est assez tard.

La mère de la mariée quitta les toilettes. Elle fut arrêtée à deux ou trois reprises en route vers son mari par des gens qui voulaient s'informer si tout allait bien.

— Bien oui, affirmait-elle avec un sourire un tantinet crispé. C'est mon gendre. Il y a quelque chose qu'il a mangé qui lui est resté sur l'estomac.

— C'est sûr que trop d'alcool, ça ne facilite pas la digestion, osa dire Christian Dupriez avec un sourire bon enfant.

Cette remarque lui attira un regard assassin de son hôtesse.

— C'est qui ce grand fanal insignifiant? demanda-t-elle à Estelle en s'éloignant de l'invité.

— Il me semble que c'est l'ami de la sœur de Jean.

Peu après, Yvonne chuchota quelques mots à l'oreille de son mari. Ce dernier acquiesça avant de s'éloigner d'elle en direction des jeunes mariés qui s'entretenaient avec des cousins de Reine. Fernand attira leur attention et leur dit à mi-voix:

— Je pense qu'il est temps que vous alliez vous préparer pour votre voyage de noces. Lorenzo est dehors avec Charles. Il m'a dit tout à l'heure qu'il était prêt à aller vous conduire à la maison. Oubliez pas votre valise et prenez pas trop de temps avant de revenir. Le monde commence à être fatigué et il y en a qui ont déjà un peu trop bu.

— Est-ce que je vais lancer mon bouquet? lui demanda Reine, prête à se soumettre à cette vieille tradition.

— C'est correct, accepta son père. J'avertis le maître de cérémonie.

Ce dernier invita toutes les femmes célibataires présentes à la noce à s'avancer si elles désiraient avoir la chance de saisir le bouquet que la mariée s'apprêtait à lancer. De toute évidence, beaucoup avaient encore foi en cette vieille croyance qui voulait que celle qui attrapait le bouquet d'une mariée se marierait bientôt. Yvonne scruta le groupe de célibataires jacassantes à la recherche de l'amie de son fils Lorenzo.

— Comment ça se fait que la fille qui accompagne Lorenzo essaye pas d'attraper le bouquet? demanda-t-elle à son mari, debout à ses côtés.

— Comment veux-tu que je le sache? répondit ce dernier. Peut-être que le mariage l'intéresse pas.

Au signal, Reine tourna le dos à la demi-douzaine de jeunes filles rassemblées quelques pieds derrière elle et elle lança son bouquet à l'aveuglette. Appuyé contre un mur de la salle, Claude avait regardé la scène d'un œil ennuyé. Cependant, il sursauta quand il se rendit compte que c'était la belle Christine qui s'était emparée des fleurs. Il se rapprocha d'elle.

La jeune fille brandit fièrement les fleurs au milieu des exclamations dépitées des autres concurrentes.

— Tu sais que ça veut dire que tu vas être la prochaine chanceuse à te marier, fit l'une de ses cousines.

Claude ne put s'empêcher de dire à haute et intelligible voix:

— À la condition qu'elle ait l'air moins bête avec les gars.

Sa remarque lui attira un regard hautain de l'adolescente qui passa devant lui en l'ignorant ostensiblement.

Reine et Jean s'éclipsèrent rapidement. Ils retrouvèrent Lorenzo à la porte. Le jeune homme venait de confier son beau-frère à sa sœur. Après avoir dit quelques mots à la jeune femme qui l'accompagnait, il entraîna les nouveaux mariés vers sa Chevrolet rouge vin dans laquelle il les invita à monter.

— Est-ce que c'est arrangé avec ma tante Germaine ? demanda le jeune homme en mettant sa voiture en marche.

— Oui, j'ai les clés et elle nous a expliqué où se trouve la maison à Verchères.

— J'espère pour vous autres qu'elle viendra pas trop souvent vous voir pendant votre lune de miel. Pendant que j'y pense, est-ce que ça vous dérangerait que ma blonde vienne avec moi vous conduire à Verchères ?

Reine jeta un regard interrogateur à Jean avant d'accepter. Quand l'automobile s'immobilisa rue Mont-Royal, devant la porte de l'appartement, Lorenzo sentit le besoin de dire :

— Perdez pas trop de temps à vous faire des mamours en vous changeant, tous les deux. Ils nous attendent à la salle.

— Pas de danger, répliqua Jean, qui avait été passablement silencieux durant le court trajet. Moi, j'ai pas à me changer. Je monte seulement pour aller chercher nos valises et je descends tout de suite.

— Nos valises et la boîte de nourriture, le corrigea Reine. Si tu oublies la boîte, on va trouver le temps long en maudit jusqu'à lundi soir.

Dans la salle de réception, Claude s'ennuyait ferme maintenant. Il avait fumé quelques cigarettes en cachette, mais il n'avait pas osé inviter une autre jeune fille à danser. Après s'être fait rabrouer, il avait perdu le peu de confiance en lui qu'il possédait. Quand il avait vu partir Jean et Reine, il avait proposé à ses parents de les accompagner.

— Pourquoi ? lui demanda sa mère.

— Pour les surveiller, m'man, dit-il, malicieux.

— Ils ont pas besoin de toi, le comique, fit son père. Occupe-toi plutôt de tes cousins.

Peu après, les jeunes mariés firent leur entrée dans la salle sous les applaudissements des invités. Ces derniers, un peu émus, les regardèrent embrasser leurs parents avant de prendre congé. Amélie, les larmes aux yeux, serra son fils dans ses bras après avoir embrassé sa bru sur une joue. Finalement, plusieurs personnes les suivirent dehors pour les voir monter à bord de la Chevrolet où Lorenzo et son amie avaient déjà pris place sur la banquette avant.

Le départ des nouveaux mariés signifiait que la fête était terminée. Pendant que Fernand allait acquitter les frais de la réception dans le bureau du gérant, Yvonne lançait une discrète invitation à venir boire une tasse de café à la maison à quelques membres de sa famille.

Pour leur part, Félicien et Amélie adressaient une invitation semblable à leur parenté.

— Vous êtes bien fins, fit Bérengère sans sourire, mais je suis pas mal fatiguée. On se reprendra une autre fois.

Camille et Rita lancèrent un regard désolé à leur frère et à leur belle-sœur pour leur faire comprendre qu'elles auraient volontiers accepté d'aller leur rendre visite, mais qu'elles ne pouvaient laisser leur mère rentrer seule à l'appartement de la rue Saint-Urbain.

Un peu à l'écart, Claude souhaita que son oncle Émile refuse, lui aussi, l'invitation. Il ne se sentait guère de goût pour tenir compagnie à ses cousins Corbeil durant plusieurs heures encore. Heureusement pour lui, sa tante Berthe était un peu indisposée et désirait rentrer sans tarder à leur appartement de la rue Duquesne. Par ailleurs, les Brochu et les Letendre déclinèrent eux aussi l'invitation en arguant qu'ils devaient rentrer soigner leurs animaux à Sainte-Marie-Salomé.

— On dirait bien que j'ai cuisiné des tartes et des gâteaux pour rien, ne put s'empêcher de dire Amélie, dépitée de n'avoir aucun invité.

— Inquiétez-vous pas pour ça, m'man, intervint Claude. Je vais vous aider à les manger.

~

Peu à peu, la salle se vida. Avant de quitter, chacun remercia Fernand Talbot et sa femme d'avoir offert une si belle fête. Félicien et Amélie furent parmi les derniers à partir en compagnie de Claude, Lorraine et Christian.

— On peut bien rentrer en p'tit char, suggéra Lorraine.

— Pourquoi ça ? lui demanda son père. On a retenu le taxi pour la journée et il y a de la place pour vous deux. Venez.

Les Bélanger retrouvèrent Aurèle Durand en train de ronfler comme un bienheureux derrière son volant, la casquette inclinée sur les yeux. Félicien dut frapper à quelques reprises sur l'une des vitres pour que le conducteur se réveille.

À l'heure du souper, Christian déclina l'invitation des parents de Lorraine parce qu'il travaillait ce soir-là. Dès son départ de la maison, chacun s'empressa de se mettre à l'aise.

— V'là une bonne affaire de faite ! laissa tomber Félicien au moment où sa femme commençait à dresser le couvert.

— J'espère juste que Jean va être heureux en ménage.

— Il va l'être en autant que sa femme ressemblera pas trop à sa famille, rétorqua le postier. Cybole, j'ai jamais vu une bande d'airs bêtes comme ça ! On dirait qu'ils ont eu peur toute la journée que le visage leur craque s'ils souriaient. En plus, pas de saint danger qu'un seul nous adresse la parole. Il fallait toujours faire les premiers pas. Quand ils nous répondaient, c'était comme si on leur arrachait une dent.

— En tout cas, intervint Lorraine, en déposant des tasses sur la table, madame Talbot avait pas l'air trop heureuse d'avoir sali sa belle robe neuve.

— C'est sûr que c'était fâchant, fit Amélie, compatissante.

— C'est ben bon pour elle, renchérit Félicien, rancunier. Ça lui apprendra à se mêler de ses affaires. On le sait pas, mais son gendre a peut-être poigné mal au cœur juste à la voir, ajouta-t-il, malicieux.

— Là, tu manques à la charité chrétienne, le réprimanda sa femme en tâchant de ne pas sourire.

Il y eut un long moment de silence dans la cuisine. Le père de famille s'alluma une cigarette et Claude entra dans la pièce.

— Je suppose que t'as compris qu'à partir d'aujourd'hui t'es tout seul dans ta chambre et que tu vas aussi être tout seul à la nettoyer, lui fit remarquer sa mère.

— Je le sais, m'man. Mais je vais être aussi tout seul à la salir, par exemple.

— T'as du front tout le tour de la tête, Claude Bélanger. Tu parles comme si ton frère salissait bien gros.

— Aux dernières nouvelles, m'man, mon frère flottait pas dans les airs quand il entrait dans notre chambre. Il salissait autant que moi.

— T'as le temps d'aller me chercher *Le Petit Journal* au magasin avant que le souper soit prêt, intervint le père de famille.

— OK, p'pa. Je sais pas ce que mon frère va faire à soir, crut-il bon d'ajouter, moqueur. Pour moi, il va trouver la soirée pas mal plate.

— Ça va faire, la fouine. Mêle-toi de tes affaires, encore une fois, et va me chercher le journal, le rabroua son père en adressant à sa femme un regard entendu.

L'atmosphère n'était guère plus bruyante chez les Talbot puisque seuls Henri Grenier et sa femme Germaine avaient accepté de passer quelques minutes chez les parents de la mariée. Estelle s'était empressée de prétexter l'état de Charles pour rentrer à Saint-Lambert et Lorenzo était parti conduire les nouveaux mariés à Verchères.

— Jeanne-Mance aurait bien pu venir manger un morceau de gâteau avant de retourner à Québec, dit Yvonne en déposant une tasse de thé devant sa belle-sœur. Tu me feras pas croire qu'Ernest devait être à son étude un samedi soir.

— Tu les connais, tous les deux, répliqua Germaine. Ils étaient inquiets. Ça leur arrive pas souvent de quitter la maison plus qu'une journée. Déjà, ils avaient couché chez nous hier soir...

— Pour moi, vous allez trouver votre appartement pas mal grand maintenant que vous êtes tout seuls, intervint Henri Grenier, directeur d'une succursale de la Prudentielle.

— Ça va vous prendre du temps à vous habituer, reprit sa femme d'un air convaincu. On a connu ça quand notre Aline s'est mariée.

— À cette heure qu'elle a trois enfants, je pense qu'on la voit plus souvent que dans le temps qu'elle restait avec nous autres, fit Henri Grenier avec un rire bon enfant. Fille, elle passait son temps enfermée dans sa chambre et n'en sortait que pour les repas. Maintenant, il se passe pas une semaine où elle vient pas nous laisser ses enfants à garder, même si elle reste à Longueuil.

— Ce sera pas tout à fait la même chose pour nous autres, dit Fernand en proposant un cigare à son beau-frère. Les jeunes vont rester dans l'appartement au-dessus et Reine va continuer à travailler avec moi à la biscuiterie.

— Elle va continuer à travailler même mariée ? lui demanda Germaine, sincèrement étonnée.

— Ben en tout cas, c'est ce qu'elle m'a dit, lui assura Fernand.

— Ça va faire tout de même drôle de voir une femme mariée travailler, insista Germaine, sur un ton légèrement réprobateur. Je pense qu'elle va être la première dans notre famille, pas vrai, Yvonne ?

— Elle a dit ça à son père avant ses noces, répondit Yvonne, mais il y a rien qui dit qu'elle changera pas d'idée.

— En tout cas, j'ai envoyé ma femme de ménage nettoyer un peu la maison que mon père m'a laissée, précisa sa belle-sœur. Ils vont être bien tous les deux. Il y aura personne qui va aller les déranger là.

— T'es bien fine de leur avoir offert la maison de ton père, dit Fernand.

— C'est rien, ça me fait plaisir. On cherche à la vendre depuis deux ans, mais on n'a pas encore trouvé d'acheteur. Aussi bien qu'elle serve à quelqu'un en attendant, dit Germaine. Je trouve juste que c'est dommage qu'ils aient pas un voyage de noces un peu plus long. Il me semble que deux jours, c'est pas beaucoup.

Yvonne comprit la critique que dissimulait cette remarque et s'empressa d'affirmer :

— Tu comprends, Jean est un garçon pas mal ambitieux et il a pas voulu manquer une seule journée d'ouvrage.

— Moi, je respecte ça, dit Henri en passant ses pouces sous sa ceinture. C'est important pour un jeune de se placer d'abord les pieds comme il faut.

Vers six heures, les Grenier prirent congé et les Talbot se retrouvèrent seuls dans leur appartement.

— J'aurais ben aimé qu'on puisse parler des noces avec Estelle ou Lorenzo, laissa tomber Fernand en retirant sa cravate.

— Pas moi, répliqua Yvonne d'une voix tranchante. J'aime autant te dire que ça va me prendre pas mal de temps pour oublier comment Charles nous a fait honte. Et pour

Lorenzo, il a trouvé le moyen de nous amener une parfaite inconnue qui sait même pas se tenir devant le monde.

— Exagère donc pas, lui ordonna Fernand.

— Tu l'as pas vue comme moi pendant qu'elle dansait. C'était une vraie honte. On n'aurait pas pu passer une feuille de papier entre elle et Lorenzo. Quand je vais le voir, lui, je vais tout de même lui dire ma façon de penser.

— C'est ça, fit son mari, sarcastique. Arrange-toi pour que les enfants nous boudent et mettent plus les pieds à la maison.

— On peut tout de même pas…

— Laisse faire. Ils sont assez vieux pour être responsables de ce qu'ils font. Si Charles a dépassé la mesure, il en supportera les conséquences. Pour Lorenzo, ça le regarde.

— Et pour Reine ?

— Quoi, pour Reine ?

— Qu'est-ce qui va se passer quand elle va accoucher ? As-tu pensé à ce que tout le monde va dire ?

— Elle aussi, elle est maintenant mariée et elle vivra avec les commérages. En plus, je te ferai remarquer qu'un enfant qui vient au monde avant terme, ça se voit presque tous les jours.

— Oui, mais il y a avant terme et avant terme, répliqua Yvonne qui se voyait déjà mal expliquer la chose à son entourage.

Chapitre 23

La lune de miel

En ce samedi après-midi, la circulation était passablement dense aux abords du pont Jacques-Cartier. Comme chaque fin de semaine, les automobilistes rageaient contre les percepteurs installés aux postes de péage vert bouteille à l'entrée du pont. Ces derniers semblaient prendre un malin plaisir à retarder le flot de véhicules qui cherchaient simplement à traverser le fleuve. Une fois cet obstacle franchi, Lorenzo traversa Longueuil et emprunta la route sinueuse qui longeait le fleuve en direction de Sorel.

Une vingtaine de minutes plus tard, la Chevrolet rouge vin traversa lentement le village de Verchères. Les renseignements offerts par Germaine Grenier aux jeunes mariés avant leur départ suffirent pour repérer rapidement la petite maison au pignon vert construite face au fleuve, le long de la route 3.

Lorenzo Talbot immobilisa la Chevrolet dans l'allée gravillonnée située à gauche de la demeure en pierre. Le conducteur descendit du véhicule et alla ouvrir le coffre. Ses trois passagers vinrent le rejoindre pour l'aider à porter les deux valises et la boîte de nourriture près de la porte.

— Entrez, offrit Reine à son frère et à son amie Rachel, qui s'était montrée particulièrement discrète durant tout le trajet.

Lorenzo allait accepter, mais Rachel le devança en disant :

— Ce serait avec plaisir, mais on doit rentrer en ville. On est invités à souper chez des amis.

Son compagnon sembla soudainement se rappeler cette sortie. On s'embrassa et on se serra la main. Reine et Jean remercièrent leur conducteur qui leur promit, avant de démarrer, de venir les chercher sans faute au milieu de l'après-midi le surlendemain. Les jeunes mariés saluèrent le couple de la main avant de se diriger vers la porte de la maison.

Jean déverrouilla la porte avec la clé que venait de lui tendre sa femme. Reine pénétra dans les lieux et Jean la suivit en portant leurs valises. Il retourna à l'extérieur chercher leurs victuailles avant de refermer la porte derrière lui.

— C'est pas chaud ici dedans, lui fit remarquer sa jeune femme en le précédant dans les diverses pièces de la maison.

— C'est l'humidité. Après tout, on est encore juste au mois d'avril. Je vais allumer le poêle à bois dans la cuisine, proposa Jean en retirant son manteau.

La maison prêtée par Germaine Grenier était modeste et assez ancienne. Elle avait deux chambres à coucher, un salon, une cuisine et une minuscule salle de bain dépourvue de baignoire. Pendant que Jean allumait tant bien que mal le poêle, sa femme avait légèrement écarté les rideaux qui masquaient l'unique fenêtre du salon et contemplait le fleuve qui charriait ses eaux grises sous un ciel de la même couleur.

— J'ai l'impression que le père de ma tante Germaine roulait pas sur l'or, dit-elle à son mari sans tourner la tête.

— En tout cas, ta tante est pas mal fine de nous prêter sa maison et d'avoir fait faire le ménage, rétorqua Jean du fond de la cuisine. J'imagine que ça devait être pas mal poussiéreux si ça faisait deux ans que personne restait là.

Reine ne releva pas la remarque et décida de venir ranger la nourriture demeurée dans la boîte que son mari avait déposée sur la table de la cuisine. Elle ouvrit l'antique glacière au moment où Jean se tournait vers elle.

— Dis-moi pas qu'elle a même pensé à nous faire livrer un bloc de glace ! s'exclama-t-il, surpris par tant de prévenance.

— C'est normal, répliqua sèchement sa femme. Elle savait bien qu'on en aurait besoin pour le manger.

— Quand même, répliqua-t-il. Rien l'obligeait.

Peu après, ils se dirigèrent vers la chambre à coucher pour y ranger les vêtements contenus dans leurs valises. Jean laissa galamment les deux premiers tiroirs de l'unique commode de la pièce à sa femme et utilisa le dernier. Au moment où ils terminaient le rangement, le jeune homme s'approcha de sa femme et l'enlaça tendrement.

— C'est pas le temps, dit Reine en le repoussant. Il est l'heure de souper.

Sur ces mots, elle retourna dans la cuisine en le laissant derrière elle, passablement dépité. Il retira son costume bleu et mit des pantalons et un chandail avant de quitter la pièce. Sans dire un mot, il sortit de la maison. Par la fenêtre, sa femme le vit faire le tour du terrain, sonder la porte d'un vieux cabanon puis traverser la route pour s'approcher du fleuve. Elle secoua la tête et retourna à la table pour peler des pommes de terre qu'elle mit à cuire sur le poêle. Elle retourna à la fenêtre : Jean avait disparu. Elle ne le voyait plus.

Elle alla changer de robe et prit son sac à main en sortant de la chambre à coucher. Elle l'ouvrit pour en sortir quatre cartes de vœux offertes par des invités. Chacune contenait un don en argent. Elle accumula ainsi cinquante dollars qu'elle s'empressa de dissimuler avant le retour de son mari. Lorsque les pommes de terre furent cuites, elle dressa les couverts et s'apprêtait à aller à la recherche de Jean quand elle le vit traverser la route et revenir à la maison.

— Il commence à mouiller, lui dit-il en entrant. En plus, c'est pas tellement chaud sur le bord du fleuve.

— T'arrives juste à temps. Je suis prête à faire cuire le steak. J'ai vu qu'il y avait un radio dans le salon. Essaye donc de trouver un poste où il y a de la musique.

Assis l'un en face de l'autre, les jeunes mariés mangèrent avec un bon appétit. Au moment du dessert, Reine présenta une assiette couverte de biscuits.

— J'ai apporté un gros sac de biscuits mélangés, dit-elle en reprenant place devant Jean. Mon père me les a donnés : ils étaient cassés.

— C'est correct.

— Pendant que j'y pense, dit-elle un instant plus tard, qu'est-ce que t'as fait des enveloppes que des invités t'ont données en arrivant à la salle ?

— Je les ai laissées dans les poches de mon veston. Pourquoi tu me demandes ça ?

— Parce qu'il y a sûrement de l'argent dedans, déclara Reine. Je vais aller les chercher, reprit-elle en se levant.

— Attends, c'est pas si pressant, voulut la retenir son mari.

— J'ai hâte de voir ce qu'il y a dedans, se contenta-t-elle de lui dire avant de disparaître dans la pièce voisine.

La jeune femme revint un instant plus tard en tenant deux enveloppes.

— Tu me feras pas croire qu'il y en avait juste deux, dit-elle, soupçonneuse.

— T'as bien regardé dans toutes mes poches ?

— Oui.

— Ben c'est qu'il y en a juste deux, dit-il sur un ton sans appel.

Sans plus se préoccuper de lui, Reine reprit sa place et entreprit d'ouvrir les deux enveloppes d'où elle tira deux billets de cinq dollars.

— Ah ben, tu parles des *cheap* ! s'exclama-t-elle avec mauvaise humeur. Juste cinq piastres chacun. On n'ira pas loin avec ça ! Pour moi, ça vient de ta famille, ça, ajouta-t-elle.

— T'as juste à regarder les noms sur les cartes, fit sèchement Jean en finissant de boire sa tasse de café.

Sa femme consulta chacune des cartes. Elles étaient signées par des cousins de Jean.

— C'est bien ça. Je m'étais pas trompée, reprit-elle, un rien triomphante.

— Je suppose qu'ils ont donné ce qu'ils ont pu, dit-il, agacé. Et toi ? Qu'est-ce que les enveloppes qu'on t'a données contenaient ?

— Quarante piastres, mentit-elle. Cinquante piastres en tout, ça va nous permettre de voir venir.

Jean était en train de tendre la main pour prendre les dix dollars sur la table devant sa femme quand cette dernière, plus vive, s'en empara.

— Qu'est-ce que tu dirais si je m'occupais des dépenses de notre ménage ? proposa-t-elle avec un air doucereux propre à le séduire.

— Là, je sais pas trop, répondit Jean. Chez nous, c'est pas la coutume que les femmes aient l'argent gagné par le mari. J'ai toujours vu mon père donner à ma mère l'argent nécessaire pour acheter la nourriture et le linge.

— Chez nous, ça a toujours été le contraire, mentit à nouveau Reine. Et je peux te dire que mon père a jamais eu à se plaindre de ça. En plus, réfléchis un peu, Jean. Moi, je travaille depuis cinq ans, je suis habituée à faire un budget et à pas dépenser pour rien. Toi, t'étais étudiant, t'avais pas à t'occuper de ça, expliqua-t-elle après avoir contourné la table et avoir langoureusement passé sa main dans la chevelure ondulée de son mari.

Ce dernier ne résista pas plus longtemps.

— C'est correct. Je te laisse t'occuper des dépenses, consentit-il.

— Tu vas voir que j'ai pas mal le tour, lui promit-elle.

— J'aurais bien voulu rembourser les cinquante piastres que je dois à ma sœur avec cet argent-là, fit-il.

— Cinquante piastres ! s'exclama Reine sur un ton horrifié. Mais en quel honneur ?

— C'est elle qui m'a prêté l'argent pour acheter ta bague de fiançailles, expliqua-t-il.

— Ah ben ! j'aurai tout entendu. Je pensais qu'on s'était débarrassés de toutes nos dettes en remboursant Tremblay et voilà qu'on doit cinquante piastres à cette heure, dit-elle avec humeur.

— J'avais pas le choix. J'avais pas une cenne.

La jeune femme poussa un soupir d'exaspération avant de déclarer sur un ton sans appel :

— Eh bien ! ta sœur va attendre un peu. On va la rembourser petit peu par petit peu chaque semaine.

— Pourquoi ? On a déjà l'argent, dit Jean.

— Parce qu'on sait jamais ce qui peut nous arriver. Si on la rembourse d'un seul coup et qu'il nous arrive une malchance, on n'aura rien pour payer.

Maintenant qu'elle avait obtenu ce qu'elle désirait, Reine entreprit de ranger la cuisine et de laver la vaisselle. Elle était contente d'elle. Jean alla s'asseoir dans le salon sous le prétexte d'écouter les informations radiophoniques. La pièce était petite et ne contenait qu'une table basse, deux fauteuils au tissu décoloré et une radio en bois. En fait, il était surtout préoccupé par la nuit à venir.

Son expérience des femmes était pratiquement nulle, malgré le fait qu'il ait épousé Reine enceinte. En fait le choc de savoir Reine en famille avant le mariage lui avait complètement fait oublier comment s'était déroulé l'acte entre eux deux. Il ne pouvait même plus dire s'il en gardait un bon souvenir ou pas. Tout cela s'était produit si soudainement. Évidemment, il aurait eu bien trop peur d'être ridicule en interrogeant son père sur le sujet. Par ailleurs, il n'avait conservé que des souvenirs très imprécis des rares conversations qu'il avait eues avec des camarades de collège à propos des filles. Si certains d'entre eux étaient intarissables sur leurs conquêtes, il les avait toujours soupçonnés d'être des « grands parleurs, petits faiseurs », comme le disait parfois sa mère en parlant des vantards. Bref, en cette soirée cruciale, il se rendait compte qu'il y avait un gouffre entre le rêve et la réalité et il ne savait vraiment pas comment se comporter. Il ne voulait pas décevoir Reine. Cette crainte lui enlevait une partie de ses moyens et le rendait passablement timide.

Par ailleurs, dans la pièce voisine, Reine n'était guère plus rassurée. Elle hésitait entre satisfaire son mari comme elle le pourrait, et suivre, dès le soir même, le conseil maternel en se refusant à lui. Mais quelle excuse invoquer ? Non. Finalement, il valait peut-être mieux commencer leur vie de couple sur le bon pied et lui faire plaisir. Après tout, elle venait de lui arracher la gestion des finances familiales. Il ne fallait tout de même pas exagérer.

Elle eut alors une pensée fugitive pour l'enfant qu'elle avait perdu. Elle ne ressentit pas le moindre remords en songeant qu'elle avait omis volontairement de mentionner la perte du bébé à ses parents et plus encore à celui qui venait de l'épouser. Encore une fois, elle se demanda durant un court instant s'il l'aurait épousée quand même s'il ne l'avait pas crue enceinte. Cette question la taraudait déjà depuis longtemps. Elle se jura d'avoir la réponse à cette question le soir même.

Au moment où le jour tombait sous les nuages, Reine retira son tablier et alla proposer à son mari de faire une courte promenade dans le village parce que la pluie semblait s'être arrêtée. Jean accepta et ils quittèrent la maison après avoir jeté une bûche dans le poêle. La jeune femme se pendait amoureusement au bras de son conjoint en avançant lentement sur le bord de la route.

— Ça me fait tout drôle de me dire que je suis maintenant mariée, lui dit-elle soudain.

— À moi aussi, fit Jean après un court instant de réflexion.

Reine laissa passer un bon moment avant de reprendre.

— Si j'avais pas été en famille, chuchota-t-elle comme si elle craignait d'être entendue par des oreilles indiscrètes, m'aurais-tu mariée quand même ?

Elle attendit, le souffle court, que son mari réponde à la question qui la turlupinait depuis si longtemps.

— Ben oui, laissa-t-il tomber sans grande conviction.

— T'es sûr de ça ?

— Certain… Mais j'aurais attendu d'avoir fini d'étudier, par exemple, prit-il la peine de lui préciser. Là, je sais pas si tu t'en rends compte, mais on roulera pas sur l'or. J'ai pas un gros salaire et…

— T'es instruit, Jean, le coupa sa femme. Je suis sûre que tu vas te trouver une meilleure *job* que celle que t'as là. Un gars qui a fait presque tout son cours classique est pas fait pour torcher, ajouta-t-elle sur un ton sans appel.

— Je vais essayer de me trouver autre chose aussitôt que je vais en avoir la chance, lui promit-il au moment où ils arrivaient devant l'église.

— Sais-tu que je pensais à une chose, reprit Reine sans avoir l'air d'y toucher.

— À quoi ?

— Je me suis dit que ce serait pas une mauvaise idée pantoute que je retourne pas travailler à la biscuiterie.

— Parce que ça te tente pas ? demanda Jean.

— Non, je me dis que le monde pourrait penser que t'as pas les moyens de me faire vivre et que tu m'obliges à travailler pour arriver. Une femme mariée, d'habitude, travaille pas dehors.

— Tu feras ce que tu voudras, déclara Jean. Si tu penses que tu t'ennuieras pas à rien faire à la maison du matin au soir…

— Je vois pas pourquoi je m'ennuierais plus que ta mère ou la mienne, par exemple.

— Tu te rends compte qu'on va être obligés de se serrer un peu plus la ceinture sans ton salaire ?

— Je le sais, mais on vivra avec ce qu'on aura, fit Reine, heureuse d'avoir encore remporté sans mal une autre petite victoire. Est-ce qu'on retourne à la maison ? Ça commence à ne pas être chaud.

En fait, un petit vent frisquet en provenance du nord-ouest venait de se lever. Il faisait maintenant pratiquement nuit et le jeune couple décida de rentrer à la maison. Dès que la porte fut refermée, Jean et Reine décidèrent de s'installer dans le salon après avoir allumé la grosse radio Marconi qui avait appartenu au père de la tante Germaine. Après avoir écouté quelques chansons françaises interprétées par Lucille Dumont et Robert l'Herbier, ils rirent de bon cœur aux plaisanteries de Juliette Béliveau dans

Métropole. Durant l'émission suivante, Jean n'avait vraiment plus la tête à ce qui était raconté à la radio. Son regard s'attardait sur les courbes appétissantes de sa jeune femme assise dans l'un des deux fauteuils et il avait de plus en plus de mal à penser à autre chose qu'à ce qui allait se produire à la fin de la soirée.

Reine finit par se rendre compte de son regard insistant et décida qu'il était inutile de s'attarder davantage au salon.

— Je vais aller faire ma toilette, lui annonça-t-elle en se levant. Laisse-moi quelques minutes avant de venir me rejoindre.

Jean fit un effort pour adopter un air détaché :

— T'auras juste à m'avertir quand je pourrai aller me laver.

Lorsque sa femme lui apprit qu'elle l'attendait, le jeune homme s'empressa d'éteindre la radio et d'aller procéder à sa toilette dans la minuscule salle de bain. Il avait beaucoup de mal à contrôler sa fébrilité quand il pénétra quelques minutes plus tard dans la chambre à coucher plongée dans l'obscurité.

— Allume pas la lumière, lui demanda-t-elle d'une voix légèrement suppliante quand elle l'entendit refermer la porte de la chambre derrière lui.

— C'est correct, accepta-t-il en se dirigeant à tâtons vers le lit.

Cette demande lui convenait parfaitement. Il était heureux de pouvoir cacher son trouble à sa jeune femme. Il voyait à peine devant lui. Il n'y avait qu'une vague clarté qui filtrait dans la pièce entre les deux rideaux mal joints qui obstruaient la fenêtre. Il se glissa dans le lit en frissonnant légèrement tant le drap et les couvertures étaient humides.

— Calvince ! C'est pas chaud, dit-il dans un souffle en se rapprochant de sa femme qui s'était instinctivement réfugiée à l'autre extrémité du lit.

— J'ai pas chaud, moi non plus, dit-elle sur le même ton.

Jean l'attira doucement à lui et se mit à l'embrasser doucement.

— Tu vas faire attention ? fit-elle, craintive.

— Certain, répondit-il, le souffle déjà court pendant que ses mains se mettaient à la caresser tendrement.

Durant plusieurs minutes, il n'y eut plus dans la pièce que des murmures et le bruit d'un sommier malmené.

Le lendemain matin, ce furent les cloches de l'église paroissiale qui réveillèrent les nouveaux mariés.

— Quelle heure il est ? demanda Reine en s'étirant.

Jean s'assit dans le lit et chercha son réveille-matin du regard. Réalisant tout à coup l'avoir oublié, il prit sa montre-bracelet déposée sur la table de chevet.

— Huit heures.

— Je suppose que c'est la première messe qui est à la veille de commencer, dit-elle.

— On a amplement le temps de se préparer pour aller à la grand-messe.

— On pourrait même laisser faire pour une fois. On y est allés hier matin, proposa-t-elle.

— Voyons, Reine, on n'est pas pour commencer notre vie de couple comme ça, protesta Jean en s'étendant de nouveau aux côtés de sa femme. Il nous reste au moins une grosse heure et demie, sinon deux heures avant d'aller à la grand-messe, ajouta-t-il en tendant la main vers elle dans une intention on ne pouvait plus claire.

Reine feignit de ne pas remarquer le projet évident de son mari. Elle rejeta soudain les couvertures et se leva.

— Où est-ce que tu t'en vas ? l'interrogea-t-il, dépité de se voir rejeté aussi cavalièrement.

— J'ai faim et on gèle dans la maison. Si on est pour aller à la messe à matin, c'est bien de valeur, mais je vais déjeuner avant de partir. Je communierai une autre fois.

Sur ces mots, elle passa sa robe de chambre rose sur sa robe de nuit et sortit rapidement de la chambre à coucher. Son mari, d'humeur morose, demeura dans le lit un long moment avant de se décider à le quitter. Quand il pénétra dans la cuisine, sa femme était en train de mettre la table pour le déjeuner après avoir allumé le poêle à bois.

— Est-ce que tu manges avec moi ou bien tu jeûnes ? lui demanda-t-elle sans le regarder.

— Je vais manger, mais donne-moi le temps de me raser, lui répondit-il sans grand entrain.

Il trouva un bol à main qu'il remplit d'eau chaude et alla faire sa toilette dans la salle de bain. À son retour dans la cuisine, une appétissante odeur d'œufs en train de frire le fit saliver. Il s'assit en face de sa femme et mangea avec plaisir.

À la fin de l'avant-midi, à leur retour de l'église, Reine ne put s'empêcher de dire à son mari :

— J'espère que ma tante et mon oncle viendront pas nous déranger.

— Ils s'attendent peut-être à ce que nous allions leur faire une petite visite de politesse aujourd'hui, répliqua Jean.

— C'est bien de valeur, mais ils vont attendre longtemps. J'ai pas l'intention d'aller gaspiller une partie de la journée à aller niaiser chez eux, laissa tomber la jeune femme.

— Est-ce qu'ils restent loin dans Verchères ?

— Non, à cinq ou six minutes de marche.

— Tu les as pas vus à l'église ?

— Je les ai pas cherchés, convint Reine.

— En tout cas, d'une façon ou d'une autre, il va ben falloir aller les voir pour les remercier. Si c'est pas aujourd'hui, ça va être demain, lui fit-il remarquer. En plus, ce serait normal qu'on leur donne un petit cadeau pour leur montrer notre reconnaissance.

— T'es pas malade, toi ! s'emporta sa femme. Ils sont cent fois plus riches que nous autres. Penses-tu qu'on a les moyens de leur acheter un cadeau ? Non. Ce qu'on va faire, c'est que je leur écrirai un petit mot de remerciement quand on sera revenus en ville.

Cette solution ne plut pas particulièrement à Jean, mais sa femme ne semblait pas d'humeur à supporter la moindre contradiction depuis son réveil et il ne voulait surtout pas se disputer avec elle en ce premier jour de vie commune.

Cette journée fut passablement morne. Après le repas du midi, ils sortirent faire une courte promenade en prenant bien soin de ne pas passer devant la maison des Grenier, condition imposée par Reine. Au milieu de l'après-midi, Jean, l'œil allumé, proposa une sieste à sa femme, mais celle-ci repoussa l'idée en prétextant qu'elle n'avait pas envie de gâcher sa nuit de sommeil. Déçu, le jeune homme était allé retirer de sa valise un roman qu'il s'était mis à lire, confortablement assis dans le salon.

— Qu'est-ce que tu fais ? lui avait demandé sa femme, qui venait d'allumer la radio.

— Je lis, se contenta-t-il de lui répondre.

— C'est quoi ce livre-là ?

— C'est un roman, *Trente arpents* de Ringuet.

— Pourquoi tu lis ça ?

— Parce que ça me tente, fit-il, agacé.

— Pour moi, lire, c'est une vraie perte de temps, déclara-t-elle tout net. Ça sert à rien !

— En tout cas, c'est certainement plus intelligent que de passer des heures à écouter des niaiseries à la radio, lui fit-il remarquer, sarcastique.

— C'est ça, prends tes petits airs supérieurs parce que t'as fait ton cours classique, rétorqua-t-elle sèchement.

Jean leva la tête de son roman et la regarda. Ses yeux gris étaient durs et les traits fins de son visage étaient crispés. Avec le temps, il allait apprendre à reconnaître ces signes annonciateurs d'une bouderie de durée très variable.

Le silence retomba dans la pièce. Si Reine s'était imaginée que son mari allait s'excuser et laisser de côté son livre pour la satisfaire, elle faisait fausse route. Ce dernier en avait déjà assez. Il plongea dans la lecture de la vie d'Euchariste Moisan, un cultivateur dont la seule passion était sa terre.

À l'heure du souper, le jeune homme chercha à tirer sa femme du silence boudeur dans lequel elle s'était enfermée depuis le milieu de l'après-midi, mais ce fut en pure perte. Après le repas, elle refusa de l'accompagner à l'extérieur.

— Comme tu voudras, lui dit-il froidement en endossant son manteau. Moi, je vais marcher.

Lorsqu'il rentra au coucher du soleil, elle était déjà installée dans le salon en train d'écouter une pièce quelconque offerte par le radio-théâtre de Radio-Canada. Jean se contenta de venir prendre place dans l'autre fauteuil, en regrettant que la pièce soit dépourvue d'un divan. Il lui semblait que ce meuble aurait favorisé grandement leur rapprochement et contribué à faire oublier cette dispute puérile. Un peu après dix heures, Reine quitta la pièce pour aller se mettre au lit. Lorsqu'il pénétra dans la chambre quelques minutes plus tard, elle feignit de dormir.

Comme la veille, il n'alluma pas le plafonnier et se contenta de se glisser sous les couvertures. Quand il se pencha sur elle pour l'embrasser, les sens déjà enflammés, elle le repoussa.

— Tu t'imagines tout de même pas que ça va être tous les soirs, fit-elle, hargneuse. Laisse-moi tranquille et va lire ton maudit livre !

Sur ces mots, elle lui tourna carrément le dos.

Démonté par ce commentaire pour le moins sec, Jean ne sut d'abord comment réagir. Il quitta le lit et retourna au salon où il s'assit dans l'obscurité pour réfléchir à ce qui lui arrivait. Depuis quelques heures, il se rendait compte progressivement à quel point il connaissait mal la femme qu'il avait épousée la veille.

Bien sûr, ils se voyaient deux ou trois fois chaque semaine depuis l'été précédent. Reine était non seulement jolie, mais assez facile à vivre. Elle ne lui avait jamais fait la tête et acceptait avec joie ses suggestions de sortie. Ses seules sautes d'humeur s'étaient produites lorsque ses études l'avaient obligé à restreindre ses visites. En d'autres mots, il la connaissait sous un tout autre jour… Il chercha bien à mettre le tout sur le compte de la fatigue générée par la préparation au mariage, mais il n'y parvint pas. Après tout, le seul véritable travail accompli par elle avait été de suspendre les rideaux… « Non, conclut-il, amer. Ça, c'est son vrai caractère, et j'ai été trop bête pour m'en apercevoir avant. »

— Elle est complètement folle ! finit-il par dire à mi-voix. Qu'est-ce qui lui prend ? Elle me fait une crise parce que je lis ! Ben, si elle s'imagine qu'elle va me faire faire tout ce qu'elle veut en boudant, elle se trompe en simonac !

Il ne retourna se coucher qu'une heure plus tard, bien décidé à ne pas s'en laisser imposer par la fille d'Yvonne Talbot.

Le lendemain matin réservait une surprise de taille au jeune homme. Il fut réveillé par un baiser d'une Reine d'excellente humeur. Une appétissante odeur de bacon flottait dans la maison.

— Aïe ! grand paresseux, te lèves-tu ? Ton déjeuner est prêt.

Jean se leva et alla s'attabler dans la cuisine en compagnie de sa femme qui lui servit une belle assiette avec des œufs et du bacon. Il renonça à comprendre le comportement de sa femme et mangea de bon appétit en se disant que Reine avait probablement été prise de remords pendant la nuit après sa conduite de la veille, et qu'elle avait décidé de se faire pardonner. Il songea que le mieux était de tout oublier et de recommencer à neuf.

Après le repas, il alla écouter les informations à la radio pendant que Reine remettait de l'ordre dans la maison. Roger Baulu annonça que le gouvernement de Mackenzie King venait de voter d'importants crédits pour permettre à l'Alberta de développer les gisements de pétrole découverts à Leduc au début de l'année.

— Est-ce qu'on sort ? Il a l'air de faire doux dehors, lui demanda Reine en entrant dans le salon.

Jean accepta. À l'extérieur, le soleil brillait de tous ses feux et le vent avait chassé les nuages qui encombraient le ciel la veille. L'air embaumait et déjà les bourgeons avaient fait leur apparition dans les arbres. L'herbe était vert tendre.

— Je me sens pas mal paresseux d'être là à rien faire, dit-il en regardant les gens en train de s'activer au village.

— Console-toi en pensant que tu seras déjà de retour à l'ouvrage demain matin, comme tout le monde, rétorqua sa femme.

— Et toi, t'es sûre que tu t'ennuieras pas toute seule à la maison ?

— Je vais m'occuper, inquiète-toi pas. Le lavage, le repassage, le ménage et la cuisine, tout ça, ça se fera pas tout seul.

Après le dîner, le jeune couple fit ses bagages et travailla à remettre de l'ordre dans la maison.

— Il faudrait au moins aller remettre sa clé à ta tante, finit par dire Jean.

— C'est pas nécessaire, trancha sa femme. Ma tante m'a dit de barrer la porte en partant et de laisser la clé dans la boîte à lettres.

— Il reste que j'aurais bien mieux aimé aller la remercier avant de partir.

— On en a déjà parlé, répliqua sèchement Reine. Je t'ai dit que je lui écrirais un mot de remerciement.

Il n'insista pas, voyant que son humeur allait encore changer. Il s'apercevait qu'à la moindre contradiction ses yeux gris s'assombrissaient, signe précurseur de mauvaise humeur.

Un peu après trois heures, la voiture de Lorenzo Talbot vint s'immobiliser dans l'allée. Jean sortit à l'extérieur pour l'accueillir. Le jeune commis voyageur de la compagnie Familex descendit de son véhicule et déverrouilla le coffre.

— J'espère que tu t'es pas trop chicané avec ma sœur ? plaisanta-t-il.

— Pas trop, convint Jean.

Quelque chose dans le ton de son nouveau beau-frère dut l'alerter parce qu'il reprit, un ton plus bas :

— Reine est ma sœur et je la connais bien. Si j'ai un conseil à te donner, passe-lui pas tous ses caprices. Souviens-toi qu'elle a toujours été le chouchou de son père et qu'elle est habituée à ce qu'on fasse ses quatre volontés.

— Je vais m'en souvenir, fit Jean sur le même ton.

Au même moment, Reine ouvrit la porte et sortit en portant sa petite valise.

— Avez-vous fini vos messes basses tous les deux ? clama-t-elle sans sourire.

— J'espère qu'on peut se parler sans te demander ta permission, répliqua son frère en lui faisant signe de déposer sa valise dans le coffre.

Jean alla chercher sa valise et la boîte de nourriture. La porte fut verrouillée et la clé laissée dans la boîte aux lettres. Lorenzo se remit derrière le volant et la Chevrolet reprit la direction de Montréal.

— Ça t'a pas tenté d'amener Rachel avec toi ? s'enquit Reine, curieuse.

— Je travaillais aujourd'hui. Je suis pas retourné à mon appartement depuis sept heures à matin.

— Es-tu en train de me dire qu'elle reste avec toi ?

— T'es ben curieuse, toi ! Pantoute. Qu'est-ce que tu t'imagines ? la rabroua son frère en adoptant un ton vertueux. Rachel Rancourt est la propriétaire de la maison où je reste, rien de plus.

— Elle est pas mariée ?

— Ben oui, mais elle est séparée de son mari.

— Ayoye ! Si jamais m'man apprend que t'as amené à nos noces une séparée, elle va piquer une vraie crise.

— Pourquoi elle le saurait ? rétorqua son frère aîné. C'est pas écrit dans le front de Rachel qu'elle vit plus avec son mari.

— Et toi, tu sors avec elle ?

— Si on te le demande, tu diras que tu le sais pas, fit Lorenzo sur un ton définitif en immobilisant son véhicule devant le poste de péage du pont pour tendre au percepteur son billet.

Quand le conducteur s'apprêta à tourner coin Papineau et Mont-Royal, Reine demanda à son frère de stationner sa voiture un peu en retrait de la biscuiterie de manière à ne pas être obligée d'aller rendre visite immédiatement à leur père.

— J'aimerais bien avoir le temps de défaire les bagages et de remettre un peu d'ordre dans la maison avant d'aller voir p'pa, expliqua-t-elle.

— Tu sais ben que m'man va t'entendre marcher sur sa tête. En tout cas, tu feras ce que tu voudras, répliqua Lorenzo, mais moi j'ai l'intention d'aller lui dire bonjour avant de partir.

Lorenzo arrêta la Chevrolet quelques pieds avant d'arriver à la biscuiterie de façon à ce qu'on ne le voie pas depuis la vitrine du commerce. Reine remercia son frère avant de franchir la porte que son mari venait de déverrouiller. Ce dernier ne la suivit pas immédiatement. Il laissa la porte se refermer derrière elle avant de demander à son beau-frère en tirant son porte-monnaie de l'une de ses poches :

— Bon, combien je te dois, Lorenzo ?

— Rien pantoute.

— Voyons, t'es venu nous conduire et nous chercher à Verchères, protesta Jean. La moindre des choses serait que je te dédommage.

— Laisse faire. Ça m'a fait plaisir de vous rendre service, dit le représentant. Une dernière chose, et là je voudrais que ça reste entre nous, ajouta-t-il avec l'air de se demander s'il devait poursuivre.

— Oui ? fit Jean, intrigué.

— Ma sœur est pas méchante, poursuivit finalement Lorenzo, mais la laisse pas trop te contrôler. En plus, tu vas peut-être t'apercevoir qu'elle donne ben de l'importance à l'argent. À moins qu'elle ait ben changé depuis un an ou deux, c'est pas mal difficile de lui faire dépenser une cenne.

— Merci de me le dire, fit Jean, sans avoir l'air de trop y croire.

— Bon, je parle peut-être trop, déclara Lorenzo. Je te laisse t'occuper de tes bagages et de ta femme et je vais dire bonjour à mon père.

Pour montrer son indépendance à son tour, Jean avança volontairement jusqu'à la biscuiterie. Il n'y avait aucun client dans la boutique et Fernand Talbot était en train de placer des biscuits dans un bocal en verre. Jean frappa contre la vitre jusqu'à ce que son beau-père lève la tête et il le salua de la main en retour. Le père de sa femme lui rendit son sourire et son salut au moment même où Lorenzo poussait la porte du magasin.

Quelques instants plus tard, Jean mit les pieds dans son appartement.

— Ça t'a bien pris du temps à monter, fit Reine en voyant son mari déposer la petite boîte de nourriture sur la table en pin blanc de la cuisine.

— J'ai parlé avec ton frère.

Elle lui jeta un regard soupçonneux avant d'ouvrir la porte de la glacière.

— Naturellement, plus de glace ! dit-elle. J'espère qu'on perdra rien en attendant demain matin. Il me semble que ma mère aurait pu penser nous en prendre quand le livreur lui en a laissé à matin.

— Elle était pas obligée, lui fit remarquer Jean en se dirigeant vers la chambre à coucher pour y défaire sa valise. Les nuits sont encore fraîches. On peut mettre la viande et le lait sur la galerie en arrière pendant la nuit en attendant.

Quand il revint dans la cuisine peu après, sa femme s'affairait à la préparation du souper.

Pendant que Reine finissait de dresser le couvert, Jean fit le tour des pièces de leur appartement. Elles sentaient la peinture fraîche et tout était propre. Durant le repas, la jeune femme lui annonça que la radio usagée donnée par son père pourrait demeurer dans le salon et qu'elle allait brancher dans la cuisine la radio RCA Victor qui provenait de sa chambre de jeune fille.

Après le souper, Jean eut du mal à convaincre sa femme de faire une brève visite de politesse à leurs parents.

— Tu peux pas ne pas aller dire bonjour à ton père et à ta mère. Ils sont pas sourds. Ils nous entendent marcher sur leur tête, comme te l'a fait remarquer ton frère. De toute façon, tu t'imagines ben qu'en voyant ton frère, ils savent qu'on est revenus, ajouta-t-il en taisant le fait qu'il avait déjà salué son beau-père.

— Ça me tente pas pantoute, déclara Reine, l'air buté.

— Bon, toi, tu fais ce que tu veux, fit Jean; moi, je vais arrêter dire bonsoir à ton père et à ta mère avant d'aller voir mes parents.

Sur ces mots, il se dirigea vers la patère placée près de la porte d'entrée dans l'intention d'y prendre son léger manteau de printemps. Durant quelques secondes, Reine demeura immobile, debout au milieu du salon.

— Maudit que t'es fatigant! s'exclama-t-elle en se dirigeant à son tour vers la patère. Là, je descends chez mon père, mais c'est pas sûr pantoute que j'aille voir tes parents.

— Tu feras ce que tu voudras, fit Jean sur un ton détaché.

Le jeune couple descendit au premier étage et frappa à la porte. Fernand, le cigare à la main, vint répondre. Inexplicablement d'excellente humeur, Reine embrassa son père et sa mère et accepta avec entrain de leur raconter leur bref séjour à Verchères.

— J'espère que vous avez pas eu trop de visite après les noces, fit Reine.

— Il y a eu juste ta tante Germaine et ton oncle Henri qui sont arrêtés une petite heure avant de rentrer chez eux, répondit Yvonne. Est-ce qu'ils sont allés vous voir?

— Non, madame Talbot.

Yvonne hocha la tête. Jean s'était rendu compte, dès son entrée dans l'appartement de ses beaux-parents, que son changement de statut n'avait pas poussé sa belle-mère à se montrer plus chaleureuse à son endroit. Elle lui avait tendu la joue à son arrivée et s'entretenait uniquement avec sa fille. Pour sa part, son beau-père fumait béatement son cigare en buvant les paroles de sa fille cadette.

Au moment où Jean adressait un signe discret à sa femme qu'il était temps de partir, cette dernière sembla se rappeler soudain quelque chose d'important.

— Ah oui, p'pa, j'allais l'oublier, dit-elle à son père sur un ton léger. Jean et moi, on en a parlé en fin de semaine et on pense que ça serait mieux pour moi et dans mon état que je retourne pas travailler.

— Hein ! sursauta Fernand.

Reine jeta un coup d'œil à son mari à la recherche d'un appui, mais ce dernier ne broncha pas, la laissant se débrouiller avec ses mensonges.

— Mais pourquoi tu m'en as pas parlé avant ? lui reprocha le petit homme en passant une main tavelée sur sa calvitie. J'aurais pu mettre une annonce dans la vitrine pour me trouver une autre vendeuse. Ça fait déjà presque trois semaines que t'es pas là la moitié du temps.

— Je le sais bien, p'pa, mais je m'aperçois tout à coup que je fatigue plus vite.

— Comment ça, plus vite ?

— Fernand ! intervint sa femme pour lui rappeler implicitement l'état de leur fille.

— Bon, c'est correct d'abord, laissa tomber le commerçant d'une voix lasse. Je vais essayer de me débrouiller pour trouver quelqu'un pour te remplacer.

À voir l'air de contentement affiché par Yvonne Talbot, Jean se demanda un bref moment si l'idée de Reine d'abandonner son travail ne venait pas, en fin de compte, de sa mère.

— Lorenzo est pas monté me voir, déclara Yvonne. Il s'est contenté d'aller jaser un peu avec son père avant de retourner chez lui. Je suppose qu'il a eu peur que je lui pose des questions sur sa petite amie. Toi, est-ce qu'il t'en a parlé? demanda-t-elle à sa fille en épiant sa réaction.

— Non, m'man.

— Mais cette fille-là a dû vous parler. Elle a fait le voyage avec vous autres samedi jusqu'à Verchères, non?

— Elle a presque pas ouvert la bouche, affirma Reine. Je vous dis que c'est pas une bavarde.

— Moi, mon petit doigt me dit qu'il y a quelque chose de louche dans cette affaire-là, dit sa mère, l'air soupçonneux. Si cette fille-là était correcte, il aurait pas honte de nous en parler.

Jean se garda bien de dire un mot. C'était d'autant plus aisé que sa belle-mère s'adressait exclusivement à sa fille.

— On va y aller, nous autres, finit-il par dire en se levant. Je travaille de bonne heure demain, et je veux aller faire un tour chez mes parents avant qu'ils se couchent.

Dès qu'ils eurent franchi la porte, Fernand ne put s'empêcher de dire, les dents serrées:

— J'aurais dû me douter qu'elle reviendrait pas au magasin. Je comprends pas. Je la payais ben et son mari fait un salaire de misère...

— Moi, j'aime mieux ça, déclara Yvonne en éteignant le plafonnier de la cuisine. La place d'une femme mariée, c'est chez elle, pas derrière un comptoir.

Son mari souleva les épaules et se dirigea vers le salon pour finir d'y lire le journal.

Reine hésita un bref moment avant de se décider à suivre son mari au rez-de-chaussée.

— Ça me tente pas pantoute d'aller perdre une heure chez vous, dit-elle, acide, à son mari.

— Dans ce cas-là, t'as juste à monter. J'irai les voir tout seul, répliqua Jean d'une voix indifférente.

— Pour qu'ils me prennent pour une sans-cœur ! protesta-t-elle.

Il ne répondit pas et se contenta d'ouvrir la porte d'entrée pour sortir. Elle le suivit en ronchonnant.

— Qu'est-ce que tu veux que je leur dise, à ton père et à ta mère ?

— Inquiète-toi pas, ils vont te parler et t'auras juste à leur répondre. C'est pas comme quand je vais chez tes parents.

— Pourquoi tu dis ça ?

— Je sais pas si t'as remarqué, mais ta mère fait comme si j'existais pas. Pour ton père, il a l'air plus intéressé par ce que vous vous racontez toutes les deux que par ce que je lui dis. C'est le fun en calvince d'aller en visite là !

Ils parcoururent en silence les quelques centaines de pieds qui les séparaient de la maison à deux étages en brique rouge de la rue Brébeuf. Comme d'habitude, Omer Lussier était planté sur la dernière marche de l'escalier extérieur qui permettait d'accéder au 4626.

— Nous laisses-tu passer, Omer ? lui demanda Jean en tapant sur l'épaule du gros homme.

— Bonjour, fit ce dernier en arborant son sourire niais distinctif et en s'effaçant pour laisser passer le jeune couple.

— Qu'est-ce que tu fais ?

— Je compte les chars qui passent, répondit le voisin.

— Tu serais bien mieux au coin de la rue pour faire ça. Il en passe bien plus sur Mont-Royal.

— Il en passe trop, déclara Omer. Je sais pas compter plus que trente.

— Dans ce cas-là, t'as raison, l'approuva Jean. T'es mieux de rester ici.

Parvenu devant la porte de l'appartement de ses parents, le jeune homme sonna. Lorraine vint lui ouvrir.

— On s'attendait bien à ce que vous veniez faire un tour à soir, dit-elle en invitant son frère et sa belle-sœur à pénétrer dans le vestibule.

Félicien et Amélie apparurent à l'autre extrémité du couloir et s'approchèrent des visiteurs, le sourire aux lèvres.

— À ce que je vois, le voyage de noces a pas été trop fatigant, plaisanta le postier en embrassant sa bru sur une joue et en serrant la main de son fils.

Jean embrassa sa mère et sa sœur. À cet instant précis, il aperçut Christian Dupriez debout près de la porte du salon. Il s'avança pour lui serrer la main.

— On restera pas trop longtemps, prévint Jean. On sait que vous vous levez de bonne heure le matin.

— On va laisser le salon aux amoureux et aller s'installer dans la cuisine devant une tasse de café, fit Amélie en entraînant déjà sa bru vers le fond de l'appartement.

Lorraine retourna s'asseoir au salon avec Christian pendant que Jean emboîtait le pas à son père. Tout en servant ses invités, Amélie s'informa sur la maison qui leur avait été prêtée ainsi que sur les impressions que leur avait laissées la journée de leur mariage.

Jean mit un doigt sur ses lèvres pour faire comprendre aux personnes présentes de ne rien dire et il s'avança sur la pointe des pieds vers la porte de son ancienne chambre qu'il ouvrit avec brusquerie.

— Dis donc, le sauvage, t'es pas capable de venir dire bonjour à ton frère? dit-il, l'air sévère, à un Claude qui venait de sursauter en voyant la porte de sa chambre s'ouvrir.

— Je t'ai pas entendu pantoute arriver, expliqua l'adolescent en quittant le bureau sur lequel il était en train de faire un devoir.

Il aperçut le visage de sa jeune belle-sœur qui le regardait, assise au bout de la table.

— La prochaine fois, tu frapperas, reprit-il. Là, t'aurais pu me poigner en train de me déshabiller.

— Et ça t'aurait gêné, se moqua Jean en lui allongeant une tape amicale.

— Tu sauras qu'un bel homme, ça se montre pas comme ça à tout le monde.

— Je vais m'en rappeler, fit son frère aîné en riant. En attendant, tu peux venir embrasser ma femme.

L'adolescent quitta la chambre et vint embrasser Reine.

— Elle embrasse ben et elle sent bon, déclara-t-il en prenant l'air d'un connaisseur, ce qui suscita un rire général dans la cuisine.

Claude retourna rapidement dans sa chambre pour terminer ses travaux scolaires. Amélie et Félicien parlèrent longuement de la parenté qui avait assisté au mariage et ne tarirent pas d'éloges sur la fête offerte par le père de leur bru. Quand Jean annonça que sa femme ne retournait pas travailler pour son père, Amélie approuva ouvertement la décision en disant que ce serait plus normal ainsi. En quelques occasions, elle chercha discrètement à savoir comment se déroulait la grossesse de Reine, mais cette dernière fit comme si elle ne comprenait pas les allusions de sa belle-mère. Peut-être finalement avait-elle plus honte de sa situation qu'elle ne le croyait, se disait Amélie.

Au moment où le jeune couple allait prendre congé, Claude sortit de sa chambre en déclarant en avoir fini avec ses devoirs.

— Si c'est comme ça, va donc voir si Omer traîne encore dans le coin, lui demanda sa mère. Si tu le trouves, dis-lui que j'ai affaire à lui.

— Est-ce que c'est ben nécessaire, m'man ? dit l'adolescent sans grand enthousiasme.

— Fais ce que je te dis de faire, et sans te traîner les pieds, lui ordonna la petite femme en durcissant le ton.

Claude sortit au moment où sa mère disait à mi-voix :

— S'il peut sortir de l'âge ingrat, celui-là ! Il me semble que ça fait longtemps qu'il est comme ça.

— Dites-moi pas, m'man, que vous donnez encore des tartes et des gâteaux aux Lussier, fit Jean, habitué à la générosité de sa mère.

— Cette pauvre Adrienne fait des ménages du matin au soir. Elle est en train de se tuer à l'ouvrage. Elle a pas le temps de cuisiner bien gros quand elle revient à la maison.

Au moment d'ouvrir la porte, Jean eut une idée soudaine et il s'immobilisa.

— Savez-vous, m'man. Monsieur Talbot va mettre une annonce dans sa vitrine demain matin pour se trouver une nouvelle vendeuse. Pourquoi la sœur d'Omer essayerait pas d'avoir l'ouvrage ? Ce serait ben moins épuisant que de laver des murs et des planchers.

— C'est pas bête comme idée. Je vais lui en parler, promit Amélie.

Reine ne fit aucun commentaire. Elle souhaita une bonne nuit aux Bélanger avant de suivre son mari à l'extérieur. Ils croisèrent Omer et Claude dans l'escalier et les saluèrent. Dès qu'ils parvinrent au pied de l'escalier, Reine ne put se retenir plus longtemps.

— T'aurais pas dû te mêler de ça, lui reprocha-t-elle.

— Me mêler de quoi ? s'étonna Jean.

— Suggérer que la voisine de ta mère aille voir mon père pour avoir mon ancienne *job*, fit la jeune femme. Tu sais bien que mon père sera jamais assez fou pour engager quelqu'un de pas normal.

— Mais Adrienne Lussier est normale, protesta son nouveau mari. Omer est comme ça parce qu'il a eu la méningite quand il était bébé, mais elle, elle est comme tout le monde.

— As-tu pensé à ce qui va arriver si mon père l'engage et que son frère décide de venir passer ses journées à traîner dans le magasin avec sa sœur ?

— Voyons donc ! On voit que tu connais pas Adrienne Lussier, toi, protesta Jean. Si elle est engagée, son frère va tout de suite se faire dire de rester loin de la biscuiterie... et je peux te dire que quand elle lui donne un ordre, il a le meilleur de lui obéir.

— En tout cas, je trouve ça pas mal drôle que ta mère gaspille du manger en le donnant à de purs étrangers.

— Si tu connaissais mieux ma mère, tu serais pas surprise, répliqua Jean avec une certaine fierté. Elle a toujours eu bon cœur. Elle est pas regardante pour deux cennes.

— Moi, je trouve pas ça normal pantoute.

Jean secoua la tête sans rien dire, mais n'en pensa pas moins.

À leur arrivée devant la maison, Reine ne put s'empêcher de jeter un coup d'œil à la vitrine chichement éclairée de la biscuiterie et eut un léger pincement au cœur en songeant qu'elle n'y travaillerait plus. Le couple rentra dans son appartement.

— Qu'est-ce que tu veux dans ton lunch pour demain midi ? demanda-t-elle à son mari au moment où il allait disparaître dans la salle de bain pour faire sa toilette.

— Deux sandwichs et des biscuits devraient faire l'affaire.

Lorsqu'il reparut dans la cuisine, vêtu de son pyjama, Reine ne put s'empêcher de dire :

— Sais-tu que je regardais le chum de ta sœur. Être géant comme ça, c'est une vraie infirmité. Il a l'air d'un grand insignifiant et en plus il parle avec la bouche en cul de poule.

— Il est grand, mais il est loin d'être bête, le défendit Jean. C'est un bon chef cuisinier.

— Ça, c'est lui qui le dit, laissa tomber la jeune femme d'une voix acide. Je trouve qu'il a pas l'air normal, ajouta-t-elle, fielleuse.

— Peut-être, mais on a pu se rendre compte qu'il buvait avec modération à nos noces et on peut pas en dire autant de tout le monde…

L'allusion ne pouvait être plus claire et Reine la saisit. Son visage se ferma. Jean s'éclipsa aussitôt et se dirigea vers le salon. Il alluma une lampe et décida de lire quelques minutes avant de se mettre au lit. Sa femme ne vint pas le rejoindre. Il l'entendit se déplacer dans la cuisine, puis dans la salle de bain avant de fermer la porte de leur chambre à coucher. Un épais silence tomba dans l'appartement. Quand il se mit au lit quelques minutes plus tard, Reine dormait déjà ou feignait de dormir, le visage tourné vers le mur.

Chapitre 24

L'aveu

Le lendemain matin, Jean se leva à cinq heures quinze et eut la surprise de voir sa femme s'empresser de le suivre dans la cuisine pour lui préparer son déjeuner.

— T'es pas obligée de te lever aussi de bonne heure, lui dit-il. Je suis capable de me débrouiller seul pour mon déjeuner.

— Il manquerait plus que ça, fit-elle en déposant la bouilloire sur le poêle à huile qu'elle venait d'allumer.

La jeune femme bâilla et resserra contre elle les pans de sa robe de chambre.

— Si je suis fatiguée, je pourrai toujours faire une sieste durant la journée, expliqua-t-elle en commençant à dresser le couvert.

Peu avant six heures, Jean l'embrassa, quitta l'appartement et se dirigea vers la rue Mont-Royal pour prendre le tramway. Il s'entassa avec les travailleurs à cette heure matinale et il arriva à la gare Windsor près de quinze minutes avant l'heure de commencer sa journée de travail. Il venait à peine de déposer son repas du midi dans son casier qu'Onésime Gagnon se dressa devant lui.

— Tiens, un revenant ! s'exclama-t-il sur un ton agressif.

Les conversations entre les autres membres de l'équipe cessèrent. Jean sentit qu'on les épiait.

— Il paraît que monsieur Bélanger s'est marié la fin de semaine passée et que nous autres, c'était pas important qu'on le sache.

Jean se limita à hocher la tête.

— Tu sauras, le jeune, que j'ai pas aimé pantoute d'apprendre par le bureau que tu serais pas là pendant deux jours, ajouta le contremaître, l'air mauvais. D'habitude, c'est moi que mes hommes préviennent qu'ils vont être absents parce que c'est encore moi qui suis poigné pour réorganiser tout l'ouvrage qui se fera pas quand ils sont pas là. Est-ce que c'est clair? J'aime pas pantoute qu'on me passe par-dessus la tête.

— Oui, monsieur Gagnon, répondit Jean d'une voix neutre.

Le contremaître lui tourna brusquement le dos et se mit à distribuer les tâches de chaque équipe de deux employés. Jean s'était rendu compte depuis qu'il avait commencé à travailler au Canadien National que les tandems ne variaient à peu près jamais, à moins que l'un des membres de l'équipe soit absent. Le jeune homme s'approcha de Marcel Magnan, son coéquipier habituel, quand Gagnon annonça:

— Bélanger, tu travailleras avec Beaudoin à partir d'aujourd'hui et, surtout, traînez-vous pas les pieds, tous les deux. Je vous préviens, je vous ai à l'œil.

Jean eut du mal à réprimer une grimace d'agacement. Grégoire Beaudoin était réputé pour être le plus fainéant des employés supervisés par Gagnon et personne ne souhaitait être jumelé avec lui parce qu'il fallait continuellement lui pousser dans le dos pour qu'il accomplisse sa part du travail donné à l'équipe.

Le petit homme rondelet à l'air indolent sembla accepter avec une parfaite indifférence son nouveau coéquipier. Il se contenta d'allumer une cigarette et de jeter un coup d'œil vers Jean.

— Pourquoi il m'a fait ça, le vieux maudit? demanda Jean à voix basse à Marcel Magnan.

— Il a pas digéré que tu l'avertisses pas que tu te mariais, répondit son ex-coéquipier à voix basse. Pourquoi tu me l'as pas dit, à moi? ajouta-t-il avec une nuance de reproche dans la voix.

— Je voulais pas que quelqu'un pense à m'organiser un enterrement de vie de garçon, s'excusa Jean. En plus, je me suis dit que ça intéressait pas personne, cette affaire-là.

— Comme tu peux le voir, ça intéressait au moins le père Gagnon, fit Magnan avant de s'éloigner pour aller rejoindre son nouveau coéquipier.

Avant la fin de l'avant-midi, Jean Bélanger se mit à regretter amèrement l'époque où il faisait équipe avec Marcel Magnan. Beaudouin s'avéra pire que tout ce qu'il avait imaginé. L'homme dans la quarantaine avancée était d'une paresse crasse. Il avait une nette tendance à s'accorder de longues pauses sous le prétexte « d'en fumer une », disait-il.

— On est déjà pas mal en retard, avait fini par protester poliment Jean en voyant s'approcher Onésime Gagnon du wagon dans lequel ils étaient depuis de longues minutes.

— Aïe, le jeune! Je faisais cette *job*-là ben avant que tu sois au monde, avait rétorqué Beaudoin. Sers-toi de ta tête un peu. Le Canadien National demande pas mieux que de nous faire mourir à l'ouvrage. Moi, j'ai toujours dit que pour le salaire de misère que cette maudite compagnie-là me donne, elle aurait pas ma peau.

Le contremaître avait poussé la porte communicante pour entrer dans le wagon-restaurant où Jean s'activait à ramasser les déchets laissés par les voyageurs pendant que son coéquipier essuyait nonchalamment les banquettes.

— Vous me ferez pas croire, vous deux, que vous avez juste eu le temps de nettoyer deux chars depuis le commencement de la journée, explosa Gagnon.

Jean se tut et Beaudoin ne se donna même pas la peine de cesser son lent travail.

— Les autres ont eu le temps d'en faire au moins le double, ajouta le responsable, furieux. Grouillez-vous un peu, maudits sans-cœur! Je veux que ce char-là soit fini dans dix minutes.

Jean lança un regard lourd de reproches à son partenaire qui n'accéléra en rien après le départ du contremaître. Il aurait aimé le secouer et lui dire qu'il n'avait pas l'intention d'avoir continuellement Gagnon sur le dos parce qu'il était trop paresseux pour accomplir sa part de la tâche. Mais comment s'en prendre à quelqu'un qui faisait ce travail depuis plus de vingt ans? Alors, il fit ce que Gagnon avait dû escompter en le mettant avec Beaudoin. Il se mit à travailler de plus en plus vite pour accomplir une bonne partie de la tâche de son coéquipier et éviter ainsi les reproches du contremaître.

À midi, il était déjà fatigué, et il lui restait encore une demi-journée de travail à faire. Au moment où il alla chercher sa collation dans son casier, Grégoire Beaudoin lui dit sur un ton pénétré:

— Tu sais, le jeune, tu tiendras pas longtemps à travailler en fou comme tu le fais. À ta place, je me calmerais.

Le sang du jeune homme ne fit alors qu'un tour.

— Écoutez, monsieur Beaudoin, répliqua-t-il, furieux. Je serais pas obligé de travailler comme un fou, comme vous dites, si vous faisiez votre part de l'ouvrage. Moi, j'ai pas l'intention d'avoir Gagnon sur le dos du matin au soir parce que l'ouvrage est pas fait.

— Tu t'énerves ben pour rien, rétorqua le quadragénaire d'une voix égale. Qu'est-ce que tu veux qu'il fasse, le bonhomme, à part gueuler comme un putois ? Rien. Laisse-le s'énerver. On dirait que tu comprends pas encore comment marche toute l'affaire. Plus tu vas en faire, plus il va t'en demander. Comprends-tu ? Si tu l'habitues tranquillement à pas faire toute la *job* qu'il te donne le matin, il va finir par s'écœurer de crier après toi et il va t'en donner de moins en moins.

— Vous pensez vraiment ça ? lui demanda Jean, un peu éberlué par tant d'aplomb.

— Je te le dis. Jusqu'à hier, j'étais avec le gros Charland. Eh ben ! On n'a jamais eu à faire plus que la moitié que ce qu'il nous a donné à matin. Je suis habitué à Gagnon. Chaque fois qu'il le peut, il me met avec un autre pour essayer de me faire travailler plus vite. Ça marche pas avec moi. S'il était pas aussi bouché, il l'aurait compris depuis longtemps, le vieux sacrament !

— Ah bon !

— Tu penses que c'est de la paresse, le jeune ? J'ai une nouvelle pour toi. C'est juste savoir se servir de sa tête pour protéger sa peau, ajouta Grégoire Beaudoin avec un sourire malin. Penses-y une minute ! Qu'est-ce que ça me donnerait de me crever à l'ouvrage ? Rien pantoute. Ça fait des années que j'en fais la moitié des autres et je gagne le même salaire.

Durant la pause du dîner, Jean finit par se persuader que son nouveau compagnon de travail n'avait peut-être pas entièrement tort et il décida de reprendre un rythme normal de travail. Il ne chercha pas à ralentir, comme le lui avait suggéré Beaudoin, mais il cessa d'accomplir la part de la tâche qui revenait à l'autre. Avant la fin de la journée, le contremaître vint les houspiller à deux autres occasions, mais il dut se rendre compte qu'il perdait son temps parce que sa dernière intervention était passablement moins vigoureuse que les précédentes.

À son retour à la maison ce jour-là, Jean n'aspirait qu'à un repos bien mérité. Il trouva l'appartement parfaitement rangé et la table mise. Reine avait cuisiné des macaronis pour le souper et semblait d'humeur égale.

— Tu sais pas la meilleure ? lui demanda-t-elle au moment où il prenait place à table. Mon père a engagé votre voisine.

— Tant mieux.

— Cette femme-là est loin d'être jeune.

— D'après ma mère, elle est au début de la cinquantaine.

— Je serais bien curieuse de savoir combien mon père va la payer, ajouta-t-elle, songeuse.

— C'est pas notre problème. L'important, c'est que madame Lussier ait trouvé un ouvrage proche de chez elle et…

— Et que le fou vienne pas traîner autour de la biscuiterie, compléta-t-elle.

— Appelle-le pas comme ça, protesta Jean. Omer est juste retardé.

— Chez nous, on appelle ça un fou, laissa-t-elle tomber sur un ton définitif.

Durant les jours suivants, la routine s'installa tranquillement dans l'appartement du couple nouvellement marié. Jean découvrit sans surprise que sa femme avait décidé de gérer aussi la fréquence de leurs rapports conjugaux. Chaque fois qu'il avait tenté des approches depuis le mariage, elle l'avait repoussé en prétextant une migraine, la fatigue ou le bébé. Alors, frustré, il avait cessé ses avances.

Par fierté, il acceptait mal ces rebuffades à répétition. Bien sûr, il avait même sérieusement songé à la forcer à remplir son devoir de femme mariée, mais il répugnait à employer la force dans ce domaine. Au moment où il allait s'y résoudre parce qu'il n'en pouvait plus, Reine se faisait tendre et câline et se donnait à lui avec un enthousiasme qui lui faisait oublier toutes ses frustrations.

Par ailleurs, à la fin de leur première semaine de vie commune, Reine avait été on ne peut plus claire. Il n'était pas question qu'elle rende visite à ses beaux-parents chaque dimanche, comme Jean l'avait suggéré.

— J'ai pas l'intention pantoute d'aller m'enfermer chez vous tous les dimanches. Moi, je passe ma semaine emprisonnée dans la maison. J'ai besoin de sortir la fin de semaine, pas d'aller m'ennuyer à écouter radoter des vieux.

— Je te trouve effrontée en maudit de traiter mon père et ma mère de vieux. Ils sont plus jeunes que tes parents, avait rétorqué Jean, sincèrement insulté. Si c'est comme ça, avait-il poursuivi, ce sera la même règle avec tes parents.

Une semaine plus tard, soit le premier samedi de mai, le jeune homme avait aperçu ses parents assis sur leur galerie en revenant de l'épicerie en compagnie de sa femme, au milieu de l'après-midi. Le jeune couple les avait salués sans toutefois s'arrêter.

Il régnait une douce chaleur depuis quelques jours et ce temps incitait à profiter des chauds rayons du soleil. D'ailleurs, le matin même, ils étaient allés marcher une heure au parc La Fontaine voisin pour admirer les arbres centenaires parés de leur tout nouveau feuillage.

— Pendant que tu ranges la commande, je vais aller dire bonjour à mon père et à ma mère, annonça-t-il à Reine en déposant les deux sacs d'épicerie sur la table de la cuisine. Je vais en profiter pour laisser de l'argent à Lorraine.

— Reste pas trop longtemps, lui recommanda Reine. J'aimerais qu'on soupe de bonne heure.

La semaine précédente, Jean avait exigé qu'on prélève un montant sur sa paye pour commencer à rembourser les cinquante dollars dus à sa sœur.

— Ça peut pas attendre ? avait demandé Reine.

— Non, ça peut pas attendre. Cet argent-là est à elle et elle s'en est privée pour m'aider. À cette heure, c'est le temps de la rembourser.

— Mais ton salaire…

— Laisse faire ça, toi. On va lui rembourser au moins cinq piastres par semaine.

— On peut pas, avait prétendu sa femme. Si on fait ça, on n'arrivera pas.

— D'après toi, combien on peut lui remettre ?

— Pas plus que trois piastres par semaine.

— Mais ça va prendre une éternité pour la rembourser, avait-il protesté.

— On peut pas faire autrement, avait-elle déclaré sèchement.

Alors, il avait été entendu qu'il irait remettre à Lorraine trois dollars chaque fin de semaine. Si, à ce moment-là, Jean avait su que Reine avait près de sept cents dollars accumulés dans son compte d'épargne, il en aurait eu le souffle coupé.

Il avait descendu précipitamment les deux étages et marché jusqu'au coin de Brébeuf. De là, il put constater que son père et sa mère étaient encore assis sur la galerie et que Claude s'était joint à eux. Il monta l'escalier tournant et se retrouva sur le palier, à peine essoufflé.

— Claude, va donc chercher une chaise à ton frère, demanda Félicien à son fils cadet.

— Laissez faire, p'pa. Je suis encore capable d'aller me chercher une chaise, protesta-t-il en faisant signe à son frère de demeurer assis.

Au moment où il allait pousser la porte de l'appartement, il s'arrêta brusquement pour mieux examiner le visage de son frère. L'adolescent arborait un magnifique œil au beurre noir, de longues égratignures sur une joue et des lèvres enflées.

— Qu'est-ce qui t'est arrivé? lui demanda-t-il. Es-tu passé sous les p'tits chars pour être arrangé comme ça?

Claude ne sembla guère désireux d'expliquer son état et son père dut intervenir pour l'inciter à parler.

— Envoye! Raconte à ton frère ce qui s'est passé, lui ordonna-t-il. Mais t'es mieux d'aller te chercher d'abord une chaise, ça pourrait être long, conseilla-t-il à Jean en dissimulant un demi-sourire.

— Ris pas de ça, toi, fit Amélie. Il y a rien de drôle de voir son garçon rentrer à moitié défiguré.

Jean s'empressa d'aller chercher une chaise dans la cuisine et de venir la déposer près de celles de ses parents.

— Puis, te décides-tu à me le dire? demanda-t-il à Claude sans chercher à se moquer de son frère cadet.

Ce dernier hésita encore un instant avant de se décider à raconter sa mésaventure.

— Ben, hier après-midi, après l'école, deux filles ont commencé à se battre au coin de Gilford.

— Puis?

— Puis, comme d'habitude, il a voulu se mêler de ce qui le regardait pas, intervint sa mère, mécontente.

— Écoutez, m'man, si vous voulez le raconter à ma place...

— Vas-y, continue, lui commanda Amélie.

— J'ai essayé de les calmer, mais c'étaient deux vraies folles, expliqua l'adolescent. Elles voulaient rien savoir. Il y avait plein de monde autour, mais au lieu de s'en mêler, le monde les encourageait à continuer. Ça fait que j'ai essayé de les séparer.

— C'était pas une mauvaise idée, fit Jean.

— Attends la suite, fit son père, narquois.

— Sais-tu ce qu'elles ont fait, ces maudites folles-là ?

— Surveille ton langage, lui ordonna sa mère, sévère.

— Elles m'ont sauté dessus comme des vraies enragées.

— Es-tu en train de me dire que c'est des filles qui t'ont arrangé le portrait comme ça ? s'étonna Jean en se retenant difficilement de rire.

Claude, qui venait d'avoir quinze ans trois jours plus tôt, était pourtant un jeune homme plutôt costaud.

— Aïe ! j'étais tout de même pas pour fesser sur des filles, protesta ce dernier. Tout le monde aurait ri de moi.

— Ben oui, beau sans-dessein ! intervint encore sa mère. C'est ça ! Laisse-toi défigurer parce que ce sont des filles. Je te dis, toi, des fois, je me demande où t'as mis ta jugeote.

— Si je comprends ben, tu les as laissées faire, s'étonna Jean.

— Ben non, j'ai essayé de les empêcher en leur retenant les bras, mais on aurait dit des pieuvres, expliqua Claude, dégoûté. Elles cherchaient juste à m'arracher les yeux.

— Et les gens autour ?

— Ils trouvaient ça drôle, eux autres. En tout cas, je te garantis qu'il va faire chaud en maudit avant que je me mêle de séparer une bataille. La prochaine fois, même si ce sont des filles, je vais les laisser s'entretuer. Là, j'arrête de parler, ça me fait mal, ajouta-t-il en se tenant la bouche. En plus, j'ai une dent qui branle.

Claude entra dans l'appartement et Jean lui tapa sur l'épaule au passage pour l'encourager.

— Pauvre lui ! le plaignit-il.

— Il va finir par apprendre à pas fourrer son nez partout, répliqua son père.

— Ah ! Je suis venu laisser un peu d'argent à Lorraine, reprit Jean en tendant trois dollars à sa mère, qui prit l'argent sans faire le moindre commentaire.

Quand Félicien et Amélie avaient appris que Lorraine avait prêté de l'argent à son frère pour lui permettre d'acheter sa bague de fiançailles, ils s'étaient bien gardés d'émettre la moindre opinion. Au fond, l'un et l'autre étaient fiers de constater que leurs enfants avaient à cœur de s'entraider.

— Ça tentait pas à ta femme de venir jaser avec nous autres ? demanda Félicien, par politesse.

— Elle est pas heureuse quand tout est pas *Spic and Span* dans la maison, prétendit Jean. Là, elle voulait d'abord ranger la commande et préparer le souper.

— Je l'ai regardée tout à l'heure quand vous êtes passés, intervint Amélie. Même si on peut pas dire qu'elle a bien grossi, elle va finir par avoir besoin d'une robe ou deux de maternité. Tu lui diras que je suis prête à l'aider à les coudre quand elle se décidera à en porter.

— Vous êtes bien fine, m'man. C'est sûr que je vais lui dire.

— Elle est pas malade le matin ?

— Je le sais pas. Elle l'est peut-être quand je suis déjà parti à l'ouvrage. Je peux pas dire qu'elle est plaignarde.

Trente minutes plus tard, Jean prit congé de ses parents et rentra chez lui.

À peine venait-il de tourner au coin de la rue qu'Amélie ne put s'empêcher de faire remarquer à son mari :

— J'ai bien l'impression que notre bru nous aime pas trop.

— Pourquoi tu dis ça ? lui demanda Félicien, surpris.

— Ils restent à deux pas d'ici et elle a pas trouvé dix minutes pour venir nous voir en deux semaines, expliqua la mère de famille.

— Elle est venue avec Jean, la contredit son mari.

— Une saucette en revenant de leur voyage de noces. Là, tu pourras pas dire qu'elle avait pas le temps de venir dix minutes.

— Tu viens pourtant de proposer de l'aider, lui fit remarquer Félicien.

— Je le sais, mais c'est pour notre garçon. Pour lui sauver de l'argent. Il est tout seul à gagner et il fait pas un gros salaire.

— Peut-être que c'est son état qui…

— Laisse faire son état, l'interrompit Amélie en se levant pour aller préparer le souper des siens. Moi, je commence à trouver que pour une femme qui a plus de quatre mois de faits, ça paraît pas bien gros.

— Qu'est-ce que tu veux dire par là ? s'étonna Félicien.

— Tu l'as vue comme moi tout à l'heure. Elle a beau porter une jupe ample, normalement, il me semble qu'on devrait commencer à s'en apercevoir.

— Elle doit faire ben attention pour que ça se voie pas quand elle sort.

— Ouais, se contenta de répliquer Amélie, apparemment peu convaincue.

De retour à la maison, Jean fit part à sa femme de l'offre de sa mère.

— J'ai déjà dit à ta mère que je savais pas coudre, dit-elle d'une voix neutre.

— Elle le sait aussi, fit Jean. C'est pour ça qu'elle t'offre de te le montrer.

— On verra.

Le lendemain, après le dîner, Jean se planta devant la porte moustiquaire donnant sur le balcon situé à l'arrière de l'appartement pendant que Reine finissait de laver la vaisselle.

— Maudit que je trouve ça ennuyant de pas avoir de balcon en avant, se plaignit-il. Chez nous, on s'assoyait toujours en avant quand il faisait beau et on pouvait au moins voir passer le monde.

Depuis qu'ils habitaient l'appartement de la rue Mont-Royal, il s'était soudainement rendu compte de l'inconvénient de n'avoir qu'une galerie située à l'arrière et donnant sur les hangars des voisins. Il trouvait le spectacle déprimant, même quand le soleil brillait.

— Ben oui, fit Reine sarcastique. Ce serait le fun encore d'avoir un balcon qui donnerait sur Mont-Royal avec les petits chars qui arrêtent pas de passer et tout le trafic.

— En tout cas, moi, j'ai pas l'intention de passer mon après-midi à regarder les hangars, répliqua-t-il. J'ai besoin de sortir. Est-ce que ça te dirait d'aller à la bibliothèque municipale aujourd'hui avec moi ?

— Je pensais qu'on irait voir un film, déclara sa femme.

— Pas quand il fait beau comme aujourd'hui.

— Dans ce cas-là, vas-y tout seul, fit-elle de mauvaise humeur.

Jean haussa les épaules et disparut dans le salon pour aller y prendre les livres qu'il devait rapporter à la bibliothèque avant d'être obligé de payer une amende. Sa passion de la lecture continuait à indisposer sérieusement sa femme qui ne lisait strictement rien. Elle y voyait une sorte de déloyauté à son égard. Elle ne comprenait manifestement pas qu'il puisse avoir besoin d'oublier son quotidien.

Quelques minutes à peine après le départ de son mari, on frappa à la porte de l'appartement. Reine découvrit sur le palier sa mère en compagnie de sa sœur Estelle.

— On te dérange pas, j'espère? demanda Yvonne à sa fille cadette.

— Pantoute, m'man. Entrez, ajouta-t-elle en s'effaçant pour laisser pénétrer les visiteuses chez elle.

— Seigneur! Tu resterais au bout du monde qu'on te verrait pas plus souvent, lui fit remarquer sa mère. Ça fait quinze jours qu'on t'a pas vue. Je t'entends marcher sur ma tête, mais tu viens pas nous voir. Ton père se demande si tu boudes pas.

— Ben non, m'man. J'ai juste un peu de misère à m'habituer à passer mes journées dans la maison.

— Justement, sors et viens me voir.

Estelle n'avait encore rien dit. Elle se contentait d'examiner sa jeune sœur après l'avoir embrassée en pénétrant dans le couloir. Il était évident qu'elle cherchait à déceler un signe visible de la grossesse chez son hôtesse. Reine s'en rendit compte, mais ne dit rien. Dans le cas de l'épouse du dentiste, il n'y avait pas à se poser de question. Sa prochaine maternité était évidente. Enceinte maintenant de sept mois, elle portait une robe de maternité rose pâle au chic col en dentelle.

— Où sont p'pa et Charles? demanda Reine en offrant un siège aux visiteuses, dans le salon.

— Ils sont allés s'asseoir sur la galerie, répondit sa mère. Jean peut bien aller les rejoindre s'il en a envie.

— Jean est parti à la bibliothèque. Je sais pas à quelle heure il va revenir.

La jeune hôtesse jeta un coup d'œil vers sa sœur qui examinait ostensiblement la pièce où elle était assise. C'était sa première visite chez elle, et elle découvrait enfin l'appartement où vivaient les jeunes mariés.

— C'est vrai. T'es jamais venue, dit-elle à Estelle. Veux-tu faire le tour de l'appartement?

— J'aimerais ça.

— Je t'avertis tout de suite que c'est pas beau comme chez vous, prit la précaution de dire Reine.

— Exagère donc pas, fit Estelle. Je reste tout de même pas dans un château.

Yvonne et Estelle suivirent leur hôtesse qui leur fit voir chacune des pièces de l'appartement. Elles étaient toutes bien rangées et d'une propreté incontestable.

— Je te dis que t'as le tour de tenir ça propre, lui dit sa mère en guise de louange. Moi, je sais pas ce que je ferais sans ma femme de ménage.

— Moi non plus, reconnut Estelle en reprenant son siège dans le salon. On a enfin fini de préparer la chambre du petit. Les meubles sont installés et tout est prêt, ajouta-t-elle avec une fierté évidente.

— C'est vrai que c'est pas mal beau, reconnut Yvonne, que son gendre était venu chercher trois jours auparavant pour lui montrer la pièce.

— Et vous autres, quand est-ce que vous allez vous en occuper ?

Il fallut quelques secondes à Reine pour comprendre que son aînée faisait référence à sa prochaine maternité. Il était évident qu'elle avait déjà oublié la rebuffade que sa cadette lui avait fait subir la dernière fois qu'elle avait osé lui parler de sa maternité.

Reine baissa les yeux et garda le silence un long moment, s'interrogeant s'il convenait de tout avouer là, maintenant, à sa mère et à sa sœur avant d'en parler à son mari. Finalement, elle prit une décision et fit un effort extraordinaire pour adopter un visage triste et laisser couler une larme.

— Qu'est-ce qui se passe ? s'inquiéta tout de suite Yvonne en remarquant la tristesse de sa fille.

Reine secoua la tête et fit comme si elle avait la gorge trop serrée pour dire ce qu'elle désirait leur dire.

— Voyons, Reine, dis-nous ce qui se passe, intervint Estelle.

— J'aurai pas de petit... Je l'ai perdu la semaine passée, avoua-t-elle avec difficulté.

À cet instant, alors qu'elle se confiait à sa mère et sa sœur, elle éprouvait une réelle peine à la pensée qu'elle n'enfanterait pas dans quelques mois, contrairement à sa sœur.

— Comment ça ? s'exclama sa mère. Es-tu tombée ? As-tu commencé à...

— Je le sais pas, m'man, répondit avec une certaine impatience la jeune femme. J'ai commencé à avoir des contractions pendant la nuit. Je me suis levée, j'avais très mal au ventre. Puis, tout d'un coup, tout a cessé. Je n'ai plus rien senti, sauf le sang couler entre mes cuisses. Et je l'ai perdu, expliqua Reine toute bouleversée de revenir sur les événements, qui s'étaient pourtant déroulés il y avait un certain temps déjà.

— J'espère que t'es allée voir le docteur, s'inquiéta Yvonne.

— Ben oui, répondit sa fille avec agacement.

— Mais comment ça se fait que tu sois pas venue me chercher pour que je t'aide ?

— J'étais capable de me débrouiller toute seule, répondit Reine assez sèchement.

— Comment ton mari a pris ça ? intervint Estelle, compatissante.

— Il le sait pas encore, fit Reine.

— Hein ! Tu lui as pas dit ? s'insurgea sa mère.

— Ben non, m'man. Pensez-vous que c'est facile à dire une affaire comme ça ?

— Il va bien falloir que tu te décides à le lui dire, fit Estelle d'une voix raisonnable. Après tout, c'était son petit.

— J'ai l'intention de lui apprendre ça cette semaine, avoua Reine.

— Retarde pas trop, lui conseilla sa mère. Il va bien finir par s'apercevoir de quelque chose.

— Ce sera pas facile de lui dire ça, admit Reine, l'air sombre.

— Console-le en lui disant que vous êtes jeunes et que vous allez avoir la chance de vous reprendre...

Des coups furent frappés à la porte arrière et une voix se fit entendre dans l'appartement.

— Dites donc, les femmes, où est-ce que vous vous cachez ? demanda Charles, debout devant la porte moustiquaire.

Reine alla lui ouvrir la porte. Il l'embrassa sur une joue avant de la suivre au salon.

— Il fait tellement beau que j'ai pensé qu'on pourrait peut-être aller faire un tour en auto, dit-il aux trois femmes.

— Et l'essence ? lui demanda sa belle-mère.

— Inquiétez-vous pas pour ça, madame Talbot. J'ai acheté des coupons au marché noir. Où est passé ton mari ? demanda le dentiste à Reine.

— Il est parti à la bibliothèque pour l'après-midi.

— Pourquoi tu viendrais pas avec nous autres ? lui proposa-t-il.

Reine n'hésita qu'un bref instant avant d'accepter la balade. Elle avait bien besoin de se changer les idées. Avant de quitter précipitamment l'appartement, elle laissa un court message sur la table.

Elle ne revint à la maison qu'un peu après huit heures pour découvrir que son mari ne l'attendait pas. Ce dernier ne rentra qu'une heure plus tard.

— Où est-ce que t'étais passé ? lui demanda-t-elle, suspicieuse.

— Chez mon père. Je suis allé souper chez nous quand je me suis aperçu que tu revenais pas, ajouta-t-il sur un ton qui laissait sentir un reproche certain.

— Charles et Estelle nous ont amenés faire un tour jusqu'à Sorel. En revenant, ils tenaient absolument à me faire voir la chambre du petit. Finalement, Estelle nous a gardés à souper.

— C'est correct, dit Jean sans lui demander plus de nouvelles de sa famille. Je descends la poubelle dans la ruelle, lui annonça-t-il en se dirigeant vers la porte moustiquaire donnant sur le balcon.

Reine entreprit de lui confectionner les deux sandwichs au jambon de son dîner du lendemain et elle ajouta dans le sac de papier kraft deux biscuits à l'érable. Ensuite, elle disparut dans la salle de bain pour revêtir sa robe de nuit sur laquelle elle passa sa robe de chambre.

Elle se rendit compte soudain que son mari n'était pas encore revenu. Serrant contre elle les pans de sa robe de chambre, elle sortit sur le balcon pour voir ce qui retardait son retour. Elle ne vit rien à cause de l'obscurité, mais entendit Jean en train de parler avec quelqu'un de la maison voisine. C'était une voix de femme, une voix jeune si elle se fiait à ce qu'elle entendait.

Quand il revint quelques minutes plus tard, elle l'attendait, le regard mauvais.

— Veux-tu bien me dire avec qui tu parlais ?

— Avec Huguette Boudreau, la voisine de la maison d'à côté.

— C'est qui, cette fille-là ?

— C'est juste une voisine, dit Jean en retirant ses souliers. Tout ce que je sais, c'est qu'elle reste avec sa mère, qui est veuve.

— Elle est pas mariée, elle ?

— Je le sais pas. C'est juste la deuxième fois que je lui parle.

— C'est drôle quand même, t'avais l'air à jaser avec elle comme si tu la connaissais pas mal.

— Veux-tu ben m'arrêter ça, lui ordonna son mari, exaspéré par tant de jalousie sans fondement. Je l'ai juste saluée en passant et comme elle est polie, elle m'a répondu.

Reine cessa de le harceler à ce sujet et lui annonça qu'elle allait se coucher. Il se borna à lui souhaiter une bonne nuit et prit la direction du salon.

— Tu viens pas te coucher ? lui demanda-t-elle.

— Pas tout de suite. Je vais lire un peu avant.

— C'est comme tu veux, répliqua-t-elle sèchement en ouvrant la porte de leur chambre.

Dès le lendemain de leur mariage, son mari lui avait expliqué qu'il avait besoin de lire quelques pages chaque soir, avant de s'endormir. Elle s'était toutefois fermement opposée à ce qu'il allume la lampe posée sur sa table de chevet en prétextant que la lumière l'empêchait de dormir. Par conséquent, il avait pris l'habitude de lire dans le salon avant de regagner leur chambre à coucher.

Ce soir-là, avant de s'endormir, Reine décida qu'elle allait informer Jean au sujet de la perte du bébé pas plus tard que le lendemain après-midi, à son retour du travail.

Durant de longues minutes, elle mit sur pied un scénario propre à le convaincre et à l'émouvoir. Quand elle eut fignolé dans sa tête tous les détails, elle aurait bien aimé se lover contre lui et lui prouver qu'elle l'aimait, mais il était encore dans la pièce voisine. Bien sûr, elle aurait pu l'appeler et l'inviter à venir la rejoindre… Finalement, elle préféra l'attendre dans le noir parce qu'il était hors de question qu'il s'imagine qu'elle avait besoin de lui. Malheureusement, elle finit par sombrer dans le sommeil avant qu'il vienne se mettre au lit.

Le lendemain matin, Jean se leva avant même que son réveille-matin ne sonne et se déplaça sans bruit pour ne pas réveiller sa femme. Il alla s'enfermer dans la salle de bain pour faire sa toilette, mais à son retour dans la cuisine il la découvrit en train de poser au centre de la table la pinte de lait qu'elle venait de tirer de la glacière.

— Est-ce que je t'ai réveillée? lui demanda-t-il.

— Non, c'est le petit qui m'a réveillée. Il a commencé à bouger, mentit-elle en se rappelant soudain les paroles prononcées par sa sœur la veille.

Estelle avait affirmé que son bébé avait commencé à bouger dès le quatrième mois de sa grossesse.

— En tout cas, ça a bien l'air que je pourrai pas faire mon lavage aujourd'hui, reprit Reine en regardant par la fenêtre. On dirait qu'il va mouiller.

— Si t'as mal dormi, t'as juste à aller te recoucher.

— C'est peut-être ce que je vais faire.

À sa sortie de la maison, Jean fut surpris par l'humidité qui régnait. L'air était comme immobile. Dans le tramway numéro 7 qui l'amenait vers l'ouest, il faisait déjà chaud malgré l'heure matinale. Il travailla toute la journée avec Grégoire Beaudoin, supportant de plus en plus difficilement les fréquentes visites du contremaître venu les houspiller. De toute évidence, leur tandem était devenu la tête de Turc de Gagnon et le sujet de plaisanteries des autres membres de l'équipe.

À la fin de sa journée de travail, le jeune homme avait été étonné de constater qu'il n'avait pas plu. Le ciel avait pris une teinte violacée et il était traversé de temps à autre d'éclairs prometteurs d'orage. À sa descente du tramway, il aperçut Omer Lussier appuyé contre la façade de l'édifice voisin de la biscuiterie. En passant devant le gros quadragénaire, il ne put s'empêcher de lui dire:

— Pour moi, Omer, t'es mieux de rentrer chez vous. Tu vas te faire prendre par l'orage.

— J'attends Adrienne. J'ai un parapluie. C'est ta mère qui m'a dit de venir l'attendre avec un parapluie pour qu'elle se fasse pas mouiller, ajouta-t-il.

— Ah! C'est une bonne idée, reconnut Jean en lui tapotant amicalement une épaule. Tu vois, moi, j'y ai pas pensé et je vais finir par me faire mouiller si je me dépêche pas à rentrer chez nous.

Sur ces mots, le jeune homme le quitta. En passant devant la biscuiterie voisine, il aperçut Adrienne Lussier quittant le magasin et son beau-père en train de verrouiller la porte. Il les salua l'un et l'autre avant d'ouvrir la porte voisine. Au moment même où il posait le pied sur la première marche de l'escalier intérieur, la pluie commença à tomber.

Jean fut surpris par le silence qui régnait dans l'appartement quand il poussa la porte. Habituellement, Reine écoutait la radio toute la journée. C'était un bruit de fond auquel il avait d'ailleurs passablement de peine à s'habituer. Même si l'heure du repas était proche, rien ne cuisait sur le poêle. Étonné de ne pas la voir dans la cuisine en train de préparer le repas, il l'appela.

— Où est-ce que t'es?

— Dans la chambre, lui répondit-elle d'une toute petite voix.

Il changea de direction et alla pousser la porte de leur chambre à coucher plongée dans une demi-obscurité.

— Tu peux allumer la lampe, lui dit-elle.

— Qu'est-ce qui se passe? lui demanda-t-il, soudain inquiet après avoir obtempéré. Es-tu malade?

Reine laissa passer un moment avant de déclarer, des larmes dans la voix :

— J'ai perdu le bébé…

— Quoi ? Comment ça ?

— J'ai eu des contractions au commencement de l'avant-midi. Elles ont pas arrêté. Je l'ai perdu, ajouta-t-elle en se mettant à pleurer de façon fort convaincante.

— As-tu fait venir le docteur, au moins ? fit son mari, troublé.

— C'était pas utile. Il était trop tard.

— Mais là, qu'est-ce qui te dit que t'es correcte ?

— Après le dîner, j'ai pris un taxi et je suis allée chez le docteur Laflamme. Il m'a examinée. Je suis correcte. Il m'a dit de me coucher et de reprendre des forces. D'après lui, il y avait rien d'autre à faire. Il m'a affirmé que ça m'empêcherait pas d'en avoir d'autres, sentit-elle le besoin de lui affirmer.

— Maudite malchance ! s'emporta Jean.

Sa femme épiait sa réaction et fut satisfaite de constater qu'il réagissait exactement comme elle l'avait prévu.

— On va se reprendre, lui dit-elle en guise de consolation.

— Ben sûr, laissa-t-il tomber, incapable de trouver à dire davantage pour réconforter sa femme pour la perte de son bébé.

— Je me sens encore pas mal faible, ajouta-t-elle en baissant la voix. Est-ce que ça te dérangerait de te débrouiller tout seul avec ton souper ? Moi, je mangerai pas. J'ai pas faim.

— Je peux te faire cuire un œuf, lui proposa-t-il, plein de sollicitude.

— Non, laisse faire. Je mangerai plus tard. Là, j'ai juste envie de dormir. S'il faisait moins chaud encore…

— Il vient de commencer à mouiller. Ça va rafraîchir le fond de l'air, ce sera pas long, lui dit-il en éteignant la lampe avant de quitter la pièce.

Jean traversa la cuisine, ouvrit la porte moustiquaire et alla sur la galerie. Il se posta debout, appuyé contre le mur de brique pour ne pas être éclaboussé par la pluie qui tombait maintenant à torrent. Le ciel était zébré par des éclairs et le tonnerre grondait à l'ouest. Il était secoué et incapable de préciser tous les sentiments qui se bousculaient en lui.

Reine ne mettrait pas au monde l'enfant qu'elle portait. Leur vie recommençait à zéro... Non, c'était faux ! Ils ne pouvaient revenir en arrière.

Il avait de la peine pour Reine, mais il ne parvenait pas à en éprouver pour le bébé qu'il ne connaîtrait jamais. Il était à la fois soulagé et honteux de cette insensibilité. Pire, il ne pouvait s'empêcher de songer que sa vie avait basculé pour rien quatre mois auparavant. De frustration, il donna une grande claque contre le mur auquel il était adossé. Il en aurait pleuré de rage.

Une suite de scènes se présenta à son esprit. Reine et lui assis à une table du restaurant alors qu'elle lui révélait son état et le mettait en demeure de prendre ses responsabilités. Le soir où il avait appris la vérité à ses parents. Son humiliation lors de sa demande en mariage. Sa fuite du collège et sa recherche d'un emploi. Son mariage... Puis, le visage enjoué de Blanche Comtois vint le hanter, rendant la situation encore plus pénible.

Il demeura debout sur le balcon durant de longues minutes, cherchant à analyser en quoi le fait que sa femme n'était plus enceinte allait changer sa vie. Finalement, il ne put que conclure que cette dernière allait se poursuivre comme elle était, avec ou sans enfant. S'il ne voulait pas passer son existence à nettoyer des wagons de chemin de fer, il allait devoir faire quelque chose.

Tenaillé par la faim, il finit par rentrer dans l'appartement et il se prépara un sandwich qu'il s'empressa de dévorer avant de prendre la direction du salon. Au passage, il jeta un coup d'œil dans la chambre à coucher. Reine semblait dormir, le dos tourné à la porte. Il referma doucement cette dernière et alla se réfugier dans la lecture des *Rougon-Macquart* d'Émile Zola. Ce soir-là, il s'endormit sur le divan et c'est là que Reine le découvrit en fin de soirée quand elle s'étonna de ne pas le sentir près d'elle dans leur lit.

Elle éteignit la lampe et le laissa dormir. Après avoir mangé quelques biscuits, la jeune femme retourna se mettre au lit.

Jean ne révéla à ses parents la nouvelle de la fausse couche de sa femme que quelques jours plus tard. Le jeune homme ne s'arrêta à leur appartement qu'un court moment en revenant de son travail, le jeudi suivant.

— Pauvre petite fille, elle doit être dévastée, fit sa mère en parlant de Reine.

— Ça, c'est sûr, confirma Jean.

— Est-ce qu'elle a besoin d'aide ?

— Ça va aller, m'man. Elle a déjà commencé à reprendre le dessus.

— Dis à ta femme qu'on va arrêter la voir deux minutes en revenant de l'église à soir, lui annonça Amélie. Veux-tu souper avec nous autres, c'est prêt, offrit-elle à son fils.

— Merci, m'man, mais Reine doit m'attendre.

Après le repas du soir, Amélie et Lorraine s'empressèrent de laver la vaisselle et de ranger la cuisine. Pendant ce temps, Claude s'était rapidement esquivé. Parfois, les deux femmes entendaient sa voix dans la ruelle où il s'amusait avec des garçons de son âge.

— Dans cinq minutes, on va être prêtes à aller à l'église, dit la mère de famille en retirant son tablier.

Elle ouvrit la porte moustiquaire et cria à Claude de rentrer.

— On pourrait ben sauter un soir, avait proposé Félicien.

— Ben oui, m'man, avait affirmé Claude, qui venait d'apparaître dans la cuisine, légèrement essoufflé. On n'est pas obligés pantoute d'aller à l'église tous les soirs pour dire le chapelet. Mes chums y vont pas, eux autres.

L'adolescent n'avait pas du tout apprécié le fait de mettre fin à la partie de balle qu'il était en train de disputer avec des copains dans la ruelle pour venir «se débarbouiller», comme disait sa mère, avant d'aller à l'église. Il faisait beau et chaud et il ne comprenait pas pourquoi il était le seul de sa bande à être tenu de suivre ses parents pour aller prier.

— Toi, personne t'a demandé ton avis. Fais ce que je te dis et va changer de chemise, rétorqua sa mère.

— Mais m'man, il y a presque plus personne qui va là pour dire le chapelet.

— Arrête de jaser et grouille-toi, lui ordonna Amélie.

Félicien connaissait bien l'entêtement de sa femme quand il s'agissait de pratique religieuse. Il se contenta de replier son journal et de se préparer à la suivre, mais son visage en disait long sur ce qu'il pensait.

— Je le sais bien, vous deux, vous allez toujours à l'église à reculons, reprit Amélie en s'emparant de son sac à main après avoir vérifié la position de son chapeau dans le miroir. C'est le mois de Marie. C'est normal d'aller réciter le chapelet. Regardez Lorraine, elle, elle a compris ça depuis longtemps.

Dans le dos de sa mère, la jeune fille haussa les épaules et fit une mimique dont son père comprit la signification.

Les Bélanger prirent la direction de l'église. Au moment où ils arrivaient au coin du boulevard Saint-Joseph, les cloches de l'église Saint-Stanislas-de-Kostka se mirent à tinter pour appeler les fidèles à la récitation du chapelet. Contrairement à ce qu'avait affirmé avec aplomb Claude quelques minutes plus tôt, des dizaines de fidèles se dirigeaient déjà vers le temple en cette belle soirée de printemps.

Moins d'une heure plus tard, les Bélanger quittèrent les lieux pour revenir sans se presser vers la maison.

— Nous autres, on va aller dire bonsoir à Reine, annonça Amélie à ses enfants quand ils arrivèrent au pied de l'escalier qui menait à leur galerie, à l'étage. On sera pas longtemps partis.

— Je vais attendre un peu pour aller chez Jean, déclara pour sa part Lorraine.

La jeune fille n'avait guère d'atomes crochus avec sa belle-sœur, qui ne l'avait pas encore invitée une seule fois à aller lui rendre visite depuis son mariage, presque un mois auparavant.

— Moi... commença Claude.

— Toi, mon garçon, tu vas aller me finir tes devoirs, le coupa sa mère, sévère. Il me semble que depuis qu'il fait beau, je te vois pas souvent le nez dans tes livres. T'es pas encore rendu à tes vacances. Organise-toi pas pour doubler ton année.

Dompté, Claude monta l'escalier sans répliquer.

Félicien et Amélie poursuivirent leur route jusqu'au coin de la rue et tournèrent à droite pour aller sonner, deux minutes plus tard, chez leur fils. Ce dernier, debout sur le palier du deuxième étage, tira la corde qui commandait l'ouverture de la porte d'entrée. Amélie monta péniblement les deux étages, s'arrêtant à deux reprises pour reprendre son souffle. Derrière elle, son mari, habitué à monter des escaliers du matin au soir, était à peine essoufflé quand il arriva sur le palier.

— Mon Dieu, que c'est haut chez vous ! ne put s'empêcher de dire la petite femme grassouillette d'une voix un peu rauque.

— Ça devrait vous plaire, m'man, on est plus proches du ciel, plaisanta Jean en faisant passer devant lui ses parents.

Reine, tout sourire, vint au-devant de ses beaux-parents pour les inviter à s'asseoir au salon. Elle leur servit un verre de limonade rafraîchissante. Amélie s'informa de sa santé et lui exprima ses regrets pour la perte qu'elle venait de subir. La jeune femme sut manifester suffisamment de peine pour convaincre ses visiteurs que le choc était pénible, mais qu'elle le surmonterait avec courage. Quelques minutes plus tard, Félicien et Amélie se levèrent pour prendre congé.

— Dire que si c'était arrivé un mois avant, il y aurait peut-être pas eu de mariage, déclara Félicien à sa femme en rentrant à la maison.

— C'est le bon Dieu qui l'a voulu, répliqua Amélie. Ils sont jeunes, ils vont en avoir d'autres, ajouta-t-elle en guise de consolation.

— Je veux ben le croire, reprit le postier, mais il aurait pu continuer ses études et…

— Ça sert à rien de revenir en arrière. Ce qui est fait est fait, dit sa femme sur un ton qui se voulait définitif. À cette heure, Jean est marié et il a une femme à faire vivre.

— En tout cas, tous ceux qui, dans la parenté, comptent les mois parce qu'ils sont sûrs que c'est un mariage obligé vont avoir l'air bête quand ils vont s'apercevoir qu'il se passe rien.

— Si tu veux parler de ta mère et de tes sœurs, c'est pas bien important, laissa tomber Amélie en commençant à monter l'escalier conduisant à leur appartement.

— Il y a pas juste elles qui comptaient, affirma Félicien, sûr de son fait. J'en connais d'autres qui devaient se faire aller le mâche-patates sur notre dos.

Sa femme ne répondit rien. Elle préféra s'adresser à Claude, assis sur le balcon, en train de lire les bandes dessinées publiées par *La Patrie* le samedi précédent alors que l'obscurité tombait.

— Je t'avais pas dit d'aller faire tes devoirs, toi ?

— Je les ai faits, m'man. Il me restait juste un problème d'arithmétique à faire. Je l'ai fait.

— En tout cas, là, il commence à faire trop noir pour continuer à regarder des *comics*. Je commence à avoir pas mal hâte que tu vieillisses, toi. Quand est-ce que tu vas lire autre chose que ça ?

L'adolescent ne se donna pas la peine de répondre qu'il lisait aussi autre chose parfois. Il rentra dans l'appartement alors que ses parents décidaient de demeurer sur le balcon pour prendre le frais. Félicien rapprocha sa chaise du garde-fou pour tenter d'entendre ce qui se racontait chez les Dubé, assis sur leur galerie, au rez-de-chaussée. Il ne remarqua pas l'air préoccupé de sa femme qui s'était mise à se bercer, les yeux dans le vague. Une ombre d'inquiétude apparut dans son visage.

Amélie était tiraillée par des doutes sérieux depuis que son fils lui avait appris la fausse couche de sa femme. Cela arrivait à un moment trop propice. Depuis quelques semaines, elle avait cherché des signes de maternité chez sa bru sans vraiment en découvrir, et cela l'avait intriguée et inquiétée. Au quatrième mois de sa grossesse, le ventre de cette dernière aurait dû commencer à s'arrondir… Se pourrait-il qu'elle ait tenté de le cacher avec un corset ? De plus, rien dans ses yeux ou dans sa démarche ne laissait deviner son état… Était-il possible que… ?

« Non, c'est pas possible, rejeta la mère de Jean. Elle peut pas avoir inventé tout ça juste pour se faire marier. Ce serait trop écœurant. Aucune fille normale risquerait de perdre sa réputation pour le seul plaisir de traîner un garçon au pied de l'autel. »

Amélie se secoua. Elle s'imaginait des choses. Reine ne pouvait avoir joué cette comédie. Elle ne pouvait avoir si peu de cœur.

Dans l'appartement de la rue voisine, Reine se coucha satisfaite ce soir-là. Elle était parvenue à berner tout le monde et, apparemment, personne ne s'était douté qu'elle avait perdu son enfant bien avant son mariage. Quand Jean se mit au lit quelques minutes plus tard, elle feignit de dormir déjà. Pourtant, il était clair dans son esprit qu'elle souhaitait un enfant le plus tôt possible. En aucun cas elle ne désirait être en reste avec sa sœur Estelle.

Chapitre 25

Une rencontre inattendue

Les jours suivants, Jean s'était fait à l'idée qu'il n'aurait pas d'enfant tout de suite et son train-train quotidien avait repris le dessus. Il faut dire que son travail au Canadien National occupait le plus clair de sa journée, alors que sa nouvelle femme l'accaparait le reste du temps.

En ce lundi 2 juin, il n'y en avait dans les journaux que pour monseigneur Maurice Roy qui devenait archevêque de Québec, en remplacement du très contesté cardinal Villeneuve, décédé au mois de janvier précédent. Après avoir lu un article consacré à la demande d'une enquête par le sénateur McCarthy sur les ramifications de l'espionnage au profit des Soviétiques aux États-Unis, Jean jeta dans la poubelle le journal oublié par un voyageur. Il avait fini de manger ses sandwichs et s'apprêtait à lire *Menaud, maître-draveur*, emprunté la semaine précédente à la bibliothèque de Montréal.

Le jeune homme était seul à sa table dans le vestiaire des employés du Canadien National et il venait de terminer de manger son dîner.

Quelques jours auparavant, Onésime Gagnon avait décrété qu'il ne voulait plus voir aucun employé manger dans les wagons. Évidemment, il le visait en particulier puisqu'il était pratiquement le seul à se retirer là pour manger.

Un peu plus tôt, son coéquipier, Grégoire Beaudoin, l'avait quitté sur un clin d'œil mystérieux. À la longue table voisine, le contremaître chantait les vertus de la Chevrolet 1936 qu'il possédait depuis quelques semaines. À l'entendre, il n'existait pas meilleur véhicule sur la route. Jean leva la tête un instant de son livre, à temps pour saisir quelques coups d'œil goguenards échangés entre ses compagnons de travail qui avaient pris place à la table du quinquagénaire.

Il était bien connu de tous que Gagnon se donnait de grands airs depuis un an ou deux. Par exemple, Jean avait entendu dire que le petit homme à la drôle de moustache avait brusquement décidé que la chemise blanche et la cravate convenaient beaucoup plus à un contremaître de son envergure que la chemise grise des travailleurs. Quelques mois avant son arrivée, il avait donc troqué l'une pour l'autre. Il avait la nette impression qu'avec une telle tenue il en imposait plus à « ses hommes », comme il disait. Si cette dernière le distinguait, elle n'en suscitait pas moins des sourires moqueurs dans son dos et certains l'avaient surnommé irrévérencieusement « le roquet ».

— C'est surtout un char qui a l'air d'être fait fort, monsieur Gagnon, dit un nommé Brisson.

— Ça, il y a pas à s'inquiéter, il est solide en maudit, ce char-là, déclara Onésime sur un ton qu'il voulait convaincu en finissant de boire la bouteille de Coke posée devant lui. C'est un gros char. Il faut juste savoir le conduire.

Il y eut des sourires entendus parmi ses auditeurs. Il était bien connu que l'homme était un piètre conducteur dont les rues de Montréal se seraient volontiers passées. Il était d'une lenteur désespérante et ses manœuvres au volant étaient plutôt imprévisibles. Lorsqu'il avait la chance de suivre un tramway, aucun coup de klaxon rageur ne pouvait le décider à le dépasser. En un mot comme en cent, Onésime Gagnon était un véritable danger public qui aurait mieux fait de continuer à utiliser les transports publics. Cependant, quand il parlait de sa voiture, il en devenait presque lyrique, surtout lorsqu'il abordait les soins qu'il lui prodiguait. À l'entendre, on n'aurait jamais cru qu'il s'agissait d'une mécanique âgée de plus de dix ans. Il la bichonnait et la surveillait avec un soin jaloux, ne permettant pas qu'on s'en approche de trop près. Si on se fiait à ses récits, il passait ses fins de semaine à l'astiquer. Bref, s'il y avait une faiblesse chez cet homme intransigeant, c'était bien sa voiture noire qu'il stationnait toujours au même endroit, près de la gare. D'ailleurs, il avait pris l'habitude de quitter précipitamment la gare quatre ou cinq fois durant la journée pour aller vérifier si on n'avait pas égratigné la carrosserie de sa Chevrolet.

— S'il fallait que quelqu'un touche à sa maudite bagnole, avait chuchoté Magnan à Jean le matin même, il en ferait une maladie. Pour moi, il est à moitié fou, le bonhomme.

Grégoire Beaudoin revint s'asseoir en face de Jean quelques minutes avant l'heure de la reprise du travail.

— Attends tout à l'heure, lui conseilla son partenaire de travail à voix basse. Je pense qu'on va avoir du fun.

— Qu'est-ce qu'il va y avoir ? demanda Jean, intrigué.

— Tu vas entendre le roquet japper dans pas longtemps, je t'en passe un papier, dit l'autre en ricanant.

— Il est une heure, déclara Onésime Gagnon en se levant peu après. On recommence.

Au même moment, les quatre employés qui étaient sortis dîner à l'extérieur entrèrent dans la salle. Ceux qui avaient mangé sur les lieux s'empressèrent de se rendre à leur casier avant de se diriger vers leur travail. Onésime Gagnon houspilla les plus lents, vérifia que chacun avait bien rejoint son poste avant de disparaître. Chacun savait qu'il était allé jeter un coup d'œil à sa voiture.

— Viens voir, ordonna Beaudoin à Jean en l'entraînant vers une fenêtre qui donnait sur l'endroit où le contremaître stationnait son automobile.

Jean le suivit et allait se planter devant la fenêtre quand son compagnon le tira vers l'arrière.

— Montre-toi pas, innocent ! Il va te voir.

Jean aperçut alors le petit homme en train de trépigner sur le trottoir, rouge de fureur.

— Qu'est-ce qu'il a à s'énerver comme ça ? demanda-t-il à Beaudoin qui ricanait à ses côtés.

— Regarde les *tires* de son char, lui suggéra-t-il.

En fait, les quatre pneus de la Chevrolet avaient été dégonflés et le lourd véhicule reposait sur ses jantes.

— C'est pas vous qui avez fait ça, monsieur Beaudoin ?

— Attends, c'est pas fini, ajouta ce dernier, hilare.

Onésime Gagnon venait de se rendre compte que l'une des glaces de sa Chevrolet avait été un peu abaissée et qu'il se dégageait de son véhicule une odeur atroce propre à soulever le cœur de n'importe qui. Fou d'inquiétude, l'homme avait ouvert précipitamment la portière avant, côté passager, pour tenter d'identifier l'origine de l'odeur en se plaquant une main sur le nez tant c'était insupportable.

— Qu'est-ce qu'il a ? demanda Jean.

— Il a que ça sent la charogne dans son maudit char, murmura Beaudoin avec un sourire malicieux. C'est vrai que ça sent ben mauvais du poisson qui a passé deux jours au soleil…

— Comment vous avez fait pour le mettre là ?

— Ça, mon jeune, tu me demandes ça parce que t'écoutes pas notre *boss* quand il parle de son char, répondit le petit homme rondouillard, toujours souriant. Il a dit la semaine passée qu'il était plus capable de barrer une des portes de son char...

— Est-ce que ça veut dire que c'est vous qui avez dégonflé ses pneus ?

— Devine, fit l'autre, un sourire en coin.

Le spectacle qui se déroulait à l'extérieur avait attiré quelques curieux qui s'étaient arrêtés sur le trottoir. Plongé à l'intérieur de l'habitacle, Gagnon avait fini par glisser ses mains sous le siège avant et il en avait tiré les deux poissons, responsables de l'odeur nauséabonde. Les gens reculèrent de quelques pas en affichant une mine dégoûtée quand il les exhiba en les tenant loin de son nez entre le pouce et l'index. De toute évidence, il cherchait un endroit où s'en débarrasser. La malchance voulut qu'à ce moment précis le contremaître lève les yeux et aperçoive Jean et Grégoire Beaudoin, qui s'étaient trop avancés devant la fenêtre. Ces deux derniers n'eurent pas le temps de s'esquiver.

Un sourire mauvais illumina le visage d'Onésime Gagnon. Il laissa tomber les poissons sur le bord du trottoir, entrouvrit les glaces des autres portières de son véhicule et rentra dans la gare au pas de charge.

— Vous deux, vous venez avec moi au bureau du personnel, ordonna-t-il aux deux hommes qui venaient à peine de réintégrer le wagon qu'ils devaient nettoyer.

— Tout de suite ? osa demander Grégoire Beaudoin d'une voix nonchalante.

— Ouais, tout de suite.

Jean regarda son compagnon de travail et lui emboîta le pas alors que le contremaître les devançait déjà d'une vingtaine de pieds, l'air farouche.

— C'est vrai qu'il a l'air d'un maudit roquet, murmura Beaudoin à Jean, apparemment pas du tout inquiet de la tournure des événements.

Quand les deux hommes entrèrent dans le bureau du personnel, Onésime Gagnon avait déjà disparu dans le bureau du directeur.

— Oui ? demanda le secrétaire d'Aimé Corriveau.

— Nous sommes avec monsieur Gagnon, répondit Jean, pas trop rassuré.

— Ah bon. Assoyez-vous et attendez-le. Il vient d'entrer dans le bureau.

Les deux hommes durent attendre une dizaine de minutes avant que le contremaître quitte la pièce en affichant un air obséquieux. Il jeta un regard farouche à ses deux employés avant de quitter le bureau du personnel sans leur adresser la parole.

— Monsieur Bélanger, entrez donc, fit la voix d'Aimé Corriveau qui venait d'ouvrir la porte à la vitre dépolie.

Le directeur du personnel arborait un visage sévère qui contrastait avec l'air aimable qu'il affichait d'habitude à l'égard de Jean. Il n'offrit même pas un siège au jeune homme. Il alla s'asseoir derrière son bureau et l'observa un long moment avant de demander abruptement :

— Voulez-vous bien me dire ce qui s'est passé avec monsieur Gagnon ?

Jean jugea que le vouvoiement inhabituel employé par son patron était plutôt de mauvais augure. Auparavant, il l'avait toujours tutoyé.

— Il s'est rien passé, monsieur, répondit Jean, la gorge sèche.

— C'est pas l'avis de votre contremaître. Il vient de me raconter que vous vous seriez amusé à dégonfler les pneus de sa voiture et que vous avez mis des poissons pourris à l'intérieur.

— Pourquoi j'aurais fait ça ?

— Parce qu'il doit être souvent sur votre dos pour vous faire travailler, d'après lui.

— Mais, monsieur Corriveau, c'est pas moi qui ai fait ça, protesta le jeune homme. Je suis même pas sorti de la gare depuis que je suis arrivé ce matin. J'étais même là avant que monsieur Gagnon arrive. Et j'ai dîné dans la salle avec tous les autres. Monsieur Gagnon le sait. J'étais à la table à côté de la sienne. Je comprends pas qu'il m'accuse de ça.

Un air de doute se peignit sur les traits du directeur du personnel qui scruta le visage de son vis-à-vis pour tenter de détecter un mensonge.

— Dans ce cas-là, vous devez savoir qui a fait ce mauvais coup-là, dit-il finalement.

— Même si je le savais, je pense pas que je vous le dirais, monsieur. Je pourrais pas faire ça.

— Le problème est que votre contremaître vous a vus, vous et Grégoire Beaudoin, en train de le surveiller par la fenêtre et vous aviez l'air de trouver ça pas mal drôle, d'après lui.

— C'est vrai, reconnut Jean. On l'a vu faire sa crise sur le trottoir et on n'a pas pu s'empêcher de rire, mais ça veut pas dire que…

— C'est correct, l'interrompit sèchement Aimé Corriveau en se passant une main sur le front. Là, j'ai un problème. Gagnon veut plus vous voir dans son équipe. Normalement, je devrais vous mettre à la porte. Avec vous, c'est pas comme avec Grégoire Beaudoin. Lui, je dois tenir compte de son ancienneté et Gagnon devra l'endurer, même s'il l'aime pas.

— Mais j'ai rien fait, monsieur Corriveau, protesta Jean, soudain terrifié à l'idée de perdre son emploi au moment où le taux de chômage n'avait jamais été aussi élevé dans la province depuis des années. J'ai besoin de travailler pour faire vivre ma femme.

Le directeur du personnel le regarda un instant avant de se tourner vers le classeur vert placé à sa droite. Il ouvrit le premier tiroir et en tira un mince dossier beige qu'il consulta.

— Bon, je vais vous donner une chance, une dernière chance. À partir de demain, vous allez faire partie de l'équipe d'entretien de la gare. Vous allez travailler de trois heures à onze heures. Vous vous présenterez à Frank Demers demain après-midi, à deux heures et demie. C'est votre chef d'équipe.

— Merci, monsieur, fit Jean, soulagé.

Il quitta le bureau, salua au passage Grégoire Beaudoin qui fumait tranquillement en attendant de passer devant le directeur du personnel.

À son retour à la maison au milieu de l'après-midi, le jeune homme eut la désagréable surprise de découvrir que sa femme était absente encore une fois. Contrarié, il alla sonner à la porte de ses beaux-parents, mais personne ne répondit. Il descendit à la biscuiterie où il fut accueilli par Adrienne Lussier. La voisine de ses parents lui dit avoir vu passer sa femme et sa belle-mère au début de l'après-midi. Pour sa part, son beau-père était parti faire une commande chez un fournisseur. Il la remercia et retourna chez lui où il se plongea dans la lecture du roman de Félix-Antoine Savard.

Reine ne revint à l'appartement que sur le coup de six heures, l'air harassée.

— Veux-tu ben me dire où t'étais passée ? lui demanda-t-il.

— Whow ! Je suis pas ta servante. J'ai bien le droit de sortir sans ta permission, déclara-t-elle, tout de suite sur la défensive.

— Je te reproche rien, je veux juste savoir où tu étais. Tu m'as pas laissé de message sur la table, expliqua son mari.

— J'étais partie faire des commissions avec ma mère, si tu tiens tant à le savoir, répondit-elle en retirant ses souliers à talons hauts.

— Qu'est-ce que tu voulais acheter ?

— Rien de spécial. Ma mère avait entendu dire qu'on pouvait encore acheter une ou deux paires de bas de soie chez une femme de la rue Amherst. On est allées voir.

— Des bas remaillés, je suppose.

— C'est sûr, les neufs coûtent bien trop cher. Si le rationnement peut finir…

— En fin de compte, en avez-vous trouvé ?

— Deux paires. Ma mère m'en a donné une, dit-elle en exhibant fièrement un petit sac.

— Qu'est-ce qu'on mange pour souper ?

— Des sandwichs aux tomates. Il fait trop chaud pour commencer à cuisiner, déclara-t-elle.

Pendant qu'elle préparait les sandwichs, Jean entreprit de lui raconter ce qui s'était passé à son travail et lui apprit son changement d'affectation et d'horaire qui allaient entrer en vigueur dès le lendemain. Tout ça ne sembla guère intéresser sa femme. Quand il s'en rendit compte, il cessa de parler et se leva pour allumer la radio.

Il tomba sur une émission consacrée aux conséquences de la loi qu'avait fait adopter le 28 mars précédent le premier ministre et procureur général de la province, Maurice Duplessis. Cette loi visait surtout les Témoins de Jéhovah qui distribuaient des tracts durant la nuit. Elle donnait le droit aux municipalités du Québec de sanctionner ce comportement. L'analyste déplorait que cette mesure engorge les tribunaux de la province puisque près de mille poursuites avaient déjà été déposées en quelques mois. Ensuite, deux journalistes commentèrent pendant quelques minutes l'inaction gouvernementale face à l'agitation qui secouait les ouvriers du textile qui cherchaient, par tous les moyens, à gagner dix dollars par semaine.

— Que le gouvernement de Mackenzie King commence donc par faire disparaître le rationnement, commenta Jean. Ça, ça aiderait tout le monde. Ça fait deux ans que la guerre est finie, calvince ! En plus, c'est rendu une vraie farce. Ceux qui ont de l'argent trouvent tout ce qu'ils veulent au marché noir. Ils se sacrent pas mal des coupons de rationnement, eux autres.

Reine secoua les épaules comme si tout cela ne l'intéressait pas.

— Arrange-toi pas pour me faire manquer *Un homme et son péché* avec ce programme plate là, se contenta-t-elle de lui dire en versant du thé dans les tasses.

— Il reste encore deux minutes, lui fit remarquer Jean.

Au moment où la jeune femme se levait pour commencer à ranger la cuisine, la chanson thème de l'émission fut suivie par la voix d'Hector Charland, personnifiant Séraphin Poudrier. L'avare s'en prenait violemment à la pauvre Donalda, interprétée par Estelle Mauffette, qui avait osé acheter un peu de beurre au magasin général.

— Maudit que c'est laid du monde gratteux comme ça ! s'exclama la jeune femme, oubliant qu'il ne s'agissait que d'une émission radiophonique.

« Une cenne, c'est une cenne, ma femme ! disait Séraphin. T'oublies qu'on est pauvres et qu'on n'a pas les moyens, viande à chien, de jeter l'argent par les fenêtres. On n'a pas besoin de beurre pour manger de la galette. C'est meilleur avec de la mélasse. »

— Aïe, lui, je l'haïs ! s'écria Reine. Moi, du monde cochon comme ça, je peux pas endurer ça.

— Calme-toi, c'est juste une émission de radio, la raisonna Jean. J'espère que tu vas pas faire comme les gens qui envoient du linge à Radio-Canada pour aider la pauvre Donalda à passer l'hiver.

— Me prends-tu pour une niaiseuse, toi?

En son for intérieur, le jeune homme ne put s'empêcher de penser que sa femme n'était pas particulièrement dépensière et qu'il fallait se lever de bonne heure pour la décider à ouvrir sa bourse. Son frère, Lorenzo, l'avait bien mis en garde sur cet aspect de la personnalité de Reine. Il se rappelait encore trop bien qu'il avait été incapable de la persuader d'offrir un petit cadeau à sa tante qui leur avait si gracieusement prêté sa maison pour leur voyage de noces. Il avait dû se fâcher le jour de la fête des Mères pour qu'elle consente à acheter quelques fleurs pour leur mère respective. Et avec la fête des Pères qui approchait…

— C'est pas mal laid d'être accroché à ses cennes comme ça, laissa-t-il tomber. Comme le répète mon père, on n'est pas enterré avec son argent.

— C'est sûr, reconnut Reine, qui ne se sentait apparemment pas visée par la remarque de son mari.

Le lendemain après-midi, Jean quitta la maison peu après le dîner. Il avait senti que sa femme n'appréciait pas particulièrement sa présence dans l'appartement durant le jour. Il dérangeait sa routine, même s'il s'était le plus souvent cantonné dans le salon pour lire et écouter la radio. Aux informations, on laissait entendre que Mackenzie King allait enfin annoncer dans quelques jours la fin du rationnement en vigueur depuis le début de la guerre. Il allait de soi que tout le monde attendait ce moment avec impatience depuis longtemps, Jean le premier.

Lorsqu'il se présenta à Frank Demers, le jeune homme fut étonné de se retrouver devant un anglophone qui s'exprimait en français avec quelque difficulté. L'homme semblait avoir moins de quarante ans et était d'une taille légèrement supérieure à la normale.

— Ton ouvrage sera pas compliqué, annonça-t-il à Jean. V'là une moppe et une chaudière. Tout ce que t'as à faire, c'est de laver des planchers et de voir à ce que ça reste propre. Tu vides aussi les poubelles et tu laves les toilettes parce qu'il y a des toilettes dans ta section. Ici, c'est pas comme nettoyer des trains. Chaque homme travaille tout seul et a une section à entretenir. Viens avec moi, je vais te montrer la tienne.

Après lui avoir précisé les limites de son nouveau domaine, le contremaître le laissa en lui disant :

— À sept heures, tu peux t'arrêter une heure pour manger.

Deux ou trois soirs suffirent à Jean pour apprendre à apprécier son nouveau travail. Demers n'était pas du genre à harceler son monde. Le contremaître profitait habituellement de l'heure de pause de ses employés pour faire une tournée rapide et il était très rare qu'il formule une remarque désagréable. S'il le faisait, il devait probablement parler en particulier avec l'employé concerné, loin des oreilles des autres parce que Jean n'en eut pas connaissance. Par ailleurs, le climat était agréable avec les collègues et on l'avait accepté dès le premier soir en l'invitant à prendre place à la table commune à l'heure du souper.

Le principal avantage de son nouvel emploi était probablement la possibilité de travailler en solitaire, ce qui lui donnait largement le temps de réfléchir, sans avoir à se soucier des humeurs d'un compagnon.

À la fin de la troisième semaine de juin, une rencontre allait faire basculer le monde confortable dans lequel Jean Bélanger était en train de s'installer.

Ce mardi-là, il faisait une chaleur agréable. Le jeune homme s'était réveillé tôt et réfugié rapidement sur la galerie pour échapper à la radio que sa femme écoutait en repassant dans la cuisine.

Il éprouvait d'ailleurs une vague nostalgie en regardant passer dans la ruelle les jeunes écoliers excités par la perspective de commencer leurs longues vacances estivales quelques heures plus tard. Il y avait des cris suivis de cavalcades qui rappelaient d'autres 21 juin du passé. Il se revoyait revenant de Saint-Pierre-Claver, les bras chargés de prix, habituellement des livres qu'il mourait déjà d'envie de dévorer. Il se souvint particulièrement combien il avait adoré *Premier de cordée* de Frison-Roche, le premier roman qu'il avait lu.

Les minutes passèrent et le quartier retrouva peu à peu son calme. Jean en était à se demander s'il ne partirait pas plus tôt pour passer à la bibliothèque municipale avant de se rendre à la gare quand la voix de sa femme le tira de sa rêverie.

— Je te laisse quelque chose dans la glacière pour dîner, lui annonça-t-elle en se présentant devant la porte moustiquaire. Lorenzo s'en vient me chercher.

— Où est-ce que vous allez ?

— Il a proposé de nous laisser, ma mère et moi, chez Estelle. Il paraît qu'elle s'ennuie pas mal depuis qu'elle peut plus sortir parce que son heure approche.

— C'est correct.

— Quand le boulanger va passer tout à l'heure, tu prendras un pain tranché. Je te laisse l'argent sur la table.

Il ne se donna pas la peine de se retourner. Il entendit la porte d'entrée se refermer peu après. Reine venait de partir. Il songea un court moment qu'elle allait rejoindre sa mère à l'étage inférieur et à l'évocation d'Yvonne Talbot, il eut un rictus.

Sa relation avec elle ne s'était guère améliorée depuis qu'il avait épousé sa fille. La femme de Fernand Talbot continuait de le regarder de haut et de le considérer comme un étranger qui n'avait rien à faire dans sa famille, malgré son éducation pourtant bien supérieure à celle de n'importe quel Talbot. Depuis son mariage, elle n'avait pas jugé bon une seule fois de le recevoir chez elle en compagnie de sa fille. Mieux, elle semblait faire en sorte d'inviter Reine dès qu'il avait le dos tourné. À aucun moment elle n'était montée à l'appartement quand il était présent. Bien sûr, il l'avait croisée plusieurs fois tant dans les escaliers que dans la rue, ordinairement le dimanche matin, en allant à la messe. Les échanges avaient été distants. Une remarque de la femme du commerçant, deux semaines auparavant, avait été la goutte qui avait fait déborder le vase.

— Ma mère trouve que tu devrais mettre un *coat* et une cravate quand tu vas travailler, lui avait dit Reine un midi, alors qu'il se préparait à aller travailler.

— Pourquoi ? avait-il demandé, intrigué.

— Elle trouve que ça manque de classe que t'ailles travailler arrangé comme ça.

Le sang de Jean n'avait fait qu'un tour lorsqu'il entendit ces paroles.

— Veux-tu dire à ta mère de se mêler de ses maudites affaires ! avait-il répliqué. Rappelle-lui donc que je gagne ma vie en lavant des planchers. J'ai pas une *job* de premier ministre, bâtard !

— Elle le sait, avait rétorqué Reine, mais c'est pas une raison pour que tous les voisins sachent que t'as ce genre d'ouvrage-là. Il y a pas de quoi s'en vanter.

Le jeune homme avait vu rouge quand il s'était rendu compte que sa propre femme, qu'il faisait vivre en lavant des planchers, avait honte de lui.

— À ce que je vois, tu penses la même chose que ta sainte mère, avait-il dit, sarcastique. Dans ce cas-là, t'avais juste à pas me mettre le couteau sur la gorge pour te marier, si tu pensais que t'aurais honte de l'ouvrage que je fais. Si ça t'empêche de dormir, t'as juste à penser que c'est grâce à ça que tu peux passer tes journées tranquille chez vous, sans travailler, et manger tes trois repas par jour.

— Whow! J'ai jamais dit que j'avais honte de toi, tu sauras, s'était emportée Reine à son tour en élevant la voix.

— Non, mais t'en es pas spécialement fière non plus... En attendant, tu diras à ta mère que quand elle aura quelque chose à me dire, elle viendra me le dire en pleine face, qu'elle te fasse pas faire ses commissions.

Cette dernière réplique avait mis fin abruptement à la discussion et avait été le déclenchement de trois jours de bouderie de la part de Reine envers son mari.

Par ailleurs, Jean ne pouvait pas dire qu'il avait de bien meilleures relations avec son beau-père. Après être parvenu à faire marier sa fille enceinte, ce dernier semblait avoir jugé qu'il avait vraiment dépensé toutes ses réserves de bienveillance à l'égard de celui qui l'avait forcé à précipiter des noces. Si le commerçant n'était pas aussi ouvertement hostile que sa femme à son endroit, il reste qu'il l'ignorait et qu'il ne lui adressait la parole que lorsqu'il ne pouvait faire autrement. Quant à la sœur de Reine et à son mari, ils semblaient prendre prétexte de la maternité prochaine d'Estelle pour éviter de recevoir le jeune couple... à moins qu'ils n'attendaient une invitation de Reine, ce qui ne semblait pas près de se produire.

Il ne restait donc chez les Talbot que Lorenzo, l'unique célibataire de la famille, qui était d'un commerce agréable, mais il ne l'avait croisé qu'en une occasion alors qu'il venait rendre une courte visite à ses parents.

Jean chassa sa belle-famille de ses pensées et entra à l'intérieur pour dîner avant de se préparer à partir. Peu après, il quitta l'appartement, sa collation du soir et ses livres à la main, bien décidé à s'arrêter quelques minutes à la bibliothèque, coin Amherst et Sherbrooke.

Il attendait le tramway en compagnie de deux vieilles dames quand son frère Claude vint lui taper sur l'épaule, le visage rayonnant de bonheur.

— Aïe ! Je suis en vacances, lui déclara-t-il, tout content.

— Penses-tu que t'as réussi tes examens ? lui demanda son frère aîné, heureux de la rencontre.

— Me prends-tu pour un niaiseux ? répliqua l'adolescent. Certain que j'ai passé mon année. Sais-tu d'où je viens ?

— Non.

— Je viens de me trouver une *job* chez Drouin. Je commence à porter les commandes à partir de demain matin.

— Je suis ben content pour toi.

— Là, en attendant, je m'en vais au bain Lévesque nager avec mes chums.

Jean ne put continuer à converser plus longtemps avec son frère, un tramway venait de s'immobiliser au milieu de la rue. Il se limita à le saluer avant de monter dedans. Quand le véhicule se remit en marche, le jeune homme déposa son billet dans la boîte de perception et chercha du regard un siège libre. Il en trouva un et s'y dirigea en se tenant solidement.

À peine venait-il de s'asseoir qu'il sentit que quelqu'un lui touchait le bras. Il tourna vivement la tête et découvrit un long visage glabre dont les yeux bleus un peu globuleux le fixaient derrière des lunettes épaisses à fine monture métallique.

— Dis donc, tu serais pas Jean Bélanger ? lui demanda l'inconnu en prenant place à ses côtés.

— Oui, fit Jean en reconnaissant Olivier Marchand, un ancien du Collège Sainte-Marie.

Le jeune homme âgé d'une vingtaine d'années était maigre et dégingandé. Il affectait une allure décontractée avec sa chemise à col ouvert et son veston en velours prune.

Plus de trois ans auparavant, alors qu'il était étudiant en belles-lettres, Jean avait eu l'idée d'offrir ses services comme reporter au journal du collège alors dirigé par un étudiant de philosophie II, Olivier Marchand. Ce dernier avait accepté sans grand enthousiasme son offre de collaboration mais, peu à peu, lui avait confié quelques reportages à réaliser. En pleine adolescence, Jean avait trouvé son aîné prétentieux et désagréable au point de refuser de renouveler l'expérience l'année suivante, même si le jeune directeur du journal avait quitté le collège.

— Est-ce que tu te souviens de moi ? lui demanda Marchand en lui tendant la main.

— Olivier Marchand ?

— En plein ça. Je suppose que tu viens de finir ta première année de philosophie chez nos bons pères, ajouta-t-il avec bonne humeur.

Jean garda le silence un court moment avant de lui avouer :

— Non, j'ai lâché le collège cet hiver… Et toi, t'es à l'Université de Montréal ?

— Non, monsieur, moi aussi j'ai lâché les études. Je suis marié et je travaille pour le *Montréal-Matin* depuis deux ans. Et toi, qu'est-ce que tu fais ?

— Quelque chose de pas trop intéressant. Je travaille à la gare.

Jean fut étonné de retrouver intact ce vieux réflexe de soigner son langage quand il parlait à d'anciens confrères du collège.

— T'as pas été tenté par le journalisme ? insista son vis-à-vis. Si je me souviens bien, t'avais une belle plume.

— J'aurais bien voulu, dit Jean avec regret, mais il y avait pas de place pour moi nulle part.

— T'as essayé au *Montréal-Matin* ?

— Oui, mais j'imagine que là comme ailleurs, il faut avoir quelqu'un pour nous aider à entrer.

— Peut-être, reconnut Marchand en se levant. Écoute, si ça t'intéresse, viens me voir demain dans la journée. Je pourrai te présenter au rédacteur en chef, Antoine Fiset. Je m'entends bien avec lui. Il pourra peut-être t'offrir quelque chose d'intéressant.

— Merci, fit Jean, reconnaissant. Tu peux être certain que je vais passer te voir demain avant-midi.

L'autre le salua de la main et descendit du tramway. Soudain, Jean se rendit compte qu'il avait passé l'arrêt où il devait descendre. Il consulta sa montre et calcula qu'il n'aurait pas le temps de revenir sur ses pas pour passer à la bibliothèque avant de se rendre à son travail. Pendant le reste du trajet, il repassa mentalement la conversation qu'il venait d'avoir avec son ex-confrère. Il regretta même de l'avoir toujours jugé désagréable. Ensuite, il s'imagina quittant définitivement son travail de concierge pour celui de journaliste. Là, sa femme et ses beaux-parents n'auraient plus honte de lui…

Durant son quart de travail ce soir-là, il prit la ferme résolution de taire ses projets à Reine. Ainsi, s'il ne parvenait pas à obtenir un autre emploi parce que Marchand s'était vanté en disant être en bons termes avec le directeur du journal, il ne perdrait pas la face.

Soudain, il réalisa que son changement d'horaire de travail allait enfin le servir. S'il avait continué à travailler dans l'équipe d'Onésime Gagnon, il n'aurait jamais pu aller postuler un nouvel emploi. De fil en aiguille, il en vint à se dire que si cela ne fonctionnait pas au *Montréal-Matin*, il irait poser sa candidature ailleurs. Dorénavant, il allait mettre ses avant-midis à profit pour trouver un travail plus valorisant. À la fin de la soirée, il avait déjà trouvé l'excuse qu'il présenterait à Reine pour quitter la maison dès neuf heures, le lendemain matin.

À son retour à l'appartement, Reine dormait et il fit en sorte de ne pas la réveiller quand il se glissa dans le lit à ses côtés. Durant de longues minutes, il demeura les yeux ouverts, imaginant la nouvelle vie qu'il pourrait connaître s'il devenait un grand journaliste connu et respecté. Son existence en serait sûrement transformée.

Le lendemain matin, veille de la Saint-Jean, il se leva tôt. Étrangement, sa belle assurance avait fondu durant son sommeil. Pendant qu'il procédait à sa toilette, il se demanda s'il ne ferait pas mieux de demeurer tranquillement à la maison jusqu'au début de l'après-midi, moment où il devrait partir pour la gare. Soudain, Marchand ne lui inspirait plus la même confiance et il réalisait que cet ancien du Collège Sainte-Marie n'avait vraiment aucune raison de lui venir en aide. Si ça se trouvait, tout ce qu'il lui avait dit la veille n'était que vantardises.

— Tu me demandes pas ce que j'ai fait hier? fit la voix acrimonieuse de Reine, venue s'asseoir à table, en face de lui.

— J'allais le faire, répondit-il. Ta sœur va bien?

— Elle est correcte.

— Es-tu revenue tard, hier?

— Charles nous a ramenées vers neuf heures. Estelle tenait absolument à nous garder à souper.

Dès qu'il eut avalé la dernière bouchée de son déjeuner, Jean se leva et se dirigea vers la chambre à coucher d'où il sortit quelques instants plus tard, vêtu de son costume du dimanche et cravaté.

— Où est-ce que tu t'en vas, arrangé comme ça ? s'étonna sa femme.

— Examen médical obligatoire exigé par le Canadien National, mentit-il avec aplomb.

— Et t'es obligé de t'habiller chic pour aller chez le docteur ?

— Non, mais c'est toi-même qui m'as dit il y a pas plus tard que deux semaines que je devrais mettre une cravate et un veston quand je sors. Ben, comme tu peux voir, c'est ce que je fais. Comme ça, je te ferai pas honte, ajouta-t-il, narquois.

— À quelle heure est-ce que tu vas revenir ?

— Je le sais pas. Attends-moi pas, dit-il en ouvrant la porte.

Reine demeura figée au milieu du couloir. Elle avait le net pressentiment qu'il se passait quelque chose d'anormal. Elle s'empressa d'aller soulever un coin du rideau de la fenêtre du salon, juste à temps pour voir son mari se diriger vers l'est, sur Mont-Royal.

Quand Jean Bélanger arriva devant l'immeuble occupé par le *Montréal-Matin*, il s'immobilisa, en proie à de sérieux doutes sur l'utilité de la démarche qu'il s'apprêtait à faire. Il s'accorda quelques minutes de réflexion en allumant une cigarette qu'il prit le temps de griller. Pourquoi revenir demander un emploi dans ce journal ? Quatre mois auparavant, on lui avait répondu clairement qu'il n'y avait pas de travail pour lui.

Le ciel était gris et il remarqua que beaucoup de passants avaient pris la précaution de se munir d'un parapluie. Pas lui.

— Il manquerait plus que ça se mette à tomber, se dit-il à mi-voix en songeant à son unique costume qu'il portait ce matin-là.

Il écrasa son mégot sur le trottoir et prit son courage à deux mains pour franchir les portes de l'édifice. Une réceptionniste souriante l'accueillit.

— Est-ce que je pourrais voir monsieur Marchand ? lui demanda-t-il.

— Je vais l'appeler, lui répondit l'employée. Si vous voulez bien vous asseoir.

La jeune femme planta une fiche dans son central téléphonique, attendit un instant et parla à un interlocuteur invisible avant de se tourner vers le visiteur pour lui dire que monsieur Marchand arrivait.

Moins de cinq minutes plus tard, Olivier Marchand fit son apparition, sans cravate et les manches de sa chemise roulées sur ses bras maigres.

— Je me disais aussi que ce ne pouvait être que toi, dit le journaliste en lui tendant la main.

— Je t'avais dit que je viendrais, fit Jean, un peu gêné de venir l'importuner.

— On peut dire que t'es béni des dieux, toi, reprit Marchand, avec un grand sourire.

— Comment ça ?

— Viens avec moi, je vais t'expliquer ça, se contenta de répondre le journaliste en se mettant en marche vers l'intérieur du bâtiment.

Marchand poussa une porte et tous les deux se retrouvèrent dans la grande salle de rédaction occupée par des dizaines de personnes. Le bruit qui y régnait était assourdissant. Les interpellations le disputaient au crépitement de dizaines de machines à écrire et aux sonneries des téléphones.

Le journaliste fit entrer Jean dans un cubicule et lui indiqua une chaise de la main avant de glisser sa grande carcasse derrière un bureau encombré par de nombreux documents et une antique machine à écrire Underwood.

— Je t'ai dit que t'es chanceux parce que tu tombes à pic, poursuivit Marchand. Notre correspondant à Québec, Joseph Comeau, vient de tomber malade et a décidé de prendre sa retraite. J'ai persuadé tout à l'heure mon rédacteur en chef de m'envoyer le remplacer.

— Ah oui, fit Jean, qui ne comprenait pas trop bien en quoi cela le concernait.

— Il est prêt à le faire s'il parvient à trouver un journaliste capable de couvrir les affaires municipales à ma place, reprit le jeune homme en repoussant ses lunettes qui avaient glissé sur son nez. Je lui ai dit que je pensais avoir l'homme qu'il lui fallait: toi.

— Moi?

— Oui, je suis certain que, comme ancien du Collège Sainte-Marie, t'es capable de faire le travail, lui assura Olivier Marchand. Je vais te donner une couple de tuyaux et tu vas vite comprendre que c'est pas sorcier. Tu vas avoir à préparer quatre ou cinq papiers par semaine et l'affaire va être dans le sac. Qu'est-ce que t'en dis?

— C'est sûr que ça m'intéresse, reconnut Jean, soulevé par une vague d'allégresse teintée tout de même d'un peu d'inquiétude. T'es certain que je suis capable de faire ça? prit-il la précaution de demander à celui qui s'offrait pour être son mentor.

— Sans problème. On va prendre le reste de l'avant-midi pour te mettre au courant des dossiers dont je m'occupe et après ça, un peu avant midi, je vais t'amener voir mon rédacteur en chef. À ce moment-là, tu vas être bien armé pour le convaincre que t'es capable de faire le travail. Qu'est-ce que t'en dis?

— Allons-y. Je t'écoute.

Durant près de deux heures, le journaliste parla de la campagne électorale que préparait le maire Camilien Houde pour se faire réélire à la tête de la Ville de Montréal au mois de novembre suivant, ainsi que des défis qu'il aurait à relever. Il lui résuma les déclarations incendiaires de monseigneur Charbonneau, archevêque de Montréal, qui mettait le gouvernement provincial au défi de faire quelque chose pour régler la crise du logement et la hausse du coût de la vie dans la métropole canadienne. Il l'informa des dernières affaires criminelles qui allaient occuper les tribunaux de Montréal dans les semaines à venir en lui rappelant qu'il pouvait être appelé à couvrir ces événements. Il lui parla des négociations en cours avec les pompiers et les policiers de la municipalité, ainsi que de la vaste campagne menée par les autorités municipales pour améliorer l'hygiène dans certains quartiers ouvriers.

Peu avant l'heure du dîner, un peu étourdi par toutes les informations dont on venait de le gaver, Jean fut jugé prêt à affronter le redoutable rédacteur en chef du journal.

— Méfie-toi de lui, lui chuchota Marchand avant de frapper à la porte du bureau du patron. Il est méticuleux et pas mal exigeant. En passant, je lui ai dit que t'avais un peu d'expérience. Va pas dire le contraire.

— Mais j'ai pas d'expérience, protesta Jean.

— Ben oui, t'en as. T'as juste à lui dire que t'as fait pas mal de reportages à la pige pour des journaux régionaux.

Sur ces mots, le journaliste dégingandé frappa. Jean, mal à l'aise et le visage pâle, attendit à ses côtés.

— Entrez! fit une voix de basse de l'autre côté de la porte.

Marchand ouvrit la porte et fit passer Jean Bélanger devant lui.

— Bonjour, monsieur Fiset. Je vous ai amené Jean Bélanger, le journaliste dont je vous ai parlé ce matin.

— Entrez et assoyez-vous, dit l'homme en désignant deux chaises placées devant son bureau surchargé de papiers.

Antoine Fiset était un homme âgé de quarante-cinq ans, cinquante tout au plus, posé et d'une politesse plutôt glaciale. Par ailleurs, son bureau était une sorte de havre de paix si on le comparait à la bruyante salle voisine. Il remonta ses lunettes sur son front dénudé et ses petits yeux noirs scrutèrent Jean durant un bref moment.

— Bon, j'ai pas grand temps à vous accorder, déclara l'homme d'entrée de jeu. J'attends Jacques Beauchamp pour organiser les pages sportives du numéro de demain. Quel âge avez-vous? ajouta-t-il.

— Vingt et un ans, monsieur.

Un appel téléphonique obligea le rédacteur en chef à s'interrompre et il expliqua longuement à son interlocuteur ce qu'il désirait qu'il fasse. Pendant ce temps, Jean se rappela son dernier anniversaire.

Il avait célébré son vingt et unième anniversaire de naissance sept jours plus tôt. À son retour à la maison après sa soirée de travail à la gare, il avait trouvé sur la table de cuisine divers cadeaux et son gâteau au chocolat préféré, confectionné par sa mère.

— Ton père et ton frère ont apporté ça après le souper, lui dit Reine, qui venait de quitter son lit. C'est pour ta fête.

Sur ce, elle lui avait souhaité un bon anniversaire et était retournée se mettre au lit en refusant de manger un morceau du gâteau cuisiné par sa belle-mère. Ému par tant d'attentions des siens, Jean s'était assis à table et avait ouvert les cadeaux offerts par ses parents, Lorraine et Claude avant de se verser un grand verre de lait et de manger un morceau de gâteau. Il ne fut même pas étonné de constater que Reine ne lui avait rien donné ni n'aurait rien préparé.

Antoine Fiset le tira de sa rêverie en le soumettant à une avalanche de questions qui avaient pour but de sonder l'étendue de ses connaissances du monde municipal montréalais. Vingt minutes plus tard, il mit fin à son enquête et sembla satisfait de ce qu'il venait d'entendre.

Pour sa part, Jean ignorait s'il s'était bien tiré d'affaire et sentait la sueur lui couler dans le dos.

— Bon, il reste à savoir maintenant si vous savez écrire, poursuivit Fiset. Quelles études avez-vous faites, monsieur Bélanger ?

— J'ai fait mon cours classique, monsieur.

— C'est pas une grosse garantie que vous savez écrire. Je verrai si vous faites l'affaire en lisant vos premiers papiers.

Le rédacteur en chef sembla réfléchir un court moment avant de déclarer en se levant :

— Je vais vous prendre à l'essai pour trois mois. Vous commencez aujourd'hui. Il y a une réunion du conseil municipal ce soir. Vous me rapporterez un papier de deux cents mots avant l'heure de tombée. Pour le salaire, il va de soi que vous commencerez au bas de l'échelle, soit vingt-cinq dollars par semaine, à part, bien sûr, les frais de déplacement. Monsieur Marchand, voyez à ce qu'on lui remette son accréditation et trouvez-lui une place où travailler, voulez-vous ?

— Oui, monsieur.

Sur ce, on frappa à la porte. Antoine Fiset tendit la main à son nouveau journaliste, signifiant ainsi la fin de l'entretien. Quand Marchand ouvrit la porte, il se retrouva en face de Jacques Beauchamp qui laissa passer les deux visiteurs avant de pénétrer dans le bureau de son patron.

À sa sortie, Jean était euphorique. Il avait la chance de commencer une nouvelle vie. Il suivit Olivier Marchand qui lui indiqua une alcôve à une faible distance de la sienne. Un vieux bureau, deux chaises et une machine à écrire en composaient l'ameublement.

— Ici, t'es chez vous, déclara le journaliste. À cette heure, viens avec moi pour qu'on te donne ton accréditation et qu'on te mette sur la liste de paye.

— Qu'est-ce que monsieur Fiset a voulu dire par frais de déplacement? lui demanda Jean pendant qu'ils se dirigeaient vers le bureau du personnel.

— Si un reportage t'oblige à rentrer chez vous ou au bureau quand les tramways circulent plus, tu prends un taxi et tu demandes un reçu et le journal te rembourse. Dans les autres cas, le journal te rembourse tes billets de tramway.

— Parfait.

Les formalités furent réglées en quelques minutes et les deux jeunes hommes quittèrent l'endroit et retournèrent vers la salle de rédaction.

— Bon, je te laisse t'organiser un peu. À cette heure, il faut que j'aille me mettre au courant des dossiers de Comeau, déclara Marchand.

— Je te remercierai jamais assez de ton aide, fit Jean en lui tendant la main. Tu peux pas savoir comme je suis content d'avoir ce travail-là.

Marchand sembla se rendre compte subitement de l'émoi de son jeune collègue et lui serra la main.

— Ah oui, deux conseils avant que je te laisse, ajouta-t-il, très solennel. Tout d'abord, parle jamais contre l'Union nationale ni contre le clergé dans tes articles. Et là, je suis sérieux! Souviens-toi toujours que le journal appartient au parti de Maurice Duplessis. Une seule critique et tu vas te retrouver dehors avant même que tu t'en rendes compte. Deuxième conseil, écris simplement, avec des mots de tous les jours. Le *Montréal-Matin*, c'est pas *Le Devoir* ou même *La Presse*. Pas de grandes phrases ou de mots savants. Nous, on écrit pour le peuple. Tu vas vite t'apercevoir que Fiset acceptera pas que tu cherches à épater. Dis-toi bien que ton article, c'est pas une dissertation comme au collège.

— J'ai compris.

— Parfait. De toute façon, à soir, quand tu reviendras au journal, tu pourras venir me montrer ton papier avant de le donner à Fiset. Moi, je pars toujours après l'heure de tombée. Perds pas ton temps après la réunion du conseil. Reviens vite et, en chemin, prépare ton papier dans ta tête si tu veux être prêt à temps. Souviens-toi de la règle d'or qu'un reporter doit respecter. Toujours répondre dans ton papier aux questions: Qui? Quoi? Où? Quand? Comment? Et pourquoi?

— Merci, je m'en souviendrai, promit Jean. Ah! Un dernier détail. Comment fait-on pour les heures de présence au journal?

— Habituellement, tu te pointes ici vers huit heures et tu te présentes au bureau du rédacteur en chef qui te confie du travail. J'ai vu que t'avais l'air surpris du salaire que t'allais gagner, mais dis-toi bien que c'est pas si bien payé que ça quand tu calcules que tu es en devoir presque sept jours sur sept. Bien sûr, tu vas avoir droit à des jours de congé quand il n'y a rien de prévu sur la scène municipale. Après ta rencontre avec Fiset le matin, tu peux faire ce que tu veux de ta journée et préparer ton travail comme tu l'entends, pourvu que tu remettes ton article à l'heure. Là, tu sais ce que t'as à faire aujourd'hui.

— C'est parfait, conclut Jean avec un sourire.

Dès que Marchand eut tourné les talons, il vérifia la bonne marche de la machine à écrire et la présence d'une rame de papier dans l'un des tiroirs du bureau avant de décider de se rendre au bureau du personnel du Canadien National pour signifier qu'il abandonnait son travail.

Une heure plus tard, il pénétra dans le bureau d'Aimé Corriveau, passablement étonné de le voir.

— Ne viens pas me dire que t'as encore des problèmes avec ton *boss* ? fit-il en retrouvant le tutoiement qu'il avait abandonné lors de sa dernière visite.

— Non, monsieur Corriveau. Je m'entends très bien avec monsieur Demers. Je viens plutôt juste vous prévenir que j'arrête de travailler pour le Canadien National.

— Tiens !

— J'ai trouvé un emploi de journaliste et je vais essayer de me faire un nom, expliqua Jean avec une fierté évidente.

— C'est correct, fit le directeur du personnel en lui tendant la main. Je te souhaite bonne chance. T'as juste à passer à côté pour qu'on te paie ce qu'on te doit.

— Merci, monsieur.

Aimé Corriveau lui tendit la main et Jean quitta le bureau. Après un bref arrêt au comptoir de la pièce voisine pour prendre possession de la somme qu'on lui devait, il quitta sans regret la gare Windsor. Le cœur léger, il rentra à la maison au début de l'après-midi.

— Ça a bien pris du temps, cet examen-là, dit Reine en train de ranger la nourriture que son jeune beau-frère venait de lui apporter à titre de livreur de l'épicerie Drouin.

— T'es allée faire tes commissions un mercredi ? s'étonna Jean sans se donner la peine de répondre.

— Au cas où tu le saurais pas, demain, tout va être fermé à cause de la Saint-Jean-Baptiste, et même vendredi, les épiceries ouvriront pas.

Jean s'assit au bout de la table et s'alluma une cigarette. Il laissa sa femme finir son rangement. Au moment où elle allait allumer la radio, il s'interposa.

— Attends, lui dit-il. J'ai quelque chose à te dire.

— Qu'est-ce qu'il y a ? demanda-t-elle, agacée.

— À matin, je suis pas allé à un examen médical, lui avoua-t-il. Je suis allé passer une entrevue pour une nouvelle *job*.

— Bon, v'là autre chose, fit-elle, apparemment inquiète.

— À partir d'aujourd'hui, je suis journaliste au *Montréal-Matin*. J'ai lâché le Canadien National.

Reine fut trop étonnée pour formuler la moindre remarque durant un long moment. Finalement, elle surmonta sa surprise pour demander du tac au tac à son mari :

— Est-ce que c'est plus payant que le Canadien National ?

— Oui, un peu plus, mais seulement à la fin de l'été, quand je serai permanent, mentit-il. Là, je vais gagner quinze piastres par semaine, comme au Canadien National.

Durant le trajet qui l'avait ramené à la maison, le jeune homme avait décidé de cacher à sa femme qu'il allait gagner chaque semaine dix dollars de plus qu'à l'emploi qu'il venait de quitter. Depuis son mariage, il en avait assez de calculer le moindre cent. Reine avait décidé, à titre de responsable des finances familiales, qu'il avait assez de deux dollars chaque semaine pour payer son transport et acheter son tabac. Dorénavant, il aurait un montant confortable à sa disposition pour faire face aux imprévus et il n'aurait plus à quémander à celle qui tenait les cordons de la bourse un peu trop serrés à son goût.

— Si je comprends bien, il y a pas grand avantage à avoir changé d'ouvrage, reprit sa femme d'une voix acide. Tu gagneras pas une cenne de plus.

Cette remarque de Reine le mit en colère.

— Aïe ! Reine Talbot, réveille-toi, calvince ! Depuis qu'on est mariés, t'arrêtes pas de me faire comprendre que t'as honte de me voir laver des planchers. Là, j'ai une *job* de journaliste et tu trouves encore à chialer !

— Ben non, je critique pas. Mais je pensais que ce serait mieux payé. Là, j'ai préparé du pâté au saumon pour dîner, ajouta-t-elle en changeant de sujet de conversation. En veux-tu ou t'aimes mieux attendre le souper ?

— J'ai faim, se contenta-t-il de dire. De toute façon, je serai pas ici pour souper. À soir, je dois aller à la réunion spéciale du conseil municipal et rentrer au journal pour écrire mon premier article, qui doit être remis avant la fin de la soirée. Je sais même pas à quelle heure je vais rentrer.

— Est-ce que ça va être comme ça tous les jours ? demanda-t-elle.

— Je le sais pas. Mon ouvrage va être de couvrir tout ce qui se passe en ville.

— Ça va être le fun encore de jamais savoir quand tu vas rentrer manger, laissa-t-elle sèchement tomber.

Avant de dresser son couvert, la jeune femme alluma enfin la radio. De son côté, Jean était amèrement déçu. Il avait naïvement cru que sa femme serait aux anges d'apprendre qu'il était parvenu à décrocher un emploi plus valorisant que celui qu'il exerçait. Il aurait dû s'en douter, c'était d'abord l'argent qui l'intéressait. Il était certain qu'elle se serait beaucoup plus réjouie s'il lui avait dit qu'il gagnerait vingt-cinq dollars par semaine…

À la fin de l'après-midi, il annonça à Reine qu'il devait partir sans lui mentionner que son intention était de s'arrêter chez ses parents pour leur apprendre la bonne nouvelle. Comme il s'y était attendu, son père et sa mère furent enchantés d'apprendre que son nom allait se retrouver au bas de certains articles publiés dans le *Montréal-Matin*.

— Je pense même que je vais essayer de lire ce journal-là de temps en temps au lieu de *La Presse* ou *La Patrie*, promit Félicien.

— Quand je vais dire ça à la famille, reprit Amélie, toute fière, ça va jaser, je te le garantis.

— Comment ta femme a pris ça ? fit son père, curieux. Je suppose qu'elle doit être pas mal contente.

— Oui, pas mal, répondit Jean, sans en dire plus.

Amélie lança un coup d'œil à son mari. Au ton de la voix de son fils, elle avait compris que Reine n'avait pas manifesté un grand enthousiasme en apprenant la nouvelle.

Ce soir-là, Jean Bélanger, armé d'un calepin et d'un crayon, alla prendre place dans la salle du conseil à l'hôtel de ville de Montréal. Il écouta les débats avec soin et prit en note les points importants du rapport des inspecteurs municipaux faisant état de l'insalubrité d'un bon nombre de logements dans le sud-ouest de la ville. À la fin de la réunion somme toute assez brève, il se joignit aux quelques journalistes qui tinrent à poser quelques questions au maire, Camilien Houde. Ce dernier répondit avec sa jovialité habituelle.

Le journaliste en herbe rentra sans tarder au journal et s'empressa d'écrire l'article d'une vingtaine de lignes exigé par le rédacteur en chef. Quand il l'eut terminé, il passa devant l'alcôve occupée par Olivier Marchand et lui demanda de jeter un coup d'œil à son texte. Ce dernier le lut et l'approuva.

— Ça devrait faire l'affaire, laissa-t-il tomber. Normalement, Fiset devrait l'accepter.

Encouragé, Jean alla frapper à la porte d'Antoine Fiset et lui tendit son article. Ce dernier le lut rapidement.

— C'est correct, fit-il d'une voix neutre. La prochaine fois, je veux une introduction mieux structurée et plus de *punch* dans la conclusion. Demain, tu vas aller t'installer au début du défilé de la Saint-Jean-Baptiste et tu vas me décrire les chars allégoriques les plus intéressants. Après, éloigne-toi et mêle-toi aux gens dans la foule pour prendre le pouls de leurs réactions. Trouve un bon petit mot pour le garçon qui fait le saint Jean-Baptiste et parle aussi de l'accueil qu'on va réserver au maire qui devrait suivre le défilé dans une voiture ouverte. Tu me pondras un papier d'environ trois cents mots là-dessus.

— Entendu, monsieur Fiset.

À sa sortie du bureau, Jean fut intercepté par Marchand.

— Il l'a pris ?

— Oui, mais on dirait qu'il a pas aimé mon introduction et ma conclusion.

— C'est normal, le rassura son confrère. Attends-toi à ce qu'il critique tout ce que tu vas écrire durant ta période d'essai. Il fait ça avec tous les nouveaux. Je te garantis que tu vas apprendre pas mal de choses avec lui. C'est un excellent professeur et il est capable de faire de toi un bon journaliste.

Jean rentra chez lui un peu après minuit, heureux de cette première journée au journal. Il était déjà en train d'oublier les cinq derniers mois passés à la gare.

Chapitre 26

Une nouvelle vie

Le mois de juillet 1947 s'annonçait comme le mois le plus chaud que la métropole ait connu depuis bien longtemps. Depuis près de deux semaines, Montréal étouffait sous une humidité suffocante qui semblait ne jamais vouloir finir. Cette véritable canicule fit en sorte que la démission, le 7 juillet, d'André Laurendeau, le chef provincial du Bloc populaire, passa presque inaperçue tant les gens souffraient de la chaleur.

— Si encore il y avait un orage de temps en temps, se plaignit Reine en s'épongeant le front, on respirerait mieux. Mais là, on crève du matin au soir.

— Au moins, tu peux rester tranquillement à la maison sans avoir à courir, répliqua Jean, agacé par ses jérémiades.

Depuis son entrée en fonction comme journaliste au *Montréal-Matin*, ce dernier réalisait progressivement que cette profession avait des exigences autrement plus grandes que ce qu'il avait imaginé. S'il avait cru un instant que le seul fait d'avoir fait pratiquement tout son cours classique en faisait un journaliste accompli, Antoine Fiset lui prouvait quotidiennement le contraire en l'obligeant à rédiger à nouveau certains articles qu'il jugeait mal structurés ou bâclés. Bref, le journaliste néophyte était d'autant plus tendu qu'il craignait chaque jour que son patron mette fin à sa période d'essai et le renvoie sur le marché du travail.

Par ailleurs, Jean devait reconnaître que sa femme s'était facilement pliée à son nouvel horaire de travail. Elle avait même fini par tirer une certaine fierté de son changement de situation et montrait volontiers à ses parents et connaissances les articles signés par son mari dans le quotidien montréalais. Profitant de ces nouvelles bonnes dispositions, ce dernier l'avait convaincue de rendre des visites régulières autant à ses propres parents qu'aux siens.

Pour lui montrer qu'il appréciait à sa juste valeur cette heureuse métamorphose, il ne rechignait plus à l'accompagner en soirée au parc La Fontaine tout proche quand son horaire de travail le lui permettait. Grâce à ses érables centenaires et à ses canaux, le parc était l'endroit idéal pour profiter d'un peu de fraîcheur. Certains soirs, le jeune homme aurait aimé louer un canoë et sillonner paresseusement les canaux en compagnie de sa femme, mais Reine refusait obstinément de débourser les vingt-cinq cents exigés pour la location. Même s'il possédait maintenant suffisamment d'argent pour assumer cette dépense, il préférait ne pas le faire pour ne pas mettre la puce à l'oreille de sa femme. Par conséquent, ils finissaient toujours par aller s'asseoir près du kiosque où une fanfare venait jouer à la tombée de la nuit. Ils demeuraient là de longues minutes à admirer les jeux de lumière sur ce que les Montréalais appelaient la fontaine lumineuse.

En somme, près de trois mois après son mariage, le jeune couple finit par établir une sorte de tradition. Il prit l'habitude de consacrer un soir par semaine à une courte visite familiale. Pour y parvenir, Jean avait dû tout de même insister longuement auprès de sa femme et même la menacer de la laisser seule à l'appartement. Ainsi, le mari et la femme avaient commencé à aller veiller sur la galerie des Bélanger et sur celle des Talbot assez régulièrement.

Quand Félicien voyait son fils et sa bru tourner au coin de la rue Brébeuf, il ne pouvait s'empêcher de murmurer à sa femme :

— Maudit qu'elle a l'air fraîche. Regarde-la, on dirait qu'elle porte pas à terre.

— Voyons, p'pa, elle est pas si pire que ça, disait Lorraine, assise avec ses parents sur la galerie pour prendre l'air.

En prononçant ces paroles, il était évident que la jeune femme n'éprouvait pas beaucoup de sympathie pour sa jeune belle-sœur qui se montrait toujours assez froide avec les Bélanger. À l'exemple de sa mère, elle ne tolérait Reine que par amour pour son frère.

— En tout cas, ça me surprendrait pas pantoute que Jean soit obligé de lui tordre le bras pour venir nous voir, dit un jour le facteur.

— Ça, ça nous regarde pas, Félicien, avait rétorqué Amélie. Si elle veut que Jean aille avec elle chez les Talbot, elle doit s'habituer à venir nous voir avec lui.

Amélie regarda attentivement sa bru s'approchant, pendue au bras de son mari. Elle ne put que constater que Reine se déplaçait la tête bien droite, le dos cambré et le visage fermé. Les quelques voisins qui connaissaient les deux jeunes gens les saluaient au passage, mais ils ne recevaient en échange qu'un bref salut de la tête de Reine.

Bref, depuis trois semaines, Jean et sa femme avaient donc pris l'habitude de venir rendre visite aux Bélanger une heure ou deux chaque semaine et on en profitait pour échanger les dernières nouvelles. Souvent, Félicien abordait les sujets traités dans les derniers articles signés par son fils, lui prouvant ainsi qu'il avait définitivement abandonné la lecture de *La Presse*.

Le jeune couple faisait exactement la même chose avec les Talbot. Quand Jean et sa femme descendaient chez eux pour veiller, ils le faisaient par l'escalier arrière parce qu'ils étaient sûrs d'y trouver Fernand et Yvonne déjà installés sur la galerie qui donnait sur la ruelle. Yvonne se cantonnait à une extrémité du balcon en compagnie de sa fille pendant que Jean prenait place près de son beau-père en train de fumer béatement l'un de ses gros cigares Tip-Top malodorants. La conversation avec le commerçant de la rue Mont-Royal n'était pas aisée parce que ce dernier ne faisait pas grand effort pour l'alimenter. Il ne s'intéressait à ce que lui disait son gendre que lorsque ce dernier abordait l'actualité municipale.

Au milieu de la troisième semaine de juillet, la chaleur humide n'avait pas encore desserré son étau sur la région montréalaise et les gens avaient l'impression de vivre dans une véritable fournaise. Cependant, il y avait de l'espoir depuis quelques heures parce que le ciel s'était couvert de lourds nuages cuivrés. Peut-être allait-on enfin avoir de la pluie.

À peine le souper terminé, Félicien et Amélie s'étaient empressés de sortir leurs chaises berçantes sur leur galerie pour tenter de profiter du petit courant d'air. Claude, propriétaire depuis le début des vacances d'une vieille paire de patins à roulettes, avait pris la direction du parc La Fontaine avec des amis, malgré la chaleur, dans l'intention de s'amuser dans les allées récemment asphaltées. Lorraine n'était pas rentrée manger à la maison. Christian devait l'emmener au cinéma après sa journée de travail chez Messier.

— Dis donc, fit soudain Amélie, son tricot sur les genoux et la tête tournée vers la rue Mont-Royal, c'est pas ta mère et Rita qui s'en viennent?

Son mari leva les yeux de son journal pour regarder dans la même direction qu'elle. Il reconnut immédiatement les deux femmes qui s'avançaient sans se presser sur le trottoir.

— Ma foi du bon Dieu, c'est ben trop vrai! s'exclama-t-il. Veux-tu ben me dire à quoi a pu penser Rita de laisser sortir la mère par une chaleur pareille. Bâtard! Il me semble qu'une garde-malade devrait être assez intelligente pour pas laisser marcher une femme de soixante-seize ans en plein soleil quand il fait aussi chaud.

Le postier abandonna son journal sur sa chaise et s'empressa de descendre l'escalier pour aller à la rencontre de sa vieille mère.

— Bonsoir, m'man, la salua-t-il en l'embrassant sur une joue. Bonsoir, Rita. Vous êtes braves en sacrifice de faire vos visites de politesse quand on crève de chaleur comme ça, ajouta-t-il en jetant un regard désapprobateur à sa sœur.

— Regarde-moi pas comme ça, lui ordonna sa sœur bien en chair. J'ai bien essayé de la faire changer d'idée, mais tu la connais. Elle écoute jamais, elle est têtue comme une mule.

— Aïe! protesta Bérengère, toujours aussi irascible. Je suis pas une enfant et j'ai pas besoin qu'on me dise ce que j'ai à faire. Il fait beau. J'ai décidé de venir voir comment Jean et sa petite femme se débrouillaient. Viens donc nous montrer où ils restent, conclut-elle en s'immobilisant au pied de l'escalier tournant qui conduisait chez les Bélanger.

— Je sais pas trop s'ils sont là à soir, m'man, fit Félicien, qui ne savait pas trop comment sa bru allait prendre cette visite impromptue.

— Le meilleur moyen de le savoir, c'est d'aller sonner à leur porte, répliqua la vieille dame. Si ça répond pas, ça veut dire qu'ils sont pas là ou qu'ils veulent pas nous voir, d'après moi, ajouta-t-elle, sarcastique. Envoye ! On n'est pas pour prendre racine sur le trottoir.

— Attendez une seconde, m'man. Amélie va venir avec nous autres.

Félicien leva la tête à temps pour voir sa femme se pencher au-dessus du garde-fou.

— Viens avec nous autres, lui dit-il. On va faire un saut chez Jean.

Amélie salua les visiteuses, verrouilla la porte et descendit les rejoindre au pied de l'escalier. Tous les quatre retournèrent rue Mont-Royal et Félicien sonna chez son fils en espérant que ce soit ce dernier qui réponde. La chance lui sourit, Jean déclencha l'ouverture de la porte et eut la bonne idée de s'exclamer avec bonne humeur en apercevant les visiteurs debout au pied de l'escalier.

— Ah ben, de la belle visite ! Montez donc, les invita-t-il. Vous allez voir que l'air est pas mal plus frais ici, en haut.

Quelques secondes plus tard, Reine apparut sur le palier et regarda les quatre visiteurs monter lentement la double volée de marches sans manifester trop de plaisir. L'ascension était passablement ralentie par la grand-mère qui avait le souffle court.

— Mon Dieu que vous restez haut ! ne put-elle s'empêcher de dire en posant le pied sur le palier du second étage. Si ça a du bon sens d'obliger le monde à grimper aussi haut.

Jean avertit sa femme du regard de ne pas répliquer, ce qu'elle s'apprêtait à faire.

— Venez vous asseoir au salon. La fenêtre est ouverte et il fait pas trop chaud, invita Jean en précédant ses parents, sa grand-mère et sa tante dans la pièce qui donnait sur la façade de l'immeuble.

Reine embrassa du bout des lèvres les quatre personnes qui venaient de franchir le pas de sa porte et leur offrit un verre de citronnade pour se rafraîchir. Amélie se rendit compte tout de suite que sa belle-mère lorgnait sans aucune gêne la taille de sa bru, comme si elle tentait de déceler une prochaine grossesse.

— Vous êtes pas venues en p'tits chars, j'espère ? dit Jean à sa tante et à sa grand-mère.

— Tu penses tout de même pas, mon garçon, qu'on allait prendre un taxi, rétorqua Bérengère. On n'est pas riches au point de jeter notre argent par les fenêtres.

Reine revint en portant des verres de citronnade sur un plateau et chacun se servit en la remerciant.

— Puis, comment t'aimes ça être journaliste ? lui demanda sa tante Rita.

— Je suis juste à l'essai, ma tante, mais c'est pas mal intéressant.

— Tes tantes me lisent ce que t'écris dans le drôle de journal…

— Ta grand-mère appelle le *Montréal-Matin* un drôle de journal parce qu'il est tout petit, expliqua Rita Bélanger à son neveu.

— C'est sûr qu'il est plus petit que les autres journaux, mais c'est pour permettre aux travailleurs qui voyagent en tramway de pouvoir le lire plus facilement, grand-mère.

— Elles me lisent ce que t'écris parce que je commence à avoir de la misère avec mes yeux, même avec des lunettes. Je te dis que c'est pas drôle de vieillir, ajouta-t-elle, la mine sombre.

— Voyons, m'man, vous allez tous nous enterrer, voulut la consoler Félicien.

— J'y tiens pas pantoute, conclut sèchement la vieille dame.

Les visiteurs demeurèrent sur place une trentaine de minutes avant de prendre congé. Au moment de partir, Bérengère tint à dire à son petit-fils:

— On reste toujours sur Saint-Urbain, mon garçon. C'est pas au bout du monde. Viens donc avec ta femme veiller un bon soir. Ça nous fera plaisir de vous recevoir. L'invitation est bonne pour vous aussi, dit-elle à l'intention de Félicien et d'Amélie.

Au moment de tourner au coin de Brébeuf, cinq minutes plus tard, Bérengère annonça à son fils et à sa bru:

— Bon, on va vous souhaiter le bonsoir.

— Ben voyons, madame Bélanger, vous allez au moins venir manger un morceau de gâteau et boire une tasse de café avant de vous en retourner, protesta Amélie.

— T'es ben fine, Amélie, mais ce sera pour une autre fois, refusa la mère de Félicien. Je sais pas si je me trompe, mais on dirait que l'orage est à la veille d'arriver. À part ça, je pense que j'ai monté assez d'escaliers à soir. On va plutôt essayer de rentrer à la maison avant que la pluie nous tombe dessus.

— Merci, Amélie, intervint Rita qui avait été passablement silencieuse durant toute la brève visite. Je pense que ma mère a raison. Il est à la veille de mouiller.

Félicien et Amélie étaient restés à discuter avec leurs visiteuses en attendant le prochain tramway. Ils ne se décidèrent à rentrer chez eux que lorsque ce dernier eut démarré vers l'ouest en emportant Rita et Bérengère.

— C'est drôle pareil que ma mère vienne nous voir en pleine semaine, surtout quand il fait aussi chaud, dit Félicien en se dirigeant vers la rue Brébeuf.

— Tu sais bien qu'elle est pas venue pour nous autres, le corrigea sa femme, qui marchait main dans la main avec son mari.

— Si c'était pour voir Jean, elle aurait pu attendre un peu, poursuivit le postier en s'allumant une cigarette.

— À mon avis, elle venait surtout pour voir Reine, laissa tomber Amélie.

— Pourquoi ?

— Sainte bénite, Félicien. On dirait que tu connais pas ta mère ! Tu sais bien qu'elle devait croire que Jean et Reine se sont mariés obligés. Elle est pas folle, ta mère. Elle a attendu assez longtemps pour que l'état de notre bru paraisse. Là, à soir, elle est venue voir si Reine était à la veille d'accoucher.

— Si c'est vrai ce que tu dis là, elle a dû être pas mal déçue, ajouta Félicien en abandonnant la main de son épouse pour prendre les clés de l'appartement.

— Peut-être pas, fit sa femme d'une voix pensive. Elle doit surtout se demander pourquoi Jean s'est marié si vite s'il était pas obligé de le faire. En tout cas, laisse faire. On finira bien par savoir le fin mot de l'histoire par Camille ou Rita quand on les verra seules.

Amélie finissait à peine de parler que le ciel devint brusquement tout noir.

Un éclair zébra le ciel et le tonnerre gronda à l'ouest et presque en même temps quelques grosses gouttes de pluie vinrent s'écraser sur les marches de l'escalier alors qu'Amélie et Félicien ouvraient la porte de l'appartement.

Pour profiter du temps finalement plus frais grâce à cette pluie, les époux Bélanger s'installèrent sur la galerie, repoussant les chaises berçantes plus près du mur où ils étaient protégés de la pluie par le balcon des Lussier.

— J'espère que Claude sera pas assez bête pour aller se mettre en dessous d'un arbre, dit Amélie, inquiète, en regardant la pluie qui s'intensifiait progressivement.

Plusieurs éclairs accompagnés de coups de tonnerre précédèrent subitement un véritable déluge. Le ciel venait d'ouvrir ses vannes et un vent violent poussait le rideau opaque de pluie à l'horizontale. Soudain, la rue Brébeuf s'était vidée de tous ses passants et des enfants qui s'amusaient quelques minutes plus tôt sur les trottoirs. La pluie dansait dans la rue et claquait sur les toits des automobiles.

— Il me semble qu'on respire déjà mieux, dit Amélie.

Un bruit de course la fit étirer le cou pour voir qui courait sur le trottoir. Elle n'eut pas à s'interroger très longtemps. Il y eut une cavalcade dans l'escalier et Claude apparut sur le balcon, les patins sur l'épaule, trempé de la tête aux pieds.

— Tu parles d'un insignifiant ! s'écria sa mère en l'apercevant. T'étais pas capable d'attendre que ça se calme avant de t'en venir ? Regarde de quoi t'as l'air, sans-dessein !

— Où est-ce que vous vouliez que j'aille, m'man ? J'étais déjà sur la rue Rachel quand ça a commencé à tomber.

— Va te changer et essaye au moins de pas mouiller mon plancher partout, lui ordonna sa mère.

— Je sais pas ce qu'on va faire avec ce numéro-là, dit Amélie à son mari quand l'adolescent eut disparu dans l'appartement.

Depuis le début de l'été, Claude travaillait six jours par semaine à transporter les commandes des clients de l'épicerie Drouin avec une bicyclette pourvue d'un grand panier métallique à l'avant. Il grandissait et adoptait de plus en plus des airs frondeurs, ce qui avait le don d'agacer sa mère.

~

Ce soir-là, chez Jean, Reine avait ramassé les verres des invités dans le salon et les avait lavés sans faire de commentaire sur la visite inopinée que la grand-mère et la tante de son mari venaient de leur rendre. La jeune femme s'était aperçue que la vieille dame l'avait reluquée un long moment et avait semblé déçue de ne pas voir ce qu'elle croyait probablement trouver. Après avoir rangé les verres, elle se préparait à sortir sur la galerie quand Jean rentra précipitamment.

— Il commence à mouiller, se contenta-t-il de lui dire.

Comme il n'existait aucune protection au-dessus de leur galerie, ils n'avaient d'autre choix que d'attendre que la pluie cesse avant de sortir.

— Il va faire plus frais et on va peut-être enfin mieux dormir, dit Reine en se dirigeant vers la radio pour l'allumer.

À la fin de la semaine suivante, au moment où il rentrait du travail, Jean trouva sa belle-mère en train de siroter une tasse de thé, assise au bout de la table de la cuisine. Il était plus de sept heures et il n'avait pas encore soupé. Reine lui servit son repas.

— Vous mangez pas avec nous ? offrit-il par politesse à Yvonne Talbot.

— On a déjà mangé, s'empressa de lui préciser Reine. T'arrives juste au moment où j'allais te laisser un billet. On s'en va chez Estelle. Lorenzo s'en vient nous chercher.

— Dites-moi pas que c'est enfin le temps ? demanda-t-il encore poliment.

Selon Reine et sa mère, Estelle était en retard d'une dizaine de jours pour donner naissance à son premier enfant. Les Caron étaient inquiets, mais pas autant qu'Yvonne qui tournait en rond dans son appartement, en attente de l'annonce de la délivrance de son aînée. Évidemment, Reine participait à tout cela et rendait de fréquentes visites à sa mère durant la journée pour s'informer.

— Charles a téléphoné à Lorenzo pour lui dire que le travail était commencé et on a décidé d'aller aider, dit Yvonne avec une certaine hauteur.

— Charles vous attend toutes les deux ? s'étonna Jean.

— Non, répondit Reine. Il s'attend juste à ce que ma mère y aille pour aider Estelle à se relever, mais je pense que je serai pas de trop, ajouta-t-elle avec assurance.

— Et votre mari, madame Talbot ?

— Mon mari est au magasin jusqu'à neuf heures, comme tous les vendredis, dit Yvonne. Il est capable de se débrouiller quelques jours sans moi.

Finalement, Reine ne revint à la maison que le lendemain et Jean ne la vit qu'à l'heure du souper, alors qu'il rentrait du journal, au moment où elle venait à peine de se lever.

— Es-tu revenue tard de chez ta sœur ? lui demanda-t-il.

— À dix heures à matin.

— Puis ?

— Estelle a eu un garçon. Elle a accouché vers six heures à matin. Le travail a arrêté au milieu de la nuit et il est reparti tôt dans la matinée. Je te dis que Charles était nerveux.

— Ta mère est restée à Saint-Lambert ?

— Oui, pour la semaine complète. Mais Charles a décidé de venir me conduire après le déjeuner.

— Tu pourrais peut-être offrir à ton père de venir manger avec nous autres si ta mère est pour rester avec ta sœur.

— Ben non, il y a pas de raison qu'on le nourrisse pour rien. De toute façon, je suis sûre que ma mère lui a préparé toutes sortes d'affaires à manger. Il est capable de se débrouiller tout seul.

Jean n'insista pas. Après tout, il s'agissait du père de sa femme et non du sien.

— Qui va être parrain et marraine ? demanda-t-il à Reine pendant qu'elle sortait une poêle de l'armoire.

— Charles a dit que c'était son père et sa mère. C'est normal, c'est un garçon. Ils vont le faire baptiser dimanche prochain. Il m'a demandé d'être la porteuse. Comme ils ont les moyens, Estelle et lui vont faire un gros baptême. Ils vont inviter toute la parenté chez eux et ils ont dit qu'ils commanderaient un buffet.

— C'est beau avoir de l'argent, laissa tomber Jean.

— Tu vas enfin pouvoir voir leur maison. C'est quelque chose, précisa-t-elle avec un air d'envie.

— As-tu pensé qu'il va falloir que t'ailles acheter un beau cadeau pour le petit ?

Les traits de Reine se figèrent légèrement quand elle entendit ces paroles. De toute évidence, elle n'avait pas songé à cela.

— Cet enfant-là va avoir tout ce qu'il va lui falloir, dit-elle. C'est peut-être pas nécessaire qu'on lui achète quelque chose.

— Voyons donc, Reine ! On donne toujours un cadeau quand ça arrive.

— Ma mère et mon père vont certainement acheter un cadeau. Ça pourrait faire pour toute la famille.

— Il en est pas question, s'insurgea son mari. On n'est pas pour passer pour des gratteux.

— Je sais pas, moi, ce qu'on devrait lui acheter.

— Achète-lui un ensemble pour bébé. Robillard, au journal, disait justement que sa femme, qui vient d'accoucher, a reçu des ensembles pour leur petite fille et qu'elle est ben contente de ça.

— C'est cher, cette affaire-là.

— Ça doit pas être si cher que ça.

Le lendemain, Reine montra à son mari un joli petit ensemble en lainage bleu qu'elle tira d'une boîte.

— J'espère que t'es content, là. Ça m'a coûté quatre piastres.

— C'est pas si cher, dit-il en admirant le vêtement et le bonnet.

— C'est cher, le contredit sa femme. Je pensais payer pas mal moins cher. Je suis allée chez Messier et j'ai demandé à ta sœur de me faire profiter du rabais que les employés ont quand ils achètent là. J'ai sauvé cinquante cennes.

Jean la scruta pour s'assurer qu'elle ne plaisantait pas avant d'éclater.

— Ah ben, calvince ! J'aurai tout entendu ! T'as pas honte d'aller déranger ma sœur et de quêter pour cinquante cennes ? Moi, à ta place, j'aurais été gêné ! Quand tu la rencontres chez mon père, c'est tout juste si tu lui parles. En plus, tu l'as même jamais invitée à venir faire un tour chez nous.

— Pour une fois qu'elle pouvait être utile, fit Reine, pourquoi je me serais gênée ?

— On n'est pas si pauvres que ça, bâtard ! s'emporta-t-il. Arrête de gratter la moindre cenne comme si on était dans la misère noire.

Reine ne se donna pas la peine de lui répondre. Elle remit l'ensemble dans son papier de soie et referma la boîte avant d'emporter le tout dans leur chambre à coucher.

Le dimanche après-midi suivant, Jean aurait bien aimé pouvoir couper à la corvée d'assister au baptême de son neveu, mais il fut incapable de trouver une raison valable pour refuser de monter dans la Chevrolet de son beau-frère Lorenzo quand il vint sonner à leur porte. Il avait toujours sur le cœur le refus de sa belle-sœur et de son mari de l'inviter au dîner de Pâques sous prétexte qu'il n'appartenait pas encore à la famille.

— Salut, les jeunes, dit Lorenzo avec bonne humeur en pénétrant dans le couloir après que Jean lui eut ouvert la porte. Traînez pas trop, le pont va être bloqué et on va arriver en retard au baptême. P'pa est déjà dans le char et il nous attend.

Reine était déjà prête. Son père l'avait prévenue la veille que son frère allait venir les prendre pour les conduire à Saint-Lambert.

— Je le trouve pas mal serviable, ton frère, avait alors dit Jean qui trouvait son beau-frère plutôt sympathique, même s'il ne l'avait guère vu depuis son retour de voyage de noces. Il est pas obligé de jouer encore une fois au chauffeur de taxi.

— Ça lui coûte pas plus cher de *gas*, rétorqua sa femme. De toute façon, il doit y aller au baptême.

— Je te dis, toi... commença le journaliste, mais il préféra ne pas compléter sa pensée.

En arrivant près de l'auto de Lorenzo, Jean découvrit son beau-père déjà installé sur la banquette arrière de la Chevrolet rouge vin. Il s'aperçut alors que le côté passager de la banquette avant était occupé par Rachel, l'amie de son beau-frère. Il la salua et cette dernière lui répondit avec un large sourire.

Reine aperçut la jeune femme en même temps que lui et son sourire se figea, probablement au souvenir que la femme élégante au visage agréable était mariée et séparée de son mari. Sans dire un mot, elle se glissa à l'arrière du véhicule et Jean vint la rejoindre.

— Vous reconnaissez Rachel? demanda Lorenzo par politesse.

Si Reine répondit à peine à l'accueil chaleureux de la femme, Jean s'empressa de prendre de ses nouvelles. Il aimait le charme et la distinction que dégageait Rachel Rancourt. Sa manière d'être et son profil délicat lui rappelaient douloureusement Blanche Comtois…

En ce début de dimanche après-midi du mois d'août, Lorenzo eut de la chance. Il n'eut à attendre qu'une dizaine de minutes avant de pouvoir traverser le pont Jacques-Cartier et prendre la direction de la rue Victoria, à Saint-Lambert. Quand l'automobile s'immobilisa le long du trottoir, six voitures étaient stationnées tant dans l'allée à gauche d'une maison en pierre à un étage que devant cette dernière. Tous descendirent. Pendant que Lorenzo et son père encadraient Rachel Rancourt, Reine retint Jean un peu en arrière pour lui glisser à voix basse:

— Il faut être effronté comme lui pour amener une femme comme ça au baptême. Quand ma mère va apprendre quel genre de femme c'est, elle va en faire une maladie.

— C'est pas de nos maudites affaires, rétorqua Jean, agacé. Moi, je la trouve ben correcte, cette femme-là.

— Moi, je trouve ça écœurant, trancha Reine en se mettant en marche vers la maison.

Pendant qu'ils se dirigeaient vers le domicile des Caron, Jean en examina l'extérieur. À son avis, il s'agissait d'une maison bien ordinaire et il comprenait mal que tous les Talbot s'entêtent à appeler ça un château. À côté de la maison des Comtois à Outremont, c'était une demeure de qualité, mais sans plus. Cependant, il ne put pas se faire immédiatement une opinion sur l'intérieur de la résidence de son beau-frère parce que les invités sortirent au même moment de l'endroit pour monter dans leurs voitures dans l'intention de se rendre à l'église.

Reine apparut sur le balcon en pierre en portant l'enfant qui allait se faire baptiser. Elle le prévint qu'elle montait dans la voiture du parrain et de la marraine avant de s'engouffrer dans une grosse Buick bleu nuit.

La cérémonie passa rapidement et on fit grand cas de ce que le bébé n'avait pas crié quand le prêtre avait fait couler de l'eau sur son front. Durant la cérémonie, Jean constata avec un certain malaise qu'à aucun moment un sourire d'attendrissement n'était venu adoucir le visage de sa femme quand elle regardait l'enfant qu'elle portait. D'ailleurs, de retour à la maison, elle s'empressa de le déposer dans les bras de la mère de Charles, qui se mit aussitôt à le cajoler.

Tout en servant des rafraîchissements aux invités, l'hôte expliqua qu'on avait donné le prénom de Thomas à son fils en l'honneur de son grand-père paternel. Au moment où Estelle se retirait dans sa chambre pour nourrir le bébé, son mari invita tout le monde à venir s'installer dans la cour arrière où le traiteur avait dressé une longue table chargée de victuailles. Même si on n'était qu'au milieu de l'après-midi, chacun fit honneur au buffet.

Jean avait craint d'être un peu snobé autant par les Grenier que par les Talbot et les Caron. Il ne connaissait pas la famille du dentiste, mais il se rappelait trop bien à quel point les Talbot et les Grenier l'avaient regardé de haut à ses noces. Cependant, il n'en fut rien. Il fallait croire que son beau-frère et ses beaux-parents avaient parlé à plusieurs de son travail de journaliste parce qu'on l'accueillit avec plaisir et on lui posa de nombreuses questions tant sur l'administration municipale que sur l'affaire Roncarelli.

— Duplessis a eu raison de demander à la Commission des liqueurs de suspendre son permis, déclara le père de Charles Caron. Ça avait pas d'allure. C'est lui qui payait les cautionnements de tous les Témoins de Jéhovah qui se faisaient arrêter.

— Peut-être, monsieur, mais l'affaire risque d'aller pas mal haut, lui fit remarquer Jean. Il y en a même qui disent que ça va aller jusqu'en Cour suprême parce que Roncarelli dit qu'il était dans son droit de le faire.

— De toute façon, si ça va jusque-là, affirma Edmond Grenier, un juge à la retraite, ça va prendre des années avant que ça se règle. En attendant, notre premier ministre va avoir d'autres chats à fouetter.

— Il devrait d'abord s'occuper des grèves dans le textile, intervint Fernand Talbot.

— T'as pas écrit d'articles sur ces grèves-là ? demanda Charles à son beau-frère.

— Non, c'est Gaston Meunier qui s'occupe de ça.

— Il va falloir que ça se règle avant que ça tourne mal, reprit le juge à la retraite. Au mois de mars, il y a eu des grèves à Lachute et à Louiseville. On a fait rentrer de force les ouvriers sans rien régler. Depuis cinq mois, si je me trompe pas, il y a sept mille ouvriers de la Dominion Ayers en grève. Il paraît qu'on leur offre juste deux cennes de plus de l'heure…

— C'est vrai ce que vous dites, monsieur Grenier, fit le dentiste. Il est temps que le gouvernement s'en mêle. Un de mes clients travaille à la Dominion Textile. Ils parlent de s'en aller en grève, eux autres aussi.

Pendant que les hommes parlaient de politique à une extrémité de la cour, les femmes avaient formé un petit cercle un peu plus loin. Jean se rendit compte que sa belle-mère avait pris la précaution de s'asseoir près de l'amie de son fils Lorenzo. Il en déduisit, sans grand risque de se tromper, qu'elle cherchait à savoir qui était exactement celle que son fils fréquentait.

Vers cinq heures, Lorenzo prévint discrètement ses passagers qu'il fallait se préparer à partir. Jean se retrouva pendant quelques instants seul en compagnie de Rachel Rancourt et en profita pour lui glisser à mi-voix:

— Ça doit vous soulager d'être sortie vivante de l'interrogatoire de ma belle-mère?

Rachel lui adressa un sourire entendu avant de murmurer:

— Je m'y attendais. Lorenzo m'avait prévenue.

— Mais faites-vous-en pas trop. Elle parle beaucoup, mais elle mord pas.

Ce dernier commentaire eut pour effet de faire sourire l'amie de Lorenzo. Un sourire qui ne la rendait que plus charmante d'ailleurs.

Au retour, Lorenzo ne ramena que Jean et Reine à la maison. Son père avait décidé de demeurer chez son gendre jusqu'à la fin de la soirée, moment où ce dernier avait promis de le raccompagner avec sa femme à la maison. Le représentant des produits Familex refusa de monter boire une tasse de café chez les Bélanger avec Rachel en prétextant qu'il avait des bons de commande à remplir avant de commencer sa semaine. Reine et son mari le remercièrent et prirent prendre congé.

Lorsque la Chevrolet rouge vin se fut éloignée en direction de l'est, Jean ne put s'empêcher de faire remarquer à sa femme:

— Il me semble que t'aurais pu insister un peu plus pour qu'ils montent.

— J'y tenais pas, tu sauras. Je dis pas, s'il avait été tout seul...

— Aïe, Reine Talbot, viens pas faire le curé. On n'a pas à juger le monde. Ce qui se passe entre ton frère et Rachel Rancourt nous regarde pas. Il y a déjà ben assez de ta mère qui a mené son enquête cet après-midi. Ajoutes-en pas, s'il te plaît. Il me semble que venant de quelqu'un qui s'est mariée en famille...

Jean ne termina pas sa phrase de peur que sa pensée ne l'amène sur un terrain glissant. Cependant, il avait clairement fait comprendre à sa femme qu'avant de juger les autres, il fallait peut-être se regarder dans le miroir de temps en temps. Reine et lui, qui étaient-ils pour juger Lorenzo et Rachel ?

Chapitre 27

Un vent de changement

Le mois d'août tirait doucement à sa fin. Déjà, le soleil se couchait plus tôt le soir et certaines nuits étaient devenues plus fraîches. Jean continuait à couvrir les affaires municipales et se sentait de plus en plus à l'aise dans un monde où il fallait avoir ses entrées. Il apprenait aussi à quel point les horaires d'un journaliste étaient exigeants. Au *Montréal-Matin*, il existait deux éditions, celle du matin et celle de l'après-midi. Il lui arrivait souvent d'avoir à écrire un article sur des événements différents pour chacune des heures de tombée, ce qui l'obligeait à de longues heures de travail. Lorsque cela se produisait, il rentrait à la maison aux petites heures du matin pour en repartir au milieu de l'avant-midi. Avec le temps, il commençait à comprendre aussi bien l'air épuisé de certains confrères que leur tendance à boire de façon déraisonnable pour tenir le coup.

Le dernier samedi du mois d'août, un coup de sonnette le fit sursauter alors qu'il se préparait pour une courte sieste. Reine, de son côté, était en train de se maquiller et s'apprêtait à aller faire du lèche-vitrine avec une certaine Gina, une camarade d'école qu'elle avait rencontrée par hasard quelques jours auparavant. À l'entendre, c'était l'une de ses rares amies et elle tenait à renouer avec elle.

— Laisse faire, je vais aller répondre, dit-il à Reine en quittant son fauteuil dans le salon.

Il déclencha l'ouverture de la porte et découvrit avec surprise son frère Claude sur le seuil.

— Monte, l'invita-t-il, heureux de le voir.

Il n'avait pas vu l'adolescent depuis une dizaine de jours.

— Qu'est-ce que tu fais là ? T'as pas de commandes à aller porter ? lui demanda-t-il.

— Je suis en vacances depuis hier soir, déclara Claude en finissant de monter la seconde volée de marches.

— Entre, viens t'asseoir.

Claude salua Reine en train de finir de se coiffer et suivit son frère dans le salon.

— Qu'est-ce qu'ils ont, tes cheveux ? Ils sont pas comme d'habitude, demanda Jean à son cadet.

— T'as remarqué ? fit Claude en tâtant doucement sa chevelure du bout des doigts. Je mets de la vaseline. Mes cheveux sont ben plus beaux avec ça.

— T'as l'air d'en mettre une tonne, dit Jean sur un ton critique.

— Viens pas faire comme m'man, se rebella l'adolescent. Elle dit ça, elle aussi. En plus, elle arrête pas de chialer que ça salit mes oreillers.

— OK, j'ai rien dit, s'excusa son frère aîné. T'es en vacances ? demanda-t-il pour changer de sujet de conversation.

— En plein ça.

— Mais il reste encore une dizaine de jours avant que tu recommences l'école, lui fit remarquer Jean en s'allumant une cigarette.

Claude tendit la main pour en obtenir une. Son frère n'eut pas le cœur de lui refuser ce petit plaisir et lui tendit son étui à cigarettes et son briquet Ronson.

— C'est en plein ce que j'ai dit à m'man, mais tu la connais. Elle a décidé que j'avais besoin de me reposer avant de retourner à l'école. C'est plate, mais c'est comme ça. J'ai dû lâcher ma *job* chez Drouin hier soir. Le bonhomme était pas content pantoute, je te le garantis.

— Pense plus à ça. Amuse-toi avant la rentrée, lui suggéra son frère.

— C'est ce que j'essaye de faire et c'est pour ça que je me suis dit que t'haïrais peut-être pas venir patiner avec moi au parc La Fontaine.

— Patiner ? Mais il y a pas de glace, s'esclaffa Jean pour ridiculiser un peu son jeune frère.

— Je le sais ben, protesta l'adolescent. Je voulais dire faire du patin à roulettes.

— T'es pas malade, toi ? C'est juste bon pour les filles, cette affaire-là.

— Pantoute, tu sauras que c'est la mode, cet été. C'est plein de gars qui vont patiner dans les allées du parc. C'est le fun en maudit. J'ai acheté une vieille paire de patins à l'un de mes amis il y a trois semaines. C'est plus facile de patiner avec ça dans les pieds qu'avec des patins à glace et tu vas pas mal plus vite.

— Tant mieux si t'aimes ça, fit Jean, mais même si je voulais y aller avec toi, j'ai pas de patins à roulettes, moi.

— J'y ai pensé. J'en ai emprunté une paire pour toi.

— C'est ben beau, mais j'en ai jamais fait, protesta le journaliste.

— Ça s'apprend tout seul, fit Claude. Dis-moi pas que t'es rendu tellement pépère que t'as pas le *guts* d'essayer quelque chose de nouveau. Viens donc. Je suis tout seul cet après-midi et c'est pas mal plate de patiner tout seul.

À l'extérieur, il faisait beau et frais et la tentation était grande de succomber à une pareille invitation pour un garçon de vingt et un ans habitué à faire du sport. Claude sentit l'hésitation de son frère et en profita pour pousser son avantage.

— Viens, je te le dis que ça va te faire du bien. T'es pas encore un petit vieux, non ?

— Où ils sont, ces patins-là ? demanda Jean en se levant après avoir éteint son mégot dans le cendrier.

— Je les ai laissés en bas de l'escalier.

— J'espère que tu les as pas laissés dans l'escalier, fit son frère. Mon beau-père et ma belle-mère…

— Ben non, je suis pas épais, je les ai mis au fond du portique.

Jean s'absenta un court instant pour prévenir Reine qu'il allait faire un tour avec son frère et il alla rejoindre ce dernier qui l'attendait déjà sur le trottoir, devant la porte. Claude lui tendit une paire de patins à roulettes qui avaient connu de meilleurs jours et qui semblaient surtout beaucoup trop petits pour lui.

— Pauvre toi, tu vois ben que je pourrai jamais mettre ces patins-là. Ils sont ben trop petits, dit-il à l'adolescent en lui tendant les patins qu'il venait de lui remettre.

— Ben non, le contredit Claude. Regarde, j'ai une clé. Avec ça, tu peux les élargir et les allonger autant que tu veux. Après, t'as juste à les attacher avec les *straps* sur tes souliers.

Peu convaincu, Jean imita tout de même son jeune frère, déposa sur son épaule la paire de patins et prit la direction du parc La Fontaine en sa compagnie.

— Tu sais ce qui est le plus le fun, dit Claude à un certain moment, c'est jouer au hockey en patins à roulettes avec une balle bleu-blanc-rouge.

— Peut-être, mais moi, j'aime encore mieux jouer avec des patins à glace sur une vraie patinoire, comme on l'a toujours fait.

Parvenus à l'entrée du parc, les deux frères Bélanger s'assirent sur un banc et entreprirent de chausser leurs patins. Claude dut enseigner à son frère comment adapter ses patins à ses chaussures.

— T'es sûr que ça va pas débarquer, cette affaire-là ? lui demanda Jean, inquiet, au moment de se lever.

— Ben non.

— Oui, c'est ben beau, mais comment on fait pour arrêter avec ça dans les pieds ?

— Tu mets un pied sur le côté, puis l'autre. Aie pas peur, ça va finir par arrêter.

Jean fit quelques pas maladroits en moulinant l'air de ses bras. Deux passantes s'écartèrent prudemment.

— Es-tu ben certain qu'il y a des gars qui font du patin à roulettes, toi ? demanda-t-il à l'adolescent. J'en vois pas un nulle part, fit-il en regardant autour de lui. Pis, tout le monde me regarde.

— C'est parce que tu t'es pas vu. Écoute-moi au lieu de t'énerver. Laisse-toi glisser, lui conseilla Claude. Regarde-moi aller. Tu vas voir.

Joignant le geste à la parole, son jeune frère s'élança en donnant quelques coups de patin vigoureux et il partit comme une flèche avant de s'arrêter à une cinquantaine de pieds pour aussitôt revenir vers lui à la même vitesse.

— Tu vois, c'est pas compliqué pantoute, dit-il à son aîné.

— OK, je crois que j'ai compris, fit Jean.

Durant les minutes suivantes, ils circulèrent assez lentement dans une allée asphaltée où les promeneurs étaient plutôt rares. Puis, succombant à son envie d'aller vite, Claude quitta son frère en accélérant soudain et en criant :

— À cette heure, suis-moi, si t'es capable, et arrête de te regarder les pieds, sinon tu vas planter.

Jean releva le défi et se mit à donner des coups de patins plus vifs pour prendre de la vitesse. C'était grisant, même si son équilibre était plutôt précaire. La vue de son jeune frère le distançant de plus en plus lui donna un goût enivrant de compétition, et il accéléra davantage.

Malheureusement, à un croisement de sentiers, trois personnes âgées apparurent soudain devant lui. Affolé, il n'eut que deux ou trois secondes pour décider comment éviter de les percuter de plein fouet.

— ATTENTION ! leur cria-t-il en arrivant à toute vitesse.

Les vieillards se figèrent et il n'eut d'autre choix que de se lancer sur le côté en tentant de freiner. Emporté par son élan, le patineur néophyte fit une embardée, tomba lourdement sur le sol et glissa sur une dizaine de pieds sur l'asphalte avant de s'immobiliser, étourdi et passablement mal en point.

Claude avait entendu son cri et il se dépêcha de revenir vers lui. Il le rejoignit au moment où l'une des vieilles dames se penchait sur Jean pour lui demander s'il s'était fait mal.

— Je suis correct, madame, parvint-il à dire en s'assoyant péniblement sur l'asphalte.

— Tu devrais pas monter sur ces affaires-là, lui conseilla le seul homme du trio. Ça a l'air dangereux sans bon sens.

Jean se contenta de hocher la tête et les trois vieillards reprirent leur promenade. Pendant ce temps, Claude, agenouillé à ses pieds, s'empressait de lui retirer ses patins en catastrophe.

— T'as rien de cassé ? lui demanda-t-il, visiblement inquiet.

— Attends, je vais essayer de me relever.

Jean dut rassembler toute son énergie pour se remettre debout, sous le regard inquisiteur de deux enfants qui s'étaient approchés, en tenant dans leur main leur virevent. Il fit un pas et grimaça de douleur.

— Qu'est-ce que t'as ?

— Je pense que je me suis foulé une cheville. En plus, j'ai mal au poignet gauche, ajouta-t-il en regardant son bras gauche tout éraflé.

— Attends, je vais t'aider. On va aller s'asseoir une minute sur un banc.

Claude enleva rapidement ses patins, saisit ceux qu'il avait prêtés à son frère et offrit à ce dernier de s'appuyer sur son épaule pour se rendre jusqu'à un banc voisin. Jean s'y laissa choir lourdement et entreprit de faire l'inventaire des dégâts causés par sa chute.

— On peut dire que tu t'es pas manqué, constata Claude en regardant le visage de son frère qui portait une ecchymose sur une joue.

— J'ai une jambe et un bras éraflés, constata le journaliste après avoir relevé une jambe de son pantalon. En plus, j'ai l'air d'avoir une bonne foulure à une cheville et à un poignet.

— Ton poignet droit ?

— Non, le gauche.

— C'est pas si pire. Au moins, tu vas pouvoir continuer à écrire, tenta de plaisanter l'adolescent.

Soudain, Jean imagina ce qui se serait produit à son travail s'il n'avait pu écrire pendant plusieurs jours. Fiset aurait pu en profiter pour mettre fin à sa période d'essai.

— D'après moi, tes pantalons et ta chemise sont finis, poursuivit Claude, pince-sans-rire. Tu vas te faire engueuler par ta *boss*, si jamais t'es capable de monter jusqu'au troisième étage.

— En tout cas, je vais m'en souvenir de tes maudits patins à roulettes, s'emporta brusquement Jean, en proie à une peur rétrospective. Tu parles d'une affaire de mongol. C'est juste bon pour se casser la gueule, cette patente-là et...

— Quand t'auras fini de te lamenter comme une mémère, tu me le diras, le coupa l'adolescent. Je pourrai peut-être te donner un coup de main à retourner chez vous... à moins que t'aimes mieux que j'aille chercher la barouette à jardin du père Lacombe, à côté de chez nous.

— Pour faire quoi ?

— Tu pourrais t'asseoir dedans et je te ramènerais, plaisanta Claude.

Jean se leva en grimaçant et les deux frères prirent lentement le chemin du retour. Quand ils arrivèrent devant la porte voisine de la biscuiterie, Claude proposa à son frère de l'aider à monter la double volée de marches qui allaient le conduire à son appartement.

— Laisse faire. Je suis capable de monter tout seul.

— Bon, si c'est comme ça, je vais rapporter ses patins à Lamarche.

— C'est ça et dis-lui que c'est pas demain la veille qu'on va les reprendre, fit Jean en glissant la clé dans la serrure de la porte d'entrée.

Peu après, au moment où il parvenait au palier où demeuraient les Talbot, la porte de l'appartement de ses beaux-parents s'ouvrit sur sa belle-mère qui s'apprêtait apparemment à sortir. La quinquagénaire sursauta légèrement en l'apercevant.

— Veux-tu bien me dire ce qui t'est arrivé ? lui demanda-t-elle en le voyant en si piteux état.

— Votre fille vient de me battre, plaisanta-t-il.

— Très drôle, répliqua une Yvonne Talbot dépourvue de tout sens de l'humour.

— Non, je suis tombé, madame Talbot, corrigea-t-il, soudain pressé de rentrer chez lui.

— Tu devrais faire attention, mon garçon, dit-elle, toujours aussi altière.

— C'est bien mon intention, se borna-t-il à dire avant d'entreprendre de monter la dernière volée de marches.

Quand Reine rentra à la maison à l'heure du souper, il avait eu le temps de bander son poignet et sa cheville, de mettre du mercurochrome sur ses écorchures et de changer de vêtements.

— Il paraît que t'es tombé, lui dit-elle sans manifester une compassion exagérée à son endroit.

— On voit que les nouvelles vont vite. Qui t'a dit ça ? Mon frère ?

— Non, ma mère. Je viens de la rencontrer. Comment t'as fait ton compte ?

— J'ai planté en faisant du patin à roulettes, lui dit-il. Mon pantalon et ma chemise sont finis. Je les ai jetés.

— Il y a pas à dire, c'est payant ton affaire, fit-elle mécontente. Là, tu vas être obligé de t'en acheter d'autres.

— Ben oui, dit-il sur le même ton. À part ça, inquiète-toi pas, je suis pas mort.

Elle tourna les talons et disparut dans la cuisine. À aucun moment elle ne demanda s'il souffrait ni ne proposa de le soigner.

Le lendemain, Jean se rendit quand même à la messe en sa compagnie en boitillant. Il avait passé une mauvaise nuit qu'il avait terminée sur le divan, tant sa cheville et son poignet l'avaient fait souffrir. À la sortie de l'église, sa mère et son père étaient venus à sa rencontre pour se renseigner sur son état de santé. Lorraine et Christian Dupriez les suivirent de près en compagnie de Claude.

— Claude nous a raconté que tu t'es fait mal hier, au parc La Fontaine, lui dit Félicien en examinant son visage un peu tuméfié.

— J'en mourrai pas, p'pa, répondit-il en s'efforçant de sourire. Vous serez pas obligé de venir veiller au corps à soir, ajouta-t-il pour détendre l'atmosphère.

— T'aurais pu te casser un membre, dit Lorraine, compatissante.

— Claude m'a dit que tu t'étais foulé une cheville et un poignet, intervint Amélie.

— Oui, m'man.

— Lui as-tu mis un bandage trempé dans du beurre chaud salé? demanda-t-elle à sa bru qui n'avait pas ouvert la bouche depuis que sa belle-famille s'était rassemblée au pied des marches du parvis.

— Non, madame Bélanger. Votre garçon se soigne tout seul. Il m'a rien demandé.

— Tu devrais assez le connaître, Reine, pour savoir qu'il te demandera jamais rien. Il a toujours été indépendant. Soigne-le de force, s'il le faut.

Tout le groupe se mit en marche vers la rue Brébeuf, calquant son pas sur la démarche plutôt lente de Jean. Ce dernier et sa femme quittèrent les Bélanger devant leur maison et poursuivirent leur route jusqu'au coin de la rue avant de tourner sur Mont-Royal.

— C'est pas possible être arrangé comme ça, dit soudain Reine sur un ton méprisant.

— De quoi tu parles?

— Du chum de ta sœur, laissa-t-elle tomber. Il a l'air d'un grand tata, et avec son maudit béret, on dirait qu'il a une tarte sur la tête. Je comprends pas Lorraine de pas avoir honte de sortir avec un gars comme ça. Un vrai clou!

— C'est peut-être parce que ma sœur s'occupe pas de ce que le monde peut penser, rétorqua-t-il, sarcastique. Christian est un bon diable. Même mes parents s'habituent à sa façon de parler et ma sœur trouve qu'il a des belles qualités. L'apparence, c'est pas tout dans la vie.

Reine ne jugea pas utile de répliquer, mais il était évident que son idée était faite. Pour sa part, son mari s'étonna de ce qu'elle n'ait pas pris ombrage de la leçon que sa mère venait de lui donner devant tous les membres de la famille Bélanger. Apparemment, sa femme n'avait pas pris comme une critique le fait que sa mère lui ait conseillé de soigner son mari.

Dans les jours suivants, l'état de santé de Jean s'améliora peu à peu de lui-même, lui permettant de retrouver toute l'autonomie que son travail exigeait et que sa femme lui imposait…

Un mois plus tard, un lundi matin, le jeune couple se réveilla au bruit de la pluie heurtant les vitres de la fenêtre de leur chambre à coucher. Jean jeta un coup d'œil au réveille-matin: six heures trente. Il se leva et s'empressa d'aller fermer la fenêtre avant que la pluie ne pénètre à l'intérieur. Il faisait froid dans l'appartement. Il mit sa robe de chambre et sortit de la pièce. Au passage, il alluma la fournaise à huile dans le couloir et fit de même avec le poêle dans la cuisine. Reine le suivit une minute plus tard.

— T'as allumé le poêle et la fournaise? lui demanda-t-elle en remplissant la bouilloire.

— Oui, c'est humide sans bon sens dans l'appartement.

— Tu dépenses de l'huile pour rien, dit-elle de mauvaise humeur. On a ben assez du poêle.

— Ben, c'est ça. T'éteindras la fournaise quand je partirai au journal dans ce cas-là. T'aimes peut-être ça, geler, toi, mais pas moi. Manger mes toasts en claquant des dents, c'est pas mon fort.

Elle déposa le beurre et le pot de marmelade avec brusquerie sur la table après avoir branché le grille-pain.

— Ça va être d'avance encore aujourd'hui. Il mouille et je pourrai pas faire mon lavage, dit-elle, revêche.

— Tu peux le faire. T'as juste à étendre ton linge en dedans, fit-il sans montrer grand intérêt.

— Pour que le linge sèche en dedans, il faut chauffer et l'huile, on la donne pas, si tu veux savoir.

— Écoute donc, toi, fit Jean, excédé. Si t'as tellement peur de manquer d'argent, pourquoi tu vas pas travailler à la biscuiterie ? Je suis sûr que ton père demanderait pas mieux que de t'engager.

— J'ai pas peur de manquer d'argent, répliqua-t-elle, le regard mauvais, mais j'aime pas le gaspiller.

— J'espère que tu te dis ça quand tu vas aux vues deux fois par semaine avec Gina, lui fit-il remarquer, sarcastique.

— Tu sauras que ça me coûte rien d'y aller, tint-elle à lui préciser. Le mari de Gina est gérant du Bijou et on entre pour rien.

Jean s'empressa de déjeuner pour la laisser seule avec sa mauvaise humeur. Il fit rapidement sa toilette et alla s'habiller. Ensuite, après avoir vérifié que sa femme était encore à table dans la cuisine, il alla dans le salon, s'assit sur l'un des fauteuils, glissa sa main entre le dossier et le siège pour en retirer une vieille chaussette de laine dans laquelle il dissimulait ses économies. Il ajouta huit dollars aux soixante-cinq dollars déjà là. Après avoir enfoui la chaussette dans sa cachette, il se promit, encore une fois, d'aller ouvrir un compte d'épargne à la Caisse populaire, une promesse qu'il se faisait pratiquement toutes les semaines depuis le début de l'été.

Il endossa son imperméable, prit son parapluie et alla embrasser sa femme avant de quitter l'appartement. Reine était dans ses mauvais jours, elle s'était à peine contentée de lui tendre la joue. Elle continuait à être imprévisible et la moindre contrariété la faisait sortir de ses gonds. Ce matin-là, c'était la température et le fait d'être obligée de chauffer l'appartement qui l'avaient rendue de mauvaise humeur.

À son arrivée au journal, Jean fit comme tous les matins. Il se présenta au bureau d'Antoine Fiset. Il dut attendre plusieurs minutes parce que le rédacteur en chef était en discussion avec Jean-Paul Sarraut, le journaliste sportif, et Olivier Marchand. À entendre les éclats de voix en provenance du bureau, quelque chose semblait ne pas avoir plu au patron.

À sa sortie de la pièce, Olivier Marchand lui chuchota au passage:

— Je sais pas ce qu'il a mangé à matin, mais il est pas de bon poil, c'est le moins qu'on puisse dire.

Jean entra dans le bureau à l'invitation d'Antoine Fiset et attendit son affectation pour la journée.

— Tu vas aller faire un tour à la Dominion Textile de la rue Notre-Dame à matin. Il paraît que ça brasse. Les ouvriers parlent de prendre un vote de grève pour le mois de novembre. Essaye d'interviewer une couple d'ouvriers sans trop te faire voir à l'heure du dîner. Ces gars-là doivent avoir des choses à dire, ils gagnent même pas dix piastres par semaine pour soixante heures de travail.

— C'est correct.

— Je veux un papier bien fait. Mêle surtout pas le premier ministre à cette affaire-là, tu m'entends. Et parle pas des autres grèves qu'il y a eu cette année dans le textile. Je veux que tu donnes une idée de ce qui se passe ici, à Montréal.

— J'ai compris.

Jean se leva, prêt à prendre congé, quand le rédacteur en chef laissa tomber, comme si cela n'avait aucune importance:

— En passant, à compter d'aujourd'hui, ta période d'essai est finie. T'es un régulier, ajouta sur un ton simple et sans félicitations son patron, comme si la chose allait de soi et restait, à ses yeux, bien secondaire par rapport au papier qu'il attendait de lui le jour même.

Le cœur du jeune homme avait raté un battement. Il sentit une énorme joie le soulever en apprenant cette nouvelle. Il était maintenant un journaliste confirmé. Voyant le sourire sur le visage de Jean, Antoine Fiset prit soin d'ajouter :

— Ça veut pas dire que tu connais le métier, mais je pense que t'es capable de l'apprendre comme du monde, dit-il en le scrutant derrière les verres épais de ses lunettes.

Ce soir-là, à son retour à la maison, il découvrit que Reine avait retrouvé sa bonne humeur, et cette dernière n'hésita pas à exprimer sa joie quand elle apprit l'excellente nouvelle de la confirmation de l'embauche de son mari au journal.

L'automne ne fit sa véritable entrée qu'à la fin d'une première semaine d'octobre particulièrement maussade. Après plusieurs jours de pluie, le froid s'installa.

— Si t'as le temps, on pourrait installer les châssis doubles quand tu reviendras du journal, proposa Reine le mardi suivant, au moment où Jean se préparait à partir pour le journal.

Il consulta sa montre avant de lui offrir de sortir les contre-fenêtres du hangar et de les déposer sur le balcon de manière à lui donner la chance d'en laver les vitres.

— Je vais essayer de revenir de bonne heure pour décrocher les persiennes et poser les fenêtres avant qu'il fasse noir.

— C'est correct, moi je vais aller chez mon père téléphoner au livreur d'huile pour qu'il vienne remplir le baril aujourd'hui, ajouta Reine.

À son retour du travail, Jean remarqua à quel point la frondaison des arbres du quartier avait changé de couleur en quelques jours. Encore partiellement vert la semaine précédente, le feuillage était maintenant orangé, rouge et jaune. Déjà, beaucoup de feuilles jonchaient même les trottoirs de la rue Mont-Royal. Ce spectacle lui rappela avec nostalgie les automnes précédents où, étudiant, il s'impatientait de voir arriver les premiers froids pour enfin pouvoir chausser ses patins et jouer au hockey. Durant quelques instants, son esprit vagabonda vers le Collège Sainte-Marie où ses copains avaient entrepris la dernière année de leur cours classique. Il aurait pu être avec eux... À ces pensées, il ressentit du vague à l'âme et il rentra à la maison pour s'occuper de préparer l'appartement pour l'hiver qui approchait.

Ce soir-là, Reine et lui se mirent au lit de bonne heure, fatigués par leur journée de travail. Reine avait entrepris un grand ménage des armoires après avoir lavé les contre-fenêtres et lui, il avait passé plusieurs heures à amasser des renseignements sur la campagne électorale de Camilien Houde qui voulait se faire réélire à la mairie de la métropole. Au moment d'éteindre la lampe, Reine lui dit:

— Estelle est venue faire un tour cet après-midi avec son petit. Ça faisait exprès, je venais de vider l'armoire de notre chambre sur le lit.

— Comment va Thomas? lui demanda-t-il.

— Il a l'air d'aller bien.

— Est-ce qu'elle avait une raison précise de venir te voir?

— Je pense qu'elle aurait pas haï que je garde son petit, le temps d'aller faire des commissions avec ma mère.

— Puis ?

— Je lui ai pas offert. J'avais trop d'ouvrage. Je pense qu'elle a laissé le petit à ma mère et qu'elle est allée magasiner toute seule.

Jean n'ajouta rien, mais n'en pensa pas moins...

Au petit matin, un bruit tira Jean du sommeil dans lequel il avait la vague impression de venir de sombrer. Il ouvrit les yeux dans le noir et tourna la tête vers son Westclock pour regarder l'heure. Les chiffres phosphorescents lui apprirent qu'il était tout près de cinq heures. Il tendit la main vers Reine. Le lit était vide. Il réalisa peu à peu que c'était le bruit d'une porte qu'on fermait qui l'avait réveillé. Il tendit l'oreille, il lui sembla entendre des bruits étranges en provenance du couloir.

Il repoussa les couvertures et posa les pieds à terre. Immédiatement, le froid qui régnait dans l'appartement le fit frissonner.

— Dis-moi pas qu'elle a encore éteint la fournaise avant de se coucher, calvince ! ragea-t-il.

Cela faisait plusieurs fois qu'il disait à sa femme de laisser chauffer la fournaise installée dans le couloir durant la nuit de manière à ce que l'appartement ne ressemble pas à une glacière quand ils se levaient le matin.

Il glissa ses pieds dans ses pantoufles et sortit dans le couloir. La porte de la salle de bain était entrouverte et la lumière était allumée. Il entendit alors les efforts faits par Reine pour vomir.

— As-tu besoin de quelque chose ? lui demanda-t-il en poussant doucement la porte.

— Non, laisse-moi tranquille, lui lança-t-elle sèchement avant d'être secouée par de nouveaux spasmes.

Il n'insista pas. Il remit la fournaise en marche avant de se rendre dans la cuisine et y allumer une cigarette en attendant que sa femme sorte des toilettes. Il eut le temps de la fumer pratiquement au complet avant que Reine ne le rejoigne, le visage blafard et les traits tirés.

— Veux-tu ben me dire ce que t'as pas digéré ? lui demanda-t-il, inquiet de la voir ainsi.

Le visage de sa femme se durcit avant qu'elle lui dise sèchement :

— C'est pas une indigestion.

— Qu'est-ce que c'est d'abord ?

— Devine ! lui ordonna-t-elle en se laissant tomber sur une chaise.

— Comment tu veux que...

— Il me semble que c'est facile à trouver, non ? fit-elle, sur un ton exaspéré. Ça fait deux mois que j'ai pas eu mes affaires... Ça te dit rien ? Là, j'ai mal au cœur tous les matins depuis trois jours...

— Est-ce que tu veux dire que...

— Ben oui, c'est en plein ça. Je suis en famille. J'espère que t'es content, là ?

— T'es allée voir le docteur ?

— Non, je suis supposée y aller vendredi. Tu parles d'une malchance ! s'emporta-t-elle subitement. Tomber en famille deux fois dans la même année...

— Voyons, Reine, on est mariés. C'est normal qu'on ait des enfants, dit-il pour la calmer.

Ces paroles eurent l'effet inverse de celui qu'il escomptait, il s'en aperçut quand il la vit le regarder avec une haine inexplicable.

— C'est sûr que c'est normal ! persifla-t-elle. Une femme mariée, c'est fait pour avoir des enfants tous les ans, pas vrai ? Ben là, ce sera pas de même ici dedans, je te le garantis.

Si tu t'imagines que je vais tomber enceinte chaque année pour te donner une trâlée d'enfants, t'es mieux d'oublier ça. Je passerai pas ma vie entre les quatre murs de la maison à torcher des enfants, à faire à manger et à faire du ménage. Non, monsieur ! La folle qui va se ramasser à trente ans toute défaite avec l'air d'en avoir vingt de plus, c'est pas moi. Tu te trompes d'adresse si tu penses ça.

— Si tu te calmais les nerfs, lui jeta-t-il sèchement. Tu déparles, il y a personne qui parle d'une trâlée d'enfants.

— T'es aussi bien, parce qu'on va prendre des moyens.

— C'est ça. En attendant, tu ferais peut-être mieux d'aller te recoucher, lui conseilla-t-il.

Sans lui jeter le moindre regard, elle se leva et se dirigea vers leur chambre dont elle referma bruyamment la porte. Jean alla remplir la bouilloire et alluma le poêle avant de se rasseoir, encore secoué par la scène qu'il venait de vivre.

Il aurait compris une telle scène quand Reine s'était rendu compte qu'elle était enceinte avant leur mariage, mais là... Ils étaient mariés depuis six mois et elle aurait dû accueillir la nouvelle avec joie. Elle allait être mère... La seule excuse qu'il parvint à lui trouver après une longue réflexion fut qu'elle était encore perturbée par le fait d'avoir perdu leur premier enfant et qu'elle craignait que cela ne se reproduise.

Un peu plus tard, lorsqu'il quitta l'appartement sur le coup de sept heures, Reine dormait encore et il fit en sorte de ne pas la réveiller. Il se contenta de lui laisser un petit message d'amour sur la table pour lui remonter le moral. Peut-être serait-elle de meilleure humeur à son retour, à la fin de la journée, comme c'était souvent le cas.

Mais cette fois, il fallut plusieurs jours à Reine pour retrouver un semblant de sourire. Après sa visite chez le docteur Laflamme, elle parut plus sereine et accepta d'annoncer la nouvelle aux Bélanger et aux Talbot. Ensuite, elle consentit à discuter avec son mari de la préparation d'une chambre de bébé, mais elle refusa l'achat de meubles neufs.

— Il y a moyen de trouver une bassinette et une commode usagées qui ont du bon sens sans payer un prix de fou, déclara-t-elle. Je vois pas pourquoi on achèterait du neuf quand il y a juste des vieilleries dans tout le reste de la maison. Pour le linge, je vais demander à ta mère de lui faire des couches et, moi, je vais lui tricoter un ou deux ensembles.

Son mari finit par constater qu'une fois le premier choc passé, Reine semblait tirer une certaine fierté de son nouvel état, surtout en présence des membres de sa famille. Tout se passait comme si elle avait tenu à leur prouver qu'elle aussi était capable, comme sa sœur aînée, d'avoir un enfant.

Tout bascula une dizaine de jours plus tard.

Cet après-midi-là, Jean revint assez tôt du journal et il ne s'étonna pas de trouver le nid vide. Sa femme l'avait informé avant son départ, le matin, qu'elle se proposait d'accompagner sa mère chez l'ophtalmologiste durant l'après-midi.

Le journaliste venait à peine de retirer son manteau qu'un coup de sonnette impérieux le fit sursauter. Il se rendit sur le palier et déclencha l'ouverture de la porte d'entrée. Il vit alors une Adrienne Lussier hors d'elle-même qui poussait la porte.

— Vite, dépêche-toi, lui cria-t-elle, monsieur Talbot est malade. Il est tombé dans le magasin. Je sais pas quoi faire.

Jean attrapa son manteau et dégringola la double volée de marches pour suivre la vendeuse de la biscuiterie. Celle-ci était bouleversée. À son entrée dans le magasin, il découvrit son beau-père étendu derrière le comptoir, le visage d'une blancheur inquiétante. Fernand Talbot ne bougeait plus, il semblait avoir perdu connaissance.

— Il a pas l'air de respirer, fit Adrienne Lussier. On dirait une attaque d'apoplexie.

— Desserrez sa cravate, madame Lussier, lui ordonna le jeune homme avant de se précipiter sur le téléphone pour appeler les services de police.

— Il est pas en train de mourir au moins ? s'affola la femme au bord de la panique. Moi, je l'aime beaucoup monsieur Talbot, ça peut pas arriver comme ça. Et qu'est-ce que je vais faire, moi, si le propriétaire de la biscuiterie n'est plus là ? Il faut que je travaille.

— Calmez-vous, madame Lussier. L'ambulance va arriver très bientôt.

Quelques minutes plus tard, une voiture noire de la police de Montréal vint s'immobiliser devant la biscuiterie et les ambulanciers se précipitèrent vers le commerce après avoir tiré une civière de l'arrière du véhicule. Déjà, des passants s'attroupaient devant les vitrines pour chercher à voir ce qui se passait à l'intérieur.

Le spectacle n'avait rien de rassurant. Et autant Jean cherchait à calmer et rassurer madame Lussier, autant il était lui-même inquiet pour son beau-père. Pour une fois, il aurait aimé à cet instant que sa femme et sa belle-mère soient présentes pour l'épauler lors de cette épreuve.

Fernand Talbot fut déposé sur la civière et recouvert d'une couverture rouge à bandes noires.

— On l'amène à l'Hôtel-Dieu, déclara l'un des ambulanciers. Est-ce qu'il y a quelqu'un qui va monter avec le malade ?

— Moi, décida Jean. Madame Lussier, vous avertirez ma femme et ma belle-mère qu'on a transporté monsieur Talbot à l'Hôtel-Dieu. Mais surtout essayez de pas leur faire peur. Rappelez-vous qu'on sait pas exactement ce qu'il a. Vous fermerez le magasin à six heures. Les clés sont accrochées sous le comptoir.

Adrienne Lussier, encore mal remise de toutes ces émotions, accepta et regarda partir l'ambulance où venaient de prendre place Jean et son beau-père.

Yvonne Talbot et Reine ne firent leur apparition à l'urgence de l'hôpital de la rue Saint-Urbain que deux heures plus tard. Jean se porta à leur rencontre pour leur apprendre que le quinquagénaire avait été transporté aux soins intensifs dès son arrivée et qu'une religieuse lui avait donné l'ordre d'attendre. Un docteur viendrait lui donner des nouvelles.

— Est-ce que ça a l'air bien grave ? lui demanda sa belle-mère, bouleversée et les yeux rougis par l'émotion de ce qui venait d'arriver à son vieux compagnon.

— Je le sais pas, madame Talbot. C'est peut-être juste une petite affaire, ajouta-t-il pour tenter de la rassurer. Les docteurs vont venir nous voir tantôt.

La grande femme à l'air hautain lui faisait subitement pitié. Pour une première fois, sa belle-mère était complètement dépassée par des événements qu'elle ne contrôlait pas et Jean aurait bien voulu la réconforter, mais il se disait que cela revenait plutôt à sa fille. Reine, de son côté, donnait l'impression d'accuser le coup beaucoup plus facilement. Elle s'assit près de sa mère et semblait chercher ses mots pour la rassurer.

— On devrait peut-être téléphoner à Lorenzo et à Estelle, suggéra Yvonne Talbot.

— Pourquoi les énerver pour rien, m'man ? On est peut-être mieux de savoir exactement ce que p'pa a avant de les appeler, lui dit sa fille.

L'attente dura une quinzaine de minutes qui en parurent des centaines, jusqu'à ce que Jean se décide à aller demander au guichet s'il était possible d'avoir enfin des nouvelles de l'état de santé de son beau-père. La religieuse quitta son poste un bref moment pour disparaître à l'arrière. Quand elle revint, elle lui annonça que le médecin viendrait le voir tout de suite.

Quelques instants plus tard, un petit homme vêtu d'un sarrau blanc apparut. La religieuse lui désigna Jean et les deux femmes.

— Docteur Bissonnette. Si vous voulez bien me suivre, poursuivit-il en les entraînant dans une petite pièce voisine dont il referma la porte derrière eux. Assoyez-vous.

— Est-ce que c'est grave ? demanda Yvonne d'une voix légèrement chevrotante.

— Vous êtes parente de monsieur Talbot ?

— Je suis sa femme.

— Et vous ? demanda-t-il en regardant Reine et Jean.

— Ma fille et mon gendre, répondit Yvonne pour eux.

— Bon, ça servirait à rien de vous cacher la vérité, commença le praticien. Monsieur Talbot a eu ce qu'on appelle communément une attaque d'apoplexie. Je pense qu'on l'a réchappé de justesse.

Les trois personnes assises en face de lui laissèrent voir un soulagement apparent qui sembla agacer légèrement le médecin.

— On va probablement le sauver, mais il risque d'avoir de sérieuses séquelles, continua le docteur Bissonnette en retirant le stéthoscope autour de son cou. À moins d'un miracle, il va demeurer paralysé du côté gauche.

— Mais c'est pas possible avec son commerce, dit Yvonne, atterrée.

— C'est certain qu'il ne sera plus en mesure de s'en occuper, madame. Mais aujourd'hui, c'est secondaire : l'important, c'est d'abord de le sauver.

— Est-ce qu'on peut le voir ? demanda Yvonne en déglutissant péniblement.

— Pas plus que cinq minutes et uniquement vous, madame. Aussi longtemps qu'il sera aux soins intensifs, les visites seront pas permises.

— Vous pensez garder mon père combien de temps? demanda Reine.

— Impossible à dire, madame. Ça va dépendre de sa constitution et de sa récupération.

Le médecin se leva et indiqua à Yvonne de le suivre.

— On vous attend, madame Talbot, dit Jean à sa belle-mère pour la rassurer.

Dès que sa mère eut disparu derrière les portes battantes à la suite du médecin, Reine dit à mi-voix à son mari:

— Il va falloir que quelqu'un s'occupe de la biscuiterie si mon père est plus capable de s'en charger.

— Le mieux sera peut-être de la vendre, suggéra Jean. À moins que Lorenzo soit intéressé à prendre la relève.

— Il en est pas question, déclara sèchement sa femme. Tu penses tout de même pas que je vais lui laisser la biscuiterie. Je suis la seule de la famille à être capable de prendre ça en main et il y a personne qui va venir me voler cette affaire-là.

— Aujourd'hui, il y a des choses pas mal plus importantes que le commerce de ton père, non? déclara-t-il. L'important, c'est qu'il vive.

— Ben oui! Ben oui, fit Reine, agacée par son ton moralisateur.

À voir l'air dur de la jeune femme, il était évident qu'elle pensait au moins autant au commerce de la rue Mont-Royal dans lequel elle avait longtemps travaillé qu'à l'état de santé de son père.

Les prochaines semaines annonçaient donc de grands changements: Reine attendait un bébé, le quotidien de monsieur et madame Talbot ne serait plus jamais le même, sans parler de la biscuiterie du Plateau dont l'avenir était soudainement mis en péril.

À suivre

décembre 2009
Sainte-Brigitte-des-Saults

Table des matières

CHAPITRE 1	Un bel avenir	11
CHAPITRE 2	Blanche	31
CHAPITRE 3	Reine	43
CHAPITRE 4	L'attente	57
CHAPITRE 5	Noël	89
CHAPITRE 6	Les longues vacances	103
CHAPITRE 7	Les blessures	131
CHAPITRE 8	La catastrophe	155
CHAPITRE 9	La coupure	177
CHAPITRE 10	Les devoirs	201
CHAPITRE 11	Du caractère	215
CHAPITRE 12	Une fin de semaine occupée	247
CHAPITRE 13	L'appartement	263
CHAPITRE 14	La tentation	281
CHAPITRE 15	Les fiançailles	299
CHAPITRE 16	Les préparatifs	315
CHAPITRE 17	Le Français	325
CHAPITRE 18	Des visiteurs	337
CHAPITRE 19	L'accident	359
CHAPITRE 20	Le divan	379
CHAPITRE 21	Quelques surprises	397
CHAPITRE 22	La noce	415
CHAPITRE 23	La lune de miel	455
CHAPITRE 24	L'aveu	485
CHAPITRE 25	Une rencontre inattendue	515
CHAPITRE 26	Une nouvelle vie	547
CHAPITRE 27	Un vent de changement	567

Suivez-nous

Achevé d'imprimer en octobre 2013
sur les presses de l'imprimerie Marquis-Gagné
Louiseville, Québec